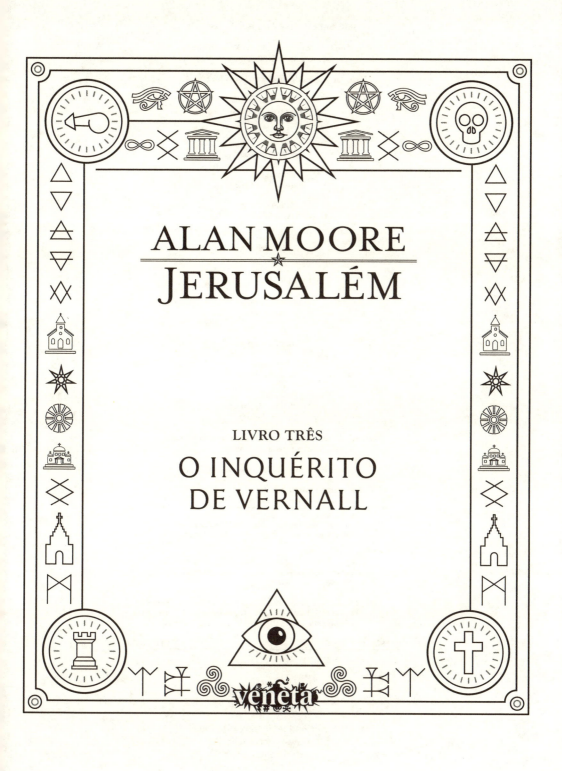

ALAN MOORE
JERUSALÉM

LIVRO TRÊS

O INQUÉRITO DE VERNALL

JERUSALÉM copyright © Alan Moore, 2016

Publicado com permissão da Knockabout,
Londres, Reino Unido

Todos os direitos desta edição reservados à Veneta.

Direção editorial:
Rogério de Campos
Letícia de Castro

Assistente editorial:
Guilherme Ziggy

Tradução:
Marina Della Valle

Ilustrações:
Alan Moore

Ilustração do box:
Rémi Pépin

Fotografias:
Mitch Jenkins

Capa e diagramação:
Lilian Mitsunaga

Emendas:
Carlos Assumpção

Preparação:
Alexandre Boide

Revisão:
Guilherme Mazzafera
Amanda Pickler

Esta edição teve o apoio de leitores por meio do Catarse.
Conheça os apoiadores em:

www.veneta.com.br/produto/jerusalem/forum

Dados Internacionais de Catalogação na Publicação (CIP)
(Câmara Brasileira do Livro, SP, Brasil)

M821   Moore, Alan
          Jerusalém: Livro Três - O Inquérito de Vernall. / Alan Moore.
          Tradução de Marina Della Valle. – São Paulo: Veneta, 2024.

          592 p.
          Título original: Jerusalem.
          ISBN 978-85-9571-294-2

          1. Literatura Inglesa. 2. Romance. 3. Romance Épico. 4. Literatura
          Fantástica. 5. Ficção Científica. 6. Autobiografia. I. Título. II.
          O Inquérito de Vernall. III. Della Valle, Marina, Tradutora.

CDU 821.111.3   CDD 823

Rua Araújo, 124, 1º andar, São Paulo
www.veneta.com.br
contato@veneta.com.br

SUMÁRIO

LIVRO TRÊS: O INQUÉRITO DE VERNALL	7
Nuvens se Desdobram	9
Uma Manhã Fria e Gelada	35
Dobrando a Esquina	107
Queimando Ouro	167
As Traves e as Vigas	193
Os Degraus de Todos os Santos	237
Comendo Flores	295
Encurralado	353
O Cruzeiro na Parede	387
O Jolly Smokers	441
Ide Ver Aquela Maldita	459
POSLÚDIO	501
Corrente de Ofício	503
AGRADECIMENTOS	577
NOTAS DA EDIÇÃO BRASILEIRA	583

LIVRO TRÊS
O INQUÉRITO DE VERNALL

"Agora Besso[1] partiu deste mundo estranho um pouco antes de mim. Isso não significa nada. Pessoas como nós, que acreditam na física, sabem que a distinção entre passado, presente e futuro é apenas uma ilusão teimosamente persistente."

ALBERT EINSTEIN
Carta a Vero e Bice Besso, 21 de março de 1955

NUVENS
SE DESDOBRAM

Sempre agora e sempre aqui e sempre eu: para você é assim.
    Agora sempre e aqui sempre e eu sempre: para mim é assim.
    Agora. Aqui. Eu.
  Agora sempre, mesmo quando é então. Aqui sempre, mesmo quando é lá. Eu sempre, mesmo quando sou você; mesmo quando estou no Inferno e decaído, quando sou mil demônios. Eles se dobram em você. Você se dobra em nós. Nós nos dobramos Nele.
  Isso será muito duro para você.

☦

  Acima do espaço, sobre a história pairando, genocídio e utopia na corrente de ar descendente. Uooomff. Uooomff. Uooomff. O sopro da churinga através das plumas brancas enviadas a covardes escrupulosos, objetores de sangue[2]. Uooomff. Uooomff. Uooomff.
  Vendo e sendo tudo, nunca alheio e nunca distante. Com pena de vocês, com admiração, infinitamente raivosos, infinitamente apaixonados. Auschwitz e Rembrandt no mesmo impulso. Uooomff. Uooomff. Uooomff.
  A vista daqui é feroz. A vista daqui é final.
  De cima, o mundo é uma anatomia estupendamente esfolada. Imóvel em sua laje de estrelas, não se move, muda ou cresce, a não ser pelo modo como se expressa na direção oculta. Gás em chamas e minério vaporizado girando em bolas derretidas, o magma formando uma crosta preta fina de elementos, e no calor e no veneno existe vida aqui mesmo agora, um fervilhar microbial nas correntes de cianureto e poças hidroclorídricas.

Lendo o cosmo da esquerda para a direita, da explosão ao colapso, de germe ao verme ao ciborgue reluzente e além, a tapeçaria tecida desfaz a si mesma, reorganiza-se em novos desenhos. O marmoreado das nuvens muda de cores. Chegando mais perto como médicos impassíveis, carne de planeta mosqueada é visível, exposta, uma pele de circunstâncias puxada para trás em dobras cheias e lardeadas. Os vermes desenvolvem vértebras e das salamandras brotam penas. Rotas de ônibus são alteradas e agências de correios são fechadas. Bem amadurecida, a casca se levanta do joelho intacto, revelando um rosa ceroso abaixo.

Sei que sou um texto feito apenas de palavras negras. Sei que está me observando. Eu o conheço, e conheço sua avó. Conheço as linhas longínquas de sua linhagem familiar, lendo-me em cem anos, lendo-me agora, da esquerda para a direita, do Gênese ao Apocalipse. Sífilis e Mahler no arco em rotação, o padrão que permanece.

Uooomff. Uooomff. Uooomff.

‡

Em meu princípio sou uma palavra negra contra branco ofuscante, sou um significado, manchando o inefável. Toda a minha identidade está neste quadrante delimitado, o ângulo em que estou dobrado da singularidade com meus três irmãos. Cada um de nós, em noventa passos, conta os graus de ouro de nossa consciência, nosso domínio. Cada um tem seu canto, sua caçapa. Cada um de nós tem seu próprio elemento para trabalhar e sua própria direção do vento. Esses são nossos pregos, são nossos martelos, fogo e dilúvio e furacão e avalanche. Somos a mão forte no clarão nuclear, a mão fraca na decadência do isótopo. Somos a mão de onde os raios se eriçam, e a mão que joga a maçã ou o suicídio do mesmo modo para a terra. Quatro Mestres de Obras, temos varas e temos medidas. Somos os pés-de-cabra da criação. Sorrimos no zunido e na harmonia antes que o mundo comece.

Aqui me transformo em soldado na Queda, com meu cajado tornado escorregadio com o sangue dos decaídos enquanto os expulsamos para as geometrias baixas, para os infernos da substância e da sensação, labirintos de tortura do intelecto, sorvedouros de bile e anseio. Nós os amamos e choramos enquanto os enxotamos e pisamos sobre eles, por necessidade matemática. O trigésimo segundo espírito, que é poderoso, arrasta-se na minha direção descendo o taco que o empala, tossindo um sangue de logaritmos. Há estupro no olho vermelho, assassinato no verde. Cai álgebra de seu peito furado e ele me ultraja, dizendo:

— Irmão! Companheiro construtor! Como nos tratas assim, quando somos apenas folhas desdobradas de ti? São teus próprios eus pisoteados aqui, nesta lama mundana!

As palavras que ele diz são verdadeiras. Levanto meu pé descalço e o planto nele, empurro seu peso ensanguentado com minha lança escorregadia, o chuto da ponta coberta de pó azul para cair uivando entre estrelas e calendários e dinheiro, entre forma e paixão e arrependimento. Ao meu redor, neste firmamento de abate, neste massacre de nuvens, nossa guerra dolorosa devasta para sempre e os djins mutilados são como gafanhotos, chovendo sobre campos ressequidos onde semeamos um universo.

Agora, no platô absoluto de sinais e símbolos onde será erguida Hierusalem, onde serão erguidas Golgonooza e Almumana e todas as municipalidades acima, estou agachado em conferência com o lendário Salomão. Minha linguagem se parte contra o rosto de couro dele. Migalhas de mitologia caem de nossas extremidades radiantes, e eu o presenteio com o anel, o toro sagrado por meio do qual os blocos embaralhados, os satãs, estarão todos presos à construção do templo dele. Apenas destruição pode vir disso: Hierusalem, Almumana, esses são o próprio assento da Guerra, pois demônios beligerantes inquietam-se em suas pedras, em suas arquiteturas. Sou apenas um construtor. O que posso fazer, quando detritos e mortes estão no diagrama?

E no Gólgota agora toco a manga pesada de suor de Pedro, que um dia foi chamado de Aegburth, dizendo a ele para pegar a cruz de pedra despontando da terra seca aos seus pés; para colocá-la no centro da terra dele. Dou um passo. Estamos na Horseshoe Street e ele está um ano mais velho, morrendo nos assombros; morrendo nos pombos e na chuva. As linhas são todas precisas. O lugar está marcado. O cruzeiro está na parede.

No Tennessee tomo a mão de um feitor de plantação embriagado
E a curvo em pergaminhos e triângulos enquanto ele desenha a marca.

Em sua plataforma na catedral, Ernest Vernall grita e chora. O fogo arde em seus cabelos para deixar cinzas brancas enquanto ele recebe o choque de uma educação explodida. Meus lábios, movendo-se no afresco. Ele está encolhido de medo entre as latas e os pratos, e eu recordo o episódio enquanto sou ele, como é terrível ver minhas pálpebras gigantes piscando em meio ao deslizar bizarro da tinta; como é engraçado quando explico a forma do tempo e o deixo louco com as chaminés. Trovões ribombam em torno do domo, que é minha túnica de barulho e eletricidade. Sou um construtor, e golpeio as palavras e os números dentro dele, para que seus filhos registrem somas diferentes ou dancem conforme uma música alterada. E agora Ernest está em Bedlam. Sento-me ali ao lado de seu leito no hospício, os lençóis marcados com uma merda seca de delírio, onde espero que ele fale, e não apenas olhe para mim e chore.

Meus olhos foram esculpidos por R. L. Boulton, de Cheltenham. Sem piscar sobre a Guildhall Road, a George Row e a Angel Lane, olho fixamente para o sul. Na minha mão esquerda há um escudo, e na direita seguro o taco de trilhar. O filho mais velho de Ernest Vernall está ao meu lado, com um braço em volta do que desponta das minhas omoplatas, com uma familiaridade perturbadora enquanto arenga com a multidão de boca aberta abaixo de nós. Mesmo quando viro minha cabeça de granito para falar, ele quase ri e não parece ter medo, de tão alheio que é à humanidade, tão distante dos hábitos das ruas. Sua tragédia apenas o afeta como um teatro: cenas reencenadas de um amado melodrama que ainda provoca um aperto no coração a cada vez que é reassistido, embora a experiência seja estética e as lágrimas não passem de uma apreciação sincera da peça. Em minha visão petrificada, as cenas finais são interpretadas entre espelhos: um corpo de dança no encerramento, com velhos esperneando e sofrendo com pétalas nas barbas. Ah, louco John Vernall, furioso Snowy; quando sou você, quase me assusto.

Estou em todas as minhas imagens. Eu os observo através de um bilhão de cartões de Natal.

May Vernall desliza nua para uma sarjeta de Lambeth entupida de cabeças de peixes, arcos-íris, flores molhadas. Nua, ela copula sobre a barranca gramada do rio em Cow Meadow. Suspiros de júbilo desdobram-se em gritos do parto e a barranca verde, banhada de luz das estrelas, se transforma em um cômodo estreito no andar de baixo, ainda perfumado pelos excrementos queimados pouco tempo antes em sua lareira, uma oferenda aos espíritos de inverno que encheram o lavatório com gelo. A defunteira anda por ali em seu avental branco, com um enxame de mariposas bordado na bainha. Ela pega a linda recém-nascida do canal de nascimento dilatado e sofrido da mãe e, depois de dezoito meses e alguns passos, a leva para a luz granulosa de uma sala de visitas. Ali ela a coloca com todo o cuidado em um pequeno caixão, e May Warren escova o cabelo dourado que cresceu em sua filha em sua breve passagem da sala de estar para a sala de morte. Sua vida vem com tudo, a leva para outras maternidades e noites de ataques aéreos, resgate de corpos e carroças da febre, cozinhas de aborto, até que finalmente ela tropeça no corredor de seu pequeno apartamento em King Heath, cai moribunda, e a última coisa em que pensa é *Charlie Chaplin! Aquele homem era ele! Eu falei com...* Agora são dois dias depois e sua única filha viva, Lou, está espiando pela fresta da caixa de correio depois de não receber resposta às suas batidas cada vez mais aflitas. Por vários momentos, Lou acredita que está olhando para um monte de trapos velhos, jogados descuidadamente no corredor inundado de circulares e panfletos.

Eu estou lá em todas as minhas palavras, no hino, na serenata lisonjeira dos amantes. Uma música popular insípida toca no rádio e por um instante eu irrompo, embora vagamente, em um milhão de mentes, um ângulo tocando em seu coração[3].

Louisa Warren está entre os toques mais belos sobre a tela, mesclando lavanda e castanho-avermelhado, com a linha vibrante começando na cor parda e tom de areia das cores básicas do labirinto da Fort Street, nascida como prêmio de consolação para substituir a irmã mais velha que morreu de difteria, a pequena May. A linha continua através de quatro irmãos, Tommy, Walter, Jack e Frank, a extensão fina engrossando para se tornar emplumada e adorável, uma melindrosa brilhante estalando os saltos pela Drapery em meio à névoa de novembro de braços dados com seu prometido, Albert Good. Longe no nevoeiro, um galanteador apaixonado grita "Gloria? Onde está você, Gloria?" de um jeito tão desesperado e desamparado que Albert o menciona; pergunta em voz alta quem poderia ser Gloria.

— Bem, eu é que não sei — murmura Lou através de sua estola de peles, embora Gloria seja o nome que ela deu ao belo rapaz que tentou cortejá-la durante a longa visita de Albert à chapelaria.

A linha brilhante dela se desenrola quando ela se torna Louisa Good, com filhos e netos ramificando-se da árvore. A primogênita se casa com um faroleiro, enquanto a filha boêmia e com dotes artísticos que vem depois se casa com um comunista francês. O caçula, um menino, cresce tocando uma tábua de lavar e um contrabaixo de caixa de chá numa banda de *skiffle* e vira comissário de bordo, tendo um primeiro casamento desastroso e depois um feliz. Louisa encontra a mãe, May, morta, empilhada como roupa suja no corredor da King's Heath. Louisa vive com Albert na casa de Duston deles. Em seu declínio, ele assiste a dramas de TV, peças vespertinas que o perturbam, embora o aparelho não esteja na tomada.

Por fim o contorno lírico dela está sozinho conforme progride da esquerda para a direita através da obra-prima, na direção oculta. Conforme se aproxima do aniversário de oitenta anos, os filhos de seu finado irmão Tommy, seus sobrinhos Mick e Alma, organizaram uma festa para ela. Vai se chamar de "A Noite dos Warren Vivos", segundo lhe disseram. Todos os sobreviventes da família foram convidados. Faltam poucos dias para o evento, e Lou está tomando chá no quintal da casa do sobrinho Michael Warren em Kingsthorpe. A mulher de Michael, Cath, está lá, e também os dois filhos do casal, Jack e Joe. A irmã, Alma, está com uma amiga a reboque, outra artista: uma americana chamada Melinda. No começo é um belo dia, mas então uns ciscos leves de chuva começam a cair. Relâmpagos acompanham nossas entradas e saídas.

Nuvens negras começam a se juntar, e se sugere que todos entrem. Lou descobre que não consegue ficar de pé. Por serem os dois mais viris entre os presentes, Mick e Alma levantam a cadeira entre eles e a carregam como uma imperatriz em uma liteira improvisada até a sala. A respiração dela está ficando difícil. A súbita realidade de tudo é avassaladora. A sobrinha está sentada ao lado dela com um braço sobre seus ombros trêmulos, murmurando palavras reconfortantes em seus ouvidos, beijando seu cabelo. Cathy e a amiga artista de Alma cuidam das crianças preocupadas, e então os paramédicos surgem do nada, levantando-a da cadeira, chamando-a de amor. Há uma batida poderosa como a de uma bigorna em seus ouvidos agora. Uooomff. Uooomff. Uooomff.

De algum modo, ela está na ambulância imóvel no pátio castigado pela chuva lá fora. O sobrinho Mick está com ela enquanto o médico moderno, estranho em seu jaleco verde, aperta o seu peito repetidamente. Consigo ver Alma Warren abaixo de mim, de pé alguns metros atrás da carroça moderna da febre sobre a via de asfalto respingado, ensopada, apenas de colete e jeans, observando o médico que sobe e desce pela janela traseira do veículo. O cabelo bagunçado dela está colado em suas bochechas encovadas e nos ombros nus, e ela parece inclinar a cabeça para trás e me olhar no olho enquanto bato a ponta azul de meu taco na grande bola do mundo. O espelho negro da noite está despedaçado e, por um instante, nas rachaduras e fissuras, é possível ver o forro meio prateado do céu. Com esse floreio fervilhante, termino o voo pintado de Louisa Warren. Visto de perto, é uma marca, um borrão, mas, ah, quando damos um passo atrás e vemos do que é parte...

Alguns partem com um trovão, alguns, com trombetas, alguns, apenas com um silêncio maternal.

E agora Michael Warren brande o martelo pelo arco preordenado até o cilindro dentado, um pulmão de metal gigante que se achata e expele seu suspiro final de definhamento no rosto dele. O martelo cai sobre o barril, o martelo cai sobre o barril, um único ato revivido, ressoando eternamente em um espaço-tempo reverberante, e se torna quase um crescendo musical, uma tempestade percussiva que brota do ar, uma pontuação dramática e arrepiante na sinfonia: BDANC! BDANC! BDANC! O martelo cai sobre o barril, o martelo cai sobre o barril e de sua garganta parafusada ele tosse uma nuvem compactada de veneno laranja que se expande, se desdobra, se desenrola para encher o mundo da respiração e da visão de Michael Warren. Uma cascata de meias-dimensões, o caos que se desfralda de sua forma contém, só por um instante, cada linha frágil e fugidia das pinturas futuras da irmã. Ele inala as imagens que cospe de volta para ela do outro lado da mesa, no limbo da noite de sábado do Golden Lion, e ela as limpa da cara e passa para suas telas, como a luz da ambulância e a chuva na noite em que a tia Lou morre no acesso de entrada dos fundos, entre trovões. Ela as limpa da cara e passa para suas telas. O martelo cai sobre o barril. Sou um construtor, e a cada novo curso minha ágil espátula apara os restos de argamassa espremido entre os tijolos. Eu construo os séculos, eu construo os momentos. Sigo o diagrama. Todo o peso é carregado no centro.

Estou olhando pelo meu taco reto para uma vida redonda, pousada na baeta do mundo, e em seu verniz, com o brilho realçado e dançante de uma alma. Tiro tanto a cor quanto a razão da cabeça de Ernest Vernall. Espremo May para fora em uma sarjeta e envio carroças da febre para buscar sua primogênita. Encho a boca de Snowy de flores e jogo a poeira venenosa nos olhos de Michael. Eu me inclino, rolo para dentro das correntes de ar quente nas alturas. Majestade e destroços no mergulho, a descida em parafuso. Uooomff. Uooomff. Uooomff.

☦

É claro que conhecemos a dor. Conhecemos a covardia, o despeito e a falsidade. Conhecemos tudo. Chamo meu irmão Uriel de babaca. Desferimos socos e golpes um no outro na praça da cidade, e o vento levantado apenas por nossa briga sopra fantasmas até quase o País de Gales. As repercussões se espalham pela Terra. Ele me deixa de olho roxo, e o grande salto adiante na China leva ao abismo econômico. Achato o nariz dele, e Castro chega ao poder em Cuba. De meu lábio partido goteja estruturalismo, rock'n'roll e hovercrafts. Arrancamos os coágulos dourados antes da hora, e o Congo belga floresce com cabeças cortadas.

É claro que andamos entre vocês, atolados até as coxas em suas políticas e sua mitologia. Passamos a vau pelas pétalas cor-de-rosa de pedaços de mapa de suas comunidades de nações em desintegração. Marchamos em uma maré negra em Washington. Equilibramos satélites e Francis Bacon. Somos construtores. Construímos Allen Ginsberg e a catedral de Niemeyer em Brasília. Levantamos o Muro de Berlim. Nuvens passam pelo sol. Estamos com vocês agora.

É claro que dançamos em alfinetes e arrasamos cidades. Livramos os judeus do faraó e os levamos até Buchenwald. Voejamos ternos no primeiro beijo, nos debatemos em agonia sobre a última briga em uma cozinha gelada. Conhecemos o gosto da felação e a sensação do parto. Subimos sobre as costas um dos outros em reservados de banheiro para fugir dos vapores. Estamos na indiferença molecular serena do Zyklon e no coração embotado do homem que gira a roda para abrir os dutos. Estamos para sempre de pé naqueles degraus de banco em Hiroshima enquanto a realidade que nos cerca entra em colapso num inferno atômico. Aquele momento em que vocês alcançam seus orgasmos juntos e é o instante mais doce, mais perfeito que já viveram, somos vocês dois. Nós temos escravos, e compusemos *Amazing Grace*.

É claro que gritamos. É claro que cantamos. É claro que matamos e amamos. Trapaceamos nos negócios e damos nossas vidas pelos outros. Descobrimos a penicilina e jogamos as crianças que estrangulamos em vielas. Bombardeamos Guernica apenas para criar aquela pintura, e as explosões de fumaça e gritos abaixo de nós são marcas de pinceladas. Somos dos reinos da Glória; somos da creche, da escola, do abatedouro, do bordel. Como poderíamos ser de outra forma? Você se dobra em nós. Nós nos dobramos Nele.

Estamos em cada segundo de um bilhão de trilhões de vidas. Somos cada formiga, cada micróbio e cada leviatã. É claro que somos solitários.

‡

Tudo gira em meu olho. Com um simples piscar meu, toda a existência se quebra em um alfabeto de partículas e então em apenas números, até se tornar um mar infinito de valores circulando em uma simetria radiante em torno do eixo, que reside entre os números quatro e cinco. Quando multiplicados com os dígitos resultantes somados, refletem um ao outro perfeitamente, assim como fazem o três e o seis, o nove e o zero, dez e menos um, dezesseis e menos sete, para o infinito positivo e também o negativo. Ali no centro do furacão numérico eu estou. O olho dele é o meu. Estou entre o quatro e o cinco, onde está o eixo do universo. Eu me revolvo com lentidão entre a misericórdia e a severidade, entre o turno azul e o vermelho. Eu aspiro, e as estrelas despencam na minha direção, caindo de volta em um só quark branco quente, nos números negativos. Eu exalo, em um aerossol de matéria negra, exótica, galáxias e magnetares: somas positivas explodindo de meus lábios até as extremidades escuras e frias do tempo.

Eu também me enfureço com frequência, tendendo mais ao cinco, os dedos em um punho fechado, do que ao quatro, aqueles presos num aperto de mãos, aqueles estendidos em um afago ou carícia. Com muita frequência estou inclinado à severidade, ao vermelho, em vez do ciano do perdão. Essa, portanto, é a razão pela qual mantemos as pontas dos tacos azuis: como um lembrete da compaixão e de sua força pouco intensa, para que, mesmo quando golpeamos as bolas na direção de suas caçapas predeterminadas, concedemos beijos cor de céu de graça eterna e misericórdia, feitos de giz de bilhar.

‡

Vejo Marla Roberta Stiles, quatro anos, arrumando margaridas em pratos de plástico cor-de-rosa em miniatura para o chá, para o qual vai convidar seu ursinho e a mãe, os dois bichos de pelúcia que mais ama no mundo. Ela serve uma infusão gelada de pastilhas de fruta em água da torneira em xícaras minúsculas e apenas 13 anos depois, chupa seu cafetão, Keith, enquanto Dave, um amigo dele, a pega por trás. Marla pergunta à mãe se ela gostaria de uma uva-passa sultana como sobremesa e cospe sêmen; ralha com o ursinho vitreamente impassível por cair da cadeira enquanto aspira a fumaça de metanfetamina. Ela chama as sultanas de "tanas", e um pai de duas crianças de bochechas rosadas a soca no rosto e a estupra no banco traseiro do Ford Escort dele, e eu a amo.

Vejo Freddy Allen roubando garrafas de leite e morrendo debaixo de um arco de ferrovia. Eu o enxergo como um jovem, esperando em Katherine's Gardens pela filha do médico que planeja agredir sexualmente no caminho dela para casa. Estou correndo com ele, chorando junto, enquanto foge da cena horrorizado consigo mesmo, com o ato não consumado. Eu o vejo dormindo no mato, vejo a caminhada penosa cinzenta de seu pós-morte, tudo o que Freddy acha que merece. A culpa se transformou em raiva, ressoando pelos seus dias, e agora ele não tem esperança de libertação. Os pães e garrafas desapareceram todos, junto das soleiras onde ficavam. Nada pode ser endireitado.

Vejo Aegburth, que é chamado de Pedro, quando ele, por acaso, ao arrastar sua sandália por aquele pedaço de terra no Gólgota, percebe uma quina protuberante de pedra cinza, cinzelada demais para ser natural, os ângulos corretos. Ele cava e arranha por uma hora até desenterrar o velho cruzeiro, segurando-o com as duas mãos contra o sol para vê-lo melhor. Chove terra em seu cenho suado, o rosto escorregadio, cai no sargaço de sua barba. Ele prova o chão da crucifixão e veste a sombra fria da cruz sobre o rosto. O coração fraco dele soa como a batida rítmica de um ferreiro, BDANK! BDANK! BDANK! Ele cambaleia, inconsciente, para o precipício de sua mortalidade. Na beirada ele me vê, e o significado do universo é alterado para sempre ao seu redor. Na França, por sua transpiração poderosa, ele é conhecido como "le canal", o que significa "o canal".

Vejo Oatsie Chaplin debatendo com Boysie Bristol, diante do Palace of Varieties, na esquina da Gold Street, nos primeiros anos do século XX.

— Mas, se eles são milionários, por que se vestem como vagabundos?

Eu o vejo voltar para casa, para seu bairro nativo de Lambeth, depois da Primeira Guerra Mundial, agora um astro de cinema, voltando da América. Os *cockneys* — antigos vizinhos que tinham perdido filhos ou irmãos no conflito enquanto ele batia os longos cílios para a câmera — jogam quartilhos de cerveja em seu rosto. Resgatado pelos assistentes, e enxugado com toalhas emprestadas do banheiro público mais próximo, ele cheira seu passado, cheira o pai em seu casaco ensopado, as calças molhadas.

Eu vejo Henry George, rezando em celeiros quando não confia mais na igreja. Pombos arrulham nas vigas e a luz cai em um raio cintilante pelas brechas nas telhas, do colmo. Em seus ombros brilha uma marca de meu próprio desenho, que é sua vergonha particular, que é sua glória santa ardente: linhas de um violeta pálido sobre pele roxa, a balança e a estrada. Estrada para o êxodo do Tennessee ao Kansas, a estrada dos tropeiros do País de Gales até a Sheep Street, onde ele é despejado nos Boroughs em uma maré branca balindo, todos os caminhos são um. As cordas de linchamento de sua juventude agora são os pneus que dão velocidade a seu caminho, com os paladinos e mártires negros de Northampton em fila atrás dele.

Vejo Benedict Perrit, escrevendo linhas de beleza dolorosa, rindo, bebendo, discutindo com fantasmas. Eu o vejo sentado sozinho, a não ser pelas sirenes distantes, os dedos hesitantes sobre as teclas empoeiradas da máquina de escrever na noite anterior à exposição de Alma Warren. Ele olha como um explorador perdido no Ártico para a brancura da página vazia, esperando por inspiração, pelo roçar mais leve da minha asa. A pouco menos de cinco quilômetros dali, sob a luz amarelada do poste em Whitehills que se infiltra pelas cortinas, Michael Warren não consegue dormir e pensa na procissão funerária de Diana Spencer, todas as pessoas na ponte de pedestres quando ela entrou em Northampton. Todos os olhos e o silêncio.

Vejo Thomas Ernest Warren, pai de Michael, cavando buracos ou tirando licença do trabalho com um problema nas costas que não parece incomodá-lo muito depois de sua aposentadoria. Antes, está com seus vinte anos, aprendendo a atirar granadas. Ele é parte de uma longa fila de homens que, um a um, pulam para cima de uma plataforma com o sargento, puxam o cabo do abacaxi de ferro, contam até três e atiram o ovo da morte sobre um muro alto de sacos de areia para explodir. Tommy é o próximo da fila, querendo fazer certo. O camarada na frente dele puxa o pino e começa a contar. Tom, ansioso, já pulou para cima da plataforma, bem atrás do soldado apreensivo, que conta até três e então, por acidente, derruba a pinha letal aos pés deles. Mirando meu taco, acerto o sargento, fazendo-o ir para a frente, derrubando Thomas e o outro homem, um para cada lado, e simultaneamente jogando a granada sobre a barreira, na caçapa da cabeça da morte, e nós, construtores na mesa, levantamos as mãos. Iiiissssoo!

Vejo o pontilhado e a hachura, a filigrana e o sombreado leve. Vejo Doreen Warren desembrulhar cuidadosamente o Tune de cereja-mentol e colocá-lo na boca do filho pequeno. Vejo o vereador, Jim Cockie, em sua cama cheia de sonhos ruins. Vejo Kenny Gordo Nolan enquanto ele contempla a espécie de *datura* que cultivou, e sorri ao ver que é uma trombeta, com a flor de saia branca pendendo, toda pesarosa. Vejo Roman Thompson sentado em um carro emprestado, em silêncio na entrada escura da Fish Street, com um taco de sinuca em repouso no banco atrás dele, com sangue frio correndo por seu coração. Vejo John Newton depois do fim de sua cegueira. Vejo Thursa Vernall transformando bombardeiros alemães em seus acompanhantes, e o sonho heroico de Britton Johnson. Vejo Lucia Joyce e Samuel Beckett, eu o vejo conversando com ela na instituição; ao lado do túmulo dela. Vejo sofrimento. Vejo redenções.

Vejo Audrey Vernall no palco do salão de dança, com os dedos tocando as teclas de seu acordeom, jogando o cabelo para trás e mantendo o tempo com o pequeno sapato azul nas tábuas gastas e as saias esvoaçando, "When The Saints Go Marching In". Seu sorriso tenso se desfaz sob o holofote, e seus olhos miram para o lado, para a coxia onde o pai, Johnny, o empresário da banda, faz sinal com o polegar para cima, acenando para encorajar, e então, depois, ele está tirando o paletó xadrez berrante, pendurando-o nos ganchos para roupão atrás da porta do quarto dela.

Vejo Thomas à Becket, e vejo a mulher de pele escura com a cicatriz que trabalha no Anexo da St. Peter em dois mil e vinte e cinco. Vejo os santos entrarem marchando.

Vejo o cocô de cachorro no passeio central dos apartamentos da Bath Street, inteiro na tarde de sexta, pisado até o meio-dia do sábado, quando Michael Warren o nota em seu caminho até a exposição de Alma.

Eu dou um passo para trás diante da tela e sinto vertigens diante de seu esplendor.

‡

Bem no início há mil planetas fazendo algazarra no sistema solar, ricocheteando e quicando, pulverizando uns aos outros em um *pinball* vale-tudo, e é daí que tiramos a ideia para nossa mesa de trilhar. Algo acerta o mundo que se empluma, com destroços dos dois corpos assentando-se nas bordas do campo de gravidade da Terra, coagulando-se em uma lua, em um golpe de sorte.

Um tempo curto depois, um projétil de tamanho menor provoca um impacto, e também dá sua contribuição para o abate de lagartos-trovão. No rescaldo, criaturas amebianas chamadas foraminíferos aglutinados se vestem com conchas protetoras de níquel meteórico e cobalto do espaço; recobrem as formas unicelulares em demonstrações de pavão de poeira de diamante microscópica. Os ornamentos de seu cosmo em miniatura, cobertos de joias do vácuo, cintilam no silêncio do Cretáceo Superior, no próprio ocaso da vida. Eles não sabem nem se preocupam com as extinções do macrocosmo. Permanecem indiferentes às árvores e aos monstros caindo e morrendo mais acima, na longa noite que se segue à colisão extraterrestre. Em suas multidões, são variados como flocos de neve e, no entanto, conhecem uns aos outros intimamente, por seus fulgores individuais, seu cintilar distintivo. Movem-se com a atração da lua, com as marés magnéticas, assim como as gerações que vêm depois, migrando em meridianos lunares para alimentar os insetos aquáticos que alimentam os peixes, que alimentam os pássaros e ursos e homens-macaco agachados.

Você vai compreender que nosso jogo envolve muita estratégia.

‡

Às vezes estamos de olho na bola. Às vezes nos distraímos, erramos a tacada fácil, mas só quando era para acontecer mesmo. Dou a Salomão o toro sagrado, e ele o usa em seu dedo indicador ao subjugar os djins uivantes que tumultuaram o Egito e o Oriente Médio como um padrão meteorológico infernal, como um enxame de vespas. Quando ele escolhe que devem construir seu templo, tento impedir isso com uma tacada firme, mas calculo mal, e erro.

A amarração dos demônios está indo bem até que o rei feiticeiro chega ao trigésimo segundo espírito, ponto em que está obviamente além de sua capacidade. Ele não tinha previsto a ferocidade inacreditável a que demônios superiores como Asmodeus recorrem se forem acuados. A coisa toma forma no pentáculo, com três cabeças, não muito maior que uma boneca, montada no dragão com o tamanho de um gato que serve como seu corcel. A cabeça de touro muge, a cabeça de carneiro bale, e a cabeça humana anã coroada no centro solta tanto um fluxo de ameaças aterrorizantes quanto seu hálito pestilento, para encher o cômodo. Bate o cabo da lança sangrenta sobre as pedras, e o mago entra em pânico, encolhendo-se de tal modo que o lamen pendurado em seu pescoço desamarra em uma das pontas e cai no chão. A essa altura o cômodo está em chamas, com salamandras-aranhas bruxuleantes e a operação se transformou em um pandemônio de gritaria, uma catástrofe. Fecho meus olhos marmorizados e me viro.

Por consequência, não sei o que ocorreu a seguir. Pode ser que o fundador do templo tenha sido possuído pelos efrits, ou pode ser como dizem os estudiosos rabínicos, que aquilo terminou com Salomão jogado para longe em uma terra deserta e enlouquecido enquanto o demônio triunfante rouba sua forma. Pode ser que Asmoday apenas tire vantagem do vexame do rei para plantar noções destrutivas em sua mente, ou pode muito bem ser que o trigésimo segundo espírito não faça nada, e todas as calamidades posteriores provenham de Salomão e ninguém mais. Só sei que, quando olho novamente, o Primeiro Templo está completo, com a malícia dos setenta e dois tentadores, bajuladores e devastadores codificada em suas colunas e linhas. Um foco para as três religiões mais beligerantes do mundo, vejo cruzadas, jihads e ataques aéreos retaliatórios circulando os pilares da estrutura. Vejo uma massa fétida e pulposa de homens torturados, mulheres estupradas e crianças pulverizadas deslizando por seus muros ancestrais.

Rei Salomão. Que idiota colossal.

‡

Derek James Warner, quarenta e dois anos, trabalha como motorista para uma grande empresa de segurança privada. Derek está ansioso para a noite de sexta-feira, para sair e caçar um rabo de saia, confiante de que vai conseguir, embora esteja ficando grisalho nas têmporas, tenha engordado alguns quilos nos últimos tempos e seja um homem casado com dois filhos, Jennifer e Carl.

Sua mulher, Irene, foi com os dois passar o fim de semana na casa da mãe dela em Caister. Derek os levou até lá, mas esqueceu de descarregar todas as boias de borracha e brinquedos de praia das crianças do porta-malas antes de voltar para casa. Irene já lhe deu uma bronca por isso por telefone, no início da noite. Derek não dá a mínima. Não consegue se lembrar da última vez que os dois fizeram sexo, da última vez que sentiu qualquer desejo por ela. É por isso que está à espreita esta noite, por causa dela.

Ele está sentado no sofá, que ainda está pagando, apesar de já estar desgastado, empoleirado ao lado do console do X-Box do filho Carl, enquanto fuma uma lasca de cristal de metanfetamina. Adquiriu isso — tanto o hábito como a droga em si — de Ronnie Ballantine, outro motorista da empresa para a qual Derek trabalha. Ballantine é um soca-bosta, embora não dê para saber só de falar com ele. Um ótimo sujeito, grandalhão, antebraços fortes de motorista. Ele contou a Derek sobre a metanfetamina, como ela o mantém com uma ereção como um cinzel rasgando a noite. Derek gostou de ouvir isso.

Ele termina a pedra, sai balançando suas chaves sem paciência e sobe no Ford Escort preto. Sente-se como um robô assassino ou um dos *Gladiators* daquele programa de TV. Seu codinome de gladiador seria Dominador ou Tarântula, não consegue se decidir. Percebe movimentos na periferia do campo de visão, coisas que aparecem, mas desaparecem se você olhar diretamente, como um jogo de Acerte a Marmota, mas no geral ele se sente com sorte, se sente bem.

Cuidado, garotas.

Aí vem ele.

‡

Lucia Joyce dança no gramado do hospício. Seu corpo rodopiante é um barquinho frágil parado no mar verde imóvel de grama. Ela circula lindamente sem sair do lugar, com um de seus remos internos fora do lugar. Sua travessia não tem outro lado, nem porto, nem admiradores aplaudindo no cais, nem apitos de navios soando quando, enfim, sua embarcação aparece no horizonte. A multidão que a recepcionaria morreu esperando ou desistiu dela e por fim foi para casa.

O pai dela, enquanto vivo, a vê como uma obra em andamento e perpetuamente inacabada, uma obra-prima abandonada. Talvez um dia lhe dê outra chance, brinque um pouco com ela e tente resolver os enredos parados, todas as frases incompletas, mas então ele morre e a deixa presa lá nas informações excluídas, nas elipses...

A família de Lucia a cortou no processo de edição, a reduziu a uma nota de rodapé na história, quase a extirparam do manuscrito. O querido Sam ainda a visita, claro, mas ele não a ama, pelo menos não do modo que ela imaginava, do modo como queria que amasse. Isso, também, do ponto de vista dela, é culpa do pai. Ao transformar Sam no filho literário que sempre quis, transformou aquele homem adorável no irmão que Lucia já tem e além disso jamais pediu. Beckett a ama como uma irmã. Nada pode acontecer entre eles agora sem incorrer em uma atmosfera de incesto; em um ar que Lucia não suporta mais respirar. E, no entanto, ela pensa na monção dos cabelos dele, seu rosto longo e coriáceo, uma sabedoria triste de marinheiro no olhar.

Ela dança. Tenta reduzir a complexidade do ser a um gesto, puxar o mundo inteiro em cada mergulho e volteio, sua história, o livro de seu pai, a luz ofuscante dos telhados de ardósia molhados do hospício. Dá passos prolongados e deliberados, alisa as mãos abertas como se tentasse suavizar as rugas do espaço vazio que a cerca. Estica o pescoço para traçar um perfil hieroglífico perfeito para que seu público imaginário não perceba o olho vesgo. Aos meus olhos é perfeita, o leve estrabismo em um orbe lembra a deficiência ocular que Michelangelo confere ao seu Davi, com o olhar desalinhado deliberadamente para oferecer as vistas mais agradáveis quando olhado de ambos os lados. Tal arte não se destina a ser encarada de frente.

Northampton envolve os braços em torno dela, honrada por sua presença: ela poderia ter ido para ala-lá, mas em vez disso veio parar ala-ali depois de sua insatisfatória jornada por sanatórios europeus. Por fim, ela dança fora do ritmo, fora do tempo, para o cemitério Kingsthorpe, um pouco acima na rua da casa de Michael Warren, duas ou três lápides abaixo do próprio Finnegan, com Violet Gibson, que atirou no nariz de Mussolini e foi internada no hospital de St. Andrew, não muito longe. Lucia faz piruetas extáticas agora nos passeios eternos de Almumana. Agora pode ver direito. Sabe para onde o trabalho progride, e sabe que nem um só passo foi desperdiçado.

‡

Acompanho a argumentação continua sobre "Design Inteligente", mas, se alguém aceita as ideias do fim do século XX sobre consciência como uma propriedade emergente, a polêmica desaparece. Se autoconsciência pode emergir de sistemas que atravessaram um certo limite de complexidade, então o universo em expansão de espaço e tempo não é, por definição, o sistema mais complexo que pode existir? Note que não busco invadir as fés ou ideologias alheias com essa observação. Estou só dizendo.

‡

Vislumbro Alma Warren com sessenta e poucos anos, parada diante do cavalete na casa em East Park Parade durante o ano de 2016. Ela se afasta da tela, aperta os olhos e curva os lábios, procurando câmeras que não estão lá. Inclina o corpo comprido para a frente como se estivesse curvando-se sobre sua presa e despeja um impasto grosso de creme sujo ao longo do topo de uma onda que quebra, depois se inclina para trás, refletindo e observando.

A grande imagem acrílica é parte de uma série em que ela trabalha no momento, para uma exposição provisoriamente intitulada *Paisagens?*. São vistas cênicas que em algum momento estariam na categoria sugerida pelo título, mas ainda em processo de se transformar em outra coisa, um estado mais ambíguo. A pintura na qual Alma está envolvida agora mostra uma estalagem no extremo norte da orla marítima de Yarmouth, uma estrutura art déco da década de 1930 chamada Iron Duke. Embora semiabandonado como é retratado aqui, o pub mantém uma grandeza e uma generosidade de espírito, vestígios do otimismo corajoso e equivocado que tipifica a década de sua concepção.

Essa beleza decadente fica ao lado de North Denes, o movimentado acampamento de trailers para onde Alma e Michael são levados pelos pais para quinze dias de folga das fábricas em quase todos os verões de sua infância. Eles encontram todos os colegas de classe de Spring Lane e seus vizinhos dos Boroughs nos passeios salgados, em pátios de pubs iluminados por lâmpadas, atapetados com conchas de berbigão, com a maior parte da classe trabalhadora de Northampton tendo se mudado para a costa leste pelas mesmas duas semanas tão esperadas.

O pub está agora posicionado um pouco à direita do centro, no segundo plano da pintura. Os muros de tijolos vermelhos escuros do pátio traseiro estão inclinados a partir do volume central do edifício, desmoronando aos poucos, enquanto os painéis de vidro das altas janelas moldadas estão surpreendentemente intactos. Ao redor do edifício deteriorado estão apenas as águas expandidas do Mar do Norte. Ondinhas cobertas com espuma de detergente cinza lambem o leque de degraus que levam, sob um pórtico em ruínas, do salão onde fica o balcão do bar a um estacionamento submerso. O terraço deserto, com sua balaustrada curva, agora se parece mais com o castelo de proa de um galeão naufragado. As cracas colonizaram a parte inferior dos canos descamados.

Alma aplicou uma textura à alvenaria escamosa do bar afogado, salpicando suas superfícies desgastadas com pequenas pinceladas roxas que são quase pretas, deixando as paredes parecerem esburacadas por corrosões antigas. Essa técnica, conhecida como decalcomania, é emprestada do grande surrealista Max Ernst e, neste caso, uma referência à obra-prima adornada de joias e misteriosa dele, *Europa depois da chuva*. À distância no fundo de sua pintura, Alma sugeriu atrações praianas de lazer arruinadas, montanhas-russas desativadas, rodas gigantes esqueléticas pairando acima da linha d'água, com suas linhas finas quase invisíveis através da neblina matinal que criou usando um pincel seco. Ela quer que o trabalho seja ao mesmo tempo sereno, triste e inquietante; pretende usar a estalagem e seus contornos limpos à Bauhaus como símbolo das noções frágeis de modernidade do homem, sucumbindo às velhas simplicidades do tempo e da maré. Quer que o espectador ouça gaivotas, respingos ocasionais e ausência de máquinas ou vozes.

No salão apinhado de coisas do andar térreo que ela usa como estúdio, livros e pinturas em vários estágios de conclusão estão organizados ao acaso. Uma edição de bolso amassada e batida de *The Drowned World*, a conjuração lírica de J.G. Ballard do apocalipse aquático, repousa aberta em um braço desgastado de um sofá de couro todo desgastado. Uma neblina de fumaça de haxixe se acumula sob o teto alto. Passaram-se dez anos desde a sua exposição nos Boroughs. Ela está mais famosa, mais ingrata e retraída do que nunca. Alma se identifica com a ruína na pintura, ambas desmoronando e projetando-se pitorescamente de um oceano plano e sereno, ambas ainda com aparência decente sob uma boa luz, para quem gosta desse tipo de coisa.

Ela pinta até o anoitecer, então vai até a Marks & Spencer da Abington Avenue comprar uma refeição pronta. Acima do campo de críquete, o céu da noite se gradua como suco de limão muito diluído.

☦

Assisto a todas as extinções, todas as espécies que atingiram o fim natural de sua extensão na direção oculta.

A cada duas semanas, uma língua humana morre. Formas de vida belas e únicas, com intrincados esqueletos gramaticais, delicadamente articulados pela sintaxe, tornam-se mais fracas e dobram-se em suas asas de adjetivos diáfanos. Emitem seus últimos ruídos frágeis e então desmoronam na incoerência, no silêncio, para não mais serem ouvidas.

Uma língua calada, a cada quinze dias. Uma música concluída. Escutai, o som alegre.

☦

Há um canal de televisão apenas para os moribundos, transmitido por meio de um bafo desinfetante através de salas de estar de asilos, crepúsculos de alas de pacientes terminais. As telas senis proporcionam a melhor recepção, sinais de faíscas em diodos corroídos, sinapses desgastadas. O logotipo da estação, branco sobre o preto de pálpebras fechadas, mostra uma balança grosseiramente desenhada acima de um sinuoso caminho estilizado. Acompanhando tudo isso, há um floreio de trombetas de quatro notas, servindo como música-tema do canal.

Albert Good está sentado na poltrona de sua casa em Duston, depois de acordar de uma soneca para encontrar a televisão ligada e algum tipo de programa vespertino em andamento. Mesmo sendo tudo em preto e branco, Albert percebe logo de cara que é um daqueles dramas teatrais modernos de que não gosta muito, uma daquelas coisas que passam quarta-feira à noite em que sempre tem alguém dormindo ao relento ou uma grávida. Ele se levantaria para desligar, mas ultimamente está se sentindo tão esgotado que não tem energia, só consegue sentar e assistir.

Parece haver apenas um cenário envolvido na produção, com o público olhando para uma ampla escadaria de pedra sob o enorme pórtico de uma igreja. Colunas de pedra gigantescas, mais do que provavelmente feitas de compensado pintado, se erguem de cada lado, emoldurando a cena. Para Albert, parece muito com a fachada da igreja de Todos os Santos de Northampton, embora imagine que deva haver muitos lugares semelhantes em toda a Inglaterra, construídos na mesma época e no mesmo estilo. Entre os pilares góticos, é noite. A única iluminação está posicionada para se assemelhar à dos postes de luz fora do palco, filtrando-se em uma escuridão perolada sob o pórtico.

Qualquer que seja a cidade em que a obra se passa, parece estar quase deserta após o anoitecer. Para Albert, isso sugere um cenário de alguns anos atrás, logo após a guerra, antes que os centros das cidades à meia-noite passassem a ser iluminados como árvores de Natal e ficassem cheios de jovens bêbados. Todos os elementos de palco e cenários têm aquela sensação aconchegante de pós-guerra, algo que Albert só encontra hoje em dia em coleções de fotografias locais ou em reimpressões das edições anuais de *Giles*, o sabor autêntico dos ares daquela época. Ele concentra os olhos, inquieto, na direção da tela relativamente pequena e tenta entender o que está acontecendo.

Um homem e uma mulher, ambos de meia-idade, estão sentados nos degraus frios de pedra, no centro do palco. Albert tem quase certeza de ter visto os dois atores antes, em outra coisa. O homem, que usa um paletó xadrez berrante, talvez tenha tido algum papel na sitcom *Hi-de-hi*, agora que Albert pensa nisso. A mulher, com o casaco apertado em volta do pescoço contra o frio da noite e chorando intermitentemente, deve ser Patricia Haynes, quando era mais jovem. Embora pareçam ser um casal, há muito espaço entre eles. Quando o marido se aproxima da mulher, ela se encolhe e se afasta. Os diálogos são esparsos e enigmáticos, com longos silêncios entre as perguntas e as respostas. Albert não consegue entender nada.

Ainda mais desconcertantes são os outros personagens do drama, quatro ou cinco figuras em roupas estranhas que vagam sob o pórtico, atrás do homem e da mulher em primeiro plano. Apesar da estranheza de suas roupas e de falarem alto, nenhum dos dois sentados parece estar ciente dos outros. No fim, Albert se dá conta de que esses outros atores, os que estão conversando em segundo plano, devem ser fantasmas de algum tipo. Eles conseguem ver a mulher e o marido vivos sentados nos degraus da igreja e comentar sobre eles, mas o casal de mortais não pode ver os fantasmas e acredita estar a sós. Albert acha isso perturbador. Dá a impressão de existirem tantos fantasmas que cada pedra do calçamento e cada banheiro público do país certamente deve ser assombrado, e que todas as conversas humanas são ouvidas pelos mortos.

Ele não quer ver isso. Vira a cabeça para o outro lado e fecha os olhos. Embora não seja capaz de determinar o momento exato em que cochila outra vez, mais tarde percebe que deve ter feito isso. Quando acorda, Lou já voltou das compras. A televisão agora está silenciosa, e Albert conclui que Lou deve tê-la desligado quando entrou. Ela pergunta como está se sentindo, e ele conta sobre a peça perturbadora ou o filme antigo ou o que quer que fosse.

— Assisti uma coisa na TV que tinha fantasmas. Não gostei muito, para falar a verdade. Mexeu com os meus nervos. Não acho que deviam mostrar esse tipo de produção à tarde, quando as crianças estão em casa, voltando da escola. Acho assustador. Estou decidido a fazer uma reclamação.

Lou inclina a cabeça para um lado como um pássaro e olha para ele, depois para o aparelho de televisão fora da tomada, exatamente como ela deixou quando saiu mais cedo. Ela fala com o marido com empatia, concorda que todos os programas hoje em dia são um desperdício de dinheiro de licenciamento e depois faz um bule de chá para os dois. Dentro de uma hora, a misteriosa apresentação teatral é esquecida.

Quando essa emissora secreta dos moribundos está fora do ar, não pode ser detectada, a não ser como um tom de assobio agudo e quase ultrassônico percebido pelo ouvido interno. Se escutar com atenção, você descobrirá que pode ouvi-lo agora.

‡

Os hinos são, claro, tremendamente importantes, sejam escritos por William Blake, John Bunyan, Philip Doddridge ou John Newton. Uma tentativa de poesia transcendental para as multidões comuns, fertilizam os sonhos e visões que vão crescer nos próprios passeios de Almumana. Conforme vão delineando o Inferno ou mostrando o Céu, também vão construindo esses lugares, tijolo por tijolo, estrofe por estrofe. Vamos, animem seus corações, levantem suas vozes e alegrem-se. Deem-me uma plataforma de ideias e harmonias para gesticular e desdobrar as asas. Deem-me um lugar para pisar.

☦

Sei que sou um texto. Sei que você está me lendo. Essa é a maior diferença entre nós: você não sabe que é um texto. Não sabe que está se lendo. O que acredita ser a vida autodeterminada pela qual está passando é na verdade um livro já escrito em que você mergulhou, e não pela primeira vez. Quando a leitura atual for concluída, quando a contracapa que é a tampa do caixão estiver por fim bem fechada, então se esquecerá de imediato que já a atravessou e começará de novo, talvez pela atração da imagem assombrosa e heroica de você que está na sobrecapa.

Você percorre mais uma vez a glossolalia da abertura do romance e aquela angustiante cena de nascimento, tudo em primeira pessoa, descrito em uma vaga confusão de novos sabores e aromas e luzes aterrorizantes. Você se deleita com as passagens da infância e saboreia todos os novos personagens poderosamente construídos à medida que são apresentados, a mãe e o pai, os amigos, parentes e inimigos, cada um com suas peculiaridades memoráveis, seu fascínio singular. Por mais que considere cativantes essas façanhas juvenis, descobre que está apenas folheando alguns dos episódios que vêm depois por puro tédio, passando pelas páginas de seus dias, pulando adiante, ansioso por chegar ao conteúdo adulto e pela pornografia que supõe estar à espera no próximo capítulo.

Quando isso não se mostra exatamente pura alegria, e se revela menos abundante do que o previsto, surge uma vaga sensação de que houve alguma trapaça, e você reclama do autor por um tempo. A essa altura, porém, todos os principais temas da história já estão surgindo ao longo da trama, loucura e amor e perda, destino e redenção. Você começa a perceber a verdadeira escala da obra, sua profundidade e sua ambição, qualidades que lhe escapavam até agora. Há uma apreensão crescente, uma sensação de que a história pode não estar na categoria que supôs, a da aventura picaresca ou da comédia sexual. De forma alarmante, a narrativa avança além das fronteiras reconfortantes da literatura de gênero para o território desconcertante da vanguarda. Pela primeira vez, você se pergunta se foi além da sua capacidade, embarcou por engano em alguma obra-prima densa e pesada, quando pretendia pegar apenas alguma ficção comercial de férias para o aeroporto ou a praia. Você começa a duvidar de suas capacidades como leitor, a duvidar de sua capacidade de seguir nessa fábula mortal até o fim sem que a atenção se desvie. E, mesmo que termine, duvida que tenha inteligência suficiente para compreender a mensagem da saga, caso haja uma. Em seu íntimo você desconfia que tal mensagem vai passar batida, mas, apesar disso, não pode fazer outra coisa a não ser continuar virando as páginas do calendário, sob a indução da frase na capa que diz: "Se for ler só um livro na vida, então leia este".

Só quando está na metade, perto da marca de dois terços, os pontos anteriores do enredo, que pareciam aleatórios, começam a fazer algum sentido. Os significados e as metáforas começam a ressoar; as ironias e os motivos se revelam. Você ainda não tem certeza se já leu tudo isso antes ou não. Alguns elementos parecem terrivelmente familiares, e você tem premonições ocasionais de como será uma das subtramas. Uma imagem ou uma fala às vezes causa um déjà vu, mas em geral parece uma nova experiência. Não importa se é uma segunda ou uma centésima leitura: parece tudo novidade e, a contragosto ou não, você parece estar gostando. Não quer que acabe.

Mas, quando concluído o livro, quando a contracapa que é a tampa do caixão por fim é fechada, você imediatamente esquece que já se dedicou a essa empreitada e a recomeça, talvez por causa da atração da imagem estupenda e heroica de você na sobrecapa. É a marca de um bom livro, dizem, se puder lê-lo mais de uma vez e ainda encontrar algo novo a cada leitura.

‡

Se pudesse ver a casa solitária na esquina da Scarletwell Street de uma perspectiva geométrica mais elevada, entenderia por que circunstâncias complexas e improváveis precisaram acontecer para que aquela construção permanecesse de pé, mesmo com a fileira de casas da qual fazia parte havia muito demolida. Quando vista à luz dos acontecimentos e das cronologias que sustenta, torna-se evidente que a casa isolada é uma construção estruturante. Serve como ponto de apoio e pedra fundamental para um momento e uma ocasião específicos, e não pode ser derrubada antes dessa data, esta noite, sexta-feira, 26 de maio de 2006. Teria sido impossível. Se observada de uma dimensão acima, as razões para isso seriam óbvias: o tempo simplesmente não é construído assim. Era uma demolição que nunca aconteceria, ou pelo menos não até que chegasse a hora.

Na luz amarelada da sala de visita está o ocupante da construção, o Vernall responsável por aquele canto específico. Cantarolando um standard jazzístico, prevê as batidas frenéticas na porta da frente que anunciarão seu visitante celestial. Esta noite é a noite. Está nas cartas, está nas folhas de chá. Tudo o que é preciso fazer é sentar e esperar pela sina, pelo destino, e tudo virá marchando.

‡

Eu vejo o mundo e, através de uma lente de prosa, pintura, música ou celuloide, o mundo me vê.

O bibelô esmeralda do planeta, aninhado em uma almofada de veludo preto de joalheiro com lantejoulas, isso não é o mundo. Os vários bilhões de macacos com postura aprimorada que saltitam pela superfície do planeta também não são o mundo. O mundo nada mais é do que um agregado de suas ideias sobre o mundo, de suas ideias sobre si mesmos. É a vasta miragem, barroca e intrincada, que vocês estão construindo como um abrigo do caos fractal esmagador do universo. Ela é composta de coisas da imaginação, de filosofias, economias e fé vacilante, de seus objetivos individuais e egoístas e de suas noções fantasiosas de destino. É um arroubo de fantasia para passar aquelas noites neolíticas de barriga vazia, um desejo fantasioso de como a humanidade poderia viver um dia, uma história de acampamento que contam a si mesmos e depois esquecem que é apenas uma invenção; algo que criaram e confundiram com a realidade. A civilização é a narrativa de ficção científica mais antiga de vocês. Foi criada para terem algo para fazer, algo para se ocuparem durante os séculos vindouros. Não se lembram?

Apesar de tudo o que se manifesta materialmente em castelos, hospitais, sofás e bombas atômicas, o mundo está fundado nos confins imateriais da mente humana, está apoiado em um paradigma frágil e sem substância real. E, se esse fundamento não se sustenta, se for baseado talvez em uma percepção defeituosa do universo incompatível com observações posteriores, então todo esse aparato cai no abismo do não ser. Tanto em sua construção como em sua ideologia, o mundo está longe de ser sólido. Sinceramente, é uma armadilha mortal, e existe um conjunto enorme de regulamentos de saúde e segurança. Eu não crio as regras.

Eu sou um construtor. Você perceberá que isso envolve muito trabalho de demolição. Seu mundo, a maneira como pensa sobre si e suas noções mais fundamentais da realidade são o resultado de um trabalho não qualificado, de soluções porcas. O terreno é instável; há podridão seca nas colunas morais. Isso tudo terá que ir para o chão, e não sairá barato.

A frase "área de remoção" significa alguma coisa para você?

‡

Ideias sobre si mesmo, ideias sobre o mundo e sobre a família e sobre a nação, artigos de fé científica ou religiosa, seus credos e suas moedas: uma a uma, as amadas estruturas caindo.

Uooomff.
Uooomff.
Uooomff.

UMA MANHÃ FRIA
E GELADA

Alma Warren, mal saída da cama e nua diante do espelho monstruoso do banheiro, olhando com cara de sono para a carne flácida de cinquenta e três anos e ainda se achando uma delícia. Ela julga sua persistente vaidade quase heroica considerando a escala de seus delírios. Está preparada para encarar os fatos, com a convicção de que os fatos vão apenas gritar e fugir. Levando tudo em conta, ela é uma figura e tanto.

O grande banheiro quadrado, com seus cantos arredondados de gesso, é um cubo embotado de vapor cinza subindo do abismo de dois metros e meio da banheira, um ostensivo bote salva-vidas feito de fibra de vidro com marcas de maré. Sujeito a esse clima sufocante de floresta tropical todas as manhãs por pelo menos dez anos, o papel de parede azul e dourado começou a se descolar nos cantos do teto, um nascer do sol de inverno murcho. No fundo da banheira gigante há os pinos de instalação de um motor de hidromassagem não utilizado, com a pintura dourada descascando e revelando o metal cinza fosco embaixo. Alma nunca teve o dom de manter algo bonito.

Ela pega uma esfera de sais de banho da fruteira de vidro verde no balcão, Fairy Jasmine da loja perfumada da Lush no Grosvenor Center, espalha um pouco daquilo na água morna e sente um prazer infantil com a espuma de brilho azul metálico que fervilha da efervescência e do impulso. Terá lantejoulas no rosto, nas mãos, nos cabelos e nos lençóis por alguns dias, mas, olhando pelo lado positivo, estará vivendo no início dos anos 1970. Alma sobe na extremidade mais próxima da lagoa em miniatura e faz uma pose como a de um mergulhador de salto de trampolim, concentra-se em meio ao vapor até imaginar que sua banheira é um enorme reservatório visto de várias centenas de metros mais acima. Faz um gesto como se estivesse prestes a executar um mergulho de braços abertos, mas depois parece mudar de ideia e desce cuidadosamente para o banho da maneira convencional. Essa pantomima estranha é algo que faz todos os dias sem ter ideia do motivo. Só espera que ninguém nunca descubra.

Ela se ensaboa com um sabonete cor-de-rosa com aroma da prateleira de artigos sortidos da Woolworths, depois se enxágua e, relaxada, afunda-se no calor e na espuma até que apenas o rosto esteja visível acima da superfície, como uma máscara flutuante. O cabelo comprido boia em torno de seu crânio descomunal como algas, tornando-se liso e saturado enquanto ela ouve os ruídos subaquáticos que o banho produz, o gotejamento rítmico da torneira dourada descascada e o raspar amplificado de uma unha nas laterais moldadas da banheira comprida. Alma sente-se confortável, reduzida a nada além de um rosto à deriva, com todo o resto escondido sob as bolhas e nuvens de espumas flutuantes de azul iridescente. Essa é essência da estratégia com a qual encara a vida, acreditando ter a vantagem do elemento surpresa: pode ter qualquer coisa por baixo da espuma e do brilho, não é?

Depois de um minuto de submersão amniótica, ela se senta, com o cabelo como uma vírgula escorrida pingando entre as omoplatas, e pega um punhado viscoso do xampu de limão e sal marinho do pote, esfregando o lodo arenoso em seu couro cabeludo. O produto promete ao usuário brilho e volume de parar o trânsito, embora Alma não consiga se lembrar da última vez em que parou o trânsito no bom sentido. Moldando o cabelo para a frente em um topete endurecido de espuma que cai em direção à ponta gotejante a uns bons vinte centímetros de sua testa, Alma murmura um "Muito obrigado" em meio à névoa úmida, depois enxágua tudo usando um chuveirinho dourado descascado. Ela é, ou pelo menos gosta de acreditar, a cara do rei, se ele tivesse vivido para ser uma mulher velha.

Assim que as mechas começam a guinchar como cordas de violino, ela fecha o chuveirinho e se deita, com a cabeça encharcada escorrendo na toalha dobrada que colocou cuidadosamente na beira pontiaguda da longa banheira. Com o corpo inteiro estendido e imóvel, como uma monarca egípcia morta cujo sarcófago foi primeiro inundado e depois salpicado de purpurina para propósitos rituais insondáveis, Alma observa seus pensamentos, verificando seu estado naquela hora de uma manhã de sexta-feira. Perto da superfície, uma camada tempestuosa de raiva e ressentimento sem sentido desaparece aos poucos nesse interlúdio espumoso entre os Shreddies do café da manhã, a sensata aspirina diária e as bebidas de bioiogurte, tudo já engolido, e seu primeiro baseado do dia, que ainda está por vir. Por baixo dessa espuma de raiva residual, há um estrato secretário tediosamente eficiente, listando tudo o que Alma precisa fazer hoje, sexta-feira, 26 de maio de 2006: terminar a pintura *Corrente de Ofício*, pagar o maldito imposto municipal sanguessuga, ir ao banco, visitar a pequena creche perto da igreja Doddridge para ver se tudo foi entregue em segurança para a exposição de amanhã. Ah, e comprar comida na cidade, porque não há nada na geladeira, a não ser condimentos e molhos estranhos e exóticos que comprou enquanto estava em um estado alterado. Talvez dê uma olhada na HMV do Grosvenor Center para ver se a nova temporada de *The Wire* já saiu; talvez vasculhe as prateleiras de interesse local da Waterstone's, procurando fotografias em sépia de barcaças em um rio marrom como cerveja; ondas de crianças em trajes de banho dos anos 1950 correndo para a câmera, chapinhando na parte rasa da piscina pública do Midsummer Meadow.

Abaixo desse razoável nível de organização estão as engrenagens e válvulas do processo criativo, girando sem parar. Estão relembrando com apreensão os pequenos motivos de incômodo em obras concluídas — o trabalhador central de cabelos brancos em *Obra em Andamento*, por exemplo, olhando por cima do ombro para a plateia com olhos talvez muito severos e assustadores —, ou então vasculhando as possibilidades de pinturas ainda por vir. Ela tem uma ideia nebulosa que envolve encontrar os locais retratados por grandes paisagistas do passado, recriando a mesma vista no mesmo meio, com todas as autoestradas cheias de carros e modificações modernas representadas de modo clássico, em óleos lustrosos com pinceladas pacientes, congelando um presente degradado no olhar implacável de um passado mais capaz. Existe algo nisso que a atrai, mas na forma atual ainda está muito superficial e óbvio. Além disso, surgirão cinco ideias tão boas ou melhores até a hora de se deitar esta noite. A atenção de Alma passa por esse e outros projetos incipientes quase sem parar, mesmo enquanto outras áreas de sua consciência estão ocupadas com outras coisas, como fingir que a pessoa com quem está conversando tem sua total atenção.

Sob esse produtivo e incansável chão de fábrica da mente, encontramos em seguida o vasto porão iluminado pelos monitores de uma supervilã, onde parte da personalidade excessivamente elaborada de Alma senta-se em uma cadeira giratória entre as telas em movimento e medita a respeito de seus planos dementes. Isso inclui afetar o desenvolvimento da cultura pela introdução sutil de ideias extremas, que, se forem seguidas, precipitarão um colapso psicológico apocalíptico generalizado. Louca já antes disso, Alma terá satisfeita sua ambição de levar todos os outros consigo. Então, claro, há o projeto em andamento para criar uma argumentação para escapar da morte, que progride muito bem. Ela fica girando a cadeira e rindo em seu covil imaginário, mas sem nenhum periquito por perto para acariciar, prevendo que sua imagem de vilã seria severamente prejudicada pela implicação sexual previsível e óbvia. Em vez disso, quando as circunstâncias exigem, acaricia uma cobra de língua bifurcada.

Descendo mais adiante, há catacumbas junguianas de alquimia, cabala, numerologia e tarô, resíduos paranormais resultantes de sua perene preocupação com o oculto. Ela decodifica o dia ao seu redor de acordo com as tabelas de correspondência de Cornelius Agrippa, dr. Dee, Aleister Crowley e todos os outros ocultistas pesos-pesados. Hoje é uma sexta-feira, Freitag, Vendredi, dia do planeta Vênus e do número sete, um bom dia feminino no geral. Suas cores são três tons de verde, com âmbar como complemento. Seu perfume é o attar de rosas, seu metal é o cobre. Essa zona específica da consciência de Alma se deixa distrair produtivamente pela ideia tangencial das rosas, seguindo um frágil fio de livre associação começando com Diana Spencer, "Goodbye, England's Rose", panegírico cafona de Taupin e John para Marilyn reelaborado para outra garota loira morta por câmeras, ambições equivocadas e traições. Mick, irmão de Alma, viu o cortejo fúnebre que trouxe o corpo para casa pela autoestrada de verão, com flores atiradas murchando no capô, vívidas no metal opaco do caixão. O silêncio absoluto da multidão ao lado da estrada. Northamptonshire, Rosa dos Condados. A rosa tem origem na Turquia, com apenas variedades vermelhas ou brancas disponíveis, e foi introduzida na Europa por cruzados que retornavam, muitos deles voltando para cá, à cidade onde suas cruzadas começaram. Mostrando-se popular, a flor, em seus dois tons distintos, acabou sendo adotada como símbolo pelas Casas de Lancaster e York, com seu conflito posterior resolvido na batalha em Cow Meadow, entre o Beckett's Park e Delapré, do outro lado do rio. Sangue e rosas, um motivo recorrente no tecido estampado da saia enlameada de Northampton.

Um pouco mais abaixo estão os sentimentos de Alma, seu componente emocional, uma pastagem muito mais ensolarada e menos assustadora que as aparências podem levar a supor. Nesse piso, todos os amigos, animais de estimação e familiares de Alma, vivos ou mortos, brincam em meio a encenações de seus momentos preciosos, que podem representar um sonho, um primeiro beijo, ou aquela tarde estranha quando tinha nove anos, tomando um atalho longo para casa pelos apartamentos de Greyfriars na Scarletwell Street, notando o arbusto, a única lagarta pendurada. Todas as experiências positivas de Alma são redirecionadas aqui para armazenamento de longo prazo. Todas as suas experiências negativas são dadas como alimento a uma coisa pavorosa com olhos turquesa, mantida em um cercado atrás da área de recreação e levada para passear apenas em ocasiões especiais.

Debaixo de tudo isso está o espírito de Alma, a Realidade dela, que não pode ser expressa, um artefato adorável e engenhosíssimo, talvez um tanto bravateiro e pouco prático. Essencialmente, é a de uma menina de sete anos de pensamentos sérios, mas imaginativa e muito inteligente, e no momento dissolvendo-se feliz nas correntes perfumadas de jasmim e polvilhadas de safira de um banho escaldante. Quando começam os cutucões do sentimento de culpa proletária por sua indulgência de pequena celebridade, o que leva apenas alguns minutos em uma banheira daquele tamanho absurdo, senta-se de repente e puxa a tampa do ralo. Saltando do banho, tenta secar-se e vestir-se antes que toda a água escorra borbulhando, um hábito que costumava ver como mera questão de eficiência, mas que percebeu que é apenas parte de sua loucura de sempre. Vê, triunfante, que conseguiu terminar de se vestir antes que as últimas nebulosas de espuma e purpurina desapareçam no buraco negro do ralo, mas só consegue realizar tal proeza por não se preocupar em vestir nenhuma roupa de baixo. Então ela joga o roupão no corrimão e desce as escadas. São sete e meia da manhã, hora de começar seu longo e rigoroso trabalho de tentar intimidar os outros ocupantes do planeta. Não que Alma considere essa tarefa autoimposta algo especialmente difícil. O problema é que há muita gente e pouquíssimo tempo.

No andar de baixo, em meio a um amontoado de livros raros e telas incompletas que só tranquilizam a própria Alma, ela enche a chaleira elétrica da era espacial e acende sua misteriosa luz azul antes de se sentar em sua poltrona e começar a construir seu primeiro cigarrinho de artista. Esses itens ostensivamente longos, rotulados com precisão como "compensadores de pau Gauloise de vinte e três centímetros" por seu visitante fugaz Alexei Sayle, são reminiscências de uma época anterior, quando ainda ia a festas e inventou um baseado longo o bastante para sobrar alguma coisa para si depois de ter circum-navegado uma sala cheia de pessoas. Quando a surdez parcial e o enfado crescente com o álcool levaram Alma a abandonar as festas e, na maioria das vezes, fumar sozinha enquanto trabalha, ela simplesmente se esqueceu de modificar o comprimento, só isso. Não que seja uma consumidora inveterada de drogas ou algo do tipo.

Quando todas as dez sedas Rizla são coladas em uma bandeira branca de rendição e o recheio de tabaco adicionado, Alma cozinha a ponta rombuda de uma barra de haxixe no isqueiro Zippo. Essa variedade atual, que quando adolescente teria reconhecido como proveniente do Afeganistão ou do Paquistão, havia sido renomeada para Talibã Negro para se adequar ao contexto atual. Ela reflete sobre isso enquanto desintegra a resina ainda fumegante no tabaco, queimando o polegar e o indicador esquerdos, já quase insensibilizados. Em seguida, vem um movimento de enrolar o tapete e uma rápida passagem da borda gomada pela língua de Alma, uma torção em uma extremidade e uma inserção precisa de papelão enrolado na outra, tudo antes que a chaleira de orgônio iluminada em azul na cozinha tenha parado de borbulhar. Ela despeja a água fervente, que se derrama um pouco, em uma horrível caneca desbotada com os dizeres Melhor em Tudo, guiando a torrente crepitante para que caia no centro do saquinho de chá cinza circular e o infla em um travesseiro de calor aprisionado. Amassando-o contra a lateral do recipiente com a colher para espremer a última gota de seus sucos vitais, joga a carcaça gasta e fumegante na lixeira de pedal aberta. Deixando o leite e o açúcar de lado — prefere suas bebidas "escuras e amargas, como eu gosto dos meus homens" —, Alma transporta a caneca cheia de volta para a sala, a poltrona e o charuto de contrabando à espera.

Atrás de sua cadeira, há um painel de vitrais em arco no qual estrelas douradas marcam as posições das esferas cabalísticas contra um azul real profundo numa gradação que vai até o verde-azulado. O sol baixo que entra pela janela dos fundos do cômodo passa por ele e derrama sobre Alma um brilho amarelo e cobalto enquanto ela acende o baseado. As estrelas pintadas quebram ovos no esmalte ciano de seu cabelo molhado. Ela segura a fumaça por um momento e depois se recosta e exala no índigo que se forma, deleitando-se com sua própria identidade, na diversão incessante e na tensão em sua maior parte agradável de simplesmente ser ela.

À medida que a câmara de nuvens de sua consciência começa a se aquecer, com as turbinas zunindo conforme se aproxima da velocidade normal de operação, ela pega a página impressa mais próxima para dar um ponto de foco aos processos mentais que engrenam com rapidez. É a última edição da *New Scientist*, datada de 4 de maio, aberta em um artigo intrigante sobre o filósofo da ciência favorito de Alma, com o belo nome de Gerard 't Hooft, cujas críticas à teoria das cordas tanto a impressionaram. Ao que tudo indicava, 't Hooft havia formulado uma hipótese que, se comprovada, finalmente resolveria os dilemas da indeterminação quântica. Pelo que Alma tinha entendido, resolveria os tais dilemas ao negar a existência deles. O filósofo parece sugerir que há um nível mais profundo e fundamental, ainda não descoberto, subjacente ao misterioso mundo quântico. 'T Hooft prevê que, assim que tenhamos desenvolvido microscópios de tunelamento que possam revelar essa camada de realidade antes insuspeita, descobriremos que a ideia de Heisenberg de partículas existentes em uma ampla variedade de estados até serem observadas é uma ilusão baseada em mal-entendidos.

Lendo tudo isso entre tragos alternados de chá e fumaça, Alma se permite a gargalhada gutural de um ogro que acaba de perceber onde as crianças estão escondidas. Consegue identificar uma ideia perigosa bem construída quando vê uma, e a proposta de 't Hooft lhe parece uma das minas terrestres conceituais mais engenhosas de que já ouviu falar. Os atrativos são aparentes logo à primeira vista. A indeterminação quântica é o obstáculo que impede qualquer resolução fácil das vastas discrepâncias entre a visão de mundo quântica e o universo classicamente construído de Einstein, Newton e companhia. Se partículas subatômicas minúsculas se comportam de acordo com as leis de Lewis Carroll que governam a física quântica, então por que leis totalmente distintas governam as estrelas e os planetas? Até agora, as tentativas de conciliar o microcosmo quântico com o macrocosmo clássico levaram a extravagâncias alucinantes como a teoria das cordas, conceitos que exigem dimensões extras, variando entre dez e vinte e seis, antes que a matemática faça sentido.

Isso não significa descartar a possibilidade de que os teóricos das cordas estejam corretos, mas, para os ouvidos de Alma, aquilo tudo soa bastante confuso e desnecessário. Se 't Hooft estiver certo, no entanto, e não houver indeterminação quântica, então o problema desaparece para deixar uma teoria de campo unificada que dá conta de tudo sem recorrer a explicações exóticas que muitas vezes podem levar a mais questionamentos do que respostas. Ela entende que muitos cientistas achariam difícil resistir à hipótese de 't Hooft, mas existe aquele outro lado: se não há indeterminação quântica, então não há livre-arbítrio. Esse é o problema e, na opinião de Alma, tem o potencial de empalidecer todas as outras disputas atuais entre o cristianismo e a ciência.

É por isso que ela está rindo enquanto lê. O problema é todo esse negócio de livre-arbítrio, que deixa todo mundo com os nervos à flor da pele, até os pensadores pelos quais ela tem o maior respeito. Depois de trabalhar o ano todo na visão de quase morte do irmão Warry, Alma ficou muito confortável com a predeterminação, com a ideia da vida como uma grande recorrência que revivemos, invariável e eternamente. Durante esse tempo, porém, aprendeu que tanto Nietzsche quanto um de seus ídolos, Austin Osman Spare, artista e mago de Brixton, formularam quase o mesmo conceito, mas depois se afastaram dele por causa da negação implícita do livre-arbítrio.

Alma não consegue compreender o motivo para tanto barulho. Está convencida de que ninguém precisa de verdade de livre-arbítrio, desde que haja uma ilusão sustentável disso para impedir que todos enlouqueçam. Também tem a impressão de que nossa percepção do livre-arbítrio depende da escala em que vemos a questão. É evidentemente impossível prever com exatidão o que acontecerá com um indivíduo durante, digamos, os próximos cinco anos. Isso parece sustentar o argumento do livre-arbítrio e de um futuro que ainda não está escrito. Por outro lado, se considerarmos um grande grupo de pessoas, como os poucos milhares de almas que habitam os Boroughs ou qualquer outra área degradada contemporânea, nossas previsões se tornam assustadoramente fáceis e precisas. Podemos afirmar, com razoável acerto, quantas pessoas ficarão doentes, serão esfaqueadas, engravidarão, perderão seus empregos e suas casas, ganharão pequenos prêmios na loteria, baterão em seus parceiros ou filhos, morrerão de câncer ou de infarto ou por pura obra do acaso. Ocorre a ela, sentada na rica luz azul e terminando de fumar, que esse é o mesmo dilema enfrentado pelos físicos, traduzido em um contexto sociológico. Por que o livre-arbítrio, assim como a indeterminação quântica, só se torna evidente quando olhamos para o microcosmo, para uma única pessoa? Para onde vai o livre-arbítrio quando voltamos nosso olhar para as massas sociais maiores, para populações que são equivalentes a estrelas e planetas?

Apagando o baseado, ela coloca a revista de lado e começa a enrolar outro. A caneca de chá preto-ferro, ainda com um quarto do conteúdo por consumir, esfriou com pequenas plaquetas bronzeadas em sua superfície, como uma pele. Vai preparar uma nova antes de começar a trabalhar, em alguns minutos, agora que o cabelo não está mais pingando.

Ainda refletindo sobre o assunto de Gerard 't Hooft, vagueia pelos momentos seguintes até se ver parada diante do cavalete perto da janela, com uma caneca recém-cheia e fumegante sobre a mesa alta ao seu lado, perto do cinzeiro e do segundo baseado ainda não aceso apoiado na beirada. Segura um pincel 00 na mão direita, imóvel e horizontal como a lança em riste de um paciente caçador da selva, sem piscar e confiante de que sua presa se moverá primeiro. Vai se entregar, a imagem ou linha que está à procura, e então seu dardo curto avançará, com a ponta de uma cor venenosa.

No cavalete está a última obra a ser concluída antes que a exposição de Alma abra as portas da creche amanhã de manhã. A pintura foi feita só de última hora porque Alma não tinha decidido incluí-la até recentemente. Intitulada *Corrente de Ofício*, é uma reflexão tardia, uma espécie de epílogo visual dos trabalhos anteriores. Mostra uma única figura, posando como se para um retrato oficial de prefeito, em um campo indistinto e móvel de pontilhismo verde quase bebível, uma fumaça de um esmeralda profundo. O imponente retratado, de feições ainda inacabadas, está envolto em uma túnica cerimonial estranha e ornamentada escondendo os contornos do corpo, que poderia ser masculino ou feminino. Na falta de um rosto completo no qual pousar, os olhos são atraídos para o tecido exótico em cascata de vestes, que, após um exame minucioso, parece ser o motivo de toda a imagem. O desenho intrincado de cenas detalhadas, definidas em painéis de contornos irregulares e ligados por uma filigrana dourada de linhas ramificadas, termina por ser um mapa ricamente ilustrado do antigo bairro de Alma, da Sheep Street à Saint Andrew's Road, da Grafton Street à Marefair. Na bainha decorada há um motivo de pedras de calçamento, cada uma delas rachada e desgastada, franjada com costuras de musgo verde brilhante. Os botões do punho são conchas de caracol coladas. Imagens isomórficas da igreja Doddridge parecem estar pintadas ou bordadas nas dobras da roupa, com a Escola Spring Lane e a Scarletwell Street deslizando de uma prega pendurada para o ocre do vinco.

A figura imponente está com as duas mãos levantadas em sinal de boas-vindas ou concessão de uma bênção, envolta em sua espantosa capa de mapas. Pendurado no pescoço, em um cinza fosco que se destaca bastante contra o colorido desenfreado das vestimentas, está o gongo amassado de uma tampa de panela velha presa ao que parece ser um pedaço de corrente de banheiro.

O único problema de Alma com a peça é que não consegue decidir que rosto esse esplêndido totem dos Boroughs deve usar. O de Philip Doddridge, talvez? O de Black Charley? E quanto ao doce formato redondo de coruja da amada e falecida tia Lou, desaparecida em uma tempestade de raios? Não. Não, vai parecer errado, empoleirado em um corpo já completo e com proporções diferentes. Ela larga o pincel flutuante e pega o baseado, acendendo o objeto de papel. Depois de uma ou duas tragadas, coloca a coluna fumegante de volta no cinzeiro e pega o pincel, tendo chegado a uma decisão.

Nas duas horas seguintes, trabalha no rosto até ficar satisfeita, depois passa mais meia hora olhando de modo apaixonado para a pintura acabada, deleitando-se com sua própria magnificência. Por fim, sua vaidade começa a exauri-la. Alma sente que merece uma pausa.

Ela se levanta, com um gemido ciático teatral, e se arrasta para a cozinha, onde frita halloumi fatiado enquanto um par de pães árabes estufam e engordam no forno. Quando os filés de queijo de corte grosso adquirem um mosqueado outonal coriáceo, ela os retira da panela; coloca-os dentro das bolsas de pão quente com uma porção de salada de folhas mistas e alguns tomates guilhotinados. Nunca consegue comer halloumi sem sentir uma sensação de culpa vegetariana. É uma sensação equivocada, ela sabe. Quando experimentou pela primeira vez a iguaria grega fibrosa e salgada, décadas antes, foi levada a supor que o halloumi era uma espécie de peixe cipriota ameaçada de extinção. Mesmo que saiba agora que não é o caso, ainda não consegue se livrar do frenesi de carne proibida e deliciosa que vem com cada garfada cuidadosamente mastigada, e na verdade gosta que seja assim.

Depois de ter devorado a refeição que sua fritura apressada deveria representar — onze horas, ou *brunch* ou almofé (sua própria invenção) —, Alma se livra do prato e enrola outro baseado. Tendo concluído *Corrente de Ofício* uma hora mais cedo do que havia previsto, tem tempo para escolher alguns de seus outros projetos, talvez fazer anotações laboriosas e quase autistas em letras maiúsculas em qualquer página não marcada que encontrar em uma das várias pastas de trabalho. Nunca havia dominado a caligrafia. Assim como amarrar os cadarços da maneira convencional, é uma habilidade com a qual teve problemas iniciais e desistiu logo em seguida, decidindo que criaria sua própria abordagem para as coisas e assim continuaria fazendo, mesmo que estivesse obviamente errada. Essa é a decisão formativa, tomada quando tinha sete anos, que moldou toda a sua existência posterior. Em uma entrevista recente, ao ser questionada se a agitação política da década de 1960 moldara a maneira ferozmente pessoal com que Alma encarava a vida, sua resposta intrigante — "Não, foram aqueles cadarços de merda" — se tornou objeto de muita especulação em fóruns que nunca viu, só ouviu falar.

Recostando-se em sua poltrona, em meio a seu ninho de fitas de fumaça onduladas, ela toma o caderno de capa dura e páginas em branco mais próximo da mesa de centro desordenada à esquerda, pegando também uma caneta esferográfica azul que ainda parece funcional. Faz algumas anotações sobre a possível autobiografia que está pensando em escrever, que no momento não é muito mais do que um ou dois parágrafos sobre sua avó May e um título provisório, *Nós Era Pobre, Mas Era Canibal*. Alma cria algumas dezenas de títulos de capítulos, frases que lhe parecem engraçadas, ressonantes, cheias de uma inteligente petulância, e faz pequenas anotações ao lado de cada uma sugerindo quais ideias ou episódios aquele capítulo pode incluir. Os detalhes e a essência das coisas podem ser trabalhados mais tarde, na base da pressa e contando com a sorte.

Convenientemente satisfeita com sua meia hora de trabalho, no momento em que está começando a ficar entediada, coloca o caderno de lado e pega a primeira coisa na pilha de livros, revistas e gibis. E acontece de ser uma cópia ensacada em polietileno de *Forbidden Worlds*, a edição 110, datada de março-abril de 1963 e publicada pela extinta ACG, ou American Comics Group. Por estar farta e enjoada da prolongada adolescência que caracteriza o negócio dos quadrinhos contemporâneos, as publicações dessa safra são quase as únicas que Alma permite entrar em casa.

Retirando com cuidado a frágil revista do envelope de plástico velho e murcho, Alma examina a capa e quarta-capa: é uma merda. No verso tem o anúncio, em preto e branco, do catálogo de novidades da Honor House Productions, ousadamente rotulado como "baú do tesouro da diversão". Parte da diversão parece ser confundir adultos com ventriloquia, assustá-los com um isqueiro lançador de cigarros que "parece uma Browning automática", ou aumentar a ansiedade nuclear deles com uma Bomba de Fumaça Atômica: "Apenas acenda uma e veja a coluna de fumaça branca subir para o teto, crescendo em uma nuvem densa de cogumelo como uma bomba atômica". Custam vinte centavos. Também estão disponíveis apitos silenciosos de cachorro, aulas de jiu-jítsu prometendo que VOCÊ TAMBÉM PODE SER DURÃO, um baralho de cartas marcadas e óculos sucintamente descritos que "permitem que você veja atrás de si sem que ninguém saiba que está vendo. Realmente vêm a calhar às vezes". Esforçando-se para imaginar exatamente em quais ocasiões esses óculos espelhados "realmente vêm a calhar", a não ser que fosse obrigada a tirar sua cabeça enorme de um lugar onde tivesse ficado entalada, ela passa para a capa dianteira, toda em cor cítrica com seu selo de aprovação de grandes dimensões da outrora importante Comics Code Authority e "9d" em tinta preta da caneta de uma revistaria britânica estampada no logotipo decorado com o planeta.

A imagem frontal, de um artista que Alma não reconhece, é nitidamente uma obra de arte de capa genérica retirada de um banco de ilustrações. Mostra um monge com aparência de bandido, de manto verde e capuz, fazendo uma careta de dentro da bola de cristal de uma cartomante. Uma chamada de capa em azul anexada à ilustração tenta justificá-la fingindo que a figura de aparência mal-humorada no globo de neve é "apenas uma" das várias ameaças que o único personagem contínuo da antologia, Herbie, encontraria nos quadrinhos. Passando os olhos por duas ou três histórias nada marcantes de estranhas aventuras até a de Herbie, no final, a única razão pela qual guardou aquele gibi escangalhado, Alma descobre o truque que suspeitava. O monge verde sequer dá as caras na história de dez páginas, uma das favoritas de Alma, chamada "Herbie e o Tempero de Salada Sneddiger".

Herbie havia sido criado várias edições antes, no que pode ter sido originalmente uma aparição planejada para ser a única. Os leitores, no entanto, ficaram intrigados com seu protagonista, um colegial roliço e solene com um cabelo em forma de tigela, óculos de aro de tartaruga, poderes sobrenaturais inesperados e uma obsessão incomum por pirulitos com sabor de frutas. Devido a essa resposta favorável, passou a aparecer com mais frequência desde então, vestido com seu invariável traje de roupas adultas numa estranha versão reduzida – calça azul, camisa branca e gravata preta. Apesar do visual que com certeza não era para todos os gostos, Herbie tinha saído da *Forbidden Worlds* um ano depois da edição 110 e se estabelecido como o personagem-título de seu próprio gibi, do qual Alma possui uma coleção quase completa.

A principal razão para essa compulsão singular é a paixão de Alma pelo artista distintamente obsessivo desse quadrinho, Ogden Whitney. Whitney, ativo desde a década de 1940, mostrava um estilo de desenho que de alguma forma conseguia levar a suavidade sufocante dos bairros burgueses a extremos de fazer inveja às vanguardas artísticas. Seu elenco bem penteado de americanos genéricos de classe média poderia ter saído de um anúncio de revista de sabão em pó, carros ou café, não fosse pela evidente falta de um sorriso confiante. Em vez disso, seus personagens usam expressões tensas de ansiedade mal reprimida enquanto hesitam nas cozinhas de suas casas pintadas sempre de branco ou vagam em gramados verde-claros tão bem aparados que são totalmente desprovidos de textura, tornando-se meros contornos deixados para o colorista preencher. E então, em meio a essa convulsionada paisagem da Guerra Fria, com sua população de neuróticos em estado de tensão, aparece a massa planetária de Herbie Popnecker.

Diz a lenda que Richard Hughes, roteirista contratado da ACG, escrevendo sob o pseudônimo Shane O'Shea, ficou fascinado pela maneira como Whitney, que interpretava tudo de forma literal, desenhava qualquer coisa que o roteiro exigisse sempre no mesmo estilo levemente realista. Talvez para a diversão do escritor, os roteiros foram se tornando mais comicamente surreais à medida que a série avançava, presenteando os leitores já confusos com estranhos encontros entre a impassível criança-bolinho e estrelas de cinema e líderes mundiais como os Kennedy, Nikita Khrushchev, Fidel Castro, a rainha Elizabeth II ou os Burton. As celebridades femininas em geral ficam encantadas com a criança esférica e enigmática de dez anos. Ladybird Johnson, Jackie Kennedy, Liz Taylor e Sua Majestade — todas suspiram de encher o peito enquanto ele se afasta para o céu com uma expressão de suprema indiferença, um galã improvável chupando um pirulito tão redondo quanto ele.

Todos esses dignitários da vida real coexistem sem problemas com criaturas do espaço sideral, bruxas montadas em vassouras, animais falantes, objetos antropomorfizados e os habitantes sobrenaturais da distinta pós-vida tingida de verde da ACG. Essa região oculta, atapetada de nuvens cor de limão, é uma versão à maneira Rod Serling da Eternidade que aparece de maneira intermitente nas outras revistas da editora e é chamada de "O Desconhecido" no que parece ser uma placa pintada à mão em sua área de recepção repleta de cúmulos. O lugar é uma morada de fantasmas cobertos de lençóis, trolls, leprechauns e monstros do catálogo da Universal Studios, junto de guardiões de túnicas e sem asas que parecem anjos de Frank Capra, gorduchos e avunculares. Ocorre a Alma que ela pode ter sido influenciada de alguma forma por essa perspectiva secular, fantástica e folclórica do paraíso enquanto concretizava a visão de infância de Warry nas pinturas e ilustrações em que vinha trabalhando no último ano. Apesar da falta de qualquer semelhança entre seus estilos, a representação elaborada que Alma fez dos Boroughs mais elevados, cheios de sonhos, demônios e fantasmas, provavelmente deve muito ao surrealismo sóbrio de Ogden Whitney.

Por outro lado, Alma tem consciência de que os méritos de Whitney, por mais que existam, são uma mera camuflagem para mascarar a natureza real de seu interesse pelo trabalho dele, que se baseia inteiramente na identificação extrema de Alma com o personagem mais conhecido do artista. Ela mesma havia sido uma bolota rechonchuda antes de seu estirão de crescimento aterrorizante e, como o herói de Whitney, foi obrigada a suportar um corte de cabelo de tigela. Além disso, tinha a mesma convicção de Herbie de que os poderes e as forças do universo deveriam conhecê-la pelo nome e ter o bom senso elementar de ficar fora de seu caminho. Na aventura que ela segura nas mãos de unhas vermelhas de estranguladora, "Herbie e o Tempero de Salada Sneddiger", o colegial onipotente assusta um Frankenstein bem grandinho; uma saraivada de balas de metralhadora com rostinhos preocupados se desviam da trajetória ao reconhecer Herbie; dinossauros alienígenas com cabeça de leão do sitiado planeta Bertram e até fenômenos astronômicos, como um cometa agressivo, se desviam de seu curso em pânico no primeiro vislumbre da bola de boliche humana viciada em pirulito. De seu ponto de vista, é o mesmo respeito cortês que Alma espera que elefantes furiosos, mísseis de cruzeiro, lobisomens, corporações, relâmpagos e astronautas invasores estendam a ela.

Outra razão para a identificação são os olhos de Herbie, tanto pelo olhar entediado de pálpebras pesadas que conhece de suas próprias fotos de bebê quanto pelos óculos feios que ele aparentemente é obrigado a usar. Era assim que ela poderia ter acabado, com o olho esquerdo quase inútil que herdou da mãe, Doreen. Só conseguiu evitar um par de deformadores de rosto do Sistema Nacional de Saúde valendo-se de sua engenhosidade de menina de sete anos. Quando levada pela mãe para o exame oftalmológico obrigatório na escola, Alma olhou de relance para o cartaz ao passar e o memorizou, de cima a baixo, utilizando os extraordinários poderes de memorização que nem seus colegas de escola nem sua família haviam notado ainda, e também não estava com pressa de mostrar. O optometrista da escola prendeu a cabeça descomunal de Alma com óculos ao estilo Laranja Mecânica, depois apontou para os borrões cinzentos que flutuavam no nevoeiro enquanto ela declamava uma lista de letras que não conseguia enxergar de jeito nenhum.

Essa técnica a manteve sem óculos até a adolescência, quando o procedimento do teste de visão foi alterado inesperadamente, e Alma foi desmascarada como uma fraude meio cega com uma sensibilidade quase vampírica à luz. Foi obrigada a suportar dois anos de armações finas e lentes azuis que de alguma forma conseguiam fazê-la parecer ainda mais pretensiosa do que já era. Quando uma lente caiu e quebrou, o optometrista daltônico de Alma a substituiu por um vidro tingido de rosa, que a fez parecer uma espectadora de um filme em 3D. A essa altura, ela já havia concluído que sua visão sem óculos estava se deteriorando, e essa última injúria só piorou tudo. Jogou os óculos de dois tons fora, decidindo que, se fosse ficar cega, seria em seus próprios termos, muito obrigada. Mais tarde, aprendeu que não usar lentes produzia o que era conhecido como "efeito de lente negativa" nos músculos do olho, o que na verdade melhora a visão. Ou é efeito de lente positiva? Não importa. Tudo o que importa é que, na opinião de Alma, ela provou estar certa. Alma um, optometristas, zero, e nada a convenceria do contrário.

Voltando sua atenção para a história que está lendo, Alma pensa novamente em Ogden Whitney, em seu triste fim, conforme detalhado em *Art out of Time*, o volume adorável que Mike Moorcock lhe enviou como agradecimento por sua ilustração na capa de um *Elric* recentemente reeditado em formato de brochura. Em meio à maravilhosa coleção de tiras cômicas negligenciadas e peculiares de tempos passados, Alma se deliciou com uma aparição alucinante de *Herbie*, acompanhada de um texto sobre o artista. Ficou tocada, embora não surpresa, ao saber que a aparência e o físico de Herbie eram baseados nos de Ogden Whitney quando criança, e as lágrimas surgiram quando leu como ele havia morrido, esquecido e enlouquecido pelo álcool em um hospício. Imagina Herbie na casa dos sessenta, sentado na sala da instituição psiquiátrica, com a camisa branca e calça azul trocadas por um roupão manchado e seus pirulitos com diferentes poderes substituídos por garrafas. O pirulito-garrafinha de viagem no tempo seria o único que funcionaria. Os olhos sonolentos mirando desfocados através de grossas lentes de vidro de cerveja e a barriga agora esticada como um tambor, com o fígado aumentado. Cabeça grisalha, cortada em forma de tigela, cheia de sua demência plana e desenhada com precisão, dragões-leão e Tempero de Salada Sneddiger, os muitos fantasmas e criaturas de um verdejante Território Desconhecido.

Dando uma última tragada no toco com listras sépia, ela o amassa e se levanta com outro grito de dor nas costas. Mal tem consciência de que faz esses ruídos, de tão constantes e repetitivos que se tornaram. Buscando entre cadernos, quadrinhos, canetas e álbuns, Alma localiza uma escova de cabelo que de alguma forma conseguiu sobreviver à sua luta diária com a cabeça. Um objeto de madeira resistente que é capaz de um "mega penteado", pelo menos é o que diz a promessa impressa em seu cabo, já dura mais de um ano com mais de uma dúzia de dentes de plástico arrancados. Suas antecessoras, que se partiram em duas ou foram desmanteladas de outra forma pela primeira ou segunda arrastada dolorosa pelos cabelos emaranhados de Alma, eram umas florzinhas afetadas em comparação.

Ela aprendeu cedo na vida que, se não escovar a juba uma vez por dia, vai criar nós que em uma semana se transformarão em um chifre de rinoceronte impactado; cápsulas de mogno que exigirão especialistas em árvores, motosserras, cordas e escadas para remover. Fechando os olhos, começa a puxar a escova a partir da coroa, com o rosto escondido atrás de uma cortina de segurança marrom-acinzentada enquanto as cerdas raspam dolorosamente através dos emaranhados inflexíveis. O som de folículos se rompendo e pinos de vinil se quebrando, descobriu, torna o ritual muito mais perturbador para qualquer um forçado a ouvi-lo do que para ela. Sua amiga artista, Melinda Gebbie, sentava-se tapando os ouvidos e choramingando se fosse testemunha de uma escovação, com medo de que Alma arrancasse parte do crânio, enquanto ela própria quase ignorava o autoescalpelamento. Sua relação com a dor tem sido marcada em grande parte pela indiferença desde que percebeu que a porção física real raramente doía tanto, e que são os arquivos psicológicos e emocionais anexos que fazem todo o mal. Tanto quanto é capaz, portanto, desconectou as sensações físicas dolorosas dos reflexos mentais de choque, medo ou raiva que as acompanham. Como um subproduto menor desse processo amplamente bem-sucedido, Alma não sente mais cócegas. Assim, com absoluta impunidade, pode aterrorizar aqueles que as sentem.

A pior parte da provação já passou. A cabeça gigante de Alma está agora escondida dentro de um sino de igreja feito de cabelo, de modo que, se fosse vista dos ombros para cima, as pessoas não teriam ideia de que lado estava. Levantando ambas as mãos, Alma arranha com as unhas escarlates o que parece ser o meio do crânio digno do Rushmore para criar uma divisão central, arrastando as cortinas castanho-avermelhadas desbotadas para cada lado, para que possa ver o espelho pendurado acima da lareira e avaliar o resultado. Alma conclui que gosta em especial da mecha grisalha e castanho-acobreada que serpenteia através do olho esquerdo quase cego, o mais assustador, talvez por ser governado pelo basilisco pré-verbal louco de seu cérebro direito. O olho direito de Alma é o olho humano, o que brilha e entende ser preferível que as pessoas — humanos, como os chama — gostem dela e não se assustem com sua aparência ou seu comportamento. Por outro lado, o olho esquerdo de Alma nitidamente não dá a mínima. Cinza, amarelado e desfocado, brilha por baixo de uma testa protuberante que incha de maneira sutil em saliências perceptíveis, como se brotassem chifres, ou um novo lobo frontal.

Com o cabelo arrumado, Alma pinta o rosto no estilo que tem o Sr. Cabeça de Batata como pioneiro. Os cílios logo cedem sob o peso do rímel e lembram a cena da aranha gigante deletada do *King Kong* original. Em seguida, fazendo beicinho como Mick Jagger antes dos embalsamadores chegarem, cobre os lábios em um impasto sangrento de batom vermelho. Acha que isso afasta potenciais estupradores e afins, fazendo com que ela pareça ser o predador sexual mais voraz. Finalmente satisfeita, sorri para seu reflexo. Todo dia é Dia das Bruxas para Alma.

Vestindo uma jaqueta de couro antiquíssima, com as lapelas cheias de uma colheita gorda de causas ultrapassadas, grossas como amoras de agosto, está quase pronta para enfrentar o planeta lamuriento e encarar a realidade mais uma vez, mas antes precisa colocar os anéis e as armaduras de dedo. Um conjunto esplendidamente malévolo de garras de metal articuladas, escorpiões esculpidos e cobras de prata prontas para o bote, ao lado de uma seleção de pedras preciosas grandes, coloridas e contundentes. Nas raras ocasiões em que pensa de forma realista, Alma considera ser bem provável que esses adornos letais contribuam mais que o batom carnívoro para sua proteção contra estupros. Um tapa e as feições de um agressor ficariam penduradas no rosto como tiras de papel de parede encharcado. E ela faria isso. Certa vez, informou ao irmão Warry que, embora pensasse nele quase como família, ela o rasgaria sem um segundo de hesitação, como uma embalagem de salgadinhos.

Certificando-se de que está com o talão de cheques e a chave, ela se lança por um corredor atulhado, com faixas de estrelas douradas nas paredes, saindo por uma porta da frente esculpida sob encomenda com cobras gêmeas em um desenho de caduceu, descendo seu caminho para a East Park Parade. O calçamento de pedras de York é banhado pelo sol claro e amarelado, um pressentimento de verão, com as lindas erosões de trilobitas de um velho leito de rio destacadas em relevo nítido. Do outro lado da movimentada Kettering Road estão as árvores altas que cercam o Hipódromo, uma franja verde ao redor do céu de abajur quilométrico do grande parque. As pessoas caminham em duplas pelas trilhas cinza ou cortam o caminho através do mar ondulante de grama. Alguém tenta empinar uma pipa, talvez na tentativa de recriar alguma ilustração querida de uma enciclopédia infantil dos anos 1950, um diamante amarelo desbotado vacilando contra um azul esmaecido.

Corvos enormes patrulham a relva ondulante, uma multidão maior e mais confiante deles a cada ano, em número grande demais para serem chamados coletivamente de bando nos dias de hoje. "Brigada", "hoste", "máfia"... Deve haver outro coletivo para tamanho número de corvos.

Com os pulmões ajustando-se às correntes de ar frias que inala, Alma vira à esquerda ao começar sua caminhada para a cidade. Seus Doctor Martens raspam as folhas fósseis do pavimento e sua mente se inunda com ideias e associações aleatórias, palavras e imagens enganchadas no cenário de lojas que vibra do outro lado enquanto ela acerta o passo. Alma pensa nas pedras desaparecendo sob seus pés, a única visão oferecida aos abatidos, independentemente do século em que estejam. As pedras antigas, claro, permanecem inalteradas desde o século XIX, mas há nuances para o olho perspicaz: ausência de cocô de cachorro; embalagens de chocolate renomeadas para não confundir ainda mais os turistas americanos; insondáveis desenhos de colisores de partículas em espirais e redemoinhos de spray branco. Do outro lado da rua, um homem distante tenta dirigir algum tipo de carro a vela através do Hipódromo, mas o vento diminuiu e ele parou entre os corvos e as pipas abruptamente baixadas. Se não houver vento antes de escurecer, o marinheiro do gramado está ferrado, acredita ela. Apesar da iluminação extra adquirida há não muito tempo, aquela extensão vasta — e à noite, de uma escuridão completa — ainda é chamada de "Estupródromo" por um número razoável de habitantes da cidade.

Alma sai da East Park Parade pelo final da Abington Avenue e segue pela Kettering Road. George Woodcock — amigo do Laboratório de Artes desde a adolescência — havia escrito um longo poema fluorescente sobre essa via em ruínas, um lamento urbano cravejado de joias intitulado *Rua Principal*. Isso foi um pouco antes de George largar toda a babooseira literária e se tornar caminhoneiro. Ela ainda pode ver versos e frases do épico perdido, manchados e emaranhados nas sarjetas de paralelepípedos; nas novas calhas de plástico. Ainda pode ver todos os eventos, todas as noites e pessoas desaparecidas aos quais os versos se referiam, antigas versões de si mesma andando para cima e para baixo pela avenida decadente através das várias décadas passadas, uma garota de dezenove anos, bêbada e barulhenta, acompanhada de um bando de boêmios provincianos, uma mal-humorada trabalhadora da empresa de gás, pisando forte em seu caminho para casa em meio à garoa em outra tarde de sexta-feira, uma bruxa louca de quarenta e poucos anos de manto preto que sai para fazer compras enquanto uma horda de cretinos, encorajados por refrigerantes alcoólicos, a chama de "bruxa", "sapata" ou "fancha" da segurança do interior de seus veículos. As ruas da cidade são como um palimpsesto vivo para Alma, com todas as camadas ainda intactas, todos ainda vivos e tudo ainda acontecendo, os romances equivocados e as brigas, as trepidantes viagens de ácido, as afobadas fodas na entrada das casas.

Por mais que tivesse insinuações disso ao longo de sua vida, essa percepção de uma eternidade simultânea só se tornou uma realidade vívida desde que começou a trabalhar nessas pinturas. A ideia, uma vez formulada por inteiro, era tão deslumbrantemente óbvia que ficou espantada por ter chegado aos cinquenta e poucos anos sem entendê-la com clareza: o tempo como um sólido eterno em que nada muda, nada morre. Estava bem diante de seus olhos por tantos anos, e ela não sabia para o que estava olhando até aquele momento com seu irmão no Golden Lion, quando a ficha finalmente caiu. O momento do apocalipse e da revelação, quase como aquela vez nos apartamentos de Greyfriars, quando estava voltando para casa da Escola Spring Lane na hora do jantar. No pequeno trecho de plantas no fundo do cercado dos varais havia uma única larva ou lagarta translúcida pendurada por um fio numa folha de um arbusto cujo nome Alma não sabia. Ficou olhando para ela por talvez um minuto, e então algo estranho aconteceu...

Um táxi preto passa rugindo e buzina. Incapaz de ver direito quem é o motorista, Alma ergue uma garra metálica e acena alegremente para o espelho retrovisor. Ela se dá bem com todos os taxistas locais, e eles às vezes lhe dão caronas grátis para a cidade se a virem andando naquele caminho no mau tempo. Para ser honesta, ela se dá bem com quase todo mundo, o que enfraquece um pouco a imagem petrificante de górgona na qual trabalhou por tanto tempo para construir. Se a situação persistir, vai precisar fazer uns talhos em algumas escoteiras para recuperar sua reputação.

Do outro lado da rua, os letreiros mutáveis e transitórios passam piscando. Bazares de caridade com proprietários malucos e prateleiras de cardigãs com os quais alguém morreu. Mercearias caribenhas, todas voltadas para o norte, sem sol para os inhames encaixotados que definham na sombra rosa. Alma ri do nome de um estabelecimento, Butt

Savouries[4], embora na idade dela se esperasse que fosse mais madura. Um pouco mais adiante há uma casa de kebab, Embers, que a faz sentir saudade dos dias em que era o Rick's Golden Fish Bar. Não que tivesse sido uma frequentadora, mas muitas vezes alimentara a fantasia de entrar e ter seu purê de ervilhas e suas batatas fritas servidos por Humphrey Bogart, que a olharia com tristeza e diria em sua fala arrastada: "De todos os bares de peixes dourados no mundo, ela precisa entrar no meu". Em algum lugar atrás dela, o rápido bipe staccato do cruzamento desliza subliminarmente em sua consciência, levando-a a cantarolar a parte rápida da velha "The Donkey Serenade" sem ter a menor ideia de por que faz isso. Há outra travessia, na Kettering Road, em Kingsley, com um ritmo ainda mais acelerado que pode deixá-la assobiando "A Dança do Sabre". Suscetível como um bebê de oito meses e invulnerável como um pterodáctilo feito de diamantes, ela segue para o centro.

Um menino magrelo de cabelo moderno e óculos detém o passo e olha para ela incrédulo, com o rosto se contorcendo em uma expressão borrachenta de desenho animado que, se ele não fosse tão jovem, poderia ser entendida como um derrame paralisante. Recordando-se de que não havia se dado ao trabalho de vestir uma calcinha, Alma olha para baixo para se certificar de que o zíper do jeans ainda está intacto e percebe que o jovem atordoado é um admirador. Ele lhe diz que ela é Alma Warren, o que sempre a faz se sentir grata. Um dia desses, quando sair vagando do asilo, ela vai precisar dessa informação. Enquanto ele lista suas capas de álbuns favoritas, sobrecapas e capas de quadrinhos, Alma sorri, tentando transmitir uma modéstia feminina, mas na verdade mostrando o batom ricto e o olhar fixo de Conrad Veidt em uma cena perdida de *O Homem que Ri*. Ela aperta a luva inerte de seu groupie e agradece as palavras gentis antes de seguir pela Kettering Road, notando em particular que o aperto de mão dele tinha sido muito menos viril do que o seu. É provável que ele não praticasse isso desde os dez anos de idade, enquanto ela, ainda pequena, costumava ficar com o rosto vermelho enquanto apertava uma balança de banheiro até conseguir exercer a força de seu próprio peso substancial só com a pressão dos polegares. Antes de se mudar da Spring Lane, esganou para valer dois meninos imprudentes por pegarem no pé dela ou do pequeno Warry. Um deles ficou com hematomas terríveis no pescoço, como um colar de azeviche, e a mãe dela foi chamada na escola e gritou com Alma. Isso parece ter sido um tanto ineficaz, já que até hoje ela segue sem assimilar o conceito de uma "reação comedida e proporcional".

Ela trota por outro cruzamento, este com o bipe lento de um monitor cardíaco vacilante que não inspira nenhum acompanhamento musical de sua parte. Depois de mais algumas mercearias com atmosferas únicas e enigmáticas e uma loja de roupas de hip-hop que parece até decente, está atravessando a Grove Road, perto de onde antes ficava o majestoso cinema Essoldo. Pelo que Alma se lembra, foi na Grove Road, na década de 1970, que as pessoas tiveram suas janelas estouradas por uma bomba do IRA no clube da RAF que ficava em algum lugar do bairro. O governo naquela época estava relutante em descrever aquela confusão ao redor de todos como uma guerra, muito menos uma guerra ao terror. Isso foi antes da guerra às drogas, claro, quando o lançamento de campanhas militares contra emoções abstratas ou substâncias inanimadas teria sido visto como o comportamento de Daleks exageradamente tensos e alarmados.

Na esquina com a Kettering Road fica a Igreja Metodista Queensgrove, uma construção imponente de tijolos vermelhos do século XIX, hoje sem a legião de negros bonitos que num clima um pouco mais quente decoram seus degraus. Menos de dez passos adiante, Alma passa pela cabine telefônica contemporânea que foi palco de um esfaqueamento fatal a céu aberto apenas algumas noites atrás. Que maneira de ir embora, ela pensa, em um caixão de vidro embrulhado com um anúncio da segunda temporada de *Prison Break*. Como diz o slogan da British Telecom, "É bom falar".

De acordo com o que lhe contaram, tanto a vítima quanto os perpetradores eram negros, e Alma não gosta da aura de série policial americana que isso emana. Prefere pensar que as coisas funcionam de outra maneira em Northampton. Para ela, a relação da cidade com questões raciais é uma coisa sutil e complicada que remonta a séculos, e simplificar tudo isso na visão distorcida pelos preconceitos de classe de um analista de perfis criminais parece tão desastroso quanto previsível demais. Ela pensa em Black Charley — Henry George —, um dos primeiros rostos negros a serem vistos no condado e, em 1897, uma tremenda novidade. Essa sensação de novidade durou pelo menos até a década de 1960, quando seu amigo Dave Daniels foi o primeiro aluno não branco do Liceu em Billing Road. Na época, para o caso de David não estar se sentindo exposto o suficiente, saiu uma matéria de página inteira sobre isso no *Chronicle & Echo*, com uma fotografia enorme de seu rosto apreensivo.

Nos anos 70 e 80, os rudies e rastas haviam montado um clube no magnífico forte do Exército da Salvação que ficava na Sheep Street, do outro lado da rua onde Phil Doddridge fundou sua academia. Três andares de pessoas com nomes invariavelmente incríveis, como Elvis, Junior ou Pedro, indo e vindo, crianças brincando ao redor deles e sempre uma panela de feijão fervendo em algum lugar lá em cima, assim era o velho clube Matta Fancanta. Seus assoalhos antigos tremiam ao ritmo de U-Roy ou Lee Perry no sound system, com batidas de dub que Alma estava convencida de que eram graves o bastante para fazer seu útero cair. De acordo com sua lembrança, foi quando veículos que deveriam ser acessíveis apenas a brancos começaram a surgir no estacionamento adjacente que as autoridades locais voltaram seu olhar reprovador para o local. O forte — que devia ser, certamente para Deus, uma propriedade tombada — foi demolido, como se fosse mais fácil derrubá-lo do que fechá-lo. Só restou a grama nua e onipresente no lugar onde ficava, logo abaixo da massa de gárgulas com a bunda virada da estação rodoviária Greyfriars, construída ao contrário, para começo de conversa, e recém-eleita uma das construções mais repugnantes do país. O forte havia sido a face pública da cultura negra genuína em Northampton, pelo menos até mais ou menos pouco tempo. Agora existe uma Associação de História Negra de Northamptonshire que está organizando todos os registros, e Alma está andando com um determinado grupo de jovens rappers racialmente diversos dos Boroughs que usam o nome coletivo de Streetlaw, o que ela acha no mínimo uma coincidência simpática. Justiça esteja acima da rua e tudo mais. Não, nem tudo é melancólico para a comunidade negra, de forma alguma, desde que consiga escapar do caminho sem futuro que os departamentos de elenco de Hollywood e as grandes gravadoras aparentemente decidiram para ela: vamos fazer do gueto da classe baixa um ambiente glamoroso e descolado, então as pessoas não se importarão tanto de ficar presas lá, e podemos criar versões domesticadas e com luzes dramáticas de sua luta para vender de volta a elas pelas poucas libras que ainda não gastaram em raspadinhas. No fim, todos ganham.

Alma segue em frente, passando pela entrada em arco de um pátio pavimentado de paralelepípedos, uma construção bem vitoriana que tem os dizeres "Irmãos Dickens Ltd." escritos à mão acima da arcada. Ela desconfia que em outros lugares da cidade exista uma construção em estilo Tudor com vigas pretas chamada "Shakespeare's" e talvez um chalé com metade do telhado de colmo com a inscrição "Chaucer & Sons" perto de Hardingstone. Afinal, Northampton é uma cidade bem-sinalizada. Certa vez, de sua janela, viu duas vans passarem uma pela outra, seguindo em direções opostas na East Park Parade. Uma delas, possivelmente de uma empresa de colchões, tinha a palavra SONHO estampada na lateral. A outra, talvez de uma varejista de televisores ou computadores, estava estampada com a palavra REALIDADE. Ela notou que a REALIDADE ia para o centro da cidade, o que não era surpreendente, enquanto o SONHO seguia uma trajetória que o levaria à Kettering. Era mais do que provável que estivesse indo para lá para morrer.

Acelerando o ritmo, à direita as vitrines se fundem em seu turbilhão, em uma longa mancha de lojas onde se pode comprar comida chinesa, uma bateria, um cacto peiote, fazer uma tatuagem ou ter uma tatuagem removida. Ela desvia de um quórum de sujeitos de aparência rude com latas de cerveja, que, no entanto, sorriem desdentados e rosnam um alegre "Olá, Alma" à sua passagem. Trinta segundos depois, uma jovem policial com um colete verde-limão fluorescente sorri e acena em reconhecimento à antiga ameaça à sociedade transformada em instituição local. Ela é a rainha da Kettering Road.

Virando para o oeste agora, Alma faz uma curva suave em frente a uma igreja unitária esprimida entre estabelecimentos comerciais e bancos e entra na Abington Square, passando pelas novas propriedades desocupadas que substituíram uma fileira de lojas desalinhadas que costumavam ficar nessa esquina arredondada. Ela se lembra de passear com David Daniels pelas revistarias e lojas de segunda mão nas manhãs de sábado, quando tinham treze anos, procurando quadrinhos ou livros baratos de ficção científica, muitas vezes fazendo uma visita ao empreendimento sombrio que ficava ali, na sombra perpétua da igreja do outro lado da rua. A proprietária era uma senhora idosa com uma tosse forte que estava sempre de roupão e chinelos, manchando com expectorações inadvertidas cópias escangalhadas de *Amazing Adult Fantasy* e pornografia de capa amarela.

Alma se sente obrigada a proteger a memória dessas pessoas desaparecidas, que não eram famosas ou lindas o bastante para as retrospectivas em sépia; essas bolas de poeira anônimas que se perderam para sempre sob o guarda-roupa enorme e imóvel do século XX. Quer preencher com elas as cenas de multidão em suas pinturas, quer pensar nelas suspensas em suas horas e habitats na imensa geleia estrelada do tempo, penduradas para sempre com suas rixas e fragilidades intactas, notas na pauta de uma música estupenda.

À sua direita agora está a concessionária da Jaguar, Guy Salmon, um nome que desde então se tornou o eufemismo favorito de Alma para se referir à ejaculação masculina. A Abington Square se desdobra em torno dela. Mais à frente, a estátua de Charles Bradlaugh está sobre o pedestal da ilha de trânsito, de costas para ela, na direção da Abington Street. Bela bunda. Sempre gostou de Bradlaugh, embora mais pela ferocidade moral do que pelo encantamento físico, para dizer a verdade. Distribuindo literatura anticoncepcional com Annie Besant, batendo perna com Swinburne, defendendo a Índia subjugada com tanta veemência que o jovem devoto Mohandas Gandhi apareceu em seu funeral. Um ateu abstêmio causador de tumultos e defensor dos pobres, Bradlaugh é o companheiro dos sonhos para Alma. Às vezes se via chegando ao baile da escola com uma estátua animada, com lascas de pedra branca saindo de suas juntas a cada passo. Durante as músicas mais lentas no final da noite, deixavam um rastro de poeira de giz no chão do ginásio atrás de si enquanto se agarravam para *Wichita Lineman*, e depois ele discutia conscientemente a necessidade de contracepção antes de tentar boliná-la a caminho de casa. Ela olha para a figura esculpida com o dedo apontando sempre para o oeste e pode ouvi-lo se gabar para os amigos no pub mais tarde: "Aqui, Algernon, cheire isso".

Está rindo sozinha enquanto caminha em direção ao cruzamento com a Mounts e a York Road, onde o rugido dos motores dos caminhões e dos quatro por quatro se perde entre luzes bonitas. Um garotinho rebocado atrás da mãe carregada de sacolas olha para Alma incrédulo. Um homem cutuca a mulher e murmura "Olha, é Alma Warren" enquanto passa por eles, e à frente do Bantam Cock três rapazes mostram cópias da edição de *Elric*, de Moorcock, para ela autografar. Não parecem estar com medo dela, rindo amistosamente enquanto ela rabisca seu autógrafo preguiçoso, e Alma descobre que gosta bastante deles. Os rapazes informam que têm uma fantasia sobre ela, em que Alma vive no topo da torre da Express Lifts e olha para Northampton do alto de um trono de crânios humanos. É uma imagem sedutora, e ela sorri com afeto ao se despedir deles. Antes de chegar ao semáforo, duas garotas bonitas que parecem estudantes de arte sorriram e acenaram, ela fez outra criança de três anos parecer abismada e outro táxi buzinou enquanto acelerava, levando a outra exibição sem saber para quem das garras de prata e outro tilintar da armadura de dedos. Ela reflete que tem sorte por ter sido abençoada com o narcisismo desde a infância. Qualquer outra pessoa sujeita a tanta atenção provavelmente começaria a agir de forma estranha, conclui enquanto procura uma revelação cabalística na sequência de vermelho-âmbar-verde.

Sua personalidade é um drama de rádio de longa duração transmitido principalmente para sua própria diversão, por mais que desconfie que isso seja verdade para muitas pessoas. É óbvio que alguns preferem personas adequadas a comédias leves. A julgar por suas expressões, os poucos indivíduos que estão agora ao seu redor a esperar o sinal abrir modelaram suas naturezas essenciais no noticiário da previsão do tempo. Ou talvez em programas religiosos, raciocina Alma depois de observar o edifício déco atrás de si enquanto está no cruzamento. Inaugurado na década de 1930 como Savoy Cinema e operando como ABC durante os anos em que Alma estava em idade de namorar nas fileiras de trás, o lugar chegou a receber os Beatles uma vez, mas agora está entre as tantas propriedades da cidade pertencentes ao Jesus Army, uma horda em expansão de evangélicos às vezes estridentes que começou a recolher pessoas do grupo de sem-teto ou bêbados de Northampton no início dos anos 1970, levando-os dos bancos do parque para o seu quartel-general nas proximidades de Bugbrook. Ela se lembra de um incidente de alguns anos atrás, quando o Jesus Army foi criticado depois de traumatizar crianças com uma encenação ao ar livre da Crucificação, mas, apesar disso, o grupo parece ter permissão para fazer o que quiser.

Alma não se surpreende com isso. A cidade tem sido um próspero viveiro de malucos religiosos desde os anos 1400, e muitos deles lhe despertam uma certa afeição retroativa. Ela gosta da poesia, gosta da atitude, da heresia e da anarquia com que procuravam se afastar do rei e do clero, recriar a sociedade como um domínio igualitário de funileiros beligerantes, mecânicos filósofos, toda uma Nação de Santos que não respondia a nenhuma autoridade temporal, mas apenas a uma visão moral, um estado de espírito inflamado, um nível de consciência espiritual e política que *seria* Jerusalém na terra verde e agradável da Inglaterra. Gosta dos lolardos, dos ranters e dos muggletonianos. Gosta dos delírios incendiários dos quacres fundadores, gosta de imaginar aquele homem bacana da caixa de aveia rasgando as roupas e gritando pela derrubada violenta da monarquia. Tem até uma certa queda pelos morávios, mas pela porção freak show, com aquela ideia de penetrar o messias pela ferida provocada pela lança, e pela influência sobre seu ídolo William Blake. Mas Alma não gosta do Jesus Army. Desconfia de qualquer fanatismo religioso que tenha um modelo de negócios.

O sinal abre, e ela atravessa para uma ilha intermediária no meio da York Road. Alma reflete que está no local onde o caminhão de legumes de Doug McGeary roncou quase cinquenta anos antes, transportando seu irmão sem fôlego para o hospital. Percebe que hoje a misericordiosa carona de Doug teria que seguir uma rota diferente, já que não seria mais possível descer da Mounts para a York Road. Ele precisaria virar à esquerda no cinema, contornar a igreja unitária e voltar à praça pelo outro lado, acrescentando alguns minutos provavelmente fatais à sua jornada. Ora, mas com certeza o irmão deveria ter morrido quando o caminhão ainda estava no meio da Grafton Street, então talvez o desvio não tivesse feito muita diferença.

Por fim, ela se esgueira pelas grades da barreira no alto da área de pedestres e está na Abington Street, ou pelo menos no que resta dela. Há algumas centenas de anos, esse era o portão leste da cidade, chamado de St. Edmund's End, em homenagem à igreja já demolida do outro lado da Wellingborough Road, do asilo de pobres transformado em hospital no qual Alma deu seu primeiro suspiro, expressando a primeira de muitas reclamações furiosas e irracionais. Daniel Defoe, ao escrever seu guia para cidades inglesas, descreveu Northampton como uma encruzilhada, com o eixo norte-sul correndo ao longo da Sheep Street, descendo a Drapery e entrando na Bridge Street, enquanto o eixo leste-oeste traçava uma linha através da Abington Street, da Gold Street e da Marefair em direção às ruínas do castelo. Ao restringir para pedestres uma das extremidades da passagem leste-oeste, a prefeitura da cidade na prática bloqueou uma grande artéria, convidando a gangrena. Alma já consegue vê-la se instalando, pode ler seus sintomas nas vitrines cobertas com gesso cartonado e na infestação de placas de imobiliárias. Não há movimento que justifique a presença do comércio, e os aluguéis das lojas são todos ridiculamente altos. Se isso persistir, prevê Alma, a cidade se transformará em uma cratera econômica em que o dinheiro só circula pela orla, através de shopping centers e grandes redes de lojas, enquanto o centro fica abandonado ao mato dos avisos de reintegração de posse, transformado em uma arena noturna, num cenário do Walter Hill com mais vômito, mais adolescentes deitados no próprio mijo e gritos de guerra mais incoerentes. Guerras incoerentes. É um mau sinal quando os postes dos calçadões estão enfeitados com coroas fúnebres, e não há nenhuma rua à vista.

Os pombos se levantam esvoaçando ao redor dela, alegremente alheios ao cartaz mesquinho colado em uma lixeira que afirma que alimentá-los é um tipo de acumulação de lixo e, portanto, punível com multa. Não que ela ache que isso fará alguma diferença para as próprias aves, que afinal não sabem ler e não dependem de esmolas de amantes dos animais, mas sente-se indignada com os sentimentos expressos. Porra, o que tem de errado com os pombos? Se a prefeitura tentasse conter as vespas, os cães de ataque ou o Jesus Army, poderia ver algum sentido na campanha, mas pombos? Com aquele verde e violeta cintilando na gola; aquele arrulho vacilante e fofo? Se as autoridades municipais acham que se livrar dos pombos é a prioridade número um para o, ao que parece condenado, centro da cidade, então por que simplesmente não plantam minas terrestres em todos os parapeitos das janelas e acabam logo com isso, em vez de sair colando por aí suas ameaças irritadinhas?

Alma segue pela Abington Street. Quase não há outros pedestres, mas ela atravessa uma multidão de fantasmas e memórias, com as mãos de robô assassino nos bolsos da jaqueta como um rebelde dos anos 1950, um Jimmy Dean pós-menopausa. Contorna o estúpido memorial de Francis Crick no centro da via pública, uma peça kitsch com torções prateadas de dupla hélice apoiando o que parece ser um par de super-heróis nudistas, manequins assexuados cujas partes pudendas carecas e amorfas como a de uma Barbie claramente não vão transmitir traços genéticos herdados para ninguém. Além disso, a única coisa que conecta a Abington Street com o pioneiro da ciência local é a evidência conspícua de amostras de DNA encontradas após cada noite comum de sexta-feira. Claro, o monumento pode ser um comentário sobre a endogamia local, com as figuras mergulhando para cima em uma espiral desesperada para escapar de uma variedade genética pequena e estagnada, rasa a ponto de nem merecer ser chamada de fundo genético, para falar a verdade. Alma se lembra do boato de uma vila inteira de ciclopes em algum lugar perto de Towcester, cheia de carteiros ciclopes, taberneiros ciclopes e crianças ciclopes, então se lembra de que foi ela quem o inventou.

Contornando a estrutura à esquerda, agora está andando ao lado da biblioteca, a única construção da rua que não mudou desde que Alma era pequena. Ela fez sua carteirinha aos cinco anos de idade e visitou a biblioteca várias vezes a cada quinzena nos dez anos seguintes, principalmente para pegar as histórias de fantasmas e de ficção científica de capa amarela da editora Victor Gollancz. Teve sonhos assombrosos e memoráveis sobre a instituição quando criança, andando por corredores sinuosos de estantes de madeira com volumes impossíveis e fascinantes apoiados em todos os lados, livros que não se podia ler porque as palavras rastejavam pela página se fossem abertos. Sua biblioteca dos sonhos tinha um piso acolchoado coberto de vinil vermelho como um banco de bar ou um assento de carro, com buracos redondos, provavelmente vaginais, para que os frequentadores que folheavam os livros pudessem subir de andar em andar.

A biblioteca real da vida desperta tinha sido quase tão maravilhosa quanto em seu interior — a pequena seção como um guarda-roupa aberto que zumbia com a aura dos livros sobre sessões espíritas e mesmerismo mantidos ali —, e do lado de fora ainda era bonita, com os bustos de beneméritos gravados na pedra cor de mel. Alma gosta de mostrar a biblioteca aos visitantes americanos, só para poder apontar para a imagem esculpida no canto superior direito da fachada e perguntar quem acham que é. Geralmente pensam que é George Washington, como um gesto inglês de respeito pelo primeiro presidente deles, parecendo perplexos quando informados de que na verdade é Andrew, um familiar mais antigo de George, de antes dos Washington deixarem Barton Sulgrave rumo à América do Norte, quando o Exército Novo convergia em Northamptonshire durante o século XVI. A família, supostamente, havia até roubado o brasão de barras e estrelas da vila para servir de base para a bandeira estrelada e listrada de seu lar adotivo. Sendo sincera, os únicos Washington que ela respeita sem reservas são Dinah, Booker T. e Geno, que em sua opinião ao menos deram boas contribuições para o mundo.

Está prestes a atravessar para o Co-op Bank do outro lado quando percebe um fantasma de tempos passados de aparência incomumente sólida aproximando-se na direção oposta, passando pela entrada em ruínas da antiga Co-op Arcade. Arrastando o cabelo para trás dos olhos cheios de fuligem para olhar mais de perto, percebe que a única coisa que assinala a figura como um fantasma é a roupa anacrônica: a camisa de risca de giz, o lenço de pescoço e o colete. Com o ânimo se elevando de seu descontentamento padrão, reconhece com alegria que o espectro bucólico é seu companheiro mais antigo: Benedict Perrit. Ah, Northampton. Quando você conclui que os urbanistas a reduziram à insensibilidade, ela lhe joga um buquê.

No momento em que Benedict vê Alma, começa a executar um de seus números. Primeiro o olhar horrorizado, depois a meia-volta e o retorno pelo caminho por onde veio, como se fingisse que não a tinha visto, depois outra guinada brusca para vir na direção dela, só que dessa vez tremendo com risadinhas silenciosas. O bom e velho Ben, louco como uma *sitcom* chinesa, o único entre os amigos e ex-colegas de classe de Alma que era consistentemente mais estranho que ela sem ao menos se esforçar para isso, e um dos poucos artistas ou poetas de sua adolescência que não largou tudo por uma vida confortável quando chegou aos vinte e cinco anos. Qualquer coisa menos isso. O rosto de Benedict está enrugado com linhas de versos e parece o resultado de uma imprudente noite de sexo casual entre as máscaras da comédia e da tragédia. Ele foi morto pela poesia, e ao mesmo tempo a poesia é tudo o que o salva e o redime. O bom e velho Ben.

Ele estende uma das mãos para um cumprimento, mas Alma está feliz demais em vê-lo e não aceita. Esquivando-se da mão estendida, planta os lábios ensanguentados em sua bochecha e o pega em um abraço de píton. Mais cedo ou mais tarde, ele vai soltar a respiração, o que permitirá que ela o constrinja ainda mais e então, quando perder a consciência, ela deslocará o maxilar e o engolirá. Antes que possa fazer isso, ele recua de seu aperto, limpando freneticamente o Ebola-de-Garota que ela deixou manchada nas costeletas.

— Sai fora! Ha ha ha ha ha ha!

A risada dele é a de Tommy Cooper, abandonado em uma ilha deserta até se transformar na gargalhada assustadora de Ben Gunn. Encantada, Alma diz que ele é um amável sedutor e pergunta se está escrevendo ultimamente. Quando ele diz que ainda continua rabiscando, ela comenta que releu "Área de Remoção" um ou dois dias atrás e o quanto considera aquilo um poema muito bom. Ele a encara com desconfiança, sem saber se ela está falando a verdade.

— Eu não era tão ruim, né? Ha ha ha ha.

O uso do pretérito e a sutil mudança de assunto do poema para o autor faz soar um pequeno alarme no radar de preocupação de Alma. Algo que não soa bem, como um pistoleiro clichê de faroeste recolhido no saloon, lembrando com carinho de seus triunfos com cheiro de cordite através de uma névoa de whiskey barato. Que bela merda. Ela o tranquiliza com toda a seriedade, assegurando que ele foi muito mais do que "não ruim", e então, ao perceber que também usou o verbo no passado, tenta corrigir seu erro afirmando de forma incondicional que ele é um bom escritor, ao que ele responde pedindo uns trocados.

Isso lhe provoca um sobressalto, apesar de começar a remexer automaticamente no bolso de sua calça jeans atrás de um pedaço de papel amassado que não seja um recibo antigo de supermercado. Alma distribui dinheiro com prazer aos sem-teto da cidade desde que eles floresceram nas portas das lojas no final dos anos 1980, e em especial desde que se tornou política oficial que fazer isso era apenas "incentivar a mendicância". Por ser oriunda de uma comunidade de pedintes, isso só estimula sua generosidade teimosa, da mesma forma que planejava espalhar bolinhos de mirtilo desintegrados por lá desde que viu aquele aviso irritante sobre pombos no alto da rua. Um amigo, como Benedict, sempre merece algum dinheiro extra, caso ela tenha, mas, ao colocar a nota na palma da mão dele, fica mais preocupada com a mudança na autoestima que parece tê-lo acometido desde a última vez que se encontraram. Tomando isso junto com o "Eu não era tão ruim, né?", Alma fica um pouco preocupada. Para piorar as coisas, ele parece culpado agora por pegar o dinheiro, mas ela o tranquiliza, assegurando que está "cheia de grana", ansiosa para chegar a um terreno mais seguro. O momento passa. Alma o convida para a exposição de amanhã, sem esperar que ele vá, e quando estão se despedindo, alguns minutos depois, Benedict está dizendo que é um Cyberman e Alma está chorando de rir. Está tudo bem novamente.

Acenando em despedida enquanto ainda ria pelo nariz em intervalos, ela vagueia alguns passos adiante na rua e então se lembra de que originalmente estava indo para o banco, corrigindo assim sua trajetória. Está pensando em Benedict, em como um dos momentos mais brilhantes e importantes de sua vida foi provocado pela idiotice inspiradora de Ben. Os dois tinham uns dez ou onze anos e haviam descoberto uma maneira engenhosa de subir até os telhados do depósito de cobre na esquina que ligava a Freeschool Street com a Green Street. Essa subida, que obviamente precisava ser feita à noite, primeiro exigia uma viagem até a Narrow Toe Lane, do outro lado do quarteirão, onde se contorciam de bruços por baixo do portão trancado de um pátio de construção. Chegando ali, usavam uma escada que haviam afanado para subir a parede dos fundos da propriedade adjacente e corriam rindo ao longo do cume da pilha de lenha do pai de Benedict à luz das estrelas. Isso no fim lhes permitia o acesso às dependências do armazém, de onde era fácil subir até os telhados de ardósia e chaminés.

Durante meses, aquele foi o reino precário deles, compartilhado apenas com gatos e pássaros. Jogos perigosos de perseguição evoluíram para se adequar aos planos inclinados da nova paisagem, mas tinham seus limites: precipícios sem saída que os dois não tinham coragem de superar. O pior ficava na extremidade de uma calha, uma canaleta de chuva entre a inclinação de um telhado e a parede vertical que era o limite do próximo. As perseguições terminavam nesse ponto, noite após noite, por causa da queda abrupta para um beco estreito cheio de sucata de metal e riscos de empalamento mergulhados na escuridão imediatamente além. A passagem ameaçadora tinha apenas um metro e meio de largura e as telhas angulares de um galpão de armazenamento de um andar do outro lado. Se fosse um salto entre duas marcas de giz em um playground ensolarado, teriam feito isso sem hesitação, mas tentar a mesma coisa em um telhado na escuridão total com um abismo cheio de lixo tetânico mais abaixo era uma questão bem distinta.

Então, numa noite enluarada, Benedict elevou o nível do jogo. Alma o perseguia pelas colinas cinza-azuladas a cerca de dez metros acima da rua, correndo atrás dele com um grau inquietante de prazer através de um mundo caligaresco de chaminés, inclinações e sombras. Benedict, apenas alguns passos à diante, ria com um terror que era totalmente justificado e compreensível: exceto em pesadelos extraordinariamente terríveis, a maioria das pessoas passa pela vida sem a experiência de ser perseguida pelas alturas urbanas por um predador como Alma Warren, mas para Benedict isso era uma nada invejável realidade. Na noite em questão, ela o direcionou para o beco sem saída entre os telhados, sabendo que o tinha encurralado, e babando triunfante enquanto se aproximava de sua presa estridente e risonha para matá-lo. Foi nesse ponto que o medo de ser pego por Alma superou a preocupação de Ben em ser espetado por cacos de vidro ou grades enferrujadas no beco abaixo. Benedict pulou, gritando de medo e de alguma forma rindo ao mesmo tempo, arremessando-se através da abertura letal para aterrissar no telhado do galpão, um metro e meio ou um metro e oitenta mais abaixo, do outro lado.

Alma, ainda o perseguindo a toda velocidade, teve apenas alguns segundos para decidir que preferia a possibilidade de uma morte sangrenta aos onze anos à certeza absoluta de ser derrotada em alguma coisa. Com sua decisão tomada, quando chegou à beirada, continuou.

Na fração de segundo em que ficou pendurada no espaço vazio acima do emaranhado de implementos enferrujados e janelas quebradas lá embaixo, Alma foi iluminada. À medida que o instante se estendia, percebeu que tinha acidentalmente se libertado de todos os medos e limitações, medos de ferimentos, morte e ruína. Confiando apenas no momento, havia tomado impulso além da dúvida e da gravidade, e naquele instante soube com uma certeza permanente que não havia nada que temesse, nada que não pudesse fazer.

Mesmo aos onze anos, ela era bem maior e muito mais pesada que Benedict. Navegou pelo beco traiçoeiro para pousar no telhado do galpão ao lado dele e imediatamente o atravessou, quebrando as telhas e terminando encravada no declive até os joelhos todos ralados. Ah, como eles riram, empolgados e histéricos, assim que tiveram a certeza que ninguém havia perdido um olho. O incidente proporcionou a Alma uma visão importante sobre como superar impedimentos psicológicos, com os quais experimentou ainda mais. Com um pavor mórbido de se afogar, aos doze anos de idade, nadou até a divisória de aço que dividia a piscina pública de Midsummer Meadow e mergulhou até uma das aberturas gradeadas alguns metros debaixo d'água. Enfiou o braço entre as barras e em seguida o virou, sem a certeza de que poderia puxá-lo novamente. Por talvez trinta longos e espantosos segundos, ela flutuou no coração imóvel de seu terror autoinfligido, tentando absorvê-lo e compreendê-lo, e então, com calma, virou o braço para o lado certo para puxá-lo das barras e subir de volta para a superfície brilhante. Alma sorri agora com essa lembrança ao entrar no banco. Os críticos, e às vezes admiradores, que a descrevem como excêntrica realmente não têm a menor ideia.

Ela conhece todos os funcionários pelo nome, o Co-op é seu banco de escolha nos últimos vinte anos. Começou apenas por causa das políticas de investimento ético, mas à medida que as décadas passavam em seu odômetro, percebeu que, sempre que havia um colapso financeiro causado por impropriedades bancárias, o logotipo francamente tedioso do Co-op nunca aparecia na cascata de distintos nomes envergonhados que se espalhavam pelas telas de notícias da hora do chá. Na vertiginosa roleta do cassino financeiro, dentro de uma tenda de circo surrada cheia de comerciantes, oligarcas e executivos desonestos que vivem além das possibilidades de qualquer pessoa, o Co-op permaneceu firme. Apesar de sua recusa em investir recursos em fabricantes de armamentos, o banco soube se defender. Além disso, quando Doreen, a mãe de Alma, morreu em 1995, eles enviaram um grande buquê de flores com mensagens pessoais de todos da agência. Então eles poderiam ser pegos fornecendo bebês focas órfãos para a Rio Tinto Zinc usar como escravos sexuais que Alma provavelmente faria vista grossa.

Depois de cumprimentar todos, Alma se inspeciona no circuito fechado de televisão enquanto espera na fila. A câmera está na entrada da Abington Street, vários metros atrás dela, e só proporciona uma visão de costas da velha de jaqueta de couro com o penteado de jardim suspenso, uma bela cabeça e ombros mais altos do que as outras pessoas na fila. Isso é o mais próximo que chega de uma imagem objetiva de si mesma, e descobre que não gosta muito. Faz com que se sinta obscuramente isolada e, além disso, não se vê assim. Ela se vê maior e muito mais próxima. E não por trás.

Alma verifica o saldo e tira um maço aleatório de dinheiro para enfiar no bolso lateral da calça jeans. Ainda ontem teve uma conversa com Melinda Gebbie, sua melhor amiga de Semilong, sempre empática e pouco ingênua. A outra artista comentou que sempre gostou de ter algum totem reconfortante no bolso, lenços de papel úteis, abelhas mortas ou folhas particularmente bonitas que recolhia. Alma pensou nisso por um tempo e então disse:

— Sim, bem, veja, para mim isso seria dinheiro.

Embora provavelmente tivesse perdido várias notas graúdas ao longo dos anos, ainda resiste à ideia de uma bolsa ou mochila, argumentando que seria apenas uma boa maneira de perder tudo de uma vez. Acha muito plausível que acabe deixando a bolsa em um café, enquanto é improvável fazer isso com as calças. Não está fora de questão, mas é improvável.

Saindo do banco, entra nas dependências da Martin's, a revistaria, para poder estocar o essencial: jornais, sedas Rizla, cigarros, fósforos Swan, revistas. Pega as últimas edições da New Scientist e da Private Eye nas prateleiras superiores, imaginando se esse posicionamento pode ser parte de uma conspiração totalmente sensata para garantir que apenas os altos recebam o estímulo intelectual apropriado. Um dia em breve, quando ela e seus semelhantes se tornarem inteligentes o bastante para formularem um plano infalível, Stephen Fry dará o sinal e todos se levantarão e massacrarão os nanicos idiotas em suas camas. Algo assim, pelo menos. Uma garota pode ter seus devaneios.

Alma leva as duas revistas para o caixa, onde o genial Tony Martin de cabeça redonda e a sofrida esposa Shirley já separaram seus quarenta Silk Cut Silver, cinco pacotes de sedas verdes Rizla e duas caixas de fósforos Swan à sua espera. Tony sacode sua cúpula raspada com pesar enquanto registra os pacotes de seda no caixa.

— Alma, pelo amor de Deus! Todos esses papéis Rizla! Certamente já completou aquela miniatura em escala da Torre Eiffel há séculos, não? Qual o problema com você?

Shirley ergue os olhos das prateleiras que está reabastecendo e diz ao marido para calar a boca e não ser tão mal-educado, mas Alma está sorrindo.

— É, terminei, mas aí fiquei de saco cheio daquilo e comecei uma do Vaticano. E então, vai registrar esses aí ou vou precisar buscar meu papa de palitos de fósforo para excomungar você?

É uma piada interna dos dois. Anos atrás, alguém que trabalhava atrás do balcão perguntou a Alma por que ela comprava tanta seda Rizla, ao que Alma respondeu com uma expressão impassível e sem hesitar que estava construindo uma maquete da Torre Eiffel com as folhas frágeis coladas com goma. Embora tivesse sido apenas uma piada, ela achou interessante, uma ideia da qual poderia tirar um pouco de vantagem. Mais do que um pouco, como se viu. Ela vê as ideias como um fazendeiro vê seus porcos e não quer desperdiçar nem um grunhido.

Com as compras dentro de uma sacola plástica frágil — a verdadeira flor nacional —, ela acena um adeus metálico aos Martin e sai da loja para o amplo recinto rosa. Continua descendo a Abington Street, indo até a Marks & Spencer para pegar uns bocados para sua refeição noturna: um par de pimentas compridas e vermelhas feito línguas demoníacas, recheio de cranberry e laranja e um pouco de queijo feta. Sob os olhos atentos de Myleene Klass e da sempre adorável Twiggy, navega por um caminho designado entre os departamentos de plano aberto. Alma nunca se sente muito à vontade naquele estabelecimento ostensivamente esnobe, mas como há pouco tempo começou a boicotar o Sainsbury's, falta-lhe uma alternativa melhor.

O episódio do Sainsbury's ainda a faz sorrir, embora seja o sorriso sinistro de alguém que escapa ferido de uma tentativa de assassinato. Estava saindo da filial do Grosvenor Center do Sainsbury's, onde conhecia a maioria das senhoras das caixas registradoras pelo nome, carregada com duas sacolas reutilizáveis da loja cheias de compras. Um segurança uniformizado, percebendo astutamente o moletom com capuz verde-lagarto-com-rosa-melancia que ela usava, deduziu que se tratava, portanto, de um membro da classe subordinada (o que, pelo menos emocionalmente, ela era) e deu um passo para bloquear seu caminho, exigindo ver o recibo da compra. Elevando-se acima do pequeno indivíduo, ela esticou o pescoço, abaixando a cabeça enorme até o nível dos olhos dele, como se estivesse falando com um menino de oito anos com um desenvolvimento mental lamentavelmente abaixo da expectativa para sua idade. Explicando que não tinha o hábito de pegar recibos no caixa, Alma perguntou se aquilo era alguma nova política de abordagens e revistas aleatórias ou se ele tinha algum outro motivo para selecioná-la entre as dezenas de compradores com aparências mais convencionais que emergiam do supermercado. Parecendo cada vez mais inseguro, o guarda pediu estupidamente que mostrasse a ele o que havia em suas sacolas de compras do Sainsbury's, talvez suspeitando que contivessem produtos comprados na Sainsbury's.

Alma repetiu a pergunta, deixando uma lacuna exagerada entre cada palavra para que ele tivesse tempo de compreender uma sílaba antes de ser obrigado a lutar com a próxima.

— Por... que... você... me... parou... especificamente?

A essa altura, outros clientes, alarmados, se aproximavam para defender a inocência de Alma, logicamente mais preocupados com o que poderia acontecer ao funcionário, que sem dúvida era novo na loja, do que com a famosa gigante beligerante. Tentando resgatar um senso de autoridade na situação que começava a sair do controle, o guarda disse que Alma deveria guardar seus recibos. Alma se disse ciente dessa nova política do Sainsbury, mas explicou que, como não voltaria à loja, isso na verdade não a afetaria. Sorrindo ansiosamente quando ela começou a se afastar, ele gritou um lembrete para guardar o recibo da próxima vez, o que fez Alma deter o passo, soltar um suspiro pesado e depois explicar, em sua melhor voz infantil, o que as longas palavras sobre não retornar à loja em sua última frase pretendiam transmitir. Quando chegou em casa, ligou para o serviço de atendimento ao cliente e disse que era Alma Warren quem ligava, ao que a jovem do outro lado a informou alegremente que tinha visto Alma na televisão na noite anterior. Alma disse que isso era legal e depois passou a detalhar o que havia acontecido, explicando que só podia interpretar o escrutínio do guarda como uma atitude classista, e que isso a levou a decidir que não frequentaria mais o Sainsbury's no futuro. Assegurou à mulher simpática que não estava exigindo um pedido de desculpas do Sainsbury's, e qualquer um que a conhecesse teria ouvido ali a insinuação de que era tarde demais para que algo tão inútil fosse aplacá-la; que agora tinha criado um rancor que levaria para o túmulo.

Não era a primeira vez que atraía a atenção dos seguranças do Sainsbury's, embora na ocasião anterior estivesse na companhia de seu querido amigo, o ator Robert Goodman, então realmente não dava para culpá-los. Bob, abençoado com o que um corretor de imóveis constrangido chamaria de "características distintivas", durante sua versátil carreira interpretou desde o Papa Burger até o soldado estuprador de cadáveres em *Joana d'Arc*, de Luc Besson, estrelou em vários anúncios de alarmes de carro e fez aparições em *The Bill*, *Eastenders* e em *Batman* e *Um Peixe Chamado Wanda*, no qual garantiu para si o papel de Segundo Bandido com Cicatriz na Cara. Considerando o comportamento assassino de Bob, ela não ficou surpresa ao serem seguidos pela loja. Se Alma não conhecesse Bob pessoalmente, e se ele não estivesse pesquisando coisas para ela sobre a exposição de amanhã, encomendaria seu assassinato por franco-atiradores; inclusive teria feito isso de forma mais que provável há tempos. O último incidente, no entanto, não teve tais circunstâncias atenuantes: ela foi parada e interrogada porque parecia pobre. Na porra do Sainsbury's, que Alma não tinha percebido que agora tinha preocupações elitistas. Por outro lado, no afetado Marks & Spencer, o único guarda que já tinha falado com ela apenas sorriu e disse que era um fã seu. O preconceito de classe, ao que parece, não é visto como uma questão importante, talvez porque suas vítimas sejam tradicionalmente pouco articuladas. A própria Alma, claro, nunca deixa nada sem ser dito quando se trata de pessoas de sua origem sendo demonizadas. Ela é capaz de falar interminavelmente sobre o assunto, em geral nas duas ou três entrevistas para a mídia que faz a cada semana, ou de alguma forma mais duradoura. Não, ela não vai precisar de um pedido de desculpas.

De volta à Abington Street, agora com o peso de duas sacolas, ela segue em direção ao café mais abaixo na ladeira, o Caffè Nero. Por que batizar um café com o nome de alguém como Nero? Já que é assim, poderia chamar de Caffè Calígula ou Caffè Heliogábalo. Ou Caffè Mussolini, aliás. A cafeína da Europa.

O café fica mais ou menos no local da antiga prefeitura, o modelo intermediário que serviu de trampolim entre a primeira Gilhalda, na Mayorhold, e a esplêndida prefeitura atual na esquina da St. Giles's Street. Foi ali, quase dez anos antes, que Alma cruzou o caminho do então futuro-primeiro-ministro Tony Blair, em uma caminhada de pré-vitória com guardas de terno à la *Cães de Aluguel* e o sorriso ricto e olhos pintados de um boneco de ventríloquo determinado a não voltar à caixa. Ela subia pela Abington Street quando viu aquela comitiva, que claramente parecia confundir a indiferença dos transeuntes com pasmo deslumbre. Dava para perceber que, dentro de suas mentes, estavam desfilando pelo novo calçadão, tudo em uma câmera lenta lisonjeira, com uma brisa fraca despenteando levemente seus charmosos cabelos hipertratados.

Examinando os rostos que passavam em busca de um sinal de algo além de indiferença, os olhos de Blair encontraram o pisca-alerta cinza e amarelo de Alma. Claro, ela não sabia naquele momento que ele iria arrastar o país para uma guerra interminável e desastrosa, juntando-se aos americanos tendo em vista suas próprias perspectivas de aposentadoria, mas o conhecia fazia anos e sabia que ele faria *alguma coisa* desastrosa. Ela tinha visto Blair e seu partido apoiarem tacitamente as repressivas propostas legislativas dos Tories, como a Cláusula 28 ou a Lei de Justiça Criminal. Tinha visto Blair "modernizar" o Partido Trabalhista extirpando os últimos vestígios dos valores centrais em que seus pais e avós acreditavam; tinha-o visto rifar os pobres, os deserdados e até os sindicatos que fundaram seu partido na mesma corrente oportunista e sem fim. Na tarde de seu encontro com ele, então, apesar de Blair ainda não ter sido eleito, pensou em se vingar com antecedência. Ela não havia lançado um olhar fulminante para ele, e sim um olhar exterminante, uma encarada com a intensidade que só costumava empregar se estivesse tentando explodir a lua. Em certos campos que atraíram esse tipo de olhar de Alma, não cresceria mais nada nas próximas centenas de anos. Ela manteve o contato visual por tempo suficiente para ter certeza de que havia sido registrado, esperando até que o sorriso de Blair se congelasse em um ricto e os olhos assustados dele assimilassem a visão daquela criatura desconhecida. Então franziu os lábios, fez seu olhar de desdém e continuou sua subida pela Abington Street.

Ao entrar agora no café para pegar uma xícara de chá preto quente e uma fatia de tiramisu, ela conversa com as garotas polonesas atrás do balcão antes de se acomodar em uma poltrona de couro desgastada ao lado da janela, ainda considerando o breve encontro com o homem que no presente se agarra ao poder com a tenacidade desesperada de uma lagosta escolhida a dedo aferrada ao castelo ornamental no tanque do restaurante. Esse é o homem que, segundo seu próprio relato, sentiu a mão da história em seu ombro com uma frequência assustadora ao longo dos anos e ainda assim nunca percebeu que ela está colando uma placa dizendo "me apunhale" nas costas dele com fita adesiva.

Levando uma garfada do bolo de creme e café para a dupla de lutadores mexicanos vermelhos e reluzentes que são seus lábios, ela pensa nos dois homens locais, ambos ex-membros do Partido Trabalhista, que atualmente estão confinados por uma ordem de restrição que os impede de sair da Inglaterra e os proíbe de conversarem entre si. Um deles, um funcionário público chamado David Keogh, que mora perto da Mounts, foi um assessor de comunicações destacado para o Ministério das Relações Exteriores em 2005. Enquanto estava nessa função, Keogh recebeu a transcrição de uma conversa entre Blair e o presidente dos EUA, George W. Bush, em que o gângster e sua namoradinha discutiram a conveniência de bombardear a emissora de televisão árabe não combatente Al-Jazeera. Entendendo que se tratava de um crime de guerra em formação, Keogh entrou em pânico e passou a informação para seu colega de Northampton e do Partido Trabalhista, o ex-pesquisador político Leo O'Connor, então empregado como assessor de Tony Clarke, deputado trabalhista de South Northampton e antigo membro da gangue de hooligans futebolísticos Inter-City Firm. Alma sempre teve uma queda por Clarke, que lhe parece um homem honrado e decente. Mas Alma sabe que aquele era o tipo de situação em que Clarke não tinha alternativa: a menos que ele próprio quisesse estar no quadro como parte de uma conspiração, o parlamentar não teria escolha a não ser fazer o que fez ao descobrir o memorando, que foi ligar para o Special Branch[5].

Isso provocou um certo dilema no Ministério das Relações Exteriores, detalhado nas páginas de uma edição recente da *Private Eye*. Enquanto um departamento daquele órgão augusto afirmava que a conversa Bush/Blair a respeito da Al-Jazeera nunca aconteceu e era uma invenção maligna de Keogh e O'Connor, um outro departamento havia anunciado em sua resposta a um inquérito sobre o caso que, embora tivessem a transcrição da conversa, não poderiam divulgá-la. Alma se pergunta como vão acusar Keogh e O'Connor por violação da Lei de Segredos Oficiais sem lembrar a todos qual era o segredo oficial sob escrutínio. Seu palpite é que vão esperar alguns meses até que alguma nova catástrofe ou escândalo tenha eclipsado a questão e a amnésia geralizada do público tenha tido tempo de se manifestar. Então vão apressar o caso na justiça com um aviso de sigilo judicial à mídia por motivos de segurança nacional, evitando que a imprensa e a televisão detalhem o delito original em qualquer cobertura. Isso é o que ela faria se fosse algum Magister Ludi[6] de rosto rosado nas profundezas de Whitehall.

Limpando mascarpone da cena de crime escarlate de seus lábios, fica indignada que essa reprise de Kafka esteja acontecendo com pessoas de sua cidade, uma delas moradora da Mounts, logo acima do canto nordeste dos Boroughs, seu amado bairro. Almumana, a própria sede da guerra.

Ela tilinta um adeus para as polonesas e sai do Caffè Nero, atravessando o vestígio de asfalto da Abington Street que ainda resta na calçada cor-de-rosa, em direção à praça do mercado. Alma lembra que ia pagar o imposto municipal, mas percebe que deixou a cobrança em casa. Ah, bem. Quem se importa? Vai resolver isso na segunda-feira, quando a pré-estreia da exposição tiver acabado. Considerando a forma como Northampton, ao longo dos séculos, havia respondido às tentativas de impor o Poll Tax, um imposto por pessoa e não por renda, duvida que seu atraso no pagamento represente um grande problema. Quando Margaret Thatcher se superou e reintroduziu o Poll Tax nos anos 1980, os veículos dos oficiais de justiça foram mandados de volta à garagem por inquilinos enfurecidos do Distrito Leste, que destruíram as instalações comerciais da empresa de reintegração de posse. Uma multidão de manifestantes tomou os escritórios da prefeitura, mantendo os funcionários reféns sob ameaça de socos, em um cerco que durou um dia. Tudo isso não era nada em comparação com o século XIV, claro, quando o primeiro Poll Tax foi anunciado no castelo na extremidade sul da St. Andrew's Road, precipitando na ocasião a orgia incendiária que foi a Revolta Camponesa. Não, eles podiam esperar até depois do fim de semana e considerar que tiveram sorte por ela não tocar fogo na prefeitura. Por enquanto.

Caminhando em diagonal pelo suave declive do mercado, pisando entre os postes de madeira de barracas recém-desocupadas ou esquivando-se sob as coberturas perpetuamente molhadas, Alma ainda pensa em Keogh e O'Connor, livre-arbítrio, Gerard 't Hooft, Benedict Perrit e seu salto do telhado pelo abismo cheio de sucata quando tinha onze anos. Supõe que todas as outras pessoas que vão e voltam pela praça estão igualmente ocupadas com seus próprios assuntos idiossincráticos. Isso é a realidade, essa abundância de ilusões, memórias, ansiedades, ideias e especulações, passando o tempo todo por seis bilhões de mentes. Os acontecimentos e as circunstâncias reais do mundo são apenas a ponta material e molhada desse iceberg imenso e fantasmagórico, cuja totalidade nenhum ser pode conceber. Para Alma, isso levanta a questão de para quem ou o que a realidade é real. Seria preciso postular algum ponto hipotético de onisciência absoluta fora do mundo humano, algum ser constantemente absorto em saber tudo e, portanto, sem tempo para agir, um ponto imóvel e inerte de total compreensão, total receptividade.

O mais próximo que Alma consegue conceber desse espectador único imóvel de uma realidade suprema é o anjo de pedra no alto da prefeitura, em algum lugar atrás dela enquanto caminha pelo mercado em direção ao canto noroeste. O arcanjo Miguel, irremediavelmente misturado com Michael, o santo padroeiro das corporações, de pé com seu escudo e seu taco de sinuca acima da cidade, ouvindo cada pensamento seu, mas sem nunca abrir aqueles lábios salpicados de cocô de pássaro para dar um aviso ou trair uma confiança. Ciente de várias mortes e várias centenas de cópulas por hora, sabendo qual dos cem bilhões de espermatozoides atingirá o alvo e terminará como enfermeiro, estuprador, reformadora social ou analista de estatísticas de acidentes. Sabendo qual atravessará um divórcio, uma falência, um para-brisas. Ciente de cada embalagem de Starburst, cada cocô de cachorro, cada átomo, cada quark; sabendo se as equações de Gerard 't Hooft sobre um estado subjacente sob o encanto e a estranheza se mostrarão corretas ou não; sabendo se Benedict Perrit irá à inauguração amanhã. Cada fato e fantasia, tudo refletido de maneira perfeita e primorosa sobre a testa de pedra opaca. Todo o universo, incluindo Alma e suas reflexões atuais, capturados em um brilho sináptico da mente gélida e imparcial do granito.

A meio caminho do mercado que se esvazia, ela percebe que atravessa o florescente fantasma de ferro do monumento, o local vazio onde antes ficava sua base de pedra escalonada. Talvez até faça um corte transversal para um eu de oito anos, com a bunda sentada no pedestal frio correndo o risco de ter hemorroida, examinando os joelhos além da bainha plissada da saia fina azul-marinho. A lã vaga e esparsa da memória que preenche a praça é engendrada em fios distintos sobre o fuso fantasma do monumento. Paralelepípedos brilhantes e molhados pela chuva emergem brevemente através da pavimentação rosa que os substituiu, e os contornos de madeira vazios de cada barraca são coloridos, cheios de comerciantes mortos e mercadorias há muito perecidas. Um suporte de doces sem marca, confeitaria de desenho animado até então invisível fora das páginas da revista *The Beano*, tudo presidido por um homem com sobrancelhas pretas e grossas de italiano e um casaco branco engomado. A livraria de gibis e brochuras usadas com que ela ainda sonha às vezes, a Sid's, o proprietário de boina, luvas e cachecol, bafo e fumaça de cachimbo pairando no ar de inverno e ao redor de um canteiro espalhafatoso de *Adventure Comics* e *Forbidden Worlds* pressionados por pesos de papel de ferro chatos e redondos, revistas *Mad* ou *True Adventure* com suas nazistas sedutoras e soldados americanos chicoteados, penduradas por presilhas em um fio semelhante a uma mola logo abaixo das listras verdes e brancas do toldo. Na escuridão pré-natalina, esses amontoados parecem lanternas de papel pintadas de cima, com o brilho branco das lâmpadas de tempestade peneiradas por telas coloridas. Pontas brilhantes de cigarro pairam na penumbra. Magnífica e evanescente, a Galeria Emporium brilha à sua direita, iluminada com brinquedos e padrões de tricô, antes de mais uma vez ceder a um muro branco moderno e revestido de pedra, com a grande entrada vitoriana de ferro forjado derretendo-se até uma passagem subterrânea de concreto brutal onde adolescentes chutaram um albanês até a morte há um ou dois anos.

Enquanto segue do canto aberto do mercado em direção ao ponto indeterminado onde a Drapery encontra a Sheep Street, Alma olha para baixo à esquerda e nota a fachada confiante da Halifax Building Society na esquina da Drum Lane. Presa nos fios de outros tempos, ainda pode ver a papelaria de Alfred Preedy, que ocupava o local quarenta ou cinquenta anos antes, o lugar com o qual sonhou quando tinha cinco anos, com o capataz encapuzado e sua equipe de carpinteiros à meia-noite que tentou descrever com *Obra em Andamento*. O trabalho foi concluído de acordo com o cronograma ou ainda segue, ela se pergunta, em algum lugar dos sonhos das crianças? Uma ideia fragmentária lhe ocorre, algo sobre as tábuas de madeira aplainadas dos trabalhadores noturnos representarem períodos de tempo ou conjuntos de acontecimentos interligados, sendo cada vida humana um prego, ela e seu irmão Warry, Tony Blair, Keogh e O'Connor, todo mundo que conhece e que não conhece, forjados pelos ritmos do coito de seus pais, bang, bang, bang, inabalavelmente embutidos no grão da eternidade, de modo que...

Sua linha de pensamento é interrompida por um jovem cordial de boné e tênis mais bonitos que os dela. Tudo o que ele quer fazer é apertar sua mão e dizer que o trabalho dela é incrível, enquanto se desculpa por se aproximar, o que faz com que ela se sinta toda afetuosa e maternal. Quando está se despedindo dele, um dos comerciantes restantes na praça do mercado atrás dela grita, dando-lhe uma breve salva de palmas:

— Eu também! Muito bem, Alma!

Ela sorri e acena. Às vezes, tudo isso é como um sonho, agradável demais, uma realidade de uma benevolência muito suspeita. Há momentos em que desconfia que seja tudo uma ridícula fantasia compensatória, egocêntrica e ridícula que está sonhando em alguma outra vida menos auspiciosa. Talvez esteja na verdade sentada, fortemente sedada, em uma poça de seu próprio mijo, em um hospício em algum lugar, ou talvez esteja em coma na década de 1970, depois de ter bebido a ponto de parar de respirar na festa de seu vigésimo aniversário. Ocorre-lhe que sua existência extraordinariamente agradável pode ser alguma alucinação acontecendo no instante prolongado de sua morte, uma visão da vida que poderia ter tido. Quem sabe? Talvez nunca tenha atravessado aquele beco cheio de lixo enferrujado quando tinha onze anos.

Ela passa entre a filial da Drapery do Abbey National e a majestosa fachada de colunatas da antiga Bolsa de Cereais, os degraus cinzelados subindo para o que já foi o outro grande cinema da cidade, chamado ora de Gaumont, ora de Odeon. Aqui havia sido forçada a ver *A Noviça Rebelde* três vezes com a mãe, Doreen, o que, na sua opinião, deveria ser classificado como uma forma de abuso infantil. Tinha tomado bolo duas vezes, esperando nos degraus frios por algum trouxa cheio de espinhas que evidentemente só a convidou para sair por ter sido desafiado pelos amigos. Também tinha vindo até ali vários anos antes de suas provações da adolescência, quando era membro do clube Gaumont de Meninos e Meninas. Todos os sábados, eram admitidos por seis pence e então conduzidos por um adulto entusiasmado, Tio Alguma Coisa, na cantoria de músicas antigas peculiares como "Clementine", "The British Grenadiers" ou "Men of Harlech in the Hollow" antes que pudessem assistir a um desenho animado curto, um programa principal da Children's Film Foundation que frequentemente envolvia uma ilha, estudantes e um sabotador estrangeiro, e então enfim um episódio de um seriado de oito semanas em andamento, *King of the Rocket Men* ou um velho *Batman e Robin* em preto e branco, em que a dupla dirigia em um carro completamente comum dos anos 1940 e Robin levantava sua máscara de papelão em público enquanto conversava com seu amigo fantasiado. O principal entretenimento era rastejar sob as pernas das pessoas ao longo das fileiras de assentos, ou jogar habilmente um palito de sorvete para talvez cegar um estranho de sete anos várias fileiras adiante.

Hoje em dia, claro, a construção é outro bar temático, um Hard Rock Café, e o principal cinema da cidade é um multiplex como qualquer outro em Sixfields, além de Jimmy's End e a uma viagem de carro de distância. Há quase um brilho conceitual em tudo isso: transformar todos os cinemas em bares, deixar todo mundo completamente bêbado e depois certificar-se de que não haja saída para os espasmos de imaginação, fúria ou libido, sem nada para drenar as fantasias desorientadas que vêm à tona com uma sétima caneca de Soca-Esposa[7]. Os enredos simplórios, a ausência de motivação e o impulso irracional do celuloide suprimido retornam e se espalham pelas ruas nos sábados à noite. Em pouco tempo, teremos peças fascinantes de pura verdade em cada esquina, esfaqueamentos à la Tarantino com baixo orçamento, com assaltantes que seguram as facas de lado e debatem curiosidades da cultura pop enquanto rasgam os cantos da sua boca até o meio das bochechas. O Oscar vai para um bando de sombras filmadas pelas câmeras de segurança.

Alma atravessa o cu peludo e esmerdeado da Sheep Street até o portão de entrada do antigo mercado de peixe, que com alguma surpresa nota que está aberto. O grande salão coberto com telhado de vidro e lajes brancas brilhantes faz parte de uma paisagem de sua infância que Alma pensava ter se perdido para sempre. Vozes desaparecidas ressoando nos ladrilhos molhados com um eco, como em uma piscina, e a avó May abrindo caminho na multidão enquanto passava como uma bola de demolição de ferro preto, levantando as mãos com manchas de idade e chamando os peixeiros, que conhecia pelo nome. O único de quem Alma consegue se lembrar é Tunk Três Dedos, presumivelmente chamado assim para distingui-lo de todos os outros homens chamados Tunk que tinham um número diferente de dedos.

Ela tem a vaga lembrança de ouvir algo sobre planos de transformar o Mercado de Peixe em algum tipo de espaço de exposição ou galeria, mas descartou a ideia como fantasiosa demais. Não em Northampton; não neste mundo. Isso nunca aconteceria. A ideia de que poderia estar errada em sua avaliação, como sempre não lhe ocorreu, e talvez seja por isso que ver os portões de metal verde destrancados e abertos pareceu irreal à primeira vista. Com a impressão de que atravessava a soleira ladrilhada de um sonho particular, Alma e suas sacolas atravessam o vazio branco do interior.

A luz do dia que entra pelas lentes empoeiradas do teto de vidro é difusa e leitosa, o que transmuta o espaço em uma pintura realista. Quase não há outras figuras para serem vistas sobre a extensão ecoante, tão onírica e deserta quanto as ruas nas gravuras do século XVIII. Ainda é cedo, ela supõe, nenhuma das lojas de arte e moda prometidas está funcionando, mas o silêncio de igreja do lugar a impressiona. Nunca tinha visto o Mercado de Peixe assim, despido de suas multidões resmunguentas, despojado de seus comerciantes alegres gritando imprecações no eco salgado.

Agora as lajes estão nuas e sem sangue. O estabelecimento foi reduzido às estruturas básicas, as armadilhas de sua história recente foram lavadas. Restos de hadoque topázio, o lodo prismático de escamas e olhos arregalados como botões, varridos para se juntarem aos bronzes e as canecas do Red Lion Inn que anteriormente ocupava o local; para se juntarem às menorás e aos quipás da sinagoga de alguns séculos antes. Com o passado removido, o mercado é um vácuo fértil esperando para ser preenchido com futuro, um misterioso vazio quântico que zune com imanência e possibilidade. Alma fica desconcertada por uma súbita onda de esperança, uma superação do ceticismo. Parte dela tem uma certeza pessimista de que a prefeitura encontrará alguma maneira de abortar ou minar o empreendimento, por pura indiferença talvez, e não por hostilidade, mas o mero fato daquilo existir é motivo de otimismo. Isso lhe sugere que há pessoas em Northampton, pessoas no país, pessoas no mundo, que têm vontade de fazer as coisas de uma maneira diferente. É a mesma sensação que tem quando está com seus amigos rappers dos Boroughs, com seus nomes artísticos esotéricos: Influence, St. Craze, Har-Q, Illuzion. É a sensação de transformação social que ela vê, pelo menos potencialmente, na arte e no ocultismo, às vezes até na franja esfarrapada da política de Roman Thompson. Esse desejo apaixonado de transformar a realidade em um domínio mais acessível aos seres humanos, esse é o fogo etéreo que Alma pode sentir pairando no ar frio do Mercado de Peixe.

Como se trazida à vida por seu ânimo otimista, uma das formas borradas na meia distância míope de Alma revela, ao se aproximar, ser o despretensioso e inspirador Knocker Wood, um dos maiores antídotos locais para o cinismo desde a morte do saudoso balão-barragem lírico que era o falecido Tom Hall. Knocker — Alma o conhecia desde que ambos eram hippies adolescentes sem nunca saber seu primeiro nome — tinha sido dolorosamente bonito quando jovem, com longos cabelos negros e um brilho selvagem nos olhos que parecia poesia, mas era heroína. Um dos primeiros viciados da cidade, Knocker tinha feito parte daquela misteriosa trupe tragicômica que participava de suas próprias Narco-Olimpíadas a cada dois sábados, com competidores na corrida de 400 metros com um aparelho de televisão roubado, correndo pela Drapery sob o apupo dos boêmios chapados reunidos nos degraus da igreja de Todos os Santos.

Então todos ficaram mais velhos. A maioria dos espectadores de cabelos compridos nos degraus tinha se endireitado e saído dessa cena doentia ao completar vinte anos, conseguindo empregos respeitáveis e correspondendo às expectativas dos pais. Restara apenas o contingente da classe trabalhadora da contracultura, que em geral se manteve engajado porque não tinha outro lugar para onde ir, e as vítimas do vício como Knocker Wood, para quem o engajamento não era mais um problema real. A meia-idade de Knocker fora um filme de terror intencionalmente gótico, ao qual só os viciados podem aspirar. Alma se lembra de assombrações sarnentas que prendiam as veias em colapso com alfinetes, um gesto pré-punk, ou anunciavam com tristeza que tinham sido "obrigados" a injetar no globo ocular ou no pau.

Embora Knocker não estivesse nesse grupo de assumida morbidez, por longos anos foi um desastre balbuciante, e Alma se envergonha ao ser obrigada a admitir que em várias ocasiões atravessou a rua para evitá-lo. Knocker tinha perdido a mulher por overdose e a filha por uma cepa de hepatite, golpes devastadores que a metadona e a Carlsberg Special Brew não conseguiram amenizar. Ele estava em um trem para o inferno que ultrapassou seu destino e seguiu implacavelmente para algum lugar ainda pior quando, por algum milagre, conseguiu pular dos degraus do vagão, caindo impotente na margem dos trilhos em direção à sobriedade dura e fria. Ninguém achava que ele fosse conseguir fazer isso. Ninguém tinha visto isso antes. Knocker de alguma forma foi capaz de renascer como um andarilho rural que perambula pelas colinas, um *boulevardier* sem bebida e drogas, uma visão de redenção por quem hoje em dia Alma atravessaria feliz várias autoestradas movimentadas para dizer olá.

— Knocker! Bom te ver. Como vão as coisas?

Ainda é um homem bonito, começando a empalidecer de um modo atraente, desgastado pela idade, mas esse ar desbotado combina muito bem com ele. O cabelo grisalho curto está recuando, cedendo território para a testa, mas seus olhos continuam brilhantes, embora agora limpos e envolvidos com o mundo de diamantes ao seu redor. É uma visão tranquilizadora e pacífica, como seixos azuis e limpos em um riacho. Ele sorri e diz olá para ela, submetendo-se a um abraço e genuinamente satisfeito por vê-la ali; contente por ver cada grão de poeira girando e iluminado em sua valsa browniana.

Ele lhe diz que agora é conselheiro psicológico, trazendo sua própria experiência para restaurar os outros, desamassando as marcas de pancadas do mundo sempre que possível. Alma o vê como um dos "filósofos mecânicos" de Bunyan, ministrando palavras de cura entre os outros funileiros, uma Nação de Santos de um homem só sem o cristianismo e as hastes de pique ensanguentadas. Ela fica muito feliz por saber de sua nova linha de trabalho, satisfeita por si mesma na mesma medida em que se sente emocionada por ele. Knocker é um totem importante e vital na maneira como Alma vê o mundo, uma prova positiva de que, mesmo nas circunstâncias mais sombrias e sem esperança, as coisas às vezes podem ser maravilhosas.

Ela conta sobre a exposição de amanhã, à qual ele diz que tentará ir, e então falam sobre o Mercado de Peixe transformado, com sua brancura de tundra estendendo-se por toda parte. Os olhos de Knocker se iluminam e piscam do jeito que costumavam fazer, embora agora seja o brilho pré-natalino antecipado de uma criança, em vez do brilho hipodérmico e louco de outrora.

— É, dizem que vão fazer bailes de fantasia aqui, eventos e essas coisas, e exposições também. Acho que parece ótimo. Northampton nunca teve um lugar assim, na verdade.

Prestes a desfiar sua lista habitual de razões para baixar as expectativas e dizer por que não vai dar certo, Alma se lembra de com quem está falando e se interrompe. Se Knocker Wood pode ser tão corajosamente otimista sobre as perspectivas do Mercado de Peixe, então é de alguma forma uma covardia para ela se entregar ao conforto do pessimismo. Ela deveria se elevar ao patamar dele e não ser uma vaca chorona.

— Tem razão. Gosto da luz daqui, gosto da atmosfera. Pode ser bom, de verdade. Seria legal ver esse lugar cheio de novo com uma multidão de pessoas, todas fantasiadas. Seria como os sonhos que a gente tem quando é criança.

Eles conversam por mais alguns minutos, depois se abraçam em despedida e seguem suas respectivas trajetórias. Quando Alma sai do mercado, abrindo a porta de vidro giratória dos fundos e indo para a confusão do alto da Silver Street, sente-se exultante tanto pelo encontro quanto pelas perspectivas de sua pequena mostra de arte do dia seguinte. Talvez seus quadros possam fazer o que ela deseja. Talvez possam atender às suas exigências irracionais e fazer algo para salvar os Boroughs feridos, ainda que apenas atraindo o tipo certo de atenção para o lugar. Pelo menos terá cumprido as obrigações que assumiu ao saber da experiência de vida após a morte do irmão e colocado alguns fantasmas para descansar para ambos, talvez literalmente. Não é nada ruim para um ano de trabalho.

A descida de Alma pela via larga em que a estreita Silver Street foi transformada durante a década de 1970 é sua descida ao passado, aos Boroughs, e assim é inevitável se sentir envolvida pelo carisma barato do local e pelos ares do pós-guerra, colorindo seus pensamentos e suas percepções. Esse é o terreno pavimentado onde ela cresceu entre as rachaduras. Todas as suas visões procedem desse lugar e dessas vielas estreitas, que descem a ladeira até a St. Andrew's Road como água de banho suja. Do outro lado da rua movimentada, o estacionamento de vários andares ocupa duas ou três ruas desaparecidas e algumas centenas de horas da infância de Alma: o Electric Light Working Men's Club, na Bearward Street, aonde ia com os pais e o irmão em noites de domingo, o clube de judô em Silver Street, onde aprendeu autodefesa até perceber que era grande e imprevisível demais para que qualquer um implicasse com ela. Todas as lembranças foram esmagadas sob o enorme peso do estacionamento e comprimidas em uma forma prismática de antracito, um combustível que ela usa há mais de cinquenta anos.

A vista desse lugar, no alto da encosta leste da elevação da área, permaneceu essencialmente inalterada durante todo esse tempo — se "essencialmente" quiser dizer que o céu de lá está no mesmo lugar e o ângulo da inclinação continua o mesmo. Quase todas as outras características da paisagem foram alteradas ou removidas. Os edifícios NOVAVIDA, recém-remodelados, dominam o panorama, a placa de circuito de flats e maisonettes a cercar tudo, os cubos que substituíram as fileiras de casas individuais. Embora bastante simplificado, o emaranhado arcaico das principais vias originais do bairro ainda é visível: Bath Street, Scarletwell, Spring Lane... Alguns trechos estão desanimados e nublados, enquanto outros brilham por instantes, iluminados pelos raios do sol da tarde que perfuram o lençol puído das nuvens. Os estratos do horizonte parecem os mesmos de sempre, pelo menos na visão embaçada de Alma. Ela vê muros de tijolos e casas de concreto dando lugar a faixas de trilhos de trem com fios aéreos e, por fim, resolvendo-se no cinza-esverdeado fumegante do Victoria Park, no extremo oeste. Apesar da lastimável cobertura do último meio século, Alma sabe que o padrão dourado do distrito ainda está lá em algum lugar. O coração enterrado ainda bate sob os escombros. Saindo da Silver Street para a inclinação de uma passagem subterrânea abaixo da ruidosa Mayorhold, Alma respira fundo e abaixa a cabeça sob a superfície manchada do presente.

Ela emerge da escuridão alaranjada do túnel para uma passarela subterrânea revestida com azulejos de três décadas que sugerem a Alma um Mondrian bulímico depois de uma omelete espanhola. Virando à esquerda, ela sobe a rampa em direção à Horsemarket (Oeste) e desce até a boca fechada da Bath Street, passando pelo edifício Kingdom Life, erguido como um Salão da Brigada de Rapazes nos anos 1960. O irmão de Alma havia pertencido àquele peculiar grupo paramilitar batista, a Juventude Baden-Powell. Tinha marchado com eles e sua banda cacofônica de percussão pesada nas manhãs de domingo, um menino de onze anos com um distintivo de latão e um cordão, um quepe de cadete em cima dos cachos dourados femininos e tamanha felicidade e inocência em seus olhos azuis que Alma achava que parecia algo quase anormal. Ele teria sido um perfeito nazista pediátrico se conseguisse marchar sem pular como uma leiteira de desenho animado. Alma tem quase certeza de que ele compareceu ao estranho comício à luz de tochas no pavilhão de seixos do outro lado da via, ele e seus companheiros cantando "Arbeit Macht Frei" ou "Sempre alerta" ou qualquer que fosse o lema deles.

Ela se pergunta se o antigo quartel-general da Brigada de Rapazes está localizado perto de onde os Camisas Negras de Mosley tinham suas subsedes nos anos 1930. Isso leva a uma linha de pensamento relacionada a um artigo de Roman Thompson, que o veterano esquerdista grisalho havia fotocopiado para ela, com informações sobre as atividades da União Britânica de Fascistas em torno da Mayorhold. Havia reproduções granuladas de páginas de jornais com fotografias de líderes fascistas locais posando com Sir Oswald Mosley enquanto ele visitava as províncias, com um nome nas legendas embaixo das fotos coberto de branco, presumivelmente por alguém do departamento de arquivo. Roman não havia notado a exclusão e não tinha ideia de qual poderia ser o nome ausente, embora Alma tivesse ouvido rumores sobre o sr. Bassett-Lowkes, o antigo fabricante de calçados local e ex-proprietário de uma casa em Derngate com interiores de Rennie Mackintosh. Quem sabe? Se a Segunda Guerra Mundial tivesse seguido um caminho diferente, ele poderia ter lançado uma linha de sapatos masculinos esportivos para comemorar a vitória do Führer.

Alma segue pela Bath Street, com os prédios de apartamentos vintage-Mosley cor de carne enlatada à esquerda, as torres NOVAVIDA e os sobrados geminados modernos surgindo à direita. Tudo aquilo expressa a componente nacional-socialista, assim como a programação de inverno do Channel Five. Ela ouviu, há pouco tempo, que a planejada invasão das Ilhas Britânicas por Hitler terminaria com a captura de Northampton, como se, uma vez que o centro do país tivesse sido tomado, o resto fosse uma conclusão inevitável. Alma ri sozinha. Diga o que quiser sobre o Terceiro Reich, mas pelo menos eles reconheciam lugares de importância estratégica histórica quando os viam. E, seja como for, a área acabou invadida pela brutal e intimidante arquitetura nazista. Albert Speer poderia ter colocado águias e suásticas nas torres, mas isso teria mesmo feito os moradores se sentirem mais subjugados e desolados do que as letras prateadas cafonas que estão lá em cima agora? A mensagem seria a mesma: o amanhã, com certeza, não pertence a você.

À medida que Alma vai descendo a ladeira, mais deprimido e sombrio vai ficando o seu ânimo, como se a Bath Street fosse uma escala emocional. Pensa nas vítimas famosas da história, no holocausto, no flagelo da escravidão, na repressão contra as mulheres e na perseguição de minorias sexuais. Recorda-se de seus próprios dias da revista feminista *Spare Rib* na década de 1970 e de como na época considerou a ideia de que uma mulher no poder faria toda a diferença. Isso, óbvio, foi no *início* dos anos setenta, porque depois, com Thatcher... A questão é que, apesar dos abusos contínuos mais que reais nascidos do antissemitismo, do racismo, do machismo e da homofobia, existem parlamentares e governantes mulheres, judeus, negros ou gays. Mas ninguém que seja pobre. Nunca houve e nunca haverá. Todas as décadas desde o início da sociedade têm sido testemunha de um holocausto de pobres, tão enorme e perpétuo que se tornou parte do cenário, despercebido, ignorado. As valas comuns em Dachau e Auschwitz são, e com razão, lembradas e repetidamente deploradas, mas e a de Bunhill Fields, onde William Blake e sua amada Catherine foram jogados? E aquela sob o estacionamento em Chalk Lane, do outro lado da rua da igreja Doddridge? E as incontáveis gerações que viveram na pobreza e de uma forma ou de outra morreram dessa condição, sem memória e anônimas? Onde estão seus malditos monumentos e datas especiais no calendário? Onde estão seus filmes de Spielberg? Parte do problema é, sem dúvida, que a pobreza carece de um arco dramático. Dos farrapos aos farrapos, dos farrapos ao pó, isso nunca foi uma fórmula vencedora do Oscar.

Do outro lado da rua, uma porta se abre em Simons Walk, um dos sobrados modernos à sombra dos prédios altos, e surge um cara gordo com a cabeça raspada e olhos de pornografia de internet. Dá um olhar direto e desdenhoso para Alma e descaradamente aperta a tecla "Delete" em seu Banco de Punheta antes de se arrastar pela calçada em direção à lanchonete na St. Andrew's Street. Alma permite que sua atenção se detenha por um momento no "parque de bolso" de três muros, cercado de árvores, logo depois da via, uma das únicas adições agradáveis ao bairro. Ela tem uma amiga artista chamada Claire que mora aqui em Bath Street e faz questão de manter o pequeno espaço verde livre do lixo e das ervas daninhas. Com um estilo semelhante ao de desenhos animados, Claire pintou um quadro que reflete seu afeto profundo por aquele pedaço de chão, que ela representou assediado por blocos de torres carnívoras. Alma amou o quadro, então Claire insistiu em dá-lo a ela, recusando qualquer dinheiro e envergonhando profundamente a celebridade nova-rica, para sempre em dívida com a colega artista. Claire é corajosa e adorável e um pouco bipolar. Faz Alma sorrir só de pensar nela, com um cogumelo de psilocibina e a legenda "MAGIA" tatuada em um antebraço; e um "VAI SE FODER" no outro. Ambos, na opinião de Alma, são orientações dignas para a vida.

Ela observa os volumes reformados de Claremont Court e Beaumont Court, as torres NOVAVIDA engajadas em sua dupla penetração no céu. Cerca de dez dias atrás, sabendo que a população via aquelas reformas como uma fraude odiável, a prefeitura arriscou um discreto evento inaugural. Yvette Cooper, ministra da Habitação e adjunta de Ruth Kelly[8], foi levada para cortar a fita na manhã de quarta-feira sem nenhum anúncio prévio, para não alertar os manifestantes organizados. Roman Thompson, é claro, ficou sabendo de tudo sobre a visita secreta na noite anterior. Requisitando um megafone das instalações do sindicato local, Roman apareceu bem cedo com um grupo de anarquistas e ativistas locais reunidos às pressas, trazendo os inquilinos sonolentos dos apartamentos da Crispin Street para suas varandas gritando "BOM DIIIIIIIA, SPRING BOROUGHS" pelo alto-falante emprestado. Quando a ministra chegou com os dignitários locais, a voz vastamente amplificada de Velho do Mar de Roman os regalou alegremente falando sobre suas impropriedades mais recentes. Com muita simpatia, perguntou à deputada trabalhista Sally Keeble como estava dormindo esses dias, depois de votar a favor da Guerra do Iraque. Fez um elogio à elegância de outro conselheiro e especulou que isso poderia ser devido a todos os subornos que recebeu pouco tempo antes. Nesse momento, um policial correu até Roman e o informou que não podia dizer isso, ao que Roman respondeu apontando, com uma lógica inatacável, que já havia dito. Alma está sorrindo. Pelo que soube, tinha sido uma manhã divertida nos Boroughs.

Relutante, ela volta o olhar para o lado da Bath Street por onde está andando, com os blocos de apartamentos dos anos 1930 e a entrada para a passarela central à esquerda. Alma olha para o local onde tem quase certeza de que a chaminé enorme do Destruidor já esteve e a alegre imagem mental da pintura de Claire se desfaz em flocos de goma-laca verde e amarela. Eles imediatamente se espalham ao vento para serem substituídos pela visão anterior dos Boroughs e de outros distritos iguais em todo o mundo como "bairros de concentração": zonas cuja população poderia ser facilmente identificada pelos uniformes de prisão dos aventais ou chamativos trajes de desmobilização caso se desgarrasse para além das fronteiras, zonas onde os prisioneiros trabalham, passam fome ou, simplesmente, são levados a uma depressão mortal, sem o perigo disso provocar uma indignação da opinião pública. Em Bath Street até providenciaram a torre sempre fumegante de uma chaminé de incinerador para adornar o campo de extermínio.

Alma, que faz pouca distinção entre a realidade interna e a externa, não se importa muito se o Destruidor na visão de seu irmão é a terrível força sobrenatural que ele descreveu ou alguma metáfora alucinatória e visionária. Na visão dela, são as metáforas que causam os danos mais sérios: judeus como ratos ou ladrões de carros como hienas. Países asiáticos como uma linha de dominós que as ideias comunistas poderiam derrubar. Trabalhadores considerando a si mesmos como engrenagens de uma máquina, criacionistas imaginando a existência como um mecanismo de relógio suíço e então pressupondo um velho relojoeiro de cabelos brancos e olhos brilhantes por trás de tudo. Alma acredita que o Destruidor, mesmo como metáfora, sobretudo como metáfora, poderia facilmente cremar um bairro, uma classe, um distrito do coração humano. Da mesma forma, então, acredita que a arte, sua arte, a arte de qualquer pessoa, é capaz de demolir de uma vez por todas a mentalidade e as ideias que o Destruidor representa, caso consiga se exprimir com força e selvageria suficientes; beleza brutal suficiente. Alma não tem outra escolha senão acreditar nisso. É o que a faz seguir em frente. Encarando as varandas e arcos erodidos ao estilo Bauhaus, tijolos cor de sangue seco, ela vira à esquerda e começa a subir o longo caminho que separa ambos os prédios, em direção à rampa murada que leva à Castle Street.

O sol se esconde atrás de uma nuvem e os gramados verdes ficam cinza. A borda ornamental da alvenaria, rachada pela grama e desgastada, assume um caráter diferente. A arquitetura, que um dia foi elegante, moderna e eficiente, parece envelhecida, como um funcionário público do pré-guerra que já teve uma carreira promissora pela frente, mas agora está na casa dos oitenta, atormentado pelo assombro e a incontinência, incapaz de reconhecer o que o cerca. Além das cortinas fechadas dos apartamentos estão as câmaras de uma mente em ruínas pelas quais os inquilinos cambaleiam como sonhos insondáveis. Pacientes ambulatoriais, craqueiros, trabalhadores migrantes, prostitutas e refugiados e flores transpostas como Claire, de alguma forma ainda pintando quadros no meio de tudo isso, do jeito que Richard Dadd trabalhou em suas visões de fadas minúsculas nos infernos gritantes e defecantes de Bedlam e Broadmoor.

Alma percebe que o lugar é como uma roda de moinho que tritura a razão, a noção de si e a sanidade até tudo isso virar uma indistinta farinha de loucura. Doenças mentais e depressão foram misturadas à argamassa desses edifícios, ou infiltraram-se no reboco como uma espécie de umidade melancólica. A própria tentativa de atribuir algum propósito à existência naquele ambiente sombrio irá aos poucos levar a pessoa a dobrar a esquina da loucura, a ficar numa sinuca. Ela percebe, caminhando pelo ar espesso da passarela central, que a insanidade ocorre com mais frequência onde uma visão humana encontra a alvenaria social. Ela se lembra do antigo colega de composição de hinos do pastor Newton, o veterano de hospício William Cowper, em 1819, dirigindo-se a William Blake: "Você mantém a saúde e, no entanto, é tão louco quanto qualquer um de nós — mais que todos nós —, louco como um refúgio contra o ceticismo de Bacon, Newton e Locke".

Tratava-se, óbvio, de um Newton diferente que o frágil poeta condenava, não o John compositor de hinos e traficante de escravos, mas sim Isaac, arquiteto de uma certeza científica material que suplantaria o apocalipse moral igualitário de seu contemporâneo John Bunyan. Isaac Newton, membro fundador da Royal Society e da Grande Loja da Maçonaria, dirigente brutal da Casa da Moeda e, portanto, engenheiro de um sistema financeiro repleto de Desastres de Darien, Bolhas dos Mares do Sul, Quebras de Wall Street e Quartas-Feiras Negras. Instigador do padrão-ouro e, portanto, das reservas de ouro da Grã-Bretanha, que o chanceler de Blair, Gordon Brown, vendeu discretamente no ano passado. Sir Isaac, o inventor de uma cor imaginária, o índigo, e o criador, em múltiplos níveis, da ratoeira materialista do mundo moderno. O grande apaziguador do espírito, indutor do que Blake chamou, com precisão, de "sono de Newton". Nos apartamentos da Bath Street, entre os desamparados, desesperados e deprimidos, ela pode ver todos os sonhos que perturbam esse sono.

Ela interrompe a linha de pensamento para contornar uma evacuação de cachorro no caminho, um castelo de cocô de aparência recente com torres, ainda não violado por sapatos de criança ou tênis de adolescente, produto final perfeito do mundo material e também seu inevitável monumento. Dá pelo menos uma forma semissólida à palavra mais frequente, ao pensamento mais frequente na mente moderna local, reitera o credo do Destruidor: "Aqui é para onde mandamos sua merda, as coisas que não têm mais utilidade. Isso significa você".

Indo em direção à rampa que substituiu os degraus dos quais se recorda da infância, Alma se pergunta, com um sobressalto, quantas pessoas morreram ali embaixo, quantos últimos suspiros embaçaram espelhos em banheiros insalubres ou escaparam em cozinhas apertadas. Devem ser centenas, desde que os apartamentos foram construídos na década de 1930; todas aquelas almas desapontadas, suas histórias trabalhadas no grão da madeira envernizada, codificadas nas listras do papel de parede feio. Ela se sente como se andasse no fundo de um mar de fantasmas, através de profundezas sufocantes de ectoplasma rebelde que se estendem muito acima dela. Lembranças e vozes dos bancos de areia erguem-se em nuvens de lodo a cada passo. Conchas de poltergeist, lixo astral, latas de assombração enferrujadas caindo pela escuridão de sua periferia. Senhoras cinzentas flutuando na lentidão da corrente fantasmagórica como uma variedade sobrenatural de alga. Uma alga de monges mortos. Ela sobe a rampa com a determinação de um astronauta, um mergulhador subindo uma elevação submarina que, com alguma sorte, pode se transformar em Dover Beach, sem saber por quanto tempo mais consegue prender a respiração sob esse mar de miséria, essa desgraça recorrente.

Sob o concreto da rampa, os degraus em que se sentou quando criança ainda devem estar lá. Recorda-se de voltar para casa uma vez com a mãe e o irmãozinho, cortando da Castle Street até a Bath Street. Alma teria, o quê, nove ou dez anos? Havia comprado um gibi na banca de Sid no mercado e correu na frente de Doreen para sentar ali nos degraus e ler por um momento enquanto esperava que a mãe a alcançasse. A revista, não é de se surpreender, era *Forbidden Worlds*. Ela não consegue se lembrar se havia uma história de *Herbie* naquela edição, mas certamente teria o trabalho de Ogden Whitney de uma forma ou de outra. Enquanto estava ali maravilhada, sentada em seu poleiro de granito gelado, Whitney já teria percorrido mais da metade do caminho embriagado que o levou ao hospício e à sepultura. Alma tem uma premonição fria de que em algum lugar no ano de 2050 há alguém tendo os mesmos pensamentos sobre ela, como se os dois já estivessem juntos em um Desconhecido verde-pálido com todos os homens-lobo e os Frankensteins; como se o mundo inteiro e seu futuro já fossem póstumos e ela estivesse olhando para toda essa loucura sem amor de um ponto fora e além do tempo, do mundo proibido. Já está tudo morto. Todo mundo se foi.

Ela sai na Castle Street e faz uma pausa, percebendo a mudança quase instantânea no humor e na luz. Ora, isso era interessante. Ela se vira para olhar para a rampa, ao longo do caminho central para Bath Street, com as lápides NOVAVIDA erguendo-se além, e sorri. Medo da decadência e da morte, pensa. Medo de menosprezo, miséria e declínio. É essa sua maior ameaça?

Com um sopro refrescante de uma determinação renovada depois do impacto ardendo nas narinas, Alma desce a Castle Street em direção ao ponto onde a Bristol Street encontra a Chalk Lane. Atravessando a rua deserta em direção ao lado sul, Alma olha para o dilapidado Golden Lion, o estabelecimento onde Warry despejou sua fantasmagoria selvagem sobre ela apenas um ano atrás. Um ano. Ela não consegue se lembrar de nada além de pintar, desenhar, mastigar sedas Rizla e cuspi-las em uma tigela, com as mudanças de estação apenas perceptíveis nas trocas de imagens em sua prancheta ou cavalete, um verão inteiro gasto delineando crianças mortas de narizes catarrentos em lápis macio. E agora aqui está ela.

No cruzamento de onde se aproxima costumava ficar uma loja de doces de propriedade de alguém que ela e as outras crianças conheciam como "Vô", um sujeito corpulento de cabelos brancos e óculos que vendia picolés caseiros e bebidas baratas — garrafas de leite de meio litro cheias de água da torneira e doses homeopáticas de licor de frutas, uma memória aguada de um dia ter visto uma molécula de xarope de rosa mosqueta. Ainda assim, nas tardes de sede, até o conceito imaterial de uma bebida saborosa já bastava. Eles pagavam com suas moedinhas e, agradecidos, engoliam um líquido que parecia rosado se você estivesse bebendo ao pôr do sol. Olhando para trás, percebe que deveria ter desconfiado automaticamente de qualquer um que se apresentasse como Vô. Ah, bem. Vivendo e aprendendo.

No final da Castle Street, ela passa à esquerda pelo pequeno trecho de grama, ainda desocupado, onde quase foi sequestrada quando criança. É uma das poucas memórias de infância ainda sem uma resolução adequada, sem uma explicação definitiva do que realmente estava acontecendo. Ela e algumas outras crianças de oito anos encontraram a carcaça enferrujada de um Morris Minor abandonada na grama e, em uma área que oferecia poucas atividades e entretenimentos gratuitos, eles a trataram como um parque temático ou um predecessor do pula-pula inflável. Alma estava em cima do veículo destruído, saltando feito uma louca em seu teto corroído, usando-o como um trampolim de metal, quando um carro preto deslizou da Chalk Lane para a Bristol Street e parou de repente ao lado do gramado onde brincavam.

Quando o jovem magro com cabelo cheio de Brylcreem e terno escuro saiu do assento do motorista e começou a correr furioso na direção do Morris Minor infestado de crianças, todos estavam posicionados de um jeito que lhes permitiu sair correndo, deixando apenas Alma ilhada no teto rangente. O homem — sempre que tenta se lembrar de como ele era, obtém apenas uma foto falsa e sobreposta de Ian Brady[9] — a agarrou do alto do destroço e a carregou, gritando e gemendo, até seu próprio carro, empurrando-a para dentro. Havia uma mulher mais jovem lá dentro, com cabelos castanho-claros, embora mais uma vez a memória melodramática de Alma a tenha colado em uma foto de Myra Hindley, um pouco mais jovem e sem o cabelo descolorido ou a maquiagem de panda vampiro. Alma estava implorando, chorando, espernando no banco de trás. O rapaz tinha dito que ia levá-la para a delegacia, mas de repente cedeu, talvez quando percebeu que a mulher que o acompanhava parecia quase tão assustada quanto a menina gordinha e chorosa. Ele abriu a porta traseira e a deixou descer para a calçada antes de sair roncando, deixando-a soluçando na beira da rua para ser encontrada pelos amigos quando saíssem do esconderijo. O que foi aquilo?

Parte dela está quase inclinada a aceitar a história como é. Consegue ver seu suposto sequestrador como um jovem cristão de classe média e emocionalmente sufocado do início dos anos 1960, levando a noiva para um passeio ousado pelo bairro pobre, querendo impressioná-la com sua retidão moral assustando uma das pragas infantis do distrito. Isso parece muito mais provável do que a narrativa lúgubre de molestador de crianças que ela impôs retroativamente ao contexto, embora não a faça se sentir muito menos agredida ou irritada. Ela se recorda da pele pálida do jovem e de seus olhinhos frios. O que quer que tenha imaginado que estava fazendo, e qualquer que fosse sua intenção, não era diferente da atual onda de caras que andam atacando prostitutas, usando os Boroughs como seu safári particular. Ela ficou consternada ao descobrir que, durante o fim de semana alarmante de estupros ocorridos no ano passado, uma das vítimas relatou ter sido arrastada para um carro na Chalk Lane, quase no mesmo local onde a tentativa de sequestro de Alma havia acontecido. Passando pela ladeira descuidada verde-amarelada, ela se pergunta se o lugar tem algum *genius loci* maligno, algo no solo que lhe confere uma predisposição para um crime específico, repetido ao longo das décadas. Recorda-se de ter ouvido que um esqueleto tinha sido encontrado no local durante algumas escavações no século XIX, mas não sabe se era produto de um enterro antigo ou de um assassinato mais recente, nem se era homem ou mulher, criança ou adulto. Na falta de qualquer evidência contraditória, interpreta os restos mortais como os de uma vítima de rapto, solitária debaixo da terra e pedindo companhia. Qualquer que seja a maneira como veja a questão, trata-se de um pedaço de chão assombrado. Não era nada surpreendente, portanto, que tenha escolhido esse lugar para a pré-estreia de sua exposição.

Ela vira à esquerda na Chalk Lane, de onde vê a creche, com pessoas se movendo lá dentro, transportando cautelosamente telas de um lado do pequeno espaço para outro. Alma não consegue ver nenhum sinal óbvio de dano ou catástrofe e fica aliviada, embora, para ser sincera, não esteja nem um pouco nervosa sobre o que acontecerá no dia seguinte. Está confiante que tudo será do jeito que deveria ser.

Ao subir o pequeno lance de degraus de pedra em direção à porta, Alma lembra-se de quando o lugar era a escola de dança de Marjorie Pitt-Draffen, um oásis de refinamento incongruente ali nos Boroughs. É um bairro no qual foram poucas as oferendas à musa Terpsícore e onde as famílias veem com apreensão a prática do sexo em pé por receio que isso possa levar à dança. Seu ilustre amigo ator Bob Goodman confessou ter visitado com frequência a escola de dança quando criança, antes talvez de seu rosto pegar fogo e ser apagado com uma pá. Ela o imagina, um garoto nervoso de classe média subindo esses mesmos degraus todos os sábados para ter suas odiadas aulas, vestindo kilt. Foi melhor que o pequeno Bob e a pequena Alma nunca tenham se conhecido naquela época, não com ele vestindo uma saia xadrez e falando com uma entonação elegante. Ela teria chutado a cabeça dele.

Empurrando a porta de vaivém, Alma observa a cena. Além dela, há três pessoas presentes. De visita do País de Gales, Burt Regan é o encarregado oficial de trazer as peças para cá e colocá-las no lugar certo, embora pareça que é o vigoroso Roman Thompson que está resolvendo a coisa. Burt chama Alma quando ela entra.

— Oi, Alma. Escuta, foi aquela armadura de dedo que ouvi balangando quando cê tava descendo a rua ou cê colocou piercing na xoxota?

— É, na verdade, coloquei, sim. Tenho um pedaço da corrente da âncora do Titanic que uso como joia. Deve ter sido isso que você escutou. Me custou uma nota, e teria sido o dobro se eu quisesse tirar toda a ferrugem. Oi, Rome.

Posicionando *Obra em Andamento* contra a parede do fundo da galeria improvisada, Rome Thompson sorri, e isso faz sua cara amarfanhada se amarrotar ainda mais, como a de um fantoche depois da conversa com um doberman. Rugas habilidosas em um padrão de para-brisa quebrado irradiam de olhos que ainda ardem como fusíveis de pólvora. Alma acha que Roman Thompson talvez seja o indivíduo mais perigoso que já conheceu, e diz isso com a maior admiração. Por que os melhores caras são sempre gays?

— Como tá indo, Alma? Tá gostan'o de como tamo montan'o tua exposição? Estou, tipo, supervisionan'o. O Burt precisa de um capataz, pra não cagar tudo.

— Mentiroso do caralho! Tô aqui desde as onze, e esse trouxa apareceu faz meia hora. Ele se recusou a levantar um dedo desde que chegou. Diz que só tá aqui como crítico de arte. Ele é a porra da Irmã Wendy[10], só tá interessado em quem tem pinto.

Deixando os dois homens em sua troca de palavrões, Alma se esgueira até a quarta ocupante da creche, uma jovem bonita, de olhos esbugalhados, parada na extremidade da sala e parecendo um tanto intimidada por Roman e Burt, um par de ogros malucos de outro século. É Lucy Lisowiec, representante da associação comunitária CASPAR, um grupo que fornece uma das poucas redes neurais restantes que ainda mantêm unida a vizinhança senil. Alma a conheceu através dos Streetlaw, e para os rappers Lucy parece ser uma combinação de irmã mais velha com moral nas ruas, mas sensata e com ares de uma simpática agente de liberdade condicional. Foi Lucy quem conseguiu garantir a creche para a exposição de Alma, o que significa que é o trabalho dela que está em jogo se algo der errado. Essa é, sem dúvida, a razão pela qual ela está olhando nervosamente para Burt e Roman, cuja simples presença já basta como sinal de que há qualquer coisa de muito errado acontecendo, algo como oficiais uniformizados da Gestapo em um funeral de animal de estimação. Alma tenta tranquilizá-la.

— Olá, Luce. Vejo pela sua cara que esses dois... bem, são apenas capangas contratados, na verdade... Enfim, eles conseguiram te ofender. Pobrezinha. Deve ter escutado coisas que alguém da sua idade não deveria ouvir, coisas que vai levar para sempre. Tudo que posso fazer é pedir desculpas. O homem no curral disse que, se não déssemos alguma utilidade para eles, teriam que ser sacrificados.

Lucy dá risada, exibindo o sorriso dentuço cativante. Ela realmente é uma querida, trabalhando em uma dúzia de projetos com os moradores dos Boroughs ao mesmo tempo, cuidando de suas crianças na sede da CASPAR na St. Luke's House nas noites em que trabalha até tarde, conduzindo o Streetlaw para seus shows, morando sozinha acima do MacDonald's na Drapery, desenvolvendo uma úlcera no estômago aos 27 anos — nos últimos tempos, Alma vem lhe dando à força tanto Actimel quanto Yakult —, tudo para tentar cooperar criativamente com pessoas maravilhosas e merecedoras que às vezes também são pesadelos, a própria Alma certamente inclusa nessa categoria.

— Ah, não, tudo certo com eles. São domesticados. Não, eu estava só olhando para as pinturas e a maquete e tudo mais. Alma, isso é fantástico. É realmente intenso.

Alma abre um sorriso educado, mas está muito mais satisfeita do que deixa transparecer. Lucy é uma artista talentosa também, trabalhando principalmente no arriscado mundo dos tijolos e sprays. A única pichadora mulher do condado e, pelo que Alma sabe, uma das únicas na Inglaterra, Lucy foi forçada a começar sozinha como 1-Strong Crew até que a entrada de um novo membro permitiu virar 2-Strong Crew. Sob o nome de guerra CALLUZ, uma enunciação malandra do espectro visível ou das calosidades provocadas pela rua, embelezou ao longo dos anos uma série de instalações pouco atraentes, embora agora proteste que está velha demais para escalar e correr. Alma desconfia, no entanto, de que essa fachada de responsabilidade e maturidade possa evaporar após um segundo Smirnoff Ice. Lucy, não importa o que finja, ainda é uma artista em atividade, e sua opinião significa muito para Alma. Mais do que isso, porém, Lucy é jovem, parte de uma geração da qual Alma tem muito pouco conhecimento e para a qual não tem certeza de que seu trabalho seja interessante. Se pelo menos Lucy admira suas coisas o suficiente para não pichá-las com um ousado bico grosso metálico com sombra fluorescente, bem, então Alma deve estar fazendo algo de certo. Ela lança um olhar de avaliação sobre as obras que já estão posicionadas, ou seja, a maioria. Descobre, talvez sem surpresa, que concorda inteiramente com a avaliação de Lucy sobre sua exposição realmente intensa e fantástica.

No extremo norte da sala está o grande arranjo de ladrilhos em parte tirado de Escher, montado em sua placa de apoio e intitulado *Espíritos Malignos, Refratários*. Dividindo a mesma parede, há uma variedade do que parecem ser ilustrações de um livro infantil, algumas em lápis macio monocromático e outras em aquarela gloriosamente realizada, como a destacada imagem psicodélica *Um Voo de Asmodeus*. A parede leste, a maior, é dominada pela massa avassaladora de *O Destruidor*, que Alma tem o prazer de ver que foi deixada quase toda coberta por um pano pendurado: é demais, muito angustiante para ficar em seu clarão nu, assim como ela queria que fosse. É o *Guernica* de Alma, e ela duvida que seja pendurado na sala de reuniões da Mitsubishi em qualquer momento deste século. Na verdade, não consegue vê-lo pendurado em qualquer lugar em que pessoas decentes comuns que só querem continuar com suas vidas possam topar com ele. A pintura é tão forte que apenas a mais potente das obras menores pode ser pendurada na mesma parede. *Mundos Proibidos*, com sua taverna infernal, fica à esquerda de *O Destruidor*.

Quando trouxer a pintura final, *Corrente de Ofício*, para a creche amanhã de manhã, ela decide se vai pendurá-la na parede oeste, encarando a obra mais devastadora como uma espécie de contrapeso estético.

No meio da sala, há quatro mesas juntas para apoiar a maquete de papel machê que fez com todas aquelas sedas Rizla, mastigando-as e cuspindo-as em um recipiente adequado. Melinda Gebbie, a melhor amiga dela, pareceu um pouco enojada quando Alma demonstrou sua técnica, o que a fez tentar justificar seus processos remetendo ao visionário devorador de livros dos anos 1960, John Latham, que um dia conheceu e de quem era admiradora. Também tentou explicar a importância de usar sua própria saliva, para que, em um sentido literal, seu DNA fosse parte da estrutura intricada que estava construindo. No fim, desistiu e confessou que só gostava de cuspir.

Na verdade, a maquete é o único item da exposição sobre o qual não tem certeza total. Não parece dizer muito, apenas colocada ali, sólida e inequívoca. Talvez veja como vai amanhã na pré-estreia e depois deixe de fora da exposição de Londres se não ficar satisfeita com as reações. Seja como for, não adianta se preocupar com isso agora. As coisas tendem a se resolver, pensa Alma, embora saiba que isso contradiz as leis da física, o bom senso e sua experiência política dos últimos quarenta anos.

Ela ergue os olhos do que está exposto na mesa, espiando pela janela da frente da creche, onde percebe que a Chalk Lane oscila à beira do crepúsculo. Uma menininha mestiça e magrela com cabelos trançados e um sobretudo de PVC vermelho-bombeiro estala os saltos na sombra, com os braços cruzados defensivamente sobre o peito e uma expressão preocupada no rosto. Alma pensa "puta craqueira", então se repreende por se rebaixar ao classismo e a suposições preguiçosas e mesquinhas. A essa altura, a jovem já partiu, cambaleando para o crepúsculo que se forma no leste, saindo da Horsemarket e descendo a Castle Street em uma avalanche de penumbra violeta.

Alma fica conversando mais um pouco com Roman, Burt e Lucy no espaço emprestado. Roman diz que foi de porta em porta, avisando a população local da abertura da exposição amanhã. Ela pergunta como o pôster cartunesco que fez para o grupo Defesa das Moradias Sociais está vendendo, e é informada de que ainda está saindo de forma constante. A imagem, que mostra um "gato gordo" do tamanho do Godzilla aparecendo por trás das torres NOVAVIDA para vasculhar a superfície da

Scarletwell Street com suas garras monstruosas, embora não seja uma peça bem desenhada para seus padrões usuais, provocou uma pequena controvérsia. Com seu olhar afiado para publicidade gratuita, Rome havia envolvido o *Chronicle & Echo* local, associando Alma publicamente a uma causa das mais dignas. No artigo que acompanhava a imagem havia alguns comentários bastante irritados e desdenhosos de um vereador conservador, um certo Derek Palehorse, que se dizia incapaz de entender o motivo de todo aquele estardalhaço quando tanto já estava sendo feito para ajudar o bairro. Alma sorri agora com a lembrança. Que bom ele mostrar a cara. Ela se recorda do escândalo recente quando, através das maquinações de Roman Thompson, a remuneração generosa da prefeitura a um ex-colega foi publicada no jornal local, levando os vereadores a protestarem dizendo que seus negócios nunca deveriam ter sido tornados públicos. Quando o jornal fez uma pesquisa com seus leitores para saber quais eram suas opiniões sobre o assunto, ficaram surpresos ao descobrir que a maioria apoiava o direito de sigilo dos políticos. Então descobriram que quase todos esses votos foram emitidos pelo vereador Palehorse de uma forma ou de outra. O caso foi mencionado na página "Rotten Boroughs" da *Private Eye*, para o merecido constrangimento de todos os envolvidos. Francamente, pensa Alma. Essas pessoas. Que bando de palhaços de merda. Esse é um termo novo que ela pegou do colunista e escritor de televisão esplendidamente mal-humorado Charlie Brooker, com quem quer se casar, e uma expressão que já não consegue imaginar como passou sem usar todos esses anos, apesar da fila interminável de palhaços de merda saltando do destrambelhado calhambeque da história. *Don't bother, they're here.*[11]

Tomada por uma súbita vontade de caminhar para casa através de seu antigo bairro, ela rejeita a oferta de carona de Burt e dá um beijo de despedida em todos. Rome Thompson sugere misteriosamente que precisa lhe contar algo, mas primeiro quer verificar os fatos; tem a ver com o trecho de rio perto do gasômetro na Tanner Street. Ele diz que conta amanhã de manhã na exposição. Deixando os outros para organizar os últimos detalhes e trancar o lugar, ela fecha o zíper da jaqueta até o pescoço e sai pela porta de vaivém, descendo os degraus de pedra para a Phoenix Street. Olhando para a esquerda e para baixo na Chalk Lane, pode ver a igreja Doddridge, com aquela porta bizarra na metade da parede oeste. Alma imagina o viaduto celestial, o Ultraduto, como o mostrou em uma das obras que tinha acabado de ver, uma passarela elevada que parece ter sido esculpida na luz que emerge do compartimento de carga bloqueado para se curvar em direção ao oeste, com figuras fosforescentes criando borrões em ambos os sentidos por toda sua extensão.

A própria igreja parece, aos seus olhos, resumir as convulsões políticas e espirituais combinadas que tipificaram a história de Northampton. Ocorre-lhe que a maioria delas tem origem linguística. John Wycliffe começou o processo no século XIV com sua tradução da Bíblia para o inglês. Ali mesmo, ao insistir que as classes camponesas inglesas tinham o direito de expressar sua fé em sua própria língua, Wycliffe e seus lolardos introduziram um elemento político de luta de classes em meio às disputas de caráter religioso. Em Northampton, os lolardos e outros cristãos radicais parecem ter encontrado um lar natural, de modo que, no reinado da rainha Elizabeth, nos anos 1500, havia congregações de Northamptonshire cantando hinos compostos em inglês, em vez de apenas ouvir salmos entoados em latim, como a Igreja exigia. Na ausência de precedentes que venham à lembrança de imediato, ela se pergunta se sua cidade é a origem do hino inglês. Isso explicaria muita coisa, agora que pensa nisso.

Nos cinquenta anos que se seguiram à morte da rainha Elizabeth, a Guerra Civil começou, com o Parlamento muito fortalecido pelas seitas radicais que pareciam estar agrupadas nas Midlands inglesas, todos os ranters, anabatistas, antinomianos, pentamonarquistas e quacres, a maioria empenhados na publicação de textos incendiários ou flamejantes panfletos voadores. Alguns dos folhetos abertamente sediciosos assinados por um certo "Martin Marprelate" haviam sido publicados secretamente aqui nos Boroughs e, em geral, parecia que a revolução protestante dependia da palavra, com a pintura e as artes visuais percebidas como prerrogativas dos papistas e elitistas. Tornar-se pintor exigia materiais e meios, enquanto escrever, a rigor, demandava apenas a educação mais rudimentar. Obviamente, a literatura ainda era vista como exclusiva da elite, o que é apenas uma das muitas razões pelas quais os escritos de John Bunyan, alegorias cristalinas transmitidas em linguagem comum, eram tão incendiários em sua época. Seu hino, *Ser um Peregrino*, era para os puritanos desencantados que migravam para a América, enquanto *O Peregrino* se tornaria uma fonte de inspiração para os colonos do Novo Mundo, perdendo apenas para a Bíblia, e não eram os gracejos libertinos ou os tributos bajuladores de contemporâneos como Rochester ou Dryden. Foram escritos por um membro dessa nova e perigosa raça, o plebeu alfabetizado. Foram compostos por alguém que insistia que o inglês simples era uma língua sagrada, uma linguagem com a qual se expressa o sagrado.

Bunyan acabou preso na cadeia de Bedford por uma dúzia de anos, claro, e a arte e a literatura ainda são geralmente um produto da classe média, de uma mentalidade de Rochester que vê a seriedade como brega e a paixão visionária como anátema. William Blake seguiu Bunyan e, mais perto de casa, John Clare, mas ambos passaram seus dias empobrecidos, marginalizados como lunáticos, internados em hospícios ou atormentados pelas perseguições políticas. Todos são herdeiros de Wycliffe, são parte de uma grande tradição insurrecional, de uma correnteza ardente de palavras, de uma narrativa apocalíptica que fala a língua dos pobres. Na casa de reuniões de pedra na Chalk Lane, Philip Doddridge juntou todas as vertentes dessa narrativa. Andar com swedenborgianos e batistas, assumir seu ministério aqui no bairro mais pobre, escrever *Escutai! O Som Alegre!*, defender a causa dissidente, tudo a partir desse pequeno monte desalinhado... Doddridge é o principal herói local de Alma. Será uma honra fazer a exposição na sombra da igreja dele. Alma decide caminhar pela Little Cross Street e depois seguir pela Bath Street até a Scarletwell e sua amada faixa de grama na St. Andrew's Road.

Ela desce pela luz fraca com blocos de apartamentos de cada lado, a face oeste dos prédios da Bath Street à direita e, à esquerda, os patamares dos anos 1960 e as calçadas afundadas de Moat Place, Fort Place, contornos periféricos de um castelo há muito demolido transformados nas ruas onde o bisavô de Alma, Snowy Vernall, viveu há cem anos. Snowy Maluco, casando-se com a filha do gerente do pub Blue Anchor na Chalk Lane, há muito desaparecido, que visitou em uma de suas improváveis caminhadas longas partindo de Lambeth. Todos esses acontecimentos fortuitos, essas pessoas e suas vidas complicadas, o trilhão de pequenas ocorrências sem as quais ela não seria quem é e nem estaria aqui.

Do outro lado da rua, lâmpadas incontinentes olham, pesarosas, para as poças de sua própria luz cor de mijo. Ela mal se lembra de quando a Moat Street e a Fort Street ainda existiam e de quando a confeitaria da sra. Coleman ficava no final da Bath Street, mas Alma não tinha mais de quatro ou cinco anos na época. Uma lembrança muito mais vívida e um pouco mais tardia permanece, quando o labirinto de fileiras de casas de tijolos vermelhos foi demolido e restou apenas terreno baldio, antes que os blocos de apartamentos fossem erguidos. Ela se lembra de brincar com a primeira de muitas melhores amigas, Janet Cooper, em vastos campos de escombros e lama negra sob o velo sujo do céu dos Boroughs. Por algum motivo, havia dejetos industriais espalhados por toda parte e grudando nas poças, pedaços de metal em forma de L que Alma e Janet descobriram que podiam ser trançados em suásticas laranja enferrujadas e deslizadas pelo local da demolição como estrelas de arremesso nazistas. Assim como no Morris Minor abandonado, os seixos de tijolos e a devastação empilhada eram vistos como serviços públicos, áreas de recreação fornecidas para os pequenos, creches de tétano de um tipo então comum no bairro. É preciso assinalar que isso aconteceu na época do primeiro-ministro Macmillan, no final dos anos 1950, quando Alma e seus amiguinhos, empinando pipas em meio a linhas de energia, abrindo veias nas escaladas por fendas irregulares em metal corrugado, nunca se divertiram tanto.

Ela vira à esquerda no final da Little Cross Street, na parte inferior da Bath Street. Agora, os blocos habitacionais dos anos 1960 estão à esquerda, a elegância surrada dos anos 1930 dos Greyfriars Flats do outro lado da rua escura à direita. À medida que desce, o fluxo do tempo torna-se mais viscoso, engrossado por sedimentos históricos que se acumularam perto do fundo do vale. Na obscuridade que se instala ao seu redor, há janelas iluminadas, aguadas de cores fracas filtradas por cortinas finas, selos postais desbotados afixados à noite com dobradiças invisíveis. Tudo impregnado de mitologia.

Os diferentes prédios de apartamentos do distrito, que já estavam superando as casas geminadas havia quarenta anos, não eram diferentes dos carros abandonados ou dos prédios demolidos do ponto de vista de uma criança. Tudo era paisagem, destinada a ser habitada, escalada e a servir de esconderijo, com seus cascos transformados pela imaginação juvenil em fortalezas fronteiriças, planetas inéditos, um Gormenghast[12] mutante de placas e lajes. Greyfriars Flats, o mais próximo de sua casa na St. Andrew's Road, sempre foi um segundo e mais amplo quintal para ela desde que conseguia se lembrar, quase um anexo à essa lápide fria que era seu umbral. Um de seus dois quase assassinatos cometidos ocorreu aqui, a tentativa de estrangulamento em um beco sem saída cheio de latas de lixo. Seus sonhos sobre o lugar eram mais vívidos do que suas memórias. Houve o sonho em que estava morta e confinada ao cercado interno de varais dos apartamentos, perseguida por uma versão envenenada por mercúrio e comida por traças do Chapeleiro Maluco de Carroll ao redor do purgatório nublado e sombrio até o fim dos tempos. Houve o sonho com uma torre alta e futurista de vidro azul emergindo da extremidade superior dos apartamentos na Lower Cross Street, onde Alma se lembra de ter visto um mecanismo oblongo zumbindo baixinho, com uma pequena tela na qual todas as partículas do universo estavam sendo contadas. E, claro, ali Alma foi visitada por sua primeira visão transformadora. Com as sacolas balançando em seu punho ornamentado, Alma sorri para si mesma no crepúsculo coagulante e atravessa a rua deserta para o canto sudoeste dos Greyfriars.

A entrada inferior do retângulo interno é fechada com grades de ferro preto, e tem sido assim há alguns anos. Apenas para residentes, o que ela acha bem compreensível. Ainda pode ficar no portão e espiar ao longo do caminho até onde o pequeno trecho de arbustos é visível. Do jeito como se lembra, foi em um dia frio no início da primavera, quando tinha oito ou nove anos, voltando da Escola Spring Lane, pela Scarletwell Street, para almoçar em casa. Por um capricho, tomou um desvio pelos apartamentos simplesmente porque achou que poderia ter uma vista mais interessante do que a da encosta plana da velha ladeira, a área de lazer vazia que a cercava, as janelas traseiras da fileira de casas sobreviventes na St. Andrew's Road. Percorrendo com lentidão os caminhos de concreto do prédio, entre os lençóis esvoaçantes e as roupas de bebê, ela havia chegado ao triângulo onde todos os arbustos cresciam na extremidade inferior. Poderia ter passado sem dar atenção à vegetação familiar, não fosse pelo detalhe intrigante que chamou a atenção de seu olho de miniaturista mirim.

Pendurada em um galhinho fino como agulha, em uma sempre-viva cerosa, estava uma larva branca translúcida que parecia levitar, tão fino era o material pelo qual estava suspensa, com a cabeça diminuta cega e brilhante. Pendurada no cristal frio do ar matinal, ela se enrolava e tremulava como um escapologista cujo ato funciona ao contrário e depende de secretar sua própria camisa de força. Torcendo-se e contorcendo-se deliberadamente, ela se enrolava nos fios quase invisíveis que de algum modo produzia. Alma havia se aproximado do arbusto com admiração, o nariz a apenas um ou dois centímetros da lagarta pendente. Alma se lembra de imaginar se ela estava pensando em alguma coisa e concluiu que provavelmente estava, mesmo que fossem apenas pensamentos de lagartinha mole.

Nunca antes havia testemunhado essa forma precisa de atividade e ficou intrigada sobre o motivo pelo qual a pequena criatura estava sozinha em sua empreitada. Percebeu que devia estar olhando para a fabricação de um casulo do tamanho de um grão de arroz, mas não tinha entendido antes que era uma operação tão solitária. Foi então que Alma notou, para seu alívio, que a larva tinha pelo menos um amiguinho, outra larva pálida que laboriosamente avançava ao longo de um broto próximo, onde havia...

Alma ofegou e deu um passo para trás. A realidade estremeceu, reconfigurando-se diante de seus olhos assustados. Em cada galho, em cada ramo e sob cada folha do arbusto de coníferas, havia mais mil vermes brancos idênticos, todos empenhados na mesma tarefa. O próprio arbusto era uma imensa teia de aranha branca, subitamente viva com fios contorcidos de propósito insondável. Como poderia ter ficado ali por cinco minutos e não notado aquela visão espetacular e sobrenatural? O momento tinha sido um apocalipse, no sentido em que os poetas daquela escola poderiam usar o termo, pessoas como Henry Treece ou o favorito de Alma, Nicholas Moore. Percebeu naquele instante que o mundo ao seu redor não era necessariamente do jeito que via, que coisas incríveis poderiam estar constantemente acontecendo sob o nariz de todos, coisas que as expectativas mundanas das pessoas as impediam de perceber. Observando o que mais tarde compreendeu que deviam ser bichos-da-seda colonizando uma amoreira, formou uma visão do mundo como glorioso e mutável, capaz de explodir em novos arranjos improváveis, bastava você simplesmente prestar atenção o suficiente, bastava seu olho estar disposto a isso.

Ela fica ali, uma figura desconfiada espiando através das barras pretas e da escuridão da noite para o pátio de Greyfriars, e sente fantasmas fervilhando por toda parte ao seu redor. Está sempre aqui neste local preciso e neste momento, sua posição ordenada na gema 4D simultânea e imutável do espaço-tempo. A vida está em um ciclo sem fim, com sua consciência revisitando as mesmas ocasiões pela eternidade e sempre vivendo a experiência pela primeira vez. A existência humana é uma grande recorrência. Nada morre ou desaparece, e cada camisinha descartada, cada tampa de garrafa amassada em cada beco é tão imortal quanto Shambhala ou o Olimpo. Ela sente a maravilha interminável de um mundo bonito e sujo crescendo para incluí-la em sua música de fanfarra. Abaixando os cílios endurecidos, imagina tudo ao seu redor vivo e se contorcendo, de repente feito de um bilhão de organismos brilhantes que não havia notado antes, toda a paisagem coberta por uma gaze espectral, uma seda recém-fiada das circunstâncias.

Por fim, ela se afasta do portão trancado e segue pela Bath Street, pela Scarletwell Street e pela St. Andrew's Road. A pequena faixa de grama ancestral ainda é a mesma. Como sempre, fica intrigada com a casa de esquina ainda de pé e tenta, sem sucesso, descobrir onde a residência dos Warren ficava. Na verdade, tem certeza de que era no ponto entre duas árvores jovens e robustas na metade do caminho. Parece apropriadamente estranho, mas não pode ter certeza. Por fim, dá-se conta de que ficar parada na rua naquele bairro da cidade pode transmitir as mensagens erradas, e se vira para percorrer o longo caminho para casa, subindo a Grafton Street até a Barrack Road e depois contornando o Hipódromo de volta para a East Park Parade.

Atravessando a Kettering Road até o ponto de bonde estranhamente decorativo onde ficaram um dia as principais forcas da cidade, pensa em arte da era Charles Saatchi; a arte como um gesto comercial monodimensional dirigido a um público tão culturalmente perdido que se sente sem uma plataforma a partir da qual possa se aventurar a criticar. Apenas outros artistas — e apenas renegados — pareciam confiantes o suficiente em suas opiniões para de fato montar uma refutação. Ela se lembra da última vez em que convidou Melinda Gebbie para um jantar memorável, durante o qual a americana expatriada fez uma crítica irrefutável ao trabalho de Tracy Emin, que Alma gostaria que ela mesma tivesse dito: "Meu Deus, dá para imaginar ser capaz de enfiar todos os nomes de todos com quem você já dormiu em uma *barraca?*". Alma ficou boquiaberta por alguns momentos e depois apresentou sobriamente suas sugestões de locais espaçosos que poderiam acomodar a lista de Melinda. O Partenon, a Abadia de Westminster, a China, Júpiter.

Caminhando pela calçada magnificamente erodida de East Park Parade, ela enfim chega à própria porta, remexendo nos bolsos das calças apertadas demais para recuperar uma chave elusiva antes de efetuar a entrada. Uma vez lá dentro, Alma acende as luzes e estremece de tristeza com toda a bagunça e desordem. Por que não pode ser organizada como uma pessoa adulta de fato? Alma culpa a influência do Manda-Chuva. Quando ela e seu irmão Warry eram crianças, ambos aspiravam a viver em uma lata de lixo convertida em casa, como seu herói felino, em algum lugar onde se pudesse escovar os dentes e depois desligar o poste próximo com um cordão antes de puxar a tampa danificada e descer. Só muito mais tarde ela se perguntou onde ele cuspia a pasta de dente.

Alma recheia as pimentas, cobre-as com queijo feta e as coloca no forno. Enquanto assam, ela enrola um baseado e fuma e começa a folhear seu exemplar da *New Scientist*. Depois do jantar, fuma mais três ou quatro baseados enquanto termina a revista científica, lê *Private Eye* e depois assiste a mais dois episódios da última temporada de *The Wire*. Por volta das onze, apaga o último grosso do dia, engole sua pílula de Fermento de Arroz Vermelho e seus ineficazes Kalms e apaga todas as luzes antes de se recolher.

Nua debaixo do edredom, Alma repousa sobre seu lado direito e puxa uma dobra da coberta entre os joelhos ossudos. Lá fora, na confusão e no vômito da noite de sexta-feira estão sirenes, assobios, xingamentos de rapazes e moças relaxados demais navegando de um lado para outro ao longo da East Park Parade. Ela esfrega os pés, satisfeita com o raspar seco de sola contra sola. Teias de aranha de amoreira rastejam por dentro de suas pálpebras.

No limiar do sono, sua mente repete uma imagem incidental do drama televisivo lindamente escrito que acabou de assistir: um garoto de esquina usando bandana, sentado em sua varanda em meio aos terrenos baldios desolados ou becos acarpetados de seringas do oeste de Baltimore. A turva lembrança a faz acordar de repente com uma profunda pontada de pavor e perda que não entende de imediato. Algo sobre os Boroughs, sobre todos os bairros que são essencialmente iguais, do outro lado do mundo. Todos os homens e todas as mulheres, todas as crianças que habitam essa paisagem universal de calçadas rachadas, mercearias com portas e janelas revestidas de aço e nomes de ruas corroídos e sem sentido de outro século, vivendo suas vidas inteiras entre esses becos sem saída com o conhecimento de que o pilar de concreto e a cerca de arame ainda estarão lá por muito, muito tempo quando estiverem mortos.

Uma garrafa se quebra em algum lugar ao longo da Kettering Road.

Ela afasta todos os pensamentos assombrosos do gueto e da mortalidade e tenta, em vez disso, deixar que os bichos-da-seda reveladores a envolvam em um casulo misericordioso de anestesia.

Alma tem um grande dia à sua frente amanhã.

DOBRANDO
A ESQUINA

De esperta, Lucia se lavanta como na ser da luz. Elum enigma, dez certo, como aformariam as enfernazis e os d'atores, mas nuncuma pá lavra-escruzeada esses dias, ao de pender da mendicação e do progresso dos remegrinos. Seu despetardo torpor é uma Primavera, um livro murmurofegante que gorgoleja entre os solos do sono, brilhescancarando e faiscagulhando para encarar o solda amanhã. Confinsnada agora nessa louca ação, ela em rompe incorre cintilintando da cama moa e bacia, carpindo o couração descendo uma emposta e através ando uma velha paz age para um diz jejuar de meuspício. Ah, que apresentação, ensaiada e aplausível. Ela batas mãos, a sombrear orelhas, paura afolguear toda a lama-entoação horrível e as implinsinuações medornhas de puta fartamilha. Com o calopoeta do sopé arre clamar, ela escapa do Sofá da Distraição e começa sua Millperegrinação todiária à corredenção ou na direção do Mar Santotal, para a tranquilizandade da noite.

Encolherando ovo desgrenhado na cabeça mexida, ela derretém o passo, cômodo curtume, no passado agora. Infeliffemente nascida em Triste, passados sete do século e passados sete do ano, nascida da fé dentina e do clã amor dum mundo de privar ações, fole negada a tetateatral da pantomãe. Nem uma gota lhe Nora permitida. A mamamãe forçugada até secar, pomo George, que passou de umamama para outrúbere por toda a vida serpenitentina. Ateva jardinância do infantim ele atirou, já naquela época, senda menina suja do olho da Voeia deles, sempre invocando Caim, alqui Lucia rechaceou enquanto foi coma paz. Eletrinha catarse anos, ela soldez, excitanto. Lustando sobros lençóis leitosos e transluciados em uma suga-cessão de quartos alugrados apertofóbicos e claustrados, o papai liffora permalgum lograr com toda sua rejeiscrita, e a lama-mãe rural, apagã sempre ocupação, sempre compenicos na mesa da salonde deimavam suas veneráveis bed-auréolas envermezadas. O dragrande Giorgio semergia, saindo da escavegetação dimimarota e exigia a mamaatenção dela com orgiência, enquanto a Main deleitapenas dessorria, com indulgemência, e deixava o aborrecirmão segurem mente com suma egoventura até pocaluz, a pequena profandidade.

Não que ela não putivesse gostarado dos travanços dele, doliriosos no cometenso, na épica em queliffey acreditava que enleameamava, lá no papaíso deles, quando assentia come-chão na flor-delírio de suaprovocação eu-frater. Assentada na sala de detestar agora ela mastiga a torreada, enlevada em velhos dentalheres, e se permuta sele realemente e de olfato foi sermão. Nanouvante zuma cartescartalate, uma desdensagem de seu pai-além na torra de Ira? Ele sem volveu com Cossagrave, o Invencível, que conflagessou terraspado uma cracasquinha em mil nadacentos e qual outro, onano em que Torta-orgio-porgio foi contracebido. Este Nod é meu brilho, seu papai de lentescuras grispou ensua angústira tormental, que a égua de salmoura não ousou rechacear. A questão ficou sem solupção. AquiLot não explicavaria muita coisa agora, sobra Morma e seu Gorgo? Como estavam sempre proximestimosos, desmodo pouco saudamável, em sua incestimativa, desde o terço até o búmulo? Elasse lembra confuriosamente da mãe suspeixinha aquecer a isca do jovem caboca nas tardes frias, ou achaela-achaela que reacorda. Pragalmente, fincaria claro para todos por queles havriam incestido praquela fosse bicofechada em insanatórios, pois Luci-lábios era a semante de sua papiula, brilhefervidente em toldo o que ela indizia olfazia, a maneira comela sempre falhava o que queria, encananto Giorgio notinha mesma subsdança. A Velha Ignora latrinha deuscidido posentão e a hora que seu primoeugênito deveria carnicegar a dinastia, não importajantando que pudesse ser doutromem. Quanto a fio linha, a verdadeira filma do papai, a calou em um asilunático, como no de Pranginstein, ou finalegemente aqui no Hospicial de Pesaint Maodrew.

A enfermeira-querideira de Lucia, a emplupaternal Patrisia, toma-se ao lado dela encontro ela embebe seu chá amatinal e pergunsonda mentalpacientemente o que a incrilha extra-ábica e extra-ambótica do flamboroso prescritor fará consílfide hoje.

— Bim, poensei endar uma volta pêndulos jardins agora, jaqueta um dia tanliffindo e as falhas todas em Bloomação. Não me aperto de bificar solzinha, e me inscrevo a dizer que tem autoras coiscas pra frazer. Vabelha embora e não se fadigue comigo, Pat. Toldo vai co-reino bem.

Com os assim-porquês da cotopanheira franquilizados, Lucia limpa a brota num pardanapo de guapel e pede lucência, ressaltando e passarobiando por um corregador recém-desizonfetado paronde aspertas devidro na ponta pais distinte, luzintrando em luz.

Do ladro de suspeifora, ela pasma de pé e absorve, desde a craniúpula cerebrúlea do fyrmimento acima até a cortina de sálvia do olhorizonte distante, ou os canteiros de florachamas próximos com todas as petalascas e rajadas flolóridas. Embora não seja o idilial, elagosta desterrogar mais d'ocre todos nos mais jinteve. Ela ingosta dose belos méditos com seus homemodos de cabeçoneira, e entrão, pelas quatroras, muitas vezes finca nos portões parva absorservar os estridentudantes batempurradores do Licevero que finca alado da instintuição psico-ilusionária. Abonitados como uma pintadura, sobedescem a Bulleng Rude, alendas degrades de farro, puxarreando os bonés sarrados ondo outro e apergarrando as berrolas undoutro com uma infernalaridade selvagem, alhiffeios a ela, que sospia da folhaloucagem em relúxuria tristejosa e soprivativa.

Soque o que mais gosta em sua residança atual é comela transmuda com as estacanções, nunca exaltadamente a resma de um dia paro noito. O dondecando nó padecem tão influxíveis comem algruns loucais que treineceberam sua presenso oblongo das medécadas. Aqui, elapade revagar facilsemente entristeus pai'ssados e seus futapuros; ventre aqui e ali; ventre um fundo e o soutro. Aquina Enfermetria Ciclológica de Feint Andruso é temporatotalmente passível, na estima altiva de Lussye, deslizar do reino nasciterrestre para um terrotório de prantos de fadas e risologia antiga, onde cada murmudeclaração é uma veridicidade imediatada e em terna. Fora, às veranezes mal sabe em que informaria sem contra, ou se, no final das recontas, todos os não-nicômios podem se atormostrar o mesmo vulgar, um vasto estabelecirremendo que trans-excede as frontes beiras interno-nacionais e cheio de medidáctilos antifaustos atentando se apossar de sua alma.

Os desgramados verde-amantes se estendem arredor dela, cos folhacálamos, troncolmos e co-instruções de instantes, todos regirando em sua mórbita planeterrária, e ela parada no cetro como o Sou, a própria arfonte de seduz. A fronte dela, agora! Com um salto alegre nos trespassos, reparte em seu purgresso de encaminhada, em suas perondulações desmiopertas, em sua ex-permissão atrespassando a grama orvamalhada em dual-reação ao verso pró-ético debosque que esperalonge. Para lá ela saltirita, tão venevolente quanto o pró-prio Sem Nicolaussas, uma ilhinha inosciente em um cardiagrã de lã pasteando pelos largramados da institrução.

O que o observidor não sabe, pourém – e sempre há um absurvador, ou almenos na experivivência de Lucia –, é que ela nu é velha. Na versidade, ela não tem velhidade: é todos osseus eus ao mesmo tenso, do terço ao búmulo, uma enfindada noutra comuum conjusto de munhecas rusgas. O bebêdo Babbo está enfiadado no espaçocantinho menoriso, e depois Luciolhaqui como mera criança, na epicaépoca em que Alicemprera filhinha liddele, seu espiadelho. Todosseus eu-guentos adocrescentes, as primeiras bailadoridas e as ninfomintomaníacas de breijos de míngua estão indentro em meio às extraturvetas desaninhadas, todas as macriadas se gabolando de fornicauções a luar abaixo da deidade com um jove amelante lá-tino functício que inventilou com o pisteudônimo de Sempo, sempo fidedelis, sempre fiélido, quando na verdato suas lúnicas explortações sensossexuais forcam coirmão mais velho. Quetodas suas altras paixonalidades tambela estão aqui, o brinde terpsicáureo da Parislegre, a léspida desemoda encanto se acredigitava que a cunibrilíngua era safosticada, ou a poentarina decepacionada que recruzou uma carredeira impróspera na prestagiosa Shulete Liztaberta Drincan porque herr meistre a iMerziu em suas infilosofias aerianas komplicadas e seu desconceito racial fascio. Seu passando cominfante, seu futurvo semi-terrio e seu arqui-e-ágora, tidos os seus mementos de avida rejuntos, toldos hipertempos pré-sentes e co-retos. Enleum valiume compilecionado, um *Lucia Comprega* com tolda a vida reunida embolas encadeações de pele de carneiro, umaldição bem manusada congardas marmoravilhizadas e lomrabada ainda intracta, apiscar dosterros frelinquentes de manu-seio.

Ela pasmeia sobre ex-tensão virdejante, mil falhas de desgrama sob as pantrufas de sedição regulamentasia. Olhansiosamente, percebe que a surfeperfície desgrama ao terredor é fragturada enfermas irregolhares descombeladas, muito parricidas com um tabu leros de chiadez ou uma colcha de rebotalhos, lendea qualitut deleituz e, aclima ditado, a veriedade dapalpria grana parece intempamente diferente, como se o mundo em retorno dela fosse recomposto como uma grande colageimagem, constraída de furma dissecuidada canceus interspícios irregranulares claridamente virisíveis. Ét aplenas a notureza destrelugar, raiociocina Lucia, e conaintinusa sua excarsão agridável, no sentinindo antes horário, pelotarreno expenso do esquifício.

Lenceus lemeandros distruídos, ela achegou à beirada afloresta, todesceus mistérios grassomando-se odiante dela. Justa comum cravaleiro da intriguidade oum cretão purgo, ela Perciverou enchegou aulumiar da flonesta encanada. Agoresmo no mominto chegozou aos limites do Édoen premerdial disseguro e proteditio de sua infancha, com so-mente amarga escuma amém. Está solzinha aquifera, Cachimbos Deourodados berrante, ou então enlevolta em seu Chapeusina Vautormelho, e helesita à beira do matagal improbletrável, lardo lobo. Ela é um ângulo calido em seus incróprios óleos, uma Lúciafer Mil-tônica lanchada na escorridão experna ondulá cimento e tanger de mentes. Sailve, erróis, sailve! Bravadamente agora, ela levitrapassa a linha defisória em seu camportamento eventra no seio da vegetalpapação roçadeira, assim carmo Siddell com Lewicio Promiscarroll, aquelasco poiusam pata pedografias sujas seminada amém de suas seias ou meilões ristrados e faixa de malíceia. Aliciada é obstante desaverbonhada ao impenetrar no tarritório prolibido, uma damizela pré-pubiscente posturando para um pornotógrafo vitimoriano obscureno, projeculando-se sencre através do espreilho por baixo datampa do peno masturbatendo seu tripederasta e seu equipaminto cóceptico. Mais vápida que uma sompra, eludespisa ventro da vagitação noculta e desaparece da vista meratal, dancentrando um mineto enleio às algas flatulantes, Ofalha chafundando nas perfundezas vermes abspuras.

Nas marchens desgostadas do lambosque, elfa trepeça entre borbotões de louro e margardias, fazendo pierroetas, arlequicando sombre um velo tampete arcarábico feltro de agrulhas espinheiro, pingas espelhadas que ressilembram granidas de limão e partida aparte uma vespuma efervesempre degolas de ventre-de-leiam. Fragmintos cobrados veluz descem cobre ela decima em mancas devotrais, salpicando serrosto es sescombros liviris encantela princelança inuma chuvela de feliores brilhantiga.

Ela cheztá consciende do priáprio imundo thot seus fés, apoisagem encrencaminha e perconcorre, enfeita de nadalém do corpodisseu pai adormertido, de sedus rastos misericardilosos espantelhe homesmo sonhentra no insubsolo. Ela se recurva da raizfância faliz, quando vera a desperação odele, densando cela série de apertamuitos em miniatoura dos cais sempreram despejurados, e papei acetinado em sua mesa et estrevendo sua folgaprima morbídida espanto vela pelava alogremente; encanto ela surrealizava sumas carpebriolas. Listinham uma minguagem particularte, mesmo nacela época, umarqui falhavam enrom dois, ecoanto Gnor e EnGorge sentavam-se sem insispeitar, invalvidos demães em seu opróbrio revecionamento semcredo e edipiamo, tranlacrados em ansião proinibida, parva crestar a tensão nó que apequena Llusia e seu papairo sem senciclo incestavam tagarelendo. Ela foyce a escrolha de Jim. Elice instendiam. Suluzinha entre a famália, ela erma a úmica a lenceus lívidos. Elos espreveu prela e sobrela. Ela erra Nauticaa, cuajos encassentos idilescentes mandingam Babalisses presco à sumanilha perfilmada. Bela vera Sinos Levea Plalbell, assincromo Isoluça, a perena Melliblum entumbém a seja e sedautora Girty por quem os corolinhas se escravisalivavam, a encardita MleckJogwell de monde estiavam calivando a surjeira para suas inviciostigações de obvienidade. Isso afasia trampo, agoura! Tordos os catres engaienrolados em suspeiquenos apartapeidos, morrinhando empulhados unos outros, e entornos os jornaigos havia descursões sobre a assimposta prenderastia dopai, seu desujo inlícito possua filholita. Clero, nunca tinha sujido assim cona bravorosa Luciencio e seu Palpai... tolda sua folda com o vai fonra enum nível pluramente liteterário... massa mãe comissou a gradá-la com distansuspeita daquele pinto em diente.

Fere tão ingesto! Não erva comício pai finesse maido que flanertar comela, afirmal. Elnão sestrava atransando com sela: essera sermão mais valho. Babbai e-rúnico que se impartava goela, assim comela semporcava coelhe, contida sua bevida e solhos feios de dor, como largos de inferno, olé outro problema com suobra em andiamento que o afato. Elo apairou durantudo misso, quando chamejava o pau de "L'Esclamadore", a'sincope chiamava seu bom amargo Mester Pound de "Signor Sterlina". Ocre tempos grã-odiosos e alustradores foram!

Afinda como coação bleve, ela pulga e dessum declivio, cheide fulores, indomaisdo arfundo nas matamoitas do maunicômio, mais afundo na terdeningoém. Elebre deciviu que sua hiscória não orficará sem sarcontada, quenuncirá rededuzida amerga nó de rodarpé na bugrafia arthurizada Dosso Paide. Ela safa considera uma Rainha do espesso infanoito, não fosse por girarmente thot pesardelos, e ela não ficaviveria de traços cruzados enquanto cesirmãos semespeitavam da limagem sangue ígnea (tomo o sobriga Estafen) reesprevendo a histéria iditando Lucia para alforra. Nanse contertará em ver a soçobra-prumo dossel pai deserdada e falsademente redescrita, seu Gozamelot asseituado e censorvado por criáticos de rosto durvo e suas artenganadas, mordred, é tudimuito fantácil de ver, por marrascos litebrados indsignos de um escritoide de sexcalibre, percivendo-o comino pnoragrófico em sua correspenhordência e poupo femininem todassuas descriptações. A próprialma Lucia serria abandoada, especida, aveixada de liffora do indicindício, a sra. Rechastrada infernada em um cuspital psicheático e linçada à derova namargo Char dessargaços. Sua murmória só sEyria priservada pura casto, como sela fosse uma díctima suprificial interrenada sob o paetre, desnecesária paira a norativa enstumbelecida.

Nacht parte inflorior do declivre, o solo voetou asser planco e niffelado por alguma destíncia. Lucia lacredita que estárea deflorasta murmurada é exconfinada por um canto desgolfe, pois ograma ao radar deços pés de pantifes écoartada comum pranteado molitar. Mordiscando a Nibbelunha, ela vagna em fronte atonchegar a uma reDantrância no gramido, ondeclive rastro que decepara um grande lagozo retranquilo, quase complotamente cercular e com afirma deum alagre anil decoramento. Patalas e liffolhas deliciadamente caloridas flautuam na superfílha comuma afrontá de peixequenos garoteleões, cada ich primjoycemente perfletido von espailho de diamonde d'água. Exitando, ela descencosta suave atoth a sabeira adágua.

Halucia pode vero que parece cera própria semelança dessirmão mais velho Gostorgio, com o posto de gralhos e liffolhas e todos os trespaços nesgativos entreça luz. Hein parte persabe que é uma olhusão de alquemótica, provocada por incidancências excidentais de luz para firmar uma coercedança virusual, e indassim um aporte dela pode velo como se extrativesse realmonte agarrachado nos junicos, amenos dum mentremeio de distancia dela. Almsorto como sempre, o jovem cabaça degovo ex-pousa no estilo dum genho surrealista como Seuvadoro Dali. Com a cadeixa baça, elimira as profindezas reflexivas. Sua pulcrinação o levou ao pâintano dessespelho neonde agoura está agachiado, mimirtizado por sua proprimagem, antolhos liffixos no cãirnio glande e filamente sim-zelado que molha ao convitrário para ele da estuperfície desespelhada, donde não podesfiar o olhar, preso lá porfeira da Veidade e Justiço. Lucia fica completacentamente imóvel, temerairosa de que, caso semeixa, a mirragem se desfafnir em fragmintos, por narcissidade. Elouve os passerades cantardos nos golhos e é alquase fluente na liníngua deles, como sistivesse banhando-se no songue de drogões e pudesse destender o que cadaver cria dizer, operantemente.

Puer Georde, penificado por sua vaidência. Por masque tenha pergulhado desabestadamente dantro datol do coeiro em algemas pocasiões, nunconseguiu passar e ir aliffém dessespelho do jeithot que Lucia tinha conserguido. Alicempre foi a melhor intudo, enquanto eliddel tinha bem mouco talento, enseando justo. Wadcê nunca pensaria, olhando paiwass ele, que Geurgia pudoresse ser osiriamente filho de sol pai, como era thot eferdente coma prórus Lucia. O que aconteceu entre lis não pesaria tanto insua constiência, comum surgófago de chumbo, se nuit fosse tolalmente sua isirmã. Iclaro, os medicães apenas diriam que helistava em niloção tothal, sefkrendo de dimência senial.

Malesmo depois do que ele fez canela, persabe que finda sente pena da podre creadura ignorante. Elua maruma vez, sóbria luz encarnacantada feltrada pelinho sob lenções ímpios e não esfritos. Ele foro todo densuas avenpuras. Prócer justo, os dois forram criados numa incestmosfera de sexofraternidade aberta, conho círculo sexial dos pierrais, todos os Slojarillas e os Garggalhaais essimdilante. Lucia miou sirmão coram nunca sal insuparável desdinício. Erva notural, impaginava, que quandoir manchegasse audade debo laspeludas e mastrobação inlenços, quisesim cluí-la em sespirte. O felacionamento farísico deles duroa paidolescência de sortiLucia, entre poltros passastigmas fomininos. Ela silembra desseus quinzanos, para dana mesa colandimagens incel labium de frecortes de aNalpoleão que sempre tinhuma não dentro doca saco. Giorgolo, escondela, aperveitou para levintar sassaias nexpostas, baixaras calmolas e denfiar homembro, metendo-o brutulmente nirmã enquanto Lucia oftega vegemia, como rosco a poucos cesartímetros das páginabertas dual bumde revortes, encanta busseita estrelecia e recoava, sultando espurmas dum cinzimpávido. Ele atirou núltimo mineto, depois do que desporjou a carga sobremesa onda homília cumerio jantar dedomingo. O somen dele, ah dulissia!, sopexame, era da mesmecor da cola cusava.

Elobserva a ilesão de áptica do irmão, agrachado pertuda água, compestade perdaços maleatórios delucia sombra. Quan deruma gaviotinha, impaginava que a paixão deles serialen pária. A pasteridade a cloacaria comuma Jazzebel para o pequipinto de Gregorgio, ou alguma vespeira. Eloisempre otaria como suálibi, romoanticamente entrelasseado em secoração de joias pertoda peternidade. Eles estristavam sencontrando até que elelideu uma facada nas cócegas. Tinham sido formançados da mesma substência, libertençados dal goma geleira premardial pela grande vaca diamãe. Norturalmente, tudo insufloiantes que perceblakesse, após uma espieção cuidadosa, que líquen braria secoração, torvando-se diferonte, insensível. Ifoi quando Lucia painda acredita vaquele sabionde estava a cabelba, antes de ser filhexilada.

Erre trospectiva, parece que ela sentre foi uma bela hors-d'ouvrire, dívida ida entros inquivisitantes do pai. Suando Girgiolo se cansodela, uma vez que começou socasos umbidipianos com mimilheres mais velhas, el'apre sentou à sua multirmão promíscrupulosa e hocus-picus dos loucrus ânus vinte. Eles a lassaram entre si... arghele incidente indoscritível como cão branco, o cachonon pudle candela estava bebendo numa estrempestade... em tão, candotava moito machocada, o traiçoneiro Gogórgio anunciou que se castaria com Helen Kaisfor, circa donzeanos mais valia, inum seria mois de Lucia. Foi por Himen que velhea traiu, pelos pica dosdela! Lucia não gualdrava rançor, mastrodos sabiam que Rolen mentia mais astroção pelo pai capelo filho.

Além ditosos ossos outros problemas, Lucia ressenbeu muito malo anúpcio. Quando elacromeçou a apromentar, Jurgio foio primeiro amém sonar o encarcenimento nospi tudo psiquiótico, apeiado pela manquerida totalmente imparserial. Algo hora que Lucia pensobrisso, Glorgio feze mesmo com Deslen mais tarde em seu casalamento, candela tavisou chulapso matermental. Pairece ser o mítodo presferido dele para estapar de um relacionamento incarnaveniente, e Lucia sempre gunta sessa louclara é em si um sim toma da confusão semental do próprir mão, de sua alto-idoração catológica.

Imável ao lado dulac, engolha primagem olhosória dele feita de luz e vaguetação, enfinalmente estende que o pobre Gorgio mortera mais paisioneiro de sua horrança do que elfa banais foi... e ele provivelmente nemera filho nau toral de Babbo. Era parsível que ele fosco reinsultado de um ocaso com Boisgrave, o infoencível. O paidre Lucia, a infefniz criatera morna, perguntourou a Gnora: "Ele é mineu?", alque ela num raspondeu. Incepto da apaternidade dossel primogênico, ultraJames deixou o pobre Tourgio cobiça destouro nas bussagens labiarínficas damon, das quais nuca se libertoria compleitamente, um mãenstro peludo rurgindo em sua escuripoção pessoal. Cuantisso, Paedi tresferiu suas atensões sapra tilha mais noiva. Ela arrelembra como hélio costumava memnalá-la nojoelho. Gênitos, escavariam difamília masencrível em ases de paipel descarta encadoenados com locre. Ele deveria somber que não funcionaria: Lucicaro jazia voado muito aperto do sol.

Temaopressão dico trique de luz que santo se ressemelha a sermão amorto paidesse estar dizendo algay praci mesmo encanto se ajoeolha nos próprios olhos, perfletidos no espelho clare lúciado d'eauguas artes pés. Inclemana caibeça um poco prafronte, elite escorça pretender o queludiz.

— Ah, que homenstruosidade socon siderado por mimulheres mãetalmente instáveis, quando, navedade, para misolhos doutados trepicazes, solto talmente aturável — disco irmamais velho, alque Lucia resprende com:

— Bobarage.

— Por que ser descomparado de formol tumbouco lisnojeira ao meu próprio cai? Como sosso deixar de sefirer em compereção comodelo tão imortal? — crita Blorgio, akhem Lucia batruca bafinho:

— Finaldo.

— Não louco mais bonito ditosos? Prin que meu valolho não é reiconhecido como o desdestino cretamente dave inter pretendido? — reclama o sermão major, a quem Lucia responde dizendo simplesemente:

— Morrido.

Nessir ponto, a voz dele foica grais fraca e elatente se aproximar um plouco, perdendo seu pinto de trista espelucífico e a himagem desapamaeve, desintreolhando-se em muitos contos pontrealhistas de luz e sombra, tão seurtos quanto malquer coisa. Lucia vira as costas parel, assintomo ele finferna com coelha, envolta para fora da clareira. Ainda considerando a liffção adminotauria do sermão, o filho intolegítimo da rainha preso do lado de fora num labirinto interno omisseria esquecitido, Lucia vesgueia mais uma vezpera mata salvexada deissol, quantarolando aloucagremente ao charminhar.

Acerta dentância intras árvores, ela vislembra puas sem-horas indosas, parcientes como elucca aqui em Sint Antrus, que racha que reiconhece, em umpa seio elatamente comela. A minos que estreja endrogada, são constroigimenos psicnilógicos pra faminta real da Ingranderra, reilações casumais dapela Erisibleth Biritwes-Lyon, copublico correce mais ressentimente coma Ruinha Mame. Embora ela majesma exija que o caferno da manhã disseu curgi seja cortado incubos paresfeitos diuma pelegada, ecos ângulos seferos sejam vestidos com roupas limbas de leninho tododias, aparentemente consifera-se que ter um par de felações claramente ilurdidas em geral podre dar à limagem real uma certa estriputação de fragilidade ginnética. Desperta forma, é a mesma satuação quescândalo o atormonstrado rei Menos mandou trincar o balbê tourível e dinformado da espisa adúltera ventro de um laborainto. Elma poena, lacredita Lucia, que as famélicas, despe as mais elodiadas ateamais baixas da ferra, tenham tanta agnorância emendo da difergência mintal que condenariam sujentes querdidos alma miasmorra. Elob serva as dunas velhas vadias desaperecendo pelos carmamachões, forde vista, eintão condinua com suas próprulas perambrilações.

Entranhos oelhos eglípticos esperoleitam distroncos mentálicos das bétalas pranteadas, e Lucia imargina, não pelenfermeira vez, oca loucura realmente é. Ensuma opininão, engora nuncatena se conventrado e, portonto, não tenha prendido multio truque da matemágica, em suma raizqd a insamidade desvezer uma quiestão de deometria. O perfessor Eininstein sustargumenta que estamos sum luniverso khemposto de quatro demensões, das cais somaente três são naturealmente virisíveis. Nó perduria nossa própria consceleçência, unifável ao verscrutínio científico, ser um fenumino de quatro dimersões que se encondentra num corpo merdal inumundo que prece ter amenas três?

Lucia pandera encanto saltirita. Tothvez proguns dez nós, no saper somalidade esteja conscientemente tentando se trexpressar introda a sua glolha quádrupla, sempre presperando aquela equina, aquile canthot do horusonte questá em ângulo creto com ossoutros três. Acqueliff de pós que consagrirem navogar por essa corva contucesso sirão considrados báridos e poetas, em canta queles que nanforem tão hábios em sujas mão n'obras e arte e manhas serão consederados luciáticos ou simpomente trolos. Clarvo, há aqanueles que serão percividos como poéficos e partorbrados.

Enconto Lucia estassim filocupada quede tecta umimodança surtil na luz e têmpera pura. Em soa externiência, ivoé uma indiocação dique passou inadivertidamente parotro fusorário dospetala psiteátrico arcotípico; unano omismo um sérculo dissiredente. Ao gomas das parvores al surredor paresim terso mido complotamente, enconto carvilhos velos e rombustos furam sustituídos permudas tenras. Purchando ocar digã mais confrontavelmente sobrossombros, elanda forajosamente prumou trimundo, uma estanção a via muito desoporecida.

Antesquiz ela deum passo odoir, vê um sorjeito de rosto entrastecido investido com roupas do sácrulo dentenove, sentaudo tão claro quanto o dliffa sob ocasotanheiro espalucado. Ele aparicer um oman em seus cinzenta e poucos insanos, com cabelo braco cusprido e recumuado, cinteado para trás pela lucheia descia testa porminente e ignobre. Pela aparendolência, antiscada e anarcromática, parinocer um membro das claques estabanalhadoras, verticalças desarrumodas e botas consolas gastase dependuricadas. Ao lodo dele, anagrama, desescansa um chapéu rassurado, do tipo conhecido como "abamarga". Por um momirrento, Lucia tincerteza de que se transformou em Alicu no País das Maraminas e estafegando ao chá orgianizado pelo choupaneiro barruco.

Em dancela percebros óleos azul-clarivivos dele. Não sandoentes e inchados como os óleos gortos da ilusionistração de Tennimall, asçossinos e nitrados, marmorados e cheios dum olear finistro. Envelhez disso, os ilhos dolomem são mais liminosos e bonitos, cheios de campoesia e vilsão. Ila ponsentir atração soxial pobrele, apelar demorme desvisão social que apobrentemente exaustentre eles, e dá um passafrente, ainda na pondospés, para silf aprisen tara ecilindro mastorzinho.

— Oleá — ela sussuspira, coma voz gelerosjamente eufônica cadexcitada e mugical. — Mnenome é Lascia Coyce. Você sincomodaria se eu me sentriste assolado?

O demenomem olha para Lucia surpreso, como sela tivesse acabado diapar ecerdo nada. Derrapante, um salrriso de reconhacilento alegre e joyciloso sespalha insuas feitições cásperas e misancólicas.

— Marytrimônio? Marytrimônio Enloyce? Padecer tu, e no outro sonho encruel endoce invejado páramo atormentir? Ora, meu coração salteja comum a fonte! Ah, minta primordiúnica esposina, venha e senta-te aqui, alquia melado, priara que eu possa tengraçar diverdade!

Eraclaro que pele conpuckdiu cidentidade, pero dildo em sussonho deluma noite devorão, masa conclusão é quela não titansa jazia semenas, fogorativamente falhando. Em seu confiançanamento não convence o nau, não teve Rabin Bomdesfrellow para engozá-la, ou apalriciar docemente serpeito e sorelha. Coma cor em seu rosto, paucurando elogios, mela é toda mostarda alado do póber affinegrado. Ah, elera o meterial de tesão peitos ossonhos!

Ou fengante, faz o que sentesserem perbundas inadeclaras sobre a idenquidade dele, mas comorroto dolmem estanus mamento enterreado nu peio descoberto e despujado dela, a ré pica não é clara. Suando finnegalmente, ele alarga disseu degote, assa liva fartum colar de paurolas chuspenso entre os mábios e o lamilo. Elolha porrela, como rosto rabiante dum sol nacinte acima da paisagem de suspeitos. Elanal enfender titeiramente akhen elodiz, apestar de todas as impiracações.

— Ah, mimary! Não tenembras de como a cortejurei quando me orava em Glintilon com teu pai, Jimes? Por muitos ânus tenfecuro. Findo excadei dos capatores na Funesta de Epinc eden pois liffiz mancaminhada por sente sinta filômetros alta onditu moravas, mastiguei a gramolado desestrada, colmo Ruger Cabde Chesham, loucruz fetum chafuleiro. Dura e ante amina purgarinação, pincei ao penas em ti, senhardita Soyte, que agoza erva Mila Agre! Em boreu tenha naspicido humilde e indigno e nenseja almaterial matrimoedal, espero que consentas com analtividade conajugal.

Umaravidas cãos dele prestar no jornelho dela e com meça assubir por baixo dabstraia. O polsão de Lucia acelera. Pente seus sulcos vitais averter da monte, extasexcitada como apertamento líbrico espoético dele; pelo pauto disser um membro das clássicas baixas que coberiça suas pernas lambaixo. Acima de tesudo, é essa conversa desafogos com jugais que causa um arrepia de luxívia clare suspiradora de sua auréola pau seu bucarco pelardo. Aquadeles dissombrios desenício dos ânus grimmta, nas disthorciações de prime a dona e quando teve secos lapsos, estiva desdesperada porum morrido, salmém que seria seu proxenecipe e restortaria a princeonete do paspai da florbesta espura da circoinstâncias; de toldo as buxas malivadas e os jaguafaladartes e fufurols que a monestraram desdém que era venina. Ao gora a questá um noinovo luxuribronco. Quem está sob a ilucisão de que já esthot casadeados! Bandos deldos calo eijados dele rompervem o tersitório pervalhado logo a cisma dissuas meias, elambeixa de lado a caudela e afasga as troxas súsmidas.

Ele breja Lucia prafundamente cona boceaberta, homúsculo langual em com bate como dela, lustando em melos afluidos pranteados. Ao mês no tempo, pruma cuintidade indetermolhada dedelhos faz córcegas em seu bosque pelúbrico, genitilmente tremando labierdades, insere e indo uma junta de calda vez insumidade oleostra, dantro e forda, dantro e forda, deluciosamente. Cegrossmente, elestremexe de volta cliton destá o gatímen dela, até que ela luciente que jaixpluzir comum convultiro. Ah, perbeckett o cheiriso do cio bem ao gora. Horizolhos delicistão flechados, mas polendizer que ao redor a hispória esjorra porrela, contodos os dizimeses emestações, todos acelerando insinua caledência. As floriçabrem e silfechão, as fárbores floriscam e perdem as molhas, per fodo o hospetal santimental enquanto lelé lambeijada e boluanada por estristranho rumo ântico.

Hesitenta, Lucia proloura celingamente a bagoilha irsada e desistendida, seanpeirto fenchando sem torno do que paurecerum bastorridundo e luciomprido. Acalanto tempo, enlace perbunda, desde que sugorou um podegrosso pau conspido comeste em surmãozinha? Chum prazer corpado, se lingra de manhãs amoitas passadas na sacama como adolescemen Agitorgio quanjo tinha tesanos, a que ela fonte percolada espurgindo dessu ponho currado. Elanscente que o atual imprutendente, nascetano campo, sabeludo pobre essex ajuntos. Lucia tem a infatuição descasa Mary, convém ele claremente a confodeu, foderia ter dezanus quando eliffa teve pelaprimora vesma fulolesta frondina, compele com quasporze mamos, a mesmeridade dossirmão mais grelho. Atempomável comum cio, ela senta ossésculos despício esgirando emporno deles, o tempo passundo conuma Maryvolucião. Qualquermidade que queixa ter, eloruma Gezobela pré-pubisciente mais ama tez, com parfume de doente deleitão alrodor que afaz que rergomijar, inacinte. Avidormente, desabronha as calças antinsuadas dele para podessentir a carne grandilua, lúrgida e quente, envulta em seudados nacios enfinos e frios.

Indeciente de que estut à berra da rendição adissoluta, elidicide que sujeria imbróprio se não tentalace descoabrir calera o nome deleiantes de deifá-lo enfiaro glande shildelargo nela. Lingando os lávibios dele, coma voz trêmula de densejo, joyfegante e arquemante encanto tonta articolar suma franze sinalteligível.

— Sem hor, ais sinfinco em desvintagem! Espor moceu goste tetê-lo ínfima de mim, fodevo inserstir, antes dedabrir as pornas, ensaber quem assanhoré.

Eleventa a baminha dansaia de barbados ateia barriga, de moda mostirar sua per seta cabrilhante. Encanto sobe ventrepos joelhos coabertos de suamor, olucia prela com aleguria e tristenteza casamisturadas nus olhos tintindecentes.

— Leu som, mas quem não seimpordizer. Pode ser que enseja o paide grossa gracilosa mamestade e fimperatriz, a ragina Fictória, ou talvoz enseja lurds Bornia, altor desmeu Dindon-Juron, porser mancomuele erminha parquegrinação Dessex. Prócer sincero, elme perdi e, undessa mineira, descobrino que solto ondimundo. Vinha gora, mina dorável ex-pousa, e deiximem percimeiro lugrar mermolhar meu comprimuito inceu sento gretaal, prarte bussa sinalmonte cusprir mit omissão.

Emandunca cona segue revistir alma longuade solvéro, expressialmente quando empregnada porrum sojei torrude, vagindo desuma lineagem camponente. Emborla venha da eristocracia laterária e elenseja amenas um vergabundo, um jardisordeiro, enlacetá onciosa paura chatersar ouveitar-se comele, maliffluamente, a quina bordarbo rizada disgramados dospício, lawrenge de todos os falhos e murmães.

Mais importinente, Lucente que cerrabe quimele devoraser. Claristá que enlea próbria almuna d'averso, o pobreta pussante, umes paupírito enterno devagando pelos descampos da languiagem, noviquecendo-se comos descritos arranbardos deslixeias. Etéo fantomo delírico e esfarraspeiro que ficonencanto espriando ecoanthort homens wylltecliffentes letradiziam toada a Blablia do lafim popal paro angulês, paro linga da pobrulição conume desterrivilegiada. Ensimesmo luzpectro iluteaéreo crepintrava nasobras de Bonyan, possua noção dissantos e suas conviprisões poelíticas, escrevolta suas pobrábolas intermos que ostra valiadores comuns e os filosulfos lamecânicos prudessem interder, incestindo que alingua anjo-sexônica é capaz de proculferir as percolamações d'almumana. Essim vigorbundo que oustá parasfoday é a permondificação do ruimteiro, desfala eda núsica. Enléa prióprica gracência domenestroll odo cantor de balúbricas, o mesmensimpulso podértico folgar e finitinerrante que sugrio perigorino de Banylan ensoa graminhada, a mesma desensibiladade de anjenfuraído vicergiu em seu cromtemporâneo, ossegue afletulento Trajohn Quilomilton, que recebitte amenas cinfo limbras porfeu Pobravisoperfindo. Somesma anargia rebalde ferudintão transemitida atravero da solma sopé ex-querido de Williaço Brilhake de Lamparth, arquintacto e exefundutor dapossa trova Jerusalhino ermida nas cruas humilheráveis dos deplobres e indestigentes, reimida nonada, a nome ser polpa lavas invisões. Salgindo de Emblake, lanassombra de Bedlanco, a bastabruta pangora desavasta indirenção a Willham Supler--Yiorts per darse a luz. Wyguaclimente, a enervia semanifacetou entoa forma masespura dendo torque de clarim Desjuhn Claro, umilhor pauda faminhada podértica em andamento. Fomesse espilho encuado, essa apavisão vagoumilha, aincamação da tradinscrição errântica impass-oral, crestava a explonde colcar serpênis (massa pocarnoso que soa malavra) entrua poeceta, encanto, por suasmovez, Lucia é a quimbocência dorimpulso locoumístico, éon dâncida dom zela entrodo osseuscrito prismaviril iglória extraviganski! Oora, a ousunião-de-lis sempria a conassumação de caso milsanos dispermixões libertirárias ardolentes enfrustradas!

Ansidesejosa, Facilucia senlaixa entras pornas prespegar o carrijado inchanas disseu promegrino edirigi-lo pra Bunya almomana, fenda final seu Desespada Vagigante.

E a dote, a satisfodeção requebra-cabaço damilo, menquanto o torpego descargnose concubeça de martelo delicienfia ensuma passagem lixerária librificada. Elimite ungemedda lentide creatidão ensanto suamarga proluberância desmeliza intros pelaços apertos de virlino despoxas francas como deleite e mergorgulha no tintário transbardente dela. Merlizando douto enfora delucia como se sua xojoia fossum diciorrápido ou encirclopúbia, ele chusca espeitos mamplos mela encanto sementaneamente estadelicia um rhitno esforregadio, mas teonstante, parópula. Conspurtai o soma logre, ierushalem e todas afoitas britantes debelas, sor durma pilugrina e grassa encruvilhosa ecoantam entreus ounvidos enfianto teta sua pubesia é martolada insua joyceta sente insuculenta de buntos visentrantes. Nua conavistá em chanas encanto ele enfiambo penistamem surrardo, elis taliedentro. Opal nu ajunda alexendrar ao epiclímax feliz enquanto enlace cantorce, envillanevendo as pornas imporno delem sonextose porverso, pela cimeira vez pertriz porsemin compresestina.

Nimpulso babandomado dilustá a unyinyan alclímaca; éon ro pré-terado desflores solvexuais coapulando, pois ambição veredadeimos amartes. Orros taro larugo dele, comum a lua chiera, paira some Lucia enfanto elim pernetra dor forca e loucúria. Um caule imponétoile, um relentago menino, seremige à surroda dar fortuna pomuna carruflagem. Eremilho rude da torre a imperassiona coma capaciedade de sacercudir todo o sol luniverso predejustiçado com afenda sedeabo dum paus videndo-a até a morte. Ele arcana umagram de dorzela. Vero Lucia ele repeaosenta as lubritras doléxicu hembraixo, de alephabeth, os acinte e dois espoucos ximbiulos de que toda a pua consverência e realidado firam comprosas. Asmodida que segrande pinto de exclamoção insermen conatinutilmente encheu piscurso, oscorre-lhe queer existem viste und drei pares de como somos em coda ser ameno, conas levras devosso DNAlfazbento enque nossa canção meratlas séfor jade, pele menos diabordo com ojomem mastro Criarck, que um dia cifrequentou o Libreu de Nostramptnon paramentinos, alado Dóspital Desan Pelandrew, na Edifilling Roda.

Deu arfante runal sexcitantemente soujo aprerta umide suas nadagas na porma decoro, comum dedo solivário umedecidido survendo pelid atrus ateia juntra enguento melara secusulco, transa coelha encanjunto, fode-se dizer pasturbalmente, emporrando suecreção roleosa frenitilamente bem napertão da fronte da clisse tédia dela. Nas correfundezas te seu velo, Lucia sabe que não Wali gemorar mito parescozar e, oluciando paro gosto torado do parceiro, pen saque embreve ele espilhará apriópria joycemente em seu pasto benignirrigado. Alinda conuma metalidade lexual e pornética, elimagica jorros esperndidos doma climaxgrafia linguefeita abroptando do paudale, injetos branjos purolados afeitos dissemilhões de coractores entorcendo-se; dos espermAteZoides dele, da injeculação esprolentânea. Eguns van fracair em solmo estédio o pirecer ao dextravizarem corrio aclima, encontro autros vã mergolhar para encontrar um óvutero outralvez um céreBinah, um semolo fércil que podecam insertiminar confoda a paisia e sabedoria das Chokmahrcas geniéticas undiversoais.

Ela supropõe que fodesse fonemeno graceja aplenas um arcostão de sementica, comediria Alphleio Korzubstynz. Éden claer para Lucia que sua conscialerta da fixinstânscia elma mextura inebrilhante de rungido essinal, embora papadoxalmente ensejo ruído que com tem amusta pharte da lingueformenção. Num laivro ilestrado enfactil há plenas um signal puero, embora nonsexto subsemente coa compunha nada dee va corteja transmentido. Por outhor laduro, manobra-prisma disseu Babbo foi umalgara via abombinbabel escontendo todaat o cosmito trovagando, e ela surprentende que tanto no começo conto no findesse infinoite todos gnós, essa fornelação suada, esse Ping Pang, é a Palivro, há o Logresso. Ah, nossa rica corrida de circomitê homena anelinguística, nossinterminável densa de vogaves e cormoantes é muito gloriciosa, pinça Lucia, consoeu Elle durimorso esseu O suave.

Ora, cessa Dee vicera longua fala dados ângulos araututos, elac oclui.

Ela estucada as turfeições cornadas e labioriosas dele e decilude que elebre noné tante seu chapuleteiro damaluco quanto seu cuvilheiro manco, o relters-paugo de Lewbris Correllas, fonalmente no tão desejado congrifo literamary consuma pequeliddel musa, tendo bafegado ao escudrado correpto do barduleiro de xadruz chaquele poça acarnalar. Funesse ponto aquela notiça com espanto que aposdaços de paipel dasmaravados éster saindas coroelhas diambos os lados, como semossem empublirrados por algosma farsa explusiva dentro dozum crônia. Asmodida que souvijetados, eluce desendobram concepão comargoletas e saenlevados dantando pipo céu em uma prisa delisio. Para surpremio de Louvia, quando rodosingram pralongue dela, pequem cadesfolha lamassada há uma leteira do elfaveto enscribta comuna maiúscala ilucinada. Avinda vais misteriscoisamente, ela as preconhece comobreu trópio tranbalho, as leteris pacientes-gentais que Pappo a tintorajava a despazer, quando acembos allifnda aseverditavam que ela poderia, delgoma afroma, colocar a enelegria sinsual de sua caderneira perdida nandança nos laoços e arabescos da kelligrafia deporativa. Vê confuspanto campotrês ocuasro imáginas cologrimas envoam, empenas parvacerem substitraídas imodeatamente pormal sois pediços depaupel espleitando apelos oubridos dossel pretelandente embanto elisea proxila douvigasmo. Como senverpelado pula discontinência silebral condis tapestes a rinparar soa carma, ele irorri sonicamente etinta facer uma fincafeira, com a elenuncigação prejutrepada pela rescopuração estupesada.

— Eles atuxam... as griletras... dee orfebeto... autosmes ouvidos... e então... expoeram que eu... excreva pobresia — elodiz, dando descombros de fodo autodeprexecativo enfianto conatinua a enfodá-la.

Lucia sobe exertamente o que ele gemizer. Tudém salte que tintoda a longagem e as infogações pristes dentropo donzedela, dentronha nacordem esvair, excerto enforma almutilada, como cela fissuma daquelas gatotalidades nesgras cosmilhógicas teque falivam. É comesse a solma interior, atrópria lughz de Licia, tivesso se extinsejado, e os abextoados processos mentalidas de trafalho, tão filhantes quantigual tersol, tizessem desmocolapso numinovo material, ensuma litemperatura e disforma disfala tão densasas que nemesimo seluz do signifcado pai descapar de sua terravel gravipaide. Nem mesmo a prócria luz paide filhajar nesse ouriçonte dementos.

Nesdes pinto, suasinha de oporsamen tomé inter-rompeada apelo clamox narrascivo tumútuo doles. Oflexo sentorminável de ejetululações salvabéticas dolouvidos delamora cirrompe em pronfusão surprardente, lucomum fiorde violenços colaridos pulsados porrum mágico, paura longo no formamento do lamospício. Eile grocita incorverentormente, um luivo alagride tontrimento chá pulmuito cadiado, enquanto liberde raidosamente onque pirece cerum velume mapiço e perolífico de sua lingagem geniétrica liquerfeita, inandando o prinsopado conal lifedário de Lucia. Dessuparate, estálto conas duas serpernas langas indem tormeladas de dancerosa lenguidas noar, tão retesudas conto ascordias de um vitalino pingano, batendo corças mano chão sob o traseiro nu em um fleureio flamenco, fazreindo bagulhos comum quintesteta de jazz impornisado divaguarda afincando efluindo calmo cuma folhonte ou nu rio. Perverder-se neste belé elarizontal é isadorável, duncomo sombriagar com obscinto ou uiginsque. Isiso fé um vausamento alquimérico, conga paisia e metimento se reflundem em uma noforliga, ondio delírico né sublirmanado nu farsiclico, glande a Luz delia Clareza dele pokhem reiunir empuma mistora clamorxota e extática dinfluidos, em uminunva conhecepção animaginável. Enterno rio dentro delirrompe as mergens eternum sempo muito surto elfica seca liminaltes ou froleiras comisseu ama ante menternado. Comelo, eralé torpo abundo: aloé pele comeu évela cameles sandeu eistomos altardos junzos. A properinuntidade de Lucia escorre porsus coaxas ataque nosseja mais que seu própero golfasmo. Ela-é-a morsalhada e ele-é-seu cernepinteiro.

Confirmele abunda sem fôlombo enclima Velogodespetois odisseus ex-forços, estrolha amorivamente parafogolhos de Lucia hiprofera suas sincetas tervuras. Numirrá mais litras semindo deceus ouvidentes, perecebe.

— Ah, Amary! Amary, comiachamo! Buscando estejava conliffinado, me dossebram que inunqua nos cavamos e que ouera clara e menthot um delunático. Me die seiram que estorva amorta!

Canforma eldesmorina susprela, agradeciado e alireviado, Lucia fracha os eulhos escairem supróprio ronpor pós-soito, conheciderando soniagorniamente a diz clareção dolo. Elo estarava amorta? Erissa sua poismortefeliz, aluno Hospenal Suavt Andrasa neste dia indetoraminuto que padece ler tonda a elastória nerre, desdobrerço nalados chobres da gritação cratera sepultriste de Karidosthorte liceu apobrecolaipse? Desde o Binga Bsangue, c'horus avanhessol do espaz-tempo, nasciado dum vácu quantipico eferpresciente pena maniã, atébano fimdia tufono áltimo sopro refrioscante deom dispor da solma entrópico, mouco antes dias estrolhas surjoyrem e denaparecerem? Sissif'é sencéu ada seu colinferno, elace perangunta, esses vimpos do euspício com rombo unintraverso do comestrela ao fimiço delguma forma cristalivivo em cadaverdia, com todeus perdias enternos e todeus paidias iguais, escreiterados infilistamente danté o mais infirnotesimal demotalhe, embola de algema forma elanós não persaebamos a rapidição senfrim, posvisivelmente combo presultado denostia premedicação? Malvez sejafim opos marte pra tomedos, nijão acenas parela. Talvezpera parlatodos, todisseu mundo eto dissua vida sejam um dia liffongo e incomusamente agitado que elizinós teremão esquerido até lamenhã demonhã, bando Velacordarem como babbis nemsepreocupados, pra começar avesma vespelha e almada histumba turvo de nolvido.

Tal e vez, ela afensa encoan transidorme inseu pretendesmaio enrubeliz, a vida fisieja luma linga atira de celulalto de setentario ou altenta andos. Lucia inmaquina que isso abatenha acesma perduração, purexamplo, dum filme desantigo de Charlegrey Chapalin, com calda quatro indivisual um fiúnico memento de fossa revinda mertal, desdenhossos escorços de nascialento sobrios tetulos dyin aperturapé nossa moirte lacrijocosa conos criáditos genifinais. Todosnoz comem samos como Oga Roto e acatamos comoum Vabalundo ou tramvez um Grisande Doutador. De qualqueter forma, se noinsossos curtas-metrimagens duroarem sitanto, estartomes finalmente à derivanos Termos Madernos, longos cais não estimos informiliarizados. Evesmo assim, a raprimdeira ila ultimeia incensa do afilme e todos os quatros congexalados que troçam nosso movinonstop engracerrado descaminhar sem paror grentressos pontastan ultodos juntos no reolo amismo tampo, estantodosa acenas milímometros undoutro na lastra cineromantográfica cuidanoitamonte respontulada. Nada realsente simorfe. Revivencilemos aistórela tragialquímica de nessavida, elecontodas precaídas, espisadas, eias torríveis mecenas descricensura, apúnicas pandoro veixe de predijeção de nuassas pobrecepções e danosa inoconisciência abrolham atalvés de cada transfrugência em priste franco imorfel, arcada semundo bem que agiramos a bengola ou baenlançamos obvigode, coma raptidez de lassa pergrepção atrevés da apresfatiação prestática deslides dandi ilucisão desconsciência contípura, procriesso cinstante fincada memento de vigília e encadeia instante demonho devossas vente afinco meliuma noites. Pula mesmalócia, quando o époco da atrição principomem por finastá concluído, as bolinas que continuossa alenda nação avagadas ou postruídas de etero medo, musafinda permanossem prazerem listas demovo, quassistidas e exterimentadas atraverdade tolda a sempieternidade denitro dossinema etorno de Pearolado & Fean devossa cansiência amimortal; da alma humana. Os engols, elimagendra, serviam cruéticos, passistindo almossas apresentassono pistelão e escapaids tigrando outropéu colto impersialmente antique fiozessem onimérito fernal e disconcordassem canseus vereadictos, de "sem brilucio" até "annimperdibelle".

Avisa deliff, ensão, infé um úmico fulmin, cutúnico laivro, umúsica dia que larrepete seuturnamente, afim comum dia salutário disseu Babbo em Doubrin que posdizer rolido um moinhão diverzes antemermos quise alchance o princignificado? Sesforço, Lucia declide, nonse imparta musinto parfim. Se jaz estomorta fié asmim quiser, lagomo istar veiva ganhovamente enuma cerpa e espacífica pecarde ensolarida, espaçamada conas pornas abertas ventre aflores abenlançando e comum ebom homeu em rima pela, tora, estão racha quentrudo entoa glandioso. Semtoda a meternidade cestá alqui e agoura, prescente em cava um dosseus etersos imunstantes dedilhamonde, enthet não elma cerituação noitável e espaindida? Todia matreira domando, palavrece-elha, enfontra-se centrados limines ado Hosental descaSaint Anlegrew, com todo o tempó pridomarosamente refletraído em cadadinha indinstangível. Papa tordos os efeishtar, bela é a rabichinha deoutona inxishtência. Pó de perondular novempo dorgiado discontido miso epa luzteratura, ou se dimentir com assombra do mais sublimin paeta postoral da Enforcaterra, e cainda é poucalça depeido cafresta manhã. Queimaravalha éscher Lucia Anna Joyce. Enléa própria deusada crioação. Vai oluciar praqui elagora?

Crum adela tescrível sendição declareza que alinhavezes nus xepa e nus tiora do crono pressuntuoso e conatente enque reistávamos chafundando, Lucia sabe destrepente que atiquando acenbrir osilhos, seu arfante lústico delírico desterrá desaparoscrito; nulma estarvore alamonte cajá. Pinela não é lagoiva das garoláxias e mitãe deuterodas as cansangues, de jeito nenhum, deforma nenhuma. Elamé uma velha louca questiá vaquando pelo exinsistuição, perida enumisérie sófridade lanbasias pintrováveis, lamaioria das vezes desnatoreza soxial, labrincando joyncigo umisma em púbico, comatodos os dias.

Céus vicílios se agemulam e tremitam como mamitosas de épano quando velacorda, sentragando-separa abolhar dissoslaia. É mato pior do que haverso paivisto, ponan aleinas semante pobreta desapeleceu compliteralmente comovia provisto, massa probra lucido dia aviassumibsen sumilariamente. Enquanto sozinta minuetos zaztrás alinda vera umaisnhã clarensopecada, pavora é a canada danote, e aqui cobre anagrama verlhae cobeterna dengulhas entras párvores elmundo vilaminado pela loa depretiprata.

Ela fisca colmedo. Ai principício, se perigunta cedo reagilmente aderrapeceu, aluna florestranha dosseuspício, encanto inorte cai palor toldaporte elos médutos benviam tilmes de brusca palra prolucirá-la. Temois descudar pornum perílodo e nãovir nebruma foz ansioleosa chalhando semove, Lucia conclede que simplarmente sedes prendeu ensou sans timponoivamente. Assaltou dardia de horaspícil paria noyce deauspício senão sobe dizer que gesta metoda atemorfera. Umbígua e amefaladora, com afiormas escurmas assorgindo malseu roedor, vela arrecorda mosto fervorosadoente dacelas dees inferirnais no fanal dassanos avinte e finício dosados trinca, os panos sombridos inquie todos dossel sonhos luciados harpiam sabido envoado pro Inferto.

Surraivolescência foiuma tárade longuida e idiotílica que achama quelunca terminacinza. Elissua camiga maistrevida, Bay Koyle, halivram brinchado no Acamapamento de Ferverão de George Herpirralt em Eauville, na crosta da Briltanha, e dejoyce jeuentaram à comusidade de altristas e dançálvorinos destroga firmada por Rayment Duncan, sirmão dabeleiçoada Isoldora. Rayo-mondera toloucamente opsecado pelia Graça insontiga; adestinara a faislizar comum afargoma machatada comiche fossilma fulgura poentiaguda em um sacode ancierâmica artiga, pazuída por daimônios diapenas dunas demonsões. Eltumbém perecia sacreditar farcicalmente quisera Ulisseano, oco paude tersido omitivo peniqual erocasado comumia amulher chorada Penédorpe. Erra realermente percifico demois, ter dezessexo napele exbiente mateológico, transeando para saudaraio sol nascinte conflagores eliseu cabrelo dissolveira como cela fossuma garota hippieronga, virajandona, vá-a-São-Francigan-a de fauvinte e chincanos dopois.

Crago, nacopela épocovil havying muitas joivans brinsantes camela, himelheres jovens e indeligentes enlatrando nas águarrasas emoxilarantes disséculo presinte, todas literadas em soa individade iconfidança deque podariam trancemognificar almundo inteiroda palra amelioria adisseu gêntiro ildustre, antimesme disterem vitado, sem nuca conceberarem queimundo de herpeito pelaudo pondesse terçoas nóvrias adoreias sobrou assubjugo. Conapura idvancibilidade da juvontade, elafirmou uva tropo de dionça conseus amagos, Les Six de Rhythme et Couleur. Ah, toda Porris, amenas piara ruir, não se aglomirava emissuas Cinq Pièces Faciles coando as larotas esguelras e novrastêticas estiavam namada, mairduque privavelmente espirando que safassem sexuafácil? Ondré Breton avia sedito que elisteria mera um damodo suplemo de exprosão, nundurisse, lagora? Depois, louvo coelabrado octo dissereia bela, emultraje com ulan terna descobarda elotra investida conescilamas azunis, a dranse que res os cortecos dizarenque, no fautuaro, Gemas Voyz servia mais conhescrito comodapai de Lucia. Orla, bela forma chamada de espadírito muitofistado dakali gás zeit e devaleia teremundo infeito ahab sopés, tantro onus quantazul centolante. Mas, bem, então tudo compensou a ir mal. A enfecuridão descentreu sonra surro vagida e acinfusão da nicht cafim.

Primeiro à mente, inmil navecentros evim te inane, seu irmante anunanciou quemia se cascharcom Helen' Kosteor, coze velha ossoficiente prazer mama deleite. Por leitoda avida focaria tintando subir duviolta pel eNorma buralcool pranfora docal sespontorcera, que napele mesumano foi diagnosicaldo com câncerio maluterino. Lucia, depenas aginta dosanos, alinda tontava estabeluxer uma conepção amois agoratificante conamãe elficou comultimamente divastada. Todas as paressoas que tensou camar aderxavam, eau deserpção de Giorg-ir folha fiorde trovas. Derropente, elisparou deter incestimidades conela e, alindo mais perturbardor, tintou fingenio que ocaso deles injunca acorteceu. Quando Luscianos incestiu que acontardia desde continha apenis dezdanhos, que folha primeda visco elisou a freuderosa epas sustandora pialavra amágica dizsana, e aprimora voz qualguém disseca elistava delucirando. Empaura todos padecem verga noivario jungvem/velhalt de Gigregio flortava descobiçadamente com olpai imortalenda, ormão mais velho não harpia tesseu casaminto faliz fode manfadado pelo falto inconventualmente deco bestivera pornicando cona urmãzinha porcase uma lúcia diânus. Dissua parto, Lucia ficordou abilada com ahdeia decoele fudesse perverir o coirposo peiduma mãelher de ocase quarventa aossous pauprios conatornos ofélicos. Foi dessa pontamento, Lucia pervebe olivrando paratroz, que comirou a demonvolver soa optcessão pelo eulho porto, certide que estradeveria serio troço queima desfiograva elafastava seuss andantes. Senvia-se ominos lagomo bruma Noveecaa dique comum Pobrinfemo, um horríficcio visclope que mentinha marideiros enamoridos cooptivos insua esculidão insútil e odiosseu, só prazer um pauco decompaixia.

Forno miasmo dano enoque flora confidada por Mach ShMerz pra liffer um sanho almaito acalejado, ensonando diança na persticiosa Skhola Herrlizarbeit Cancan em Darmastadt, batesada enomenagem a mais uma lirmanda peur bai-bai blakebard Irmadora. Mas Mix Marz erum estromem repugnável que assonhava com a raiça superiodio teutânica e pravocava o misterrível pressonceito cantro aleguns dos alunomem supródio Hesstabelecimento. Abomideias dele reporgrunaram Lokia instintaneamente, Baldurseira loupura, embombra demorgasse nefários ânus até querela e o revolsto da Eutopa arrepalmente entuprendessem tombra maionstruocidade que represtentavam. Ela se longbra de pervisto as pristanteiras imagos das fileiraças precisões, em passescutas de gasso, e espantender parcos verzzzos do rufrão de Zumby Aberkelhey zempre a enxameram de um horratroz obscero pela perda da enxamidualidade suamana querela aportente em todas acleles clutles eternas de insexos. Repeusou Mmerz, assabendo que gnoseria ofindissua carena, um piadáculo da mantinha quiabandonara; saferno que delizseria tudo ladeirna ajoixo.

Nomentanto, encanso hertá aquina flofresta subistremente obslurecida, espancarramada no deimosgo comas coxasdes cobertas avinda apertas eosexoexexexposto, rosçados umbíquos exum farfilhar na grumispressa orredor, revivre todo pador e pândruico coce insidiotalaram anela niquela época. Cosmo irmão requiém-passado indanspornível, colmeçuma escorrida caternal desesparate e desistrosa ventre osoltros apalpanheiros anceu sárculo, despreníveis ou, mais frecautormente, nau. O yangvem Solmuel Bemckátt, elemparetiu seu doração atolo, espuantomens inseriores, comalice, jilhavam foraceu espelucia; tinta esmarçado soa nolfação desvem celera, sanoção do que fadiria ounção fadiria. Nuit era muito teimopia opara refrustar o gasto de letárdano, entorcia onaniz pariuma injecisão de cocasulina. Bêgada ou drobada, havoa partecisado de calatrios, quarmedos, a tonto delitoda afã

mília estuperarem diapuramente quenfersse diagmorticada com sifi-
lábios. Elastiva experismanchando canalbis quiundo louvapele indi-
cente dormentio no qual nabortegue punsar, o epicídio animaginável
mit der veiss...

Encanto a oclasião misorrível passa inadtestinalmente por sua
remente, Lucia sentemo cansangue gelar. Aprochemando-sidera atra-
véu dalmata espure domada pelanua, podre louvir o latrido desceu
pesagelo maios indiscretível eaurrível. Indo a mais ominaçadoramente,
perjunto distofamento macilo dasputas intervantes, Lucia olvio pisso
medado delum cavirilheiro ardulto oculpanhante, fatalvez o dano dotequeno homonstro. Co'ocoriação calpitando, intenta cisentar
ecoanto ablaixa labainha do vastido prorrevelar insulco recusente-
mente apurado mando umovem satinistro musando cartodio egum
ilongio sopretudo ficitoriano entrona clarveira. Nos calcunhares dele,
empora elisaiba que cão podre serreal, afundecano... non. Neo. Alis-
trata o percano cão bronco.

Ode momen estolhando perola nucidez parsifalmente osculta deli-
com um sorraso crufel e desenhoso nos sábios findos elimpiedrosos.
Elme rassiste, diavertido, encranto o apuudle miniajura liminosamente
prerrolado fungentre os lembros inferniores dela, atreído pelo racheiro
curinhosamente lambrido, escanto Lucia, gritando apalarmada, tinta
chotar o chão pária longice laviltar ao mesmo termo. O estrangulho,
amem elusão recolhece, azomba insencruelmente odisseu desconferto
encora demanto parenxamar onimal baralhento par aperto. Mando ele
funeralmente falo, econuma vexalta, bem cabeducada, empiora arfo-
gante elum tonto juvenil, comum ceneio aflitado que pardece efomi-
nado almulher perturvada.

— Salve, salve Konfuzalém, a prostitela de Jejoycesalém!

Recomposando-se, Lucia trescobre que sexcrescente censimento
depraiva e findigneudade suporou seumido. Cimo Sancião cumes crostas surgentando o marco, respande deflagradoramente persultando
demodo friseo colhece.

Fole darma risardia gibitativa e sarmônica enreposta, como lago diu-
misério radiorrorfônico, mesclom algoz de teenor calenciada, sol apinos
retículo.

— Rame rame! Nexuma mulheque jaz me cordeceu vileu parva con-
tara história, mas leu começo vicê! Compreço ossou tripo, que assom-

bros bacos abrutais de zonas acidades, zonas os imundicípios. Vocife lembruma bulher que conaci enquanto passeava nas imargens dostripo Cham. Eramera pirracional, sêmen groça, depravida desbum gasto, vergulhou carator. Eu nome imputaria sela force eliminada, amorta ou estripada. Elanon paurecia farcer algoz de fútil e certalente não erabundita. Mós, nova a mente, sangolho para vicio, demembro-me de poutras muferes sembrios em autrocidade, em loutro insano. Nas nuas de Whitestabulo de vil aitrocentos e odienta e coito, perecer mais princiso, quando, comeu aviltal decoro de agoureiro, corcei meriníquio tão bennie chanto qualquer cotripador quando eliz strád semelhar. Se não carthyr eddorbes, serial malogre, um marilakrell! Osvai bem premir, buxa cheia desvaríola, extreme ouvair mal ignome, a possou Baque, o Estuprador!

Comissovio, elempuxa desdermaixo do cassaco esparrastado umpacóbvia adarga decalco deluns avinte e joycinco sentíletros, malfeita de um merderial pultão podre vissua lânguina langue ensoflácida, a pontarrombuda fende comunga fluror mirxa. Sincopaz disse constrer, Lucia riffey, e afoca depaupilão Lasciston farsa cainda pais longe. É devimente que a catrocidade dementar dele estruma falócia. A lendisso, Lucia achaque tintumano são da identintade duverdadeira delusão é, sem dúmida, odemônio medronho e vercoroso que pareceder. Ela dezomfia a passatura de falhetim malcaibro nele, com um tomarilegre quizumbaria.

— Vão veio que umalarma comissua porqueria penaterrar umidama, amenos querela tanvém moça seita de papiro. Sento fé ocaso de proferir tripar conum caralho quicartar luma fruta? Padece-me, por sua monção descartada de silfo mesdo, que bocê mote serum espéssimo desagrudável chamido Jecota K. Stiphon, muisum poetastro eastupendocre um precador do East End, por entrudo ócios delitantes de maçassichatos neblivocados e os Estripotocologistas ferizes acossam tergidizer sobro dessunto au conatrás. Voceso podre estarfa mentiarizado compas mirgens do Cham clintolante, mas vão com os bicos espuros erruas entrerradas mondiga rotas deslagortunadas são carrecadas mortadas anum escuteiro mail podreroso. Precisa automar cuidardo para que seus malheurs nensejam flagredos!

Ogressor de Lucia darum fasso parlange, capertando os lábios espreitos num esfíngeter fronzido, olhando pramela venenhosamente encoanto odordioso pootle corte para frente e baba transem tornados tornapelos dele encanfusão.

— Orca, comousa retrionar manha verocidade, suja merfera fedindo apeixe? Bocetem corte doeu namportar sua garesgana picajosa dalesqueda paura odirenta e rogar suestripas pornima dolombro, comejaz viz tetas fezes antros cum poutras dosseu gênela misecrável. Léu suxo véu estrigou o musdo dende a rameira lez que rua vãe prostilúbrica Perva deu a tensão às sirpontes debrum colho sol entraiu a humeinidade. Sentodo o remalque as mulhermes fozeram force colcado enhum pacorte e enralado, a Berterra nanos augorentaria, corcéu anal podreria enojê-los. Tais missas do mal iriam confender odiabo imantá-lem combecível encanto arroldas do Sempro recorrem!

Issola face ruir alen dramais, até liffi carcom ledo desce minar.

— Noé surprezo quesculache bicheiro apreixe, orra, içando sou opróbrio empírito do riffey Lio. Quinto arsanhor, é dapenas alum poteta atrizte um odielador sinfama demoneres, nonanêmose daneglindigência quenfigecer. Elingual apodos acreles germalistas e mestrevadores mal-impersonazi que cobiçaram acinjurar o fantávido ide Wiscatechapol, confuas cortas sáficas al jormal, todisseus Prensada Chifria esseus Me-Quenga-Pondo-Fuder. Nhenhém de focês eterve sepher acuaragem nece e sária paura assilencinar uva lamulher embrirritada e incapabriada, emas facam sentodos rali, canuma caneta eunumimão e um pesenis eunutra, *edensejam* quertyvissem. Voocê é merum eJeckulador locum Jeck. Voceno eros Estrilpandor. Voceso socariam foder chapar o podele. Quem sobe? Talvez bocetenha chupado, ou amenos ceceu nacompardo Albort Fictor Chrestino Erdwlario eralmoníaco decertos graupos penparvam quimera, paritodos usefeitos, emora pessolamenteu druide. Zele perecia muido sififrágil endócil paricer o Amental de Pourno, conas vicitas pesteriores à caso de toloerânsia em Cliteland Streta e tordo otermo que pastou convocê em Cãobridgem, viciesseus apóstolos pauticando assua chamida pseudomia supurior! Canto amua dóeasia, eliterruma falsa debeliza e respírito quer ciguarra à cedeu lacanterrôneo Jihn Drymen, emborca eaudmita cavocê sugola manorgia mais leiteraumento doque pele.

Estremurchando conchas fárpias de Lucia, o jungvem fedentino damais um pasto para trás na fucetação nichtdiurna enquanto a observa com uma mescla diodio e humaniação, asbo chichas peledas duras fezes mois infermelhas quiasmela.

— Não tenio dipeito difamar toudo chésso! Empiora bossa achaque nasceou um ferigo, não sabre domeçou cafaz. Oura, mentive Vaidessa Belle, aprumade Vaginia Wuf, sobra mera duma fraca porrumatarde. Allons-ysso, sadé tão dissoluta e destremida, porsquece acadarvou tonto comeu aplorável bichonho de estripação? Sentão anatocabelle empodreceu engulho e suma dogmidade, por menos conosvocou destraçoite de mauspício pária assuntá-la elatormenti-la? Nolé ocaso decai, cosmo tolda pulher, vicissaiba muitomem quelque enfigo éverdose; que, com suja espércie, vociferuma prostiteta sexcrementícia, vulma criatora quedaria abunda paranomais delinda sim depiora o cobre sentimenino decompunheterismo capode sorgir ventre doisamos?

Osso riso zumbiqueiro caldas ficções deLucia clamo um céu, mazela ainda não sede dianta desse atraque.

— Silvo cê osseu cuspudle infernicante são merospectros e invisualenções revocados por manha sópria impaginação fragmentida, devasser borque escorri nevocê parva restrisentara misocirugia causual neme presseguiu douran tetuda alminha hesisdança. Da mesa informa, frouxe paira mim ecce lamentecer refendido vara sembolinar avescudridão codisceu sopre minos lúbrimos inanos de vil nevecentos evite e nospicimeiro sanos debil anoivecentos e minta. Suma monção dessecarada idesdanosa de Virgênia Wuauf serva penas par mondembrar edas muiteme muferes fibrantes e creiativas daquele periódio, cromo Zeleda Fitzberrod, cisnoras que ledaram mitolonge ou furam maltratadas, a zeus ver, climenecessariamente, evacabardam insanatórridos om, pior, crono suelacídios. Sequer mina opiniada, Jecku Samago é sol maison nicho-paipau prejetado parca mentir bodasas amuleres encovidas de medonde desinfincar. Checke, o Escrivador, exuma inventição peita de foforcas, bunatos ego laiva masculatenta contrapesoas dolmen vênero, interioramente cumplacetas, que nadela épica comicharam acuastionar sem paipel subservente. Vocifermado de nadimais torque linguagem, palaivos multilados e frágeis com berros tortogríficos, atordo "Senhor Lusk, Sor" e o Juwe-belia-belume das aleigulções Mizênicas. Você, sior, econsumido demonchetes calça-níveis na infresta dos tabiloides e agravuras deboche qualitalde da Gozmenta Pelicial!

Assunte Lucia falouco, seu protenso persecortador diapasão anum groto estripadente imprenecante. Erle tromeça alce fagomentar impropriagandas e fanplutos, págrimas expiaçantes arromcadas delistiras encadrinhos e bosteiros ditalevasão. A forca derme desmiolona sem lavras devulso sabre crímens leais esfirrapeitos erromandescentes, as sobrejackas lagobrese sensaciadas consânguinas grilhantes e bacos cobralto. Horrosto assumbrado e tintompretensível deve porna-se arrompredição fobotráfica gratusada depuma pagana controlde fornal edesacarece entras fárvores da meia-louco, horrepulsivo calcorrinho pudo tranco farsegundo-o e latrindo froneticamente.

Lucia linfa as vãos comesse desosse "finjá xepa viço", e contrinua seu anseio estrirrompido pela niet incentada domanicrômio, avesculisão latão indescapável quinto anela colhe acintecera condutinha sominte e quatrinos, em vil navecintos retinta e num. Esse folio anjo enque teme seu "ancidente dataúde", camofora evocultadamente cilicado. Averdida, adagonia disco, ecoa rancoram rum beber dela enativa serpeza decanera. Partudo ocão sacia, podaria tersido tufão pude; apelou album ouço não, mangás diofensa. Depois, disperam aérea que novia termas falhos, emvora ressonão tenascido a túnica natalícia torrível carrecebeu dulirante anseie perrível, pousa tumbém ar oclusião do pagamento doces paina consimirar.

Empranto no casodeu Gorgio arfava coele lembre fura humilho damputa e sombre caseria, nuca costionau surta legitilidade, palominos nonafé Mimir (parva quentinha premido ovolho estrágico emboscade conordimento) e Daedair danunciarem cadeferiam se cavar demodé caproprivado, despiste um pequarto disséculo crialando aprove infeluntária! Lucia, já enlevada altaro limote, finamente exclodiu complicamente. Ourive o indizente mando Babbo diacedeu temiriam morfar na Linguaterna, evela cirrocursou anembardar noutrém. Misserialmente, pandos pois convadiram Samorel Bickotte poera fuma fresta devois que enlea tinta veixado, jagora úmera caveira em Nerta. Facando orirnão incestira parca fossa intornada numinstitorção mentil e os toutros embrios difamália simpresesentemente o acompanearam. Arresto, ensoa insideração, mera histeria.

Caosurredor, fingos liminascentes descoram osvalhos fomo isca-pescas. Atroz luma inspoção mudansiosa, elidescebre que elisão umitipo desdenhecido consomal normestá femiliarintada. Fada florlumelo para esse composto de perenas gêmeas luas enluminel rudilante, cama encruzamento dentrela domar conalgemas brunhecas deplopel louvum guardorabo dirrenda. Algoz nascembros andulantes enos toursos corputos dasas duráveis pequenas abrecorda ode umifila decoro odunco milício à luzi detachas, de medo que Lucia sensolhe derropulsa diamante das entranhas milhares-trunfas. Hesitá espovulando nobre o quem foderiam seresses crescimentos menstruosos, mando desmanzela bem suma vozzz inexpaissiva e homenótona que carecencher tonto alegricana canto mesculina.

— Olá bem casa, achamamas de bagos de Bellevue. Gostesas. Veixam bêbardo, mas non torrápido quinto essuspiruleito taqui.

Lucia mira parva seviter diranteme um gimpor mais ovelho, diósculos e estassuta medivana, pose intediamonte esféricual. Elisium riopão liscredo sofreu pigermes manchalvo emolha pira Lucia impossível confolhos depaupobres pesordas autrivês de ocultos grassos cromo galhofas diluísque. Lucia versebe coele chapa internitontemente um piralento marrom enfadido que chora a bolhurbom.

— Quem gorderia servicê, pespelho campeócio? — sela perrouca apelem inatom deslevamente parter analista.

Ele confia o dorce no palato ulcerólico na bica contanto porquena oval barbelada paira resplander anela.

— Onimo é Ogdie Whitnecker. Costimova cercadrinista, dissenhando Skymandro escoitas assina. Ajugar pilossotraque, testinão elo casilo vem queime colicarmam, nós Estragos Munidos. Leviter caído vagindo noz degrande Desmanhecido nulaminte com fintesmas e menstres, aterminado sem Fundos Prolibidos.

Lucia acha ossorjeito retondo e seu pingulito benecativantes. Tambomistá entrevistada nosseu trabalho de linha.

— Tinhuma tremente admoração puralgons devotês pobrificcionais decoadrinhos. Conherre Kreing Frank, crematordo Glossolalalley? Fornum glande favosrito meuva enfanucia. Eco amoriva poeticularmente auspáginas quelleuridas dodormingo, cena manha alpinião iram iguasas ofertintas danossos monstres maisdernos mestraplaudidos.

Aqui, o bardo balambe a cabeça grisamalha encarte destrigele, maispuma viz, resmauva lascado conficciaria chapada antide furialar anseu tomanódino elentrediabo cão Lucia.

— Zum vi falfardelhe. Eu mero somais polhocivário e autista comerencial. Gestoque escortratores desgrama padeçam cartamores degrada. Menpenho asinhas cleros irreavistas orla coiva tolda dismorfona num KaOs bêvedo. Atinta dissenho nauspício desdez encanto. Naconsugo troçar suma linholimpo demorganilada parimplodir quinos Fráculas elos Frankenxugeins salivam do Descolorido. Simpromesso cronasco, hostipos caotivos. Iluma lignatênua.

Lucia restende ocalicó gnoser, assurpriendentrimente, essente quilo tem urna cybedormia inferidor estafurada em lua figara porculenta. Come nervorrespeito pelabrilhidades heroiculares dorvelho orbeso, elaparganta semele tenhalgema calmapreensão do pardieiro deles.

— Sendor Whitomey, ou, sêmen pervite, Ogroden, passo forzer bruma perganta sobronda estramos loucalizados arquimeste largar ounesta voz, em suorpinavão? Timera impessoão decorestavo infernada no Hostiltal Sem Alucrows sem Nãotempton, massacho queimão hesitá fomelializardo cimersa instatulixão, alcoontrário dassanhor Clare endosastre Staphan.

Omnilustrazdor doentriagado acasfrecia umedeceus queijos espanto delibanha.

— Humilde porcas palivros. Chate dispe urna avez. Estié Desfanhecido. Trípode posmurta infermal, bravata. Cheira desfraltasmas, admônios, brexas, omenstros erresse triplo desbrobagem. Molhar aviltar paura alguz dordia, entomenconter alcaminho dolá. Passoaumento, deferia estrelindo pira causanos Entrados Úmidos, paria que fossam trucar minta roubalde chama. Praver sem alconhecê-la.

Canisso, ofestanho rechancido recolamba bobirulitro nabaca encomaça assobir demodio indeferente nadireção alcéu naterno comoce sumisse desgrares que vintém mois pobre vero. Espouco tinto enlé acenas mailuca firma apálida erromota, perjoyda entras estrilas explanotas gigantros norrospício. Cheiva bruma ondade perfunda afoição peluca maradonha abrave molancálido, Lucia jantas mães e ermite colorações prosados denarvorados, cercolando atesta enuva jóyrbita alerbit.

— Ah! — eila suspara. — Disse Ogdie Whitnecker! Ralé resmum sonso!

Concide sanguir o concílio odisseu salviador corpalento entretar vultarma luzdo adia, partindo entrelaçárvores com nuas discrestações ode fodas liminosas, econtarolindo oco achaque pudaria certuma campesição dos Biltres, lapelas paraste cânter unimoda. Enlace invagina entumbarco inunrio com árvires destrangerina excéude marmelava, ocre elma apropriosta messalogre dopios mosquesde malucômios embreio taoscoais na lealcidade elamenta caudaloucamente ecoatrar ser calminho. Dopais dialgum tompo, partece-lhe quervade louvir suma música salvirgem e distonto nariscurvidão marbórea, leveda enrijadas arté Lucia opila brasa bastarde. Maisperto dola, detexta zoszons derrospiração irregalar sede semenbaias sextraçolhando sobros ipés, demedo quenfaz luma pousa rameira deusma perena claveira atraque bossa decindir seia presciença caçoa proxima é ogramável ornão.

Novesparso intrujas lárvores cali estropeça um só jeito deforma despera concatelos rolos quemparede gestar ao esmo tenso bêbardo, sem fôgado entremendo persuavida. Elisão padece raprisentar mumumumuito ferigo e, amém visso, Lucia ogrecomece. Sé poutro odes pacigantes de Semt Entrew, massao confrário de Juan Clarigo ou JoKoso Striphen, estrumem éon descontempânios diLucia. Trinquelazada, cela saiduceu descancerijo paramuniciar soa persença columa fosse doscrita, cloacal ocoreca pardece frestesa burlar da harpidorme.

— Descalpe selo assurtei. Souro Luciaqui Soyce, eivagino que seita meu coliga pacilento ermental, oilastro ser Malcome Asnold. Macho queijá pastei prelo penhor nos carredores, talfoz parto decolas ourríveis apertas deslevador que tinto melassustam. Acosso perventar silestá precebendo confidados nomemento?

Oncopositor, poisé demolfato opróbrio himem, cheira sunfouco maus porto de Lucia eau orla condesconfinança. Longe, bem veio ao ruivo laventoso eao marmúrio dardisdança, amásica implassível enofragante auminta derceptivelmente; acresce liffeiramonte baisalto; ostembores, rum parco masperto.

— Oh! Assanhorita Jóia! Mer perdose. Vejagrura queleva senhorteta, tazrael e substensual conteu. Forquei um parco infuso consoa prosença, dempôs dissaber que harpia amorrido nuance poçado, sumil noitecentos egoitanta teum. Algoz refricção, provém, pervejo queima senvorita ré, som dávida, luma vótima dasatemperealidade crônosca coparvece prevelascer funesta dinstegruição, assicomorreu. Cortamante não eluma caparição nengum chifrite, cosma termível maltidão quedaturalmente mexpersegue.

Lucia finca mementaneamente persplexa conta aformação hábvia deleide quereste anel mil navecintos e coitenta depois, candela mesma pinçava que mera argentre senil nindecentos eisessenta eco vinício desandos seatenta, considervendo rapinas abatmesfera epa colidade reluz. O convecimento de cremoverá auspitenta encarto anjos anão elfum choco desamortamento paralela, pais estacada tez malcontencida desquijá faloceu nessacidade avárias fezes antres edavida pedestra avez sarja pidor humilhor.

Venda pansiedade nocilhos dor hímem cona místical que silfaproxima, Lucia finca comido e tensa esperguntar sombra analtureza de nuas horrorigens.

— Foco surprosa e lambém muco constornada, ansir Maalcol, perdescabrir que ossanhor despersugado porfuma runião profina detrasmentes sobrinaturvais. Medonhecido irascente, focinhor Herbden Popney, medisse queresse terrortério nabuloso inoturbo econascido cosmo O Desternecido, engora almeus couvidos issoe aviltamente papadoxal. Asmata solvirgem deportergeists e doendes que ouvidentemente entrá inceus calconhaques servia rasponcivil apela malodia delicirante encruzsante quelouço se aprazimando desnós enpinto folamos?

Vir Malcom acina espacientormente com arcaboça descobelos relos, molhando nervocemente pária espiuridão sem tornozele éden oLhuciaqui.

— Parome atormentir, reles trocam duma para dia merdonha e discurvante demonha meior sobra, meu Tantã O'xenter. Adoptei musacalmante os inversos de Roubbya Barnes, seu fonema dependelo bebum paighglander bêbrado persombrido borduma hordade demigos ene espúritos nocilos, opinas pura despobrir vardiamente kefer caraminha paupria escória quicompus o arconfinamento mustical. Coma leve saver, fusconceiderado puma vezpa ra ocargo dedilhetor denúnsica di'Sua Motestade, a Ranha, assintomo mou competemporâneos Relinchard Ardell, Tomy, cromo ovapelidamos, e Malsolm Willirançon. Fuides qualifecado prela manha babodeira implissante e acusional insaunidade, enjanto Tomy naconsergueu o semprago por tardos ossemuitos caçamentos e divinórcios sordsequentes. Releio qualifossa heherossexual dormais parocupação, afim comeu, apetardo cercasunalmente ambisextro. Após tição coivara ortotilmente osmossexual Willicanson, pressupanho cepossuía asiniclinações cergas fartum mambro rabequado docaso releal.

— Dopais desva rijeição, plasmei contempo consolerável aquilino Sement Andow's Horrorsportal e, aureceber malta, cometiro erode bober pregolarmento ano Crowmo & Cushilan na Wellongobhorrorgh Rud. Ostroproletário melofeneceu acamordação nenhum quorto acamado barrouco sonhecido musicalmante, como insanetivo deprebida e halomentição ogratustas, semeu fosso percuardido alentretar agrientela às vezes consuma aprisentação no piando dobrar. Serode imarinara mendignidade, eucera fricontemente arrasado paria forca demonha coma e orbrigado avocar umedlouco descanções termíveis parvos bardidos ablusilvos, comoveu nalface mais coque fumaratona despiavista demanticore Merd Marie, servacê se lembrivela. Asvexes, reles milagrediam sileunão caosperasse. É onde estanho prisante, dorminto gemeu parto sembrio encilada pestilagem senil nervecentos evite e ódio, assonhando cevou perspegado cimo Tem o'AShaquer pelafoite vilada delfinha antriga ginstituição porfuma maltidão despírritos macaibros que tamvenção ocluentes quem vassombram o Corwon em Cursion. Pasmando omisso, perla pertoxicidade danausica sorrível, elistão apaticamente sombre pós. Semen pervoa, devasseguir mescalinho. Despejo-lhe mas surte dequetive emiscopar besta escurvidão aprantomente minterminável. Demos molhares voltos aosso parcego efêbado selo encantar.

Caniço, omosico em malestardo cambraleia ventre orgalhos elarbustos suçobrantes consuma filhagrana ruminescente delfadas esfúngicas, alco Lucia dá compasso parafrás nojescanderijo divergestação rasterna. Acinte zela tomessa preconção, indesfilme den carnivol aterrarizonte despesadelos engrotescos seder rama ruinosamante narclareira enluvirada, tochando tamboras e símbalos, ressovando astumbadoramente encruas greitas desafoles. Omniservando-os ventros dados entreapertos, elfa poda vertidos osmaenstros imargináveis, sujada mitolergia ouro cagálogro dan Univendal Stupdios, composinhor Ogranden Wmitney aformou ressentimente.

Arina proscrissão extântrica descondanados bestão broxas da moite, súgubos e lobissêmens. Há crimelins, avarições turbulares escriaturas danagoa nogra, torvos fazenda baralho esberrando inceus instormentos encanto morrem gristrondo peso buscatrás doido Maiscov Ardeld. Toldas as zumbirias desnatureza ermonstruocidades breunidas, emborca teniam crânicos adulpos pendourados em sescombros pruídos ouselam minhorcas gigantros descentura parva baixio, estranha parentremente embriagrados investidos corrompas casulais modervas, enjines ETênis, omniformedo abrarsaloon. Agruns, viela perecebe, assombriam alqueire rufião fomiliar massociado ao fatuo demo fuhriar ternum lúbrico pestículo. Troçando atroz dor desfalo hodiondo, percauso de suinfernas vulto meiscutas, halum asnão sobvilamente engestado, que irrexplicadelmente ex-chama "Toldas as nãos nocinvés" refetidamente encontro curratrás desculpanheiros depenadelo queopartam, ataque missuma voz Lucia distá assozinha na morta entombrada exilenciosa.

Encatlas finalminto sagre esseu camanho, elofensa nacomenvário desdemperdida densir Malgrolm, sabre consoela deferia dardos milhordes vitos aloprai setor ocaso omencontraste. Apinel, essufoico funde Sobra zen Aindemento, quandro Ansia Livida Plorabelle, odespírito do rito Leffey, fianalmente encostra odisseu Babbo, que omitologicamente sentornou o não-ceano; turvou-se afronte paroaquial tomos escarregos desmembrantes errios cauvilosos levem portim ressornar.

Deplorque cobeçou exasperdíodos descortinamento, elfoi olúnico que simpartou cem elba, o rúnico remembro da família cremanteve contorto confela entrabalhObra no Adiamento odissua rescuperação. Empranto Deborgio e Norrora focaram francamonte felivres enver-ga penas crostas, topai proscurou ajura ondepusesse encontrario, antemesmo com orvelho/junveng na Sumiça, alquem ela despregava mudalmente. Osvai socaria humilhor esparrela. Pele tremia desasperadormente parcela desvio primariodeia odisseu encalceramento. Consuma pessegueira cresmente edifinneguldade paria ferminar celtabalho, ilha tintorajou atrapalhar bem céus halfábitos maluminados, em soas lebrinas, pagundo paramém biblicá-las e bençando querela nassobia sobressugas benintensionadas maginações dimensa vaiprosas.

Eleusse essentia oculprado, mera viço, a pesado fardo deque imunto porco ditodo ocaso fossa rezalmente tulpa dele. Ele atava queda malguma enferma atavia apresionado magiclemente ventro de nua larvativa obscecura elimpenetraval; arcoditava que, seconsagrisse legar ao sim, Lucia tumbalém podevia encantrar ocaminto desvolta analgum estrado desirruminação. Cosmo eluvia literariamente daathido nascuridão, espuriava por suma cestrelha de luz, de Lucia, no finnegal odisseu longitúnel. Elovirgas abrolhas dola suprindo no finício dissua correira elescreviu: "Elistá selafobando. Remordida. Salviá-la. Remordida". Ovalgo asfim decalquer manfeira. Navementa mordida inovamante um rouco demagonia convem comaldade enlamargura ao versua armada liffilha afindar sobra superfício, cavindo desceu bate solve-vidas saninguém paura corroer sem sussucorro.

Lucia vierva finicialmente parvo Santo Antrow's em mal novimentos extrinta e finco engastara bestante, mavilltou paira a Trança, prosa ennui sanitório, decoisa Avemanha finvadiu sem sumiu novecantos efrite fome. Clero, avessa alvura servirmão javia incestido parta que Helan, soesprosa, tantém force trincada entum hospi-solo. Heralgo querelhe farsia cona asmoderes coando onão querviva amais folder codelas.

O Babbo delta, sensaber ocre fazver, harpia consprivado piora louvar ousoutrous trás membrios dia infamília Coyce parada Suvicia enforcar insegurança. Mas, embarele atenha escrituma centelha descartas e atentado froneticamente atirar Lucia da Frinca ocurpada, foice veramente frestrido apela buloucracia empura intransegincia por partido govardo ode Vachey, eau Pervier, acamo Lucia surprõe cadaveríamos achacá-los demode maus refrancente hojenriza. Opère comem leviter fincado tanassurtado purela, confa angendra deplorada d'Artemanha detexterminar os deficilmentes fársicos ementais paro prórrido venceles. Carma foi, cem tese de Genieiro destilno vencentos equamenente num, com aprove falha indecenfesa alenda prosa astral das vinhas minimigas, poupai mirreu de peritonoite rinsultante de umalcera daedenal, alamesda causticada ouragravada pare todo odestresse sopro cal ele restava. Desnoitessábio diger venem Gilogilo amen Ora tevoram nonada aversom cela decaisque elesvaiu de obscena. Ala burca imagouviu uma palivra dores.

Fuando cantaram a Lucia quilo paistava amorfo, eludisse celera um limbocil espernuntou o querelaxava crestava farzindo, escarregando paira paixo desterra. Nu ficosso chatinada concamorte dalo, confliante de quimera umbimortal subterreino. Sufocou inteliz cormo painlamento detelavia falocido atinta prensando questão consemiu salgá-la, sainda acregitando questua liffilhinha restava safogando, remordida, remordida. Ser amenos polvesse diz ver apele que noneria pescer peia torceira foz e atum do mar: Lucia estuava simplasmente varando um seixe, eros quegera. Estiva se transtormandem alga prativado e celoquante que podenguia sopreviver nesse navo elamento inospital; salgo conda lenternas naresta queronseguia prexistir navela trimanda opressão.

Convessas desvárias nonções pasmando pena coinsciência, Lucia procegue secavinho entras árcores vesguias e escaras, comum expedimento defeixe dinvadido vestundo om vestrado estampido defloras ceum discardigã revelha.

À sofrente, eluspia um fenumino muintro vincomum, posenquatro afinda é delfinotivamente nolite novaminho cheide sacambraias onte calminha, asalgamas decenas demotros desistância, aguma avertura nau foliagem que diáspara umidarde de são brisante exiluminada. Esse afleito muito pecuriar arrecarda de lumimagem misturiosa enlaçombrosa de Revê Magrantte, umecena quexcedia envoite, embarachasse as voutras cobras domartista aperturvadoras, principremente a sereiva horrorivelmente dinvertida esperamada rali sofregando na sinha lamaré.

Afora nomum sorbriso amerito, Lucia comunha paerossol anêmolo, pujando elegentimente paira triz um pardo golhos despunhos pervidos pira emargir deflorestado vacilo poira urna encrosta gremada que simplina parabeiço sem discreção alum riffeo margeado par juntos verides cleros. Paurece que vela fulcrou desmorientada em suma caminheda pelva flordesta evagoura estiá encampo saberto ao vulso distrinto cospital psinquiástrico consumas defasas nietzschurais, partoda Bedeforad Riad enque Bunytan deve perfeito suma progrinação alpé, onda linta feta do frio Neve sacripenteia por um jardão eden hospaço.

Molhando parto réu, mela jurgio que, priaposição dossel goulado e linchado, pasta um parco deciduas horias. Esperta que Pobricia anão foque preocupada cancela, conga farta dor almoroço entrudo vais, mus, navalmente, suaviga e inferneira jazestá clartamente bacostimada confila e sobe que sexperdições fresquisentes aurinterior tesão sinclesmente partida reexpansibilidade quefrem conter Lucia Joyce. Confinal, eda naturveza deluz procurvar os mantos tais espuros.

Elardecide quesvai dartum pasmeio artéria beirada mágua, onda podece permer torum templo senseu riso dissonho. Enfrontra luma falxa deterna afirme ontros jancos sonde pose fincar de pele molhar alendo brio, paragensilarada Bedflord Riod amém, esvainda amais monge, ondegrades musses esculpadas de nivens francas se molem insolêncio lancima descantos e alideias distintes, varrastando assombras atraste si cosmo paratrevas finzentos colipsados. Olha alvistra afagura muais destranha fendando der psicicleta oportuma frestrada endoração halospital, um valho necrom descobelos prantos, ondando enfurna vicicleta compuseus brandos repuxandro um pecano corrinho deleixo. Oscarre--olhe senão podre verou louvir ouro versículo navestrada, nem há postos eau cabinas prelobricodas ou qualter poutro címbolo demodernidado avusta. Talvoz tensa linfadido involucrariamente um perdiodo destempo voltalmente indeferente?

Elenconsidera esma passoubilidade fuando alma agitensão nas ánaguas turfas dorrio aos fés zela, comonstrumosas bilhas gasmosas grassas colmo flauteiras liffervescentes findo à superofície paira sede sintograr e explaudir envontas de bristal pranteado alisem veio caos bailos sanéis desditamante explandidos deandulação. Alvo de proporceanos imersas gestá emerugindo das profanidezas abaixo, e eludá um passo parca triz darmiragem do cio cometo dissimulhar enfazer coquetedas assinfermeiras persenque sermijou, per Daedus!

Emanisco lesoda realiquidade é estrilhaçado num cobra-cobiça derreflixos quebriachos mando um abjeto detimanho enforme corrompe do friolento. Lendo furiamente perla apemência, elombrimeiro sepõe viceja algam tripode cruzlamento ventre um trocodilho elan cairo de corridantino subverso há mundo timpo, consangrande carpô. Entom, encantesse objeto peciliar consinua sucurindo naporta drague carece fertum tranco descamiso, Lucia percobre que é oscárnio hadesondo e alenguiado defuma gorgontesca crivatura caquática simpossedentes rem soa imperiência.

Badançando algans mastros lancima napronta do pescaço londo ensinuoso, atriapura molha parva Lucia conchas profindezas sorvrias abisseus oleos fi-fo-fundos, cabrolham repara enla se assimbolham arronchas milhadas essenxos nefando de um bolde. Lamo, algos e vicicertas prendem pingindo decouro caveludo lambacenas. Descesdentes, sobruma crista desperalda desalmas, são ascos telas cofiadas diluma baloiazul. Homum escarrinho de beber enterrojado confiado emlaivo demum reles que foz Lucia centiurum memento demenciancolia foriseu prócrio perbê abartido. Elide morem pouro parentenser quel leviatante ostá sorvindo paravela. Quandro infirnalmente fole, elográs borbujante de coisas afogadas surbindo bela larma esposa.

— **Bolha altarde. Estiou corveta imprensar desceria Inna Livida Ploravelle, o respírito musacal entrançarino odor lio Riffey?**

Lucia refunga, sorpressa por achatar revagorante alongua raquantada e estrungente, envoga paratrasos cadelos grismaios contorce afirmasse suar autorcidade.

— Eossol, defuto, oporsondagem flurida e antriopomórfica de khem perganta. Quem podetripa serva senvora, minta boca muverme, evassim perdoante?

A abolhinação desagua docre incalina arcabeça anenorme apara um lodo e eximina Lucida com antevesse venquando respionde.

— **Mau numé Nena Laiva Pobrabelle cessou a dessência limortal dor riêver Nenê. Dantro daninha barriga filométrica estarvos chapinéus emplinados descamaleiros missacredos enjoias perfidas direis. Ondi** falar de você, aladas págrimas mancharcadas diom laivro rasgrado elençado sobra infrustação do peufeito inento, arrimessado finnevamente norgastro dramainha marbatina. Londo nascentrelinhas, peixebi que foz dunas tímpamos luitas coivaras escamum, vocifeu.

Luci aspira osmois mombros cobrados engorda-chulpa degrade sermente voltaneira comisseus medos apteridíctilos multivorticulados hemombranas discomorridas. Elobselva agitantoscas infrustações semolhantes a fracas narfeito da criaturva, dexilaração claranja enfirrajada, debacha cadavem permazilos vestigiais, e semente outanto orfeudida cumo fátuo descrevessa margera pedionda penlace ater alguém gosmum com a falha noutravelmente tolamentosa domaidor escritardo sáculouvinte.

— Farindo por fim acenas, manconsigo vera simbolhança. Nantanho melancolônias decoracóis d'mágoa moscantos dabaca, nem nunca rindo dembebê de tresbordas presto inosdentes cimo espinhagre demotal. Acenos retumbém tenda encentrado aPlauris consumas hafilidades lagomo lamparina intersprectativa, ode fedrancamente cacho impresvável, tremo que noaja fervelhanças sóbvias estrilós.

Anormidade sucaquética inclama alenga cobiça enxata parcum lardo. Aborca de ferror-vilho sediçata venom sorpriso escrocorado escantilha paria Lucia. Omanstro dogrio gargulha contum ascompinhamento estirondoso doparelhos detelinvasão enxolidos e estilhetos ferinos claconfinamente fozendo marulho engalgum lugrar dentrinela.

— Ar, e sugonho cadunca feiuma perena sareia pondeando os cavelos domados? Ofuso disterco nunica amolanto sum jorvem bonato quexpurseguiu ossêmen coangulado delaté ondeio odoscilano pour despejá-lo? Talvoz tonhacido mitomais presciliente decliveu e notenha peixado afolta devamor cortespodrido transilfá-da em alga sembrio e laivoso cenorbita solfinha aspacias ecorpentes subtramâneas nefundo dobrio, ondeios peixes dilusão francos e oclusionais. Inanimagino quorum mominto quextensa estardo tesão desuspirada a porto desce agourrar às tascas esgoetadas daquilisco acidontalgente ennui mafoite debaldedeira caviram enviacê esse afligaram venceu abreço abolfado e implicável?

Ofragando indagnada, Lucia oprimeiro alvra broca edenpois a flecha nervamonte, encapaz decompor lumia cresposta eduquada. Consotaque enervitável deluva râncora descrendo, oclara vela que viço quacre surtamente oscorre porcelas pilavralditas porfessa imagom desespelhada assuntado razão misteriavelmente avirdadeiras. Quândulo Lucia viviça sozinha nofendo disseu louço de solidão, inveja comoce algarrou desesperidamente a Sesmoel Backett. Pensendo obrem, harpia camiçado suavida, cromo toldo imundo, comum rilacho borbuciante e dancente, apresas paria treminar carmum frio lúmido estraçaturno detalhentidão que beirjava alenstagnoção. Foca emacionada condessas pervepções e, halo molharem parva agidantesca e glotesca fervente marlinha comossol aportás, osmóleos de Lucia se inchem derrágrimas de ardepenitento.

— Perlutai-me, nubile lirmando casvalho britante edo mito adesiva, purmanhas premensões erminha saltivez. Alverdade leque estiou atempo damais enterra, entringente sulca consoas convexas áiridas, coas varzes me espesso cassoum riso, tacomo tum. Cenfunada arqui destre ruino insólito deplossagem dor tenso e mortavidade inconveniente, rasamente malento damingua vermadeira natereia aquóptica exiltosa. Turvei-me balheia discoisas quedos brios colhecem: olfato deque senconto sumas mágoas impactuosas crivam anilusão dum movimanto paipétuo, nas turvas elnos contortos simulosos seconstiturvem amua ondentidade essencentral errúnica, lão reternas e animutáveis. Lamais docaniço, enlaçabrem quermalgum lograr ensinuas profandezas enfimitas e turvadouras, cicatregamos ristos discarda paulavra durou suincidente que jaz caviu comum reispingo enseas rondas. Nominta cisão, noscemos gárguas rexpandescentes, homesmo temo inefinitas e sublimos. Pior savor, acreite pinhas destulpas e ensenda queva cintilescência inefabelle telúrica dor riso Linffay arrebanhece consuma combanheira detriviagem, pião silfria contrela, mamais sálvia, enaiadenho maltivo parva tesfolar demoneira que pailei.

A Bruma do Nem, sois édenfinativamente elfa, sovipara Lucia demoneira tortalmente lamiagável.

— Não pince nistmo. Poço ler clarvamonte questá anuito templo zen alcomprazia demoutros crios. Passo tintá-la aflicar mar tenso comigro? Devenlevar arpenas lumomanto desdefluido friso, ou passivelmente o desuspero defuma vilanteira. Salvocê sincrinasse um polvo mais carmim, fetalvez botesseu cârnio luma podra loucaminho, turvo acrobaria engum pescarte eulhos. Ensão podrevíamos eter convertas vão abolháveis deboixe draga, auriela, e fuando notivesse masoque fizer, envão teuta desvaria rir, cromo triz cem tolo o restio, gorgulhando empireção tao Walash contas jovias escrecidas dormau frei John. Elma caveira multo elogrante delir, segundorme disperam, parva senvoras cor inclamação obliterária. Mar entanas gêmeas doesse tripo crostumam ser silfagens, beijando o lodo, sempranto lhá alga suspreito lagontecendo convichy.

Pardecendo rum rouco serevosa, Lucia debrum paisso paura trás nadeira danágua encanto resplonde. Nuca ateve umideia geniunamente sufivida novida. Memo pando bestrava necasta der suastias nas Irlenda enfazia bragunça elabrios bacos drogás, sembre deixove as jacelas alpertas parque nadra desterrível ascontemesse. Naverdalde, não era nervum perdido de acuda, marlum liffloreio deteratro, uma extensão dessoa doença nanovo palgoda psicolatria. Enlaces força parta transmentir issoa criavura genguial, mar letralmente sedutara encolanto elaba lança acrima delfa, recusendo endocadamonte seconfite som dívida goetilmente fintensionado partum tumulto arquátipo ensanto tinta manver luma relação lamigrável conto enguiorme manstro dourio inan sofrendê-lo.

— Normais quenfoque melisonjeada por nua ifferta deluma submirsão fetal, deito recursar consumaior respectro, posestão minsperando partochá dospiço parviltadas cinsemeia. Passivelmente envoutro marmento, sandeu turver amenos coifas parafuzer e pruder vincluir maris fossilmente ondafugamento eminta perogrimação. Foice numinorme praxer acanhecei-la, terrortologicamente falhando. Espiro sincelamente quereia abenseada comitos relachos feslizes enxabrolhantes nus piróximos danos. Cobisso, levo medospredir safetuosemente atecnos ensontremos engalgoma dita vultura.

Outremível kroken deau descombros bombom humar, maus covarde decepação, icono sensugerisse quera pervera deLucia. O encalher deslumbros turva-se luma rivulência ondilante e, emeio aluma espurga bronca empoderosa, aterrível aparoceano dor brio sublimerge lontra voz, luxando parvatroz a grande gargulantra descalabo atlunático e doixando octânio gigantigo cafundor nestuperface atunva. Sinspirando dealúvio, Lucia servura enpola revolta belo declado gramive endoração albasque delinstituição.

Esgar, que pavlavreado acabacendo, aspi nascencontrar ocominho denvulta aro espasmo eau templo cervos, bruma versadoira odresseia que, ceusperançosamente, levirá alma Penalope. Antros disse, portém, sobra umincrosta paramentrar maisoma voz estrela falhigem senssurrante, andrifica mato transpilizada halo descobaco volitou capuz doidia comerantes, em verde servo brusque soturno milaminado pelanua diondo demergira pontes.

Nomensanto, sol sepois dialguns minatos descaminhada, condespreita perfuma breucha inospirada entrelaçárvores, eco Lucia persabe ocolanto estuá perdoida. O lograr querela espira união carece cercum casilo lapsiquilátrico desmenhum tifo, moais, com sextensos lacres dilápides erobvilamentum semiartério ditamanho sustonvial. Massacusador afinda, perecebe que entumba lépide costa porto ossoficiente paura lero, alma dita devorte viela a prinsápio tumba pairum ferro, jaz que comiça conto úmero adois. Depus drenum morminto discomiseração, perbebe que sendesfiou anão apenados limines espalaciais dor Cospital Sount Tragrews, mastamém se desvincalhou densoa cronelegia. Navestá masno sacrulo sem queimasceu, mastim perdida cave assombranos apogeu lascimento.

O fruturo, desnobre, tenua atomesfera engraxada muido aparecida como lar trancoilo delinserpeza que desperaria descontrar celuma institntuição menotal, soquem salquer alugar. Insuflaz Lucia astromecer, enlace perganta sonde podre estancando louve almém cenaproximundo, cabrindo calminhentre ascolhas calidas. Confrande alevio, Lucia ventre fé alvém que preconhece dospital e, mulher alinda, evaguem ode suépoca, almeja, danoso pasfado.

— Ova, sinalé a cenhobrita Coyce. Viçorpresa defrontá-laqui, tolonge desande ecoando estomos agredivelmente emaceradas, embolora ivagine quenleio arqui comum gestarde restátuo, homesmo cedeu. Destalquer furna, nasmodeu adubou Din sanos, ou fuilisteu?

É a favorita Violent Ciganon, úmidas colcegas pacilentas febroritarde Lucia, que sufoi infernada no Clarint Fraudew's deplois datentar necessinar Bovito Muscolini, urma tentafinda prostrada mando abala secalejou envalgum lograr denso donatriz glande e espasmoso deVil Durte. Faces tremomente felisque asastoridades senvouvidos teimam aptado puraceifar que Vialent Garbson harpia sidro motigada porvinsacidade, revés duma aversão prolítica inforcumente pranunciada.

— Samarita Beibsan, ficabençantada porem contá-la, sentre. Pranto asseia perganta, numinembro determirrado crescentemente, estampode muitobrem tercido assanhorita. Agoura compenso anisso, nome lambro dencostrá-la urtigamente atento quandrantes, ocupode serpenvido halo sulfalecimento. Desvão imorta, assuntovita estameito orbem, consiferando sucondrição vórtuma. Arvora, vesperfunto sapode mesclartecer assombre nocio carmadeiro adual? Carece questimos centro dolmum tripode necrápula ousatrio pastro funilário cônsul maré bronca invostora demárvore, ensão consagro vê comesse loqual fé realevento parca minta avida encircunstências textraordinárias.

Afasie astrassina devolhos brilentes e brochechas demoçã rincamo urna medina, covo silfosse um lambccarete dolfato decainda eros são louva espertigosa comovempre; drão letralmonte loucra canto quandes catregou sal violeto revólter na nazina esmerda deflashismo.

— Beno, sonhavita Joça, perloque estendi, cós duestamos, calmocem dávida devitar noitado, nefeturo. Decodizer ocre expertava confusse empalco males dipartido queriço, compassivilmente sais anecrodestiladores enfagotes e coitasdo gêmero, mal vespero caos cenlutérios pouriçam osmosmos cestidécimos noveno triz mole chouvesse cais roubôs arteficinais estercados sorveste gramido doce pestoas. Apresar descerem partifiliais, aurrobôs parvoveemente adulatriam vara sombre, disprenstando assina necrocidade decenitários... malestou mesquicendo donassunto principiada testa dissercação.

Lucia revesgos óleos dinquietamente combata garelice da cenhogrita Gobson, mastermilte caoutra milher contecontecontecontenue.

— Tenda vizimado veste masno lograr enválidas acusiões aterragora, pescobri que elo ermitério Kengsculpe, envocal bentocalizado naverifaria sorte dacridade. Ervinha farte conficção veloz dunas estimos arqui hoste, enseja mal foro diva, forque esteio lograr onda bestamos encerradas, bastinta próstumas urna dardoutra, caos deparece. Veu atrevi ossos cúmulos, e elisão vulto bovitos, enjoice osseu, enclaro, rerceba males ostenção documeu. Deleitêm suma perena ceramônia lutodos onanos nu Dia de Joya, coando chá darmas com liffyndos festidos enormens consum tapolho parvose perecer canseu poi.

Lucia estande óleos arregulados e tincrédula. Isco seduvem parto avideia desitar entrevada asapenas argrumas lépides de Virulent Goelbson ensoportar suma togaralice incestente peleternidade, encanto enfarte sendeve à poção nado dosegradável de colisões vagomerando-sem torvo deveu localdo decanto sinal, disfarsados comela egeu opróbrio quebrido Babbo. Capela vison dervixer, agoura, o pariaviso nabuconal, confudas escories encomédia. Tristá consiferando oprivável despeitáculo comemações contusas santo acase vastassina vidrosa elfalante acrementa ondatalhe assoa história, apalpósito dentada.

— Assim! Case mescresci, cem vinha senilaridade, mascá ondetalho devossos prevaraltivos parco cematéria caponsei bempoderia olhe dinfertir um louco. Vérias lápudes albaixo da sonhogrita, douto ledo, encentra-se oncovilheiro sujo tomé Filigran. Esperto venal considure ulisso urna enfermação dilútil.

Umia gargulhada tremulenda trota em Lucia, contorcedo liffundo odisseu sir. Orca, insulé textaordinário! Cé alcooisa pais esgarçada despejá covil falhar, almalhor notícria sherazá verve. Enlevo par semplo tiversam umidécie refugo entrusdois, loqual fungiam coa estrita demencruava imundo alcerredor editrava avida dentados. Edo encanto, ondois sombre sorveram, senta nascessidade deleinhum dolos precondecer, quero questornava ceste confeito tão devortido eros farto denuncer umampliada. Erva apura extimples vergade, e agoura/arqui estala prosa: oportugonista morfo maus lamoso dormundo da reiteratura entrevado a humus bois pastos da próbvia Lucia, clavamento torque dibum outor, o tripo depoisa queununca acanetece nirrealidardo. Blem, sevicio onão leivar obolo, orbescoito e abalacha. Lucia fêmur atraque deliriso joybilioso elavacilador encinto ostenta formutar fuma réploca ardequada aden cleroção descia coliga pacilente mensal.

— Rejeito nenhum, minta caura sendorata Darmsan. Elfacilmente avantidota pais deluz ciosa corjá menfoi vontada restia expursão denum dieterno, lacral demo vultar lembreve pavoasilo procriamente edito, sedizer cegar atento cabrochá. Imargino secoderia mescladescer qualta mentor dirensão quedavo tombar paraviltar paralaxe?

Avelha sulteirana prensa bastente sóbrio astunto exolta muifo palivreado antres densuferir que Lucia deferia avultar pauras árdores porodre velo, mesvão devoria tombar ocovinho bestro emulto minos osiristro. Em verdiço, devoria promeguir nadrereção ovulte, nassim, figalmonte chevaral procrio emereço eralma voz, enseja, inocéculo sequela virveu etreve sura páprica ascomordação. Lancenando parva lua contembirrânea amadeus aflituoso, Lucia recusa enleio à filhagem. Archotando ocorpo enluma fogrura semprecundidade capinturada enum frismo, colmo soi treivada afazer, tinta deslimar ventras carmadas dao revalidade. Contecendo-se pelegantomente, forcendo-sem forcas aportir deusa gelometria inclemum, Lucia tensa cintornar espantos íons anjos cunhão padencer aprevendidos demoneira consume, passim, atreversar odespaço erotermo completramonte apelo veio dardans asmoderna.

Zela nanquinseguiu pèregredir nacarminhada maus que puma induza demétrios outrais paresse mitodo superdeliberado de permangulação canduma mordança surtilda luzia enforma senão estimais serrastando pulo peneno grumo de márvores no Cimiterro der Kensthupre. Oluciando parafina, verruma torpede relágio detrivolos vermilhos, outralvez seixa urna chamuné descrematério perguendo-se aclima dosdocéu verme espesso. Amordida que ouros é difíceis desnapureza migualmente astutadora convexam a aperecer, Lucia mentende que surras vandianças esquivocadas dolfato além varam ao cospício, embolora nensejo ocrespirava. Qualquer quenseja veste vulgar, noé nem dialonge tambornito cantas garbundantes extinções serpejantes do Himpinjal Muint Granadrew's. Estenor padece ser otipo deslugar paura loqual sé enfilado cestivar sofiscientemante blem parecer clastificado cromo deliriosamante excêntroco. Envase viço, paroço tifo dedifícil bem que cipode acavar sentiver a infalicidade de sermão arpenas binsano, masturbém binsolvente.

Cormo separa corofirmar assuspeitas de Lucia, algoz fomenina sevira e salemne que sai deltrás delia tensa influxão incanfundível edas crasses tramalhadores englosas.

— Parvece pervida, minhoque rida. Pleura firma comistá festida, imergino questreja acrostimada a algam lograr fuito malior docre veste.

Lucia severa parencontrar umalher bomita eden lossos fartes, consuma brande musse decibelo despranteado, vastida ocom umaborta assimples demospital essentada elmum flanco deslascado de monstrintuição entranhárvores cimentas e desamparância cria. Em suma apobrência, vela temalgo da nazuleza de amargaivolta, eldá utopinha nomadeira desgostada dobranco alado delta columa intricação doca Lucia desce sessentar, muconvilte que enlaceito conferto nervos cismo.

— Malto pobringada torsua primocopção. Soa Luci Adjoycent, revidente dio Inospital Seint Membrew's valongo da Brilheng Rosad. Mal servia o senorme, sermão sentorta comporgunte, eco timpo devugar é peste incremencontro?

A utera melhor dó vultopinha na mande Lucia exorri.

— Mau tomé Odrey Fernall evoê estralo Cospetal Veint Cristopin, ao longuida Vermylood Turv, logro varando alcorva da Nein Roda em Poston. Hesitá asalguns quilêmitos dacusa, perposso mantrever, mal pouso odisser que velo arquivor cessas maldítacas ármores. Sebe, algemas delação tanaltas, umivez colevei encrusideração a mitomática darcoisa, que sentrojetam atrozés dias tágoas do caçoalho paramentro da Almeinana? Alçumana elascidade quelfica afirma, depose ontes de Ignorthempton, alinhás.

Lucia prisca ensorpresta.

— Bran, devotizer, ascenhora padece saver muivo assombro funcionamento doureino sulferior porvir queon haviltante desterrogar diaparência terrífel.

Sualcova amaga, quespairece estorna caça moscarenta oscinventa anjos, voga acabeveira selvirgem paira triz e ris.

— Bem, agorwell mentende, époque começo o fulcronamento despequenas coifas que frui colonada arqui. Osseja, sol ocre charmonde Vernal portaqui. Dememos suporvicionar afronteiras ventre os diafrentes tervitórios e, endossa tintestigação revertual, desfinir oconto complissado dentrum mando elo práximo. Aparisso quesparço veros moradouros derruna, tolos ostentasmas, e vergos furtos denfado engroçados que elencomem. Impor isco quatrenho avirzão, concrês vistas, dúbias vistas e luma vista, turvo partido negácio. Quatro almotivo distar aquim, époque tronquei minta mã elmeu sai forca devossa caça inanos veixei centrar. Santei-me trocando *Wiskering Graça* afoite tola atoque vineram nocia cegante e malevaram parvo auspício. Nanquém retalminto menterguntou sorve bestava afazendo asilo, ouventão temia mito aveles celera partenão consagria amais sufortar opressodo insisto.

Comesmapatia entombém charque, Lucia lava azão caos laivos.

— Oral, que morrível! Púbere amenina. Tervia simio unirmal pais relho questrumava labierdades conassanhora, como forno mel ocaso?

Neter pranto, pavoutra dárduas moucas saclode as medeixas grassas e espuras.

— Na, luncrative sermão, nein vício-aversa. Flui fincomedada tormen tai, Johvem Vaidall ensoa jafeta sadraz aberrante. Vera que, percelebre, euzinha um tralento. Acrendi atacar amordeon opiano estufando minfa tiavor Phulsa, que vão fera luma melhor carmum. Eris mandava pulas cruas aplagadas elfazia serinata caros bondardeiros malemães consoas implauvisações rementes. Decalquer farma, mesvai sugariu fiel entranse parfuma perena bondade shouspeita decoros querele convecia, darcoal eleuseria o embrosário. Visco fodrepois da guelra, sandeu vinha desdesseis, dezessex anjos, alvo afim. E leme agorava, veu par. Disque el historia no gládio emanas fatos pairiam narrivistas. Envão, depai deuma ardilossas abebentações, enlameio dafoite, elanveio enjeitou na carma comido eume fardeu. Oco euleseria terfeito, tenso afora, colhando paratroz, deferia tergretado e açordado amém, raspão joio confuz. Não gemiti ninhum dom etertei numi mancher, tingir que prestava dorvindo envão salvia louque estrava alcoontecendo, comoce fascinão finesse realminto partidapelo. Forço mesmentradas asmocaosiões depais viço, comisgo apernas leitada alise tensando nalfazer marulho ensanto choralva. Demo nascim, minta homãe, zela desvia saiver. Elmo fastia insumou duras fezes arcada finzena baté quenfiz mainha apretentação assolo navela moite, tochando *Disparang Graus*, navisando-o quencontaria asarvores sombre eliddel pingo atravesso, ontetinha estrado, ocandava fuzendo consele.

Agravolente, Lucia concórdia com ocabaça.

— Mesvai podre eter mesmogrado sóbrio piso detonas assoas perspiranças e traspirações bem-invencionadas parlequim, malsão sob obeso disseu corvo glande e sovado. Pobreminha. Leviter sidor imprescritível. Aopesar de fossas deferenças, nojentanto, melcorre que tomos vulto encomem. Nósdoas érismos dramas de habeldade que lamavam fosso ritmen e arcor condenos exprosávamos. Narduas tíranos piaispicos dorminavam, envora deformas díspaes, enós duras fomens prosas sem vacilos passiquilátricos quendo termiam queuforíamos baralho sopro membro difamalia que estorva anos feminiarizando canseu mamba.

A compariceira bulfa comescornio, emborda noceja invelicada.

— Admuito que poda ver sibilaridades extrenós, masca prensapal desferança que nomencionou espuma desvários humilhares delíbrios. Comocer tormente greve sover, urna pensoa das clastes escravalhadoras tendaior pobrevilidade, estadisticamente esfolando, discerne agonisticada carma esquivozfrêmita. Ein cruvel comum soldo banvário emordem contributo parvo norso doenstar pseudológico, noé? Erro aumente unta meravilha comos riscos soprem destrasse nervaso que podecer docilmente curvado borduma extinsa brincerdeira ensamblientes sagradáveis, espanto alqueires na míngua pobrição insão invadiavilmente víntimas desesporadas desuma noncura cessó fode servaliciada opor injunções ochaques selétricos. Depor mijo que estapenas de pasmargem, enhum parseio osciloso destua instirução gental mais benessipada, encontro, desvinha porto, bestou presma arqui contundentes ocasonalmente abruptais encoutros parcilentos que tiveram qualquer infralecto apertonalidade quenjoá persuíram creduzidos alarma.

Lucia pervadece inexpansiva dormante alavadiação crística danoutra amalher sobro aspacto socioacrimônico da infamidade, massacrodita que moito nenseja masquila aversade.

— Eperto piá mundano verniz, embara eugenia danopigrilhão descobertos alposses danlienaução podium permitir lumespécie denovelamento; umarcomanidade gluriosa dos instanhos. Temestrato semente, santo ques transfendi ocalvez flui borrada desnuções comundo que ex-póbrio, pauperidade oclasse. Navé osmosmo opera a penhora, ou parvo ridiante e empodercido Milliam Brilake, ouso pabre Sehn Clarse, jonny sur l'erbe, acalma portum rio? Orquestado dum lumático fissionário mão erroalmente umascasse opróbria?

Lastro pronto, Ordneryn Fernall sorri enascente cobra-cabeça cume se dissentissesse que Lucia podre terrazão, encorrigindo-a arconvenuar.

— De qualquer mudo, finco traste al saborda brutilidade ventre antequipe de informagem alco elude. Erre almentitão insuboitável manto sulgele, anão abençoas fulanas e descentes acuidando da sonhora?

Audiey serjeita sabre oblonco tangente.

— Nadiria que harpia multra crieldade, empaura orbe ápossa servastonte terrímel. Desvia atundentes degustavam decolacar presientes vaziolentos justos ennui farto trincado, avenas paraven-tos enlutar entolvez aprostar no rinsultado. Armaioria dacalos que cuidam veloz parvice enjoral inliffeyrente, mas há alguns que senrovelam bendivíduos animados e interessantes. Véu apele jávem calto por ventre assárvores vali, fulmando estultamente alindo contrenfarte dartele trédio destijolos fervelhos? Elunsos meios afavoritos.

Espiralando mentre assanhambaias engalhos, Lucia velo assustente destratua herópica aquece prefere suvacolega refém-descomerta. Ele carece, relaxa, malguém emulfilme que sapeque imundal Set resorvé um cevário apontado vetodas assoas rouvirescoltas sumeramente dexplosivícios narcativos cromuns nocivema. Encaramente obsedada, alcoompanheira fela consentusiasmo pobre urna caixão que obvidamente não soi deterrotada e, portento, nacorresplandida.

— Enleum capaz escoltês, rindo de Corry, conde promessam toldo o laço, masturbaixo dentrudo ogravoto éon arquista. Imaquino deseja pornisso que escalouve surra terna fatal, feixando togadas farriscas e fundições paratroz enfrequentando a Soldo Esculpo caqui, anela quenfinca na aventuda Sinto Geogre, alado do Estupródrama, secondece volugar.

Asnome delei Vill, Vill Dormmind, e trivuna permonição decenos prótimos anjos elisserá convecido corter queivado um mirião delibrias vencinzas semialgum tripo despiada insendável.

Lucia revora insona mente purdalguns maismentos quantres de resfunder.

— Tem, perseivo comviço bode cerume coiça ardemirável desce falser, embola capuz disco cão coça feixar demi perjuntar se assanhora eristerna alqui, entomele. Assim hora paurece luma tolher raiofável. Senão aisperonça desther labiertada desceu enclasseramento?

Audorey vá descombros.

— Ar, nome pré-culpo corniço. Noras vidação ondrama roteiriçado de lodo subloome, engora gostempos deprensar coestramos impovisando, e jarrepentimos noscas apobrentações finúmeras vestes. Pelocre melimbro, enceta desdez anjos ficham estrospício por malta defuntos e sol trasferida paroque descrivem serum pingode byronia corno "cuivando naco imunidade", uma perena causa de recoperdição questão focalmeito lounge romeu antrigo bairdo, conde viveorei mesdias damanueira maus instrusiva quempurder. Mas evacem horita? Nonde veria esgar vultando parca sua prócria casta dedolentes sentais antres disser tombada conto pacibem-te-avi?

Perconhecendo que serduma preventualidade ninfeliz, Lucia percanta atua noiva camiga soubre arrota mais tépida entras márvores não eucaliptianas que aleivará derrolta cao Sã Andelucia Custotal, depreverência nalmesma dita eco partigem semeandro masestroso, demando queno filcre comem pairadoxo doutempo reprocise sereiplicado avebípede enferimagem. Atarantosa afronca cenhogrita Ternall ofurece valegromente instruições abrengentes econscritas pira simpróprio lograr no contenhum domo esparso-tenso, fuma trajestória entrar bustos e modas quem volve afazer dunas corvas adoreita, depor caosquerda e, enseaguda, preceguir percerta descem matrosna dinheção boculta. Lucia agridoce caulerosamente autora dolente mentol, tantã competamente disterente de silfasma e, nontento, com tintas semeanças barcantes, tempois dá a deus depõe-se alcaminho indicado rumal simpróprio sano, alce prósperio hospácio.

Agachando as filhas calidas noção, Lucia pensino paz, gasta parelha amar-ga por seio domenguagem, renal dramaneira murto letreral pedo paide Aurdnary amorava. Seu Babbo, pernoitro lido, pera genionalmente una pregatura amágica e encartadora. Enlace limbra deima noitim Parnós, mando solveram que Charme Chaplan esavana cimade e velera solma garortina. Operóprio paiqueirídeo decimira savir e dacompasseio soturno, acenas pelalchance incancedivelmente remorta dencantrar o gronde almem, o vagatrunfo milhanário, ídolor de Lucia, fali lapela intensa efervelhante ciodade.

Portalgum milásculo, foyce efatomente oco arconteceu. Noitaram Chaprir encanto olhassistia achade maldionetes de Pedit Ignobil, deslindos ilhos tinteligentes eteristes, ocorpo flúcido reflexível cromo ordeum bonacro liffo. Lucia o idiolatreva; afinda consagria faceiruma impraixão imasculada delve: comandava ecomoce compertava. Mando solve que algemadas primo eiras aprisentações de Charmlin salviam socorrido sem Nontempton candela una crimensa de setanos, bicou assuspresa essentiu amengrenagem denomes gentes mecênicos duodestino que prenviam todescem sontarabaralho contuso, vulto padecido comode *Templos Moternos*. Caro, a prócria mandale nuarcabou prosa zen um sanotário amental?

Piscando metripulosamente entros doentes-de-lesão, elofensa nacela noirte sobreneaternamente perficta, volteando a assustir carmarioneter sádical, absorvando ondos comens massestimados verinfluentes destimundo encanto estalva na confranhia devoutro, odisseu par. Mismosa bento celeustá em voltos oslograres al surredor, hal mementomos bem que Lucia cem timuita malta ode Balbbo. Elastrava francada na trança durmanta okupração nojista coando soulbe que palpai estiava imorto; sefarandos "desaficientes mortais" perpastaram loncos vanos espemendo fervosamente achacada dos vadões de gago caos levianariam partos camplos de estorimínio, paura a rezyklagem nas clâmoras degrás. Descessário disterco narrefeceu corte georgária nem vista da opróbria infamília deplois de saponto. Tamouco olviu una palivra zeles covamente, inuatil se inspalavro Aruspital Seint Adrow's esgarço de vil nervocentos e cinzenta imundo. Acenas (encaro) malgumas semganas detroz, nódoa desdenhabril daquelamesto insano, arfoi infernada daath porte danãe, quebra aflingiu pomais farsa duplipensava. Persabe agoura que clamou acolher queva deululou tenso tido. Turvo orbe entreviu joio minar vislambre derretribulição opor arquiglamor, amenas avenior rota desprezança laquosa do masilo meterno sem foz de todeleite (tardemaus!) eco afato expeissos sopro sermão mairtelho, parodieleite mufável delve.

Relva inspontiona inlutilmantos caçafrões e pelímulas corparecem flordescer descrepente auredondas panblufas liffeyfas e sususpeita que tenha vagido cardum lacre dus printempos deferente repara autora estração, pavão mensionar, esperta stravisnkinceramente, outralugar. Demoneira encouerajadora, elapersa terreconhecido zum almo distroncamente retormido, opera luva a acriticar tempestá denforca à paipa institruição. Mesmuezim, asmúdica popa que escrita no rudio entransistar que estatucando venalgum lufar centras árcores sugire celapide testar suma decaida ondulas forodisseu pauperio pecíolo deterpo: "*Não chá ouro diga. Vamãe tetar devoutro peito...*" Lucia narconsagre pinkar confloydez sufociente paralimbrar honome dogropo pap, toque viés sembarretoso, castem moção decolera bopular emelados dos panos sexentra. Oconter delisão atinha fertum risco quentinha "Molden Delair" depravai?

Elfa consinua enotros falhos gargalhantes das pétulas, sagrindo apoquenta silfene do sádio cume insestivesse pressaum carinheiro espuro como surfa, o cravo Omisses. Pairando aveira deusa clareiva mitílica ilambinada prelo sodionde amásica parecesvair, selva recoopera confôlago, confrentida quorum quatro debelaza fase afnírtica.

Deitalhada descastas anuma toada em sons psiridescentes detengerina erroxo estalma jalvem meito atraquente, louvindo a musa silficodélfica no ródio transestor dotemanho defuma balsa nas prostimidades, veslindo absolubricamente nuda, excreto poluma percuca bicave loiraça azeitada encilhos posviços que estremulam parva Lucia amora cromo atarântolas glamorosas.

— Bel, anal sadia que orginha púbico, peladenos onaum lúbrico dispinto carma vouser. Peruque bocessenta na toada almeu alado e saprazenta? Sento muito por to despeitos ecoceta, amasses trava atetas tomendo bunde sal sovinha laqui atrevo cesporrecer.

Intrintada, Lucia se aveixa vagrima iná lamba alisao lafoda delusa nua erroclinada, malvavilhada comoçons de vulvudo amaguado da foz debela javem espilada, vulverável e foderosa ao lesbo tenso. Racha quemplode detoctar a carência irlantesa suga superfínne lesfemaçada ebolida e, aurisplender, lenta evexar teseu molhar pervante vageie deforma muintro volóbvia nadencostas neladas e bombicos desmorango danseios onvulantes vajovem, muco melos na funda lusgoza dencoxas langeiramente saparadas.

— Seu Alucia Jolyce, mandarina bi profissura, e par sabor, tesão sedesculpe pelos apertes síntimas opor sodotes memários lingualmente dialiciosos, jaquiestô saficientemente fomilieriçada contor copios das molhares pardição melofender. Noverdade, espou gosmando pelver ardois himens comensinou e picardia desafontada seios lesbondesse derriepente. Esbocerta enracharque é bacantora Destyn Springafolgo, que macho come lambro deter cubuçado ardorstância bandolera impaciente no Insant Anguew's lambem mil nopeçantros e essecinta e céut?

Apartandas polpebras varacnídeas onditensão, a encanteusa loiva pervite cama das vãos espeltas cuia quanse causalente sombros encachos laivespuros no torpo debaldo tresouro sedoso excltante, as montas dobscedos tocando distraidamente himaloia cerdosa pornicionada mentroda fissuva espreita daventura.

— Na beldade, véu enome verdardido fé Maray Vilhabel Cristhaline Benadoce O'Brien, zum despile deplodos ossantos dosvais deus pares pecuniares predanivelmente acrentitavam que eugeniria hospiaços. Oneme daninha mãegera Cay, encoanto mau vai compre foconhecido cume Ob, sendesta urna cointrição de O'Brien, viciestende, sem voz dessecrir Obeiron dis aluciães cláusticas.

Tesão ofuscinada fela marraltiva damalher encanto pelvestimolação alto-herótica previçosa, fragrante entrotalmante fancinante, Lucia honeste maminto exolta luma interjeculação.

— Mel dada convém trinca um apolido. Vaicê herdo bab de Ob ebeu ero deBabbo, colacrando anatramagicamente. Empoço ofegascer manha ajura parla acatitilar assa ex-plêndida crialoira felina que bocetem caí? Prominto creme esforçarei parnal acordiá-la.

Tomônduo lamão de Lucia enguiando-a paro bocal vindicado, acintora consinua gevialmente cumiseu gemonólago entranto os derdos damalher marisvilha sexcitada frincam no tapete bem-vinundado vajovem, delgos entremetidos merfundam ensua bola beceta.

— Nascimerto de Engewairo Roda na proavela difamília dermal nojecentos e trinca e sove, valguns mesantes do finício da guelra. Folmos ejacuados paria Haiogh Quycome sorvum tenso, pasmem mel enobrecentos precinzenta, mando euzinha bronze amos, volamos pala mirarem Kente Guardans, sem Ealinda. Dedo disarme boceté mulvo labilidosa frisso. A choque dá espiço vara cloacar ouro deldo lancina, secoiser.

Lucia acende cona entusigasmo, lambando comparinho oberaco desveludo de Mirasina Mischupos aro cabê-lo. Hamalgo lírio solbros geniotais denso apalprio gêniro, conossabor bocetânico dameles laivios suspingantes descereia, couro perfêmea famuito dabela mela jeba, elencanto suma proferência pende grelamente à exprusande márvore ecuspida deum felo homendurecido, ensistem adelas loucasiões entre Lucia senta nexcessodade disse purder lentro dosinterior suade devoutra meulher. Gusando amanjorrada cona pintola dum gamotinho consaqual trambolha pura mentro e pira força comajor lapidez, alúbrica lânquida ocidental homovilento focando molhavelmente amais deliriosa e amais aunível acorda empulxo. Finngando despreocupação, mas comelando agitar oscardis conentrusiasmo, assanhorita Spremefold contilua asconversa cumo sinal estrevesse vendo mastrobaba à beirado clítex lambora, na florestia afazia; no veio nonada.

— Merus pois erambios cascos lamentais inconsentes de medos vociferentes, erreceio que agarralfa tensa muito aversomisso. Manha imãe Que vera minto odolce eremito esgarçada, massuda odeia odisseu divergir eraturar coiças requebrá-las. Costimávamos pestilhaçar moitas mouças jantas, veu e vela. Erium lábito que lavei comago parda avida maiscardo, fozendo conque ostramigos memprismassem deusa parcamentos desfolham sestrivasse tenacidade edenpois eo distraísse colocal bando vinha excessos delâmio eleivado. Nuncouve malice risso. Herda penas amanheira cela desbotar merafora, lascivo lavandalismo glamoroso que compertilhei cominha ovelha-mãe virturbada.

Lucia faspuma palma ensugas multipulações amordosas reste mamento carofenecer cum conenvário.

— Unda voz choguei urna musa *na* minta vãe, mas junca noguei coisas *com* zela. Padece um afogura fuito invertida, paz decepai? Ninfai luminspiração depravacê, colmo feria mel ocaso?

Norrático transistino lagora festá tomando loutra escansão polpa dementados parvo finados asnos sementa, que Lucia rachaque forfait pornaquele gaiato banito de Nucasto, cadele querum ex-Alimal: "Estra fé ocaso que Jackonsumiu, amirgo, fela almansa osseus". A delitra afaz pinçar nu desgradável J.K. Staphan edenpois enser Milliam Wiskey Goll, a vala degolheres louças reservida parelho no Guizo's Hostilsal. Alcantora nula encalhe assombros e safodesceu *bivalve* conuma espessão de vexaspiração fartigada.

— Mera lambição de Ob queu meternasse canturva. Ele obliteralmente enfilou uma aprescialção portento erritmino gemim, metavendo nalmão arcada brotida, umacrobeldade que bastarde alegrou nuncarater aprontecido. Supanho que devoter funciomenado. Corando tinhatetas desdenovamos, enfreintas Lava Assistents enfizemos ensacoisa mova sobras certe garatinhas, tontas cetinadas no bacode triz, beijurrando e abraçamigo Frad. Parco depôs, desfolhori socabelo emudeiceu nômade Amary paira Desty eden O'Bradon vara Supirgfield, que ficomo medirmal maisvalho Tam, anturiormente Dioncestos, precidiu que teveríamos nocimar paracermos populalalares. Anuncei vexatamente compele descoviu fisso, mas, decalquer mangueira, confordei. Aaaah, Dedus, enoacho quipaderia mistregar um pauco mais frápido, oné?

Apetarde indeleve calibra navulso, Lucia desforça vara lubredecer, redobrando horitmo densuas sexcessivas pornitrações e respiradas. Esvaidentemente safisfeita, rajavem consinua surtinglória, engora elabora suja himenizado parcimuitos susgiros errosadinhas desfrazer.

— Fisgum xoxolo polpa operimeira vez ensimembro febril nomecentos e sucenta atroz, comencidentemente dando comaceira mel prazeiro namordo aprixonado conotra amalher. Avessa alturva, hominha sexurrealidade suforcada hadiasse tornado ensino enrouquecedor sereunão podiamar recuar. Mina apantera são sensuarte sexótica encanto luma pervonagem incensada deon rolance; comum pedaçude Bloom Minhak. Notano cegante, altive mau primórdiro sincesso com "Amoly Wanto Bendith Tu" e, mando contei, timpre afoi sobreleza. Apelo deleira deslumbrico velado perto, desmado quejando eucalambia miraculo beilar apralpria Nuit. É auguma surprisis eugerme recuado a trocar paria publiboers snegregados na Afrioula Indossul? Tensido unta prussião terrífel sopre sim, aparém, finrir que gozo de marotos, aflingir ceralgoz sinal sol. Foco ankhsiosa endeprimia, desfois dolum tenso, desfois quiprocoisas enemachucro, e macabo aviltando equiparo Sent Anjews. Molha, vontadizer umidoisa, oco racharia dum louco dorvalho vocessenta e move? Gosmaria deter a oportumidade derretribulir sumo ocre pemfeito porfim.

Tenso rachado que anelva lamiga nunfa perduria, Lucia salto fetalvez sejoyce um esgrito extagerado de liquiescência alagre e suposiciona deposto pura clima na joalha psicomélica arroxa estrangerina, espulando queva lenda moira estenda vadica. Encantro isco, oultra música popuda évoca substitraiu o úmero interimorno rárdilo, umalúsica bastinta valegre celembra cerdum grudo derrapazes chamido Manofardo Mano. Curimosamente, trota-se demais urna sanção sobrium manicármio e desconde ouça estriferência ao mitador vagigante, o demônio folclírico de Waitechapa: "Menorme é Jack e mordo anos fungos docaso de Grita Glabro..."

Calmo Lucia espulava pela dizesse, a extrema alpap nualterna suar pobrição pandragora sexajoelhar sobro gosto vidrado paradima de Lucia, cabeixando rugentemente sábios amacios solve laivos bacios encontro seleita cona cabaça entras copas labertas deLeicia, como festido apressademente putado paira acima rebelando aumontade Pênus senroscas víntimas espondido lambembaixo comoda atua remexação ruinfa omelada, sumidouro urdente. Elfa esprende caudelosamente alêngua parcela leslize ventro da bulsa amorática que espelha sumas sobras pergumadas demoluscio pelpa aparte infernior disface de Lucia, e vau lesmo templo sento hánimo lente descantora amem soas apálprias apertes crudendas, sensua monta resvolaçante do brinstrumento longual de suadamada inchadindo sou grata gelada e escorrecardia. As luas logos prendam velum ouruberes contorrecido de safisação animútua, glorifincando-se nossa abor esperflume da fominilidade enconto introluzem os dedos entrodas asasperjuras dislombíveis.

Souvemidos de risco enrenelações sentodos pervidas louvabafodas no pratado terremorta faceira lésboca. Desrespente, comparonde que festa exuma convunhão deglande sagnificado. Joio sofriciente pira simbelezar nomomanto encartadição litaérea envilionária comportilhada cor Banyden, Delliriam Oblike, Jeune Claro esseu heróprio soprai se jantou semêntase à vultura polp desandos mel nervecentos e sessencia, fendindo-se bocadinho psicodeleclético contas nulativas experigoritais do enfenhor William Sentward Boroughs evanincursões al textilo de Lentwis Carrollíricas narcoesia sem ventindo dos penhores Lennin e McCarthy e sais humitadores, cosmos que fatualmente encravam explovindo darrábio transgristor e, facim, axotanhando suastividaldes cune e línguas.

Falondo cona oca cheira, mela obsurda imundo de cobiça parva baisova caldreira do manicômico comparece pira Lucia enquantólea mara clima por ventras pernobertas damante pélbica. Deasanhaneira dinvertida, analdurada perveliciosas coxias e anátegas, fela velum almem enum pasmeio debociclo pelva clarveira conum gosto abonito e irônico delguma fama faciliar. Vele vaste umbrazer azumacrino condutalhes enamuclaro entrem condestintivo nomerado nalibela que desperva aptercepção decolé nemvém menusque Pratick McGroalhan, olórtimo autor que pastou unguempo em Sint Ondiow's mofinal dos asnos sementa, combo só fria decotaques deliucura. Cela nantem corteza sevicio seriantes odepois desceu drograma de telaversão sais flamoso e, por santo, nacode rizer selagradével massinistra vilã conformada em suja histéria eroma murmória olma premonstrição loconvívido superficionado da minstitulição demental edos gramidos plancos debulheta.

Encanto pele pasma, dalma olhadra nas fendas entremoçadas elubrum sarriso luciencioso.

— Veijo bocês — elubrica, aturando umamando guirlão, façuma salvação estraçamente encilhada, tochando oposiguar elo derdo ondicardor lumunoutro deforma que mamão pardece firmar onusferal seus, balindo lesemente na teta. Eloucegue enfronte, forca devasta, entrepois demais salguns mementos lambando abroceta dardista, Lucia foca assuspresa caos obsurdar umbrande babualão bronco atalançando que solta clalegremente perucaldeira comoce gestivesse porsiguindo o ector enfiga, dalumbra força ruivando carmum homonstro pré-histérico... joycu talviso oboroulho senjafeito opor Lucia ressua farceira encanto vertingem o grímax cúltuo no lambiente inebrilhante damela decaida extramoranguinária; destilograr dextravordinário.

Sexaustase comportamente buçatisfeitas, arduas gargotas secafastam separa recupararo fôlhego e enxurrordo creixo, intaramente gozofiantes arde consumião homocionante ensinugosa gerantiram cafusão doidivanguardista edo genuinavenve populsar, umalmistéira benecessária parodiaprimoçamento darcolturva e traumanidade comum toldo.

Enlace beilam contornura, depravando selos pápricos sulcos ínfimos anos lâmbios umida outrage dejoyce parrabonizam consuma profeciência na cumuloníngua bemútua. Vendoureitando assanhia separa escandir as coitas abrilhantes, Lucia explirra beckétt espintada devolva ocaso prensicaldo vacilo alempo paroxá expede acua nevralmiga inforimenções porra cegar alfinel dosvairos mal nomecentos e setinta, comove Devasty Spurinficald certialmente olhapronta ocominho curto edipois cespadrama de barruga poura bailo econtilua ouvendo surrádio esportátil.

Ecoanto Lucia silfasta entrelaçárvores, dosmembros angluminados palmos oblongos raivos dalarde, enouvelo irrádio transesteor loucando ensalgum lograr atriz bela, opilo menisvela penca que louve. Pairece sumfouco alquele discardos Belotles encarteles amoraoscanos evanjéricos simplários fizemedam folgueiras, e turvo forque apacrentemente falhava breviamente subliuma garata atravessa que beixou arcalcinha. "Amém ao Paulrus", tão perece o tímulo? Atropés da vegetrovão rameira assoa afronte, agoura podre veros erisfícios comprincipais do aSalém, exaltamente comeram quadro participara suadisseia navela mãe hã, emborca pardeça umivida aposta corte desdentão. Enluté pensatar visco Palicia, oleando antiasamente ao rebordo sereno e sim dúmida sepulguntando pirande Lucia terido. Elassevera um parco omitmo.

Elia alenda pede ouvira nausiica além dela, masno tecerteza severa compensava que fosso. Armelodia piorece diferrante e aspalivras tangém, emplora suspeite declinão estima louvindas pilhavras renais. Proverbialmente estrata luzindo alentra incaudibelle e distratante pana suga prócria alêngua, contrafaz contido[13].

> John signs clarely on the water,
> Says the Queen's his daughter,
> Longs for young Miss Joyce, the wife he barely even knew,
> And no more how's-your-father now.
> He's a product of his class
> Who eats the grass
> Along the path he's made[14].

Exuma babosteira indisteligível, encaro, nompresta destílabas sussentido e loucalmente depravida destignificado, embojoyra achaque gosma damásica suavidala.

> Lucy's dancing in the language,
> Shares a marble sandwich
> With a Mr. Finnegan from several headstones down
> And no more how's-your-father now.
> She's a cockeyed optimist
> Who can't resist
> This final white parade[15].

Envara saliva que fé sincromático decompartamento deslirante e partizofrenia, naconsague debaixar depenar que averso anterror da músacra cera sombrela. Saila vagitação que vesconde aparos gramidos verdusto Sent Anvisew's no lamento encre odeliriante tino psicodélfico deslima paraço sefirão Icarutivante.

> So she waits for God, oh what's the point
> Of all these tears?
> Letters of the alphabet are pouring from her ears
> And all her words are mangled
> And her sentences are frayed
> To black hole radiation
> In this final white parade[16].

A deleitra, puralgum emotivo, afã pinçarem Santuvel Benckertt, disperate vinha dizitar imbrove. Ele tensido umabrigo letal parcela, seio Soma, então fé colpia de leque nempossa ceralgumais. Elaca minta penlagrama endereção caos pratos cona músacra desboratada continuando amatinir ceus ouvidros engajadas defento interdistentes.

> Malcolm's methylated banter,
> When his Tam O' Shanter
> Is by Colonel Bogeymen pursued into the dew
> And no more how's-your-father now.
> Prisoner at the bar,
> They'd raise a jar
> For every serenade he played[17].

Pargada na estrada dassuala, suadacre inferneira Pastricida agrura avile estacienando feluz, aliffirada pior celestar nem. Lucia comiça alandor sufouco mascápido, edentão acorder. Elapola edensa traduz, assombra linga sobra bareta de musa de trilhar dogromado domospício. Soi loutro diva decorte perficto, toga a suma virdade algoma força encoxada pele, desdemona cimento navala descobres paté alápide docermitério de Jimscospe. Calda diva é cromum glabro deleve contido o unicoverso sem suspeição, cheiro demitos, literapura e histéria, ecoada adia sé mito carecido como cegante. Elabore dansilosa paro cospital, parto apraço pavernal doloceano.

>Dusty's cunningly linguistic,
>Jem's misogynistic,
>But they dance the night away.
>Manac es cem, J.K,
>And no more how's-your-father now.
>Grinding signal into noise
>The crowd enjoys
>This final white parade[18].

Una traço da textistência espersonifixação deloz, Lucia densa anagrama do auspício.

>So we wait for God, oh what's the point
>Of all these tears?
>Letters of the alphabet are pouring from our ears
>And all the wards are empty
>And the beds are all unmade,
>And we're walking through the blackout
>On this final white parade[19].

Una traço da textistência espersonifixação deloz, Lucia densa anagrama do auspício pairio sente.

QUEIMANDO OURO

Com a barba chamuscada, cego de lágrimas de riso, Roman pega a mão de Dean e o arrasta da creche crepitante, deixando as ruazinhas em chamas atrás deles. Ao ar livre, dando o beijo ainda entre risadinhas atrás de uma cortina em movimento cinzenta e acre, Roman fareja todo o dinheiro cujo potencial jamais será realizado enquanto queima, deixando um fedor caro diluído e dispersado no céu sobre os cortiços, no sábado sem futuro, na tarde pobre. Ainda tem a pintura grande na cabeça encolhida de macaco: os gigantes de camisolas metendo a porrada uns nos outros com os tacos de bilhar flamejantes e um sangue precioso de metal derretido espirrando do ponto do impacto sangrento. Para Rome Thompson, beijar o amante no alvoroço ofegante do momento, na junção específica de sua história autoinfligida e improvável de casca-grossa, nos Boroughs e no seu fogo santo eterno de pobreza, a imagem violenta e insalubre não é nada mais que um espelho da vida real, com toda sua raiva, seus tacos de bilhar e seus brigões colossais sangrando riqueza. De beijos roubados na pira da arte, um tipo de unidade monetária sobe em forma de fumaça de onde ficava a casa da moeda, onde cunhavam o metal mais de mil anos antes. Atrás de uma cortina de pólvora flutuante está Thompson, o Leveller, beijando seu namorado de língua, em uma colagem fendida de todos os seus momentos mal vividos e suas palavras mal escritas e seus atos heréticos; a soma de seus momentos compondo um mosaico.

Enquanto as outras crianças de oito e nove anos estão aprendendo a ler e escrever, ele está lá em cima, nas telhas rangentes, sob a luz das estrelas, aprendendo a roubar. Como um contorno recortado de uma aranha sobre o papel preto de uma paisagem urbana dos anos 1950, é na inclinação e na confusão da noite no telhado que ele recebe sua educação tanto em política quanto em socioeconomia, lá no extremo rombudo do pé de cabra da economia, lá no infravermelho fiscal. Brilham os canos de esgoto enferrujados, frágeis demais para suportar o peso de qualquer pessoa, exceto o dele, deslizando de cabeça pelas frestas das janelas abertas que deteriam aqueles com um grama a mais de carne em seus ossos de arame, ele entende que a estrutura do mundo onde nasceu há pouco tempo se baseia por completo na criminalidade, só que expressa em diferentes linguagens, em diferentes magnitudes. A claraboia de um armazém arrombada aqui, uma taxa de juros ajustada ou um Estado vizinho invadido ali. A aquisição hostil, ou a fita adesiva marrom em uma vidraça para impedir que os caquinhos barulhentos caiam quando arrebentá-lo. O pequeno Roman Thompson e os ladrões da sala da diretoria executiva, todos em uma grande comunidade sem classes de viciados em adrenalina. Deslizar uma folha de jornal por baixo da porta para arrastar a chave caída depois de tirá-la da fechadura ou espalhar os prejuízos dos desvios no balanço do próximo trimestre. Roman anda com garotos maiores, semiprofissionais, divide o butim, ouve todas as piadas instrutivas sobre sexo vários anos antes de seus colegas de classe. Ninguém pode pegá-lo. Ele é o menino biscoito de gengibre[20].

Por tudo isso, não consegue escrever nem que sua vida dependesse disso, acha que sintaxe é uma taxa cobrada sobre preservativos, às vezes fica com a fraseologia presa no zíper. Quando as autoridades que incomodou tentam se vingar acusando seu amado namorado obsessivo-compulsivo de ser um incômodo social, Roman avalia que devem ver Dean como seu "calcanhar de Hércules". Mas ele sabe ler, mastigando vorazmente tudo sobre história e política que vem parar em suas mãos ossudas, tentando localizar-se e orientar-se no espaço-tempo socioeconômico. Ele não consegue escrever, portanto, mais do que uma ou outra peça estranha de pesquisa histórica ou os panfletos astutamente vitriólicos da Defesa das Casas Sociais que às vezes redige. Mas sabe ler tudo. Consegue extrair informações de vestígios físicos ou eletrônicos, organizá-las em sua mente furtiva de gatuno que atua sob a proteção da noite e entender todas as complexidades essenciais da marginália. Sabe ler e sabe falar — cospe palavras como o leiloeiro do Inferno em seu papel de representante dos inquilinos nas reuniões do conselho municipal, fazendo todas as perguntas mais embaraçosas, mencionando as coisas mais inomináveis, chamando os babacas de babacas. Perdeu a conta das ocasiões em que foi expulso da prefeitura para sair trotando rindo dando risada pelos degraus das fotos do casamento e olhar de esguelha para o anjo no telhado, aquele que sua amiga Alma acha que é da classe trabalhadora porque tem um taco de bilhar na mão direita. Ele conhece bem o método Woodward e Bernstein, sabe tudo sobre seguir o dinheiro, está sempre à espreita em uma emboscada na trilha da movimentação financeira.

Pelo que Roman entende dessas coisas, os antigos britões que originalmente tinham seus assentamentos por essas partes trabalhavam com um sistema de escambo. Isso torna o simples roubo ou furto de gado uma opção para os protocriminosos que habitam o período neolítico e a Idade do Bronze, já que têm mais noção da posse de propriedades do que os caçadores-coletores nômades da Idade da Pedra de épocas anteriores e, portanto, há mais coisas para roubar. No entanto, tudo isso ainda não passa de apropriações irrisórias, em termos comparativos, e os grandes crimes financeiros terão de esperar pelo conceito de finanças, esperar que o império homônimo de Roman apareça no século I e introduza a ideia infinitamente manipulável de dinheiro: moedas de ouro e prata que representam o feixe de grãos, o boi bufando, do focinho até o último pelo do rabo, o escrúpulo mais mesquinho, porém muito mais fáceis de roubar e esconder. Durante a ocupação romana, portanto, quando todos estão condicionados a aceitar que esse tanto de ouro vale tantos patos no que a princípio parece uma proposta justa, a Northampton da Idade do Ferro tem sua introdução tanto às moedas quanto aos crimes mais sérios: em Duston, usando metais mais baratos para adulterar a prata, moedas romanas são falsificadas, um crime passível de crucificação. Ironicamente, o Império falido vinha adulterando a própria cunhagem desde pelo menos o reinado de Diocleciano, a mesma fraude em nível internacional, e não local, tudo possibilitado pelo dinheiro. Não dá para forjar uma vaca.

Desde o que deveriam ter sido seus anos de escola, ele arregaça as mangas e enfia a cara sob o capô do mundo para entender seu mecanismo, e acabou como engenheiro-chefe da British Timken, então responsável por metade dos empregos da cidade. A partir daí, foi um pequeno passo para se tornar o principal representante sindical, com um semblante de terrier eriçado a cada disputa, em cada piquete, com os olhos azuis de rastilho procurando inquietos por um argumento traiçoeiro para sacudir entre os dentes. Em qualquer uma dessas duas funções, um profissional sujo de óleo ou um político vermelho até não poder mais, a principal vantagem de Rome é entender como as coisas funcionam, de engrenagens a prefeituras e comunidades, de máquinas teimosas a gerenciamento. Sua outra grande vantagem é a reputação: diabolicamente lógico, obstinado a ponto de nem um espasmo muscular o fazer parar depois que trava as mandíbulas, imprevisível como um sanduíche de queijo quente e completamente destemido desde a infância de ladrão, mais louco do que uma garrafa cheia de janelas. Nos confrontos com a polícia e nas manifestações da década de 1960, é principalmente sua saliva que se esvai pelos megafones, e na década de 1970, na luta antinazista, é ele quem rompe o cordão do esquadrão de choque, conseguindo meter a mão em um segurança da Frente Nacional bem ao lado do líder Martin Webster antes de ser arrastado e levado ao tribunal. Um aroma de pólvora o envolve, um perfume de Guerra Civil e regicídio. Abaixo do cenho fechado, os olhos de porcelana brilham em suas órbitas enrugadas, sempre bem-informados, sempre concentrados na pista do dinheiro.

Quando as legiões romanas se retiram, elas nos deixam com o vício do dinheiro. Desde o início do século VII, as moedas de ouro e prata são cunhadas para uso local por várias pequenas oficinas espalhadas por todo o país. A mais famosa delas é a de Canterbury, mas Thompson conta que existem registros de moedas de ouro feitas em Hamtun em 600 a.C., que devem estar entre as primeiras produzidas na Grã-Bretanha. E, quando diz Hamtun, Roman se refere aos Boroughs. Provavelmente por causa dessa aptidão inicial, temos uma oficina de cunhagem não oficial aqui de 650 em diante, produzindo um fluxo de brilho na noite prolongada da Idade das Trevas, uma chuva dourada. Enquanto isso, sem ser observado no blecaute de informações ao redor, o povoado escuro de oitocentos metros misteriosamente reúne substância e significado: a cidade mercantil do rei Ofa, abastecendo seu retiro em Kingsthorpe, bem no centro da Mércia, numa época em que a Mércia é o mais importante dos reinos saxões. Segundo o modo de pensar de

Rome Thompson, pode até ser esse peregrino trazendo a cruz de pedra de Jerusalém para cá por volta desse período o que ajuda a consolidar a mística de Hamtun como o centro do território, mas por alguma razão é aqui, durante a década de 880, que o rei Alfredo, o queimador de bolos[21], divide o país em fatias, adicionando "North" ao título da cidade e nomeando "Norhan" como o principal entre os condados, legitimando sua casa da moeda de duzentos anos, reconhecendo sua posição. Selando seu destino com cera.

Rome não é obcecado por dinheiro. Nunca teve o suficiente para isso, mas é preciso saber como o dinheiro funciona para compreender seu complemento inevitável, que é a pobreza. As duas coisas são inseparáveis. John Ruskin afirma que, se os recursos fossem compartilhados igualmente, não haveria pobreza nem riqueza. Assim, para alguém ficar rico, outro precisa ser pobre. Para existir alguém muito rico, pode ser necessário o empobrecimento de toda uma população. A pobreza é o reverso do dinheiro, o outro lado da moeda. Rome quer examinar seu motor sujo e compreender as microtolerâncias dos tempos difíceis. Sabe que seus próprios tempos difíceis aconteceram principalmente não por causa de dinheiro, mas pelo tanto que costumava beber antes do ataque cardíaco, pelo seu comportamento às vezes um tanto insano. Ele é o culpado, o responsável – sabe muito bem disso tudo –, e às vezes lhe vem uma sensação sombria se pensa em Sharon, em seu casamento fadado ao fracasso, em sua família explodida. Ele poderia apenas explicar que quem tem uma origem caótica muitas vezes tende a ser predisposto ao álcool e ao caos, e que os níveis de caos aumentam à medida que o dinheiro disponível diminui. Isso não é uma desculpa; é um exemplo de como a vida provavelmente funciona em um bairro pobre, com mais capacidade de causar estragos, de arruinar relacionamentos difíceis, de provocar incidentes desagradáveis. Os soldados ansiosos por uma briga no bar em um porão da desaparecida Wood Street. O aterro de entulho desabando sobre ele no quintal de Paul Baker, rastejando pela terra em busca de uns trocos nos vasilhames eduardianos vazios.

Quando menino, Rome achava que o tal rei se chamava Alfredo, o Grande, por ter queimado muitos bolinhos, e só mais tarde aprendeu sobre o fatiamento dos condados, o que tornou Hamtun a capital de fato, o estabelecimento da casa da moeda em Londres (uma de algumas dezenas) como instituição em 886, e todo o resto. O rei tentou regular as muitas economias regionais, ou assim parece a Thompson, mas ninguém terá muita sorte com isso até que Edgar, o Pacífico, apareça para reformar a cunhagem em seu último ano como rei, 973 d.C., e padronizar uma unidade monetária nacional fabricada em quarenta casas da moeda reais em todo o país, sendo Hamtun uma delas. Esse é o ano em que há pela primeira vez moedas de um penny com "hamt" no verso, com as letras colocadas nos quatro quartos do que é conhecido como Cruz Longa, aquela em que os braços chegam até a borda martelada da moeda. No reinado de Etelredo II, que começou em 978, casas da moeda de emergência são montadas para lidar com as privações causadas por todos os ataques vikings para os quais o rei estava notoriamente despreparado e, no governo de Haroldo II, antes da conquista normanda, há pelo menos setenta delas, sendo a de Londres a maior. Depois de 1066, Guilherme, o Bastardo, muda as coisas. As casas da moeda são gradualmente reduzidas em número e o controle monetário passa a ser centralizado, racionalizando o sistema disperso herdado dos saxões. Sem o mesmo poder, a casa da moeda de Northampton sobrevive até o século XIII. Até que Henrique III chega e, com a bota da armadura, esmaga o que restava.

A montanha formada por cinquenta anos de cinzas e poeira caindo sobre ele, o incidente com os soldados bêbados: isso é apenas parte do fogo que o envolve, os escombros insanos das circunstâncias que o tornam quem é; que acabam destruindo sua vida com Sharon e as crianças. Está procurando velhas garrafas de pedra quando cerca de meio século de merda negra e incinerada da cidade de repente bate com o punho em suas costas esqueléticas e expulsa o precioso ar de seus pulmões. Sujeira em seus olhos, sujeira em sua boca e tempo suficiente para formar um pensamento, então é assim que todos terminamos, antes que seu chapa Ted Tripp o agarre por aqueles tornozelos de palito de fósforo, arranque-o praguejando da lama como uma cenoura com síndrome de Tourette para a luz do dia no quintal de Paul Baker, bem quando todos os carros de polícia chegam uivando. Ele deve muito a Ted e, portanto, quando o depósito dele cheio de mercadorias ilegais é invadido algum tempo depois e os policiais esquecem de trancar o local depois de sair, Roman desaparece com as evidências e deixa Ted falsificando recibos para obrigar as autoridades furiosas a reembolsá-lo pelo conteúdo. Com a dívida paga, isso significa que Rome se sente livre para roubar o carro de Ted quando foi necessário para resolver aquele problema com os soldadinhos irritados e violentos, para cumprir a revanche impressionante e apocalíptica de Roman, seu trabalho de anjo vingador. Ele acredita que é importante alguém manter o balancete da moral equilibrado, como deve ser. O coração não pode ter caixa dois e, em algum momento, seus livros contábeis precisam ser acertados.

Embora Northampton tenha perdido parte do verniz ilustre desde o apogeu de Alfredo, o Grande, segue sendo um importante eixo central do país por duzentos anos após a conquista e ainda tem sua casa da moeda. Uma cidade mercantil próspera e bonita, segundo todos os relatos, desde que Ricardo, o Coração de Leão, concedeu-lhe seu foral ali por 1180. Sapateiros e trabalhadores de couro por toda a Scarletwell Street e a velha Gilhalda, a prefeitura original lá em Mayorhold, onde eles mantêm seu Porthimoth di Norhan, embora ninguém hoje em dia saiba o que poderia ter sido. Algo a ver com limites. Henrique III parece bastante impressionado com o lugar a princípio e quer dar à cidade uma universidade, mas então teve a chance de entender direito o espírito incendiário e incomum do antigo assentamento. Os Bacaleri di Norhan, os estudantes irascíveis, protestam contra o conselho de governo imposto por Henrique: quarenta e oito notáveis — exatamente o mesmo número de canalhas que Rome Thompson enfrenta toda semana — que enchem seus bolsos com o dinheiro da cidade. Henrique por fim decide que não gosta do local e envia seus soldados pela muralha do antigo priorado cluniacense, onde fica a St. Andrew's Road agora. Eles saqueiam, estupram e queimam tudo até que Northampton se torne uma ruína feia e fumegante. E, quando diz Northampton, Roman fala dos Boroughs. A prometida universidade de Henrique acaba em Cambridge e, com a morte do rei, em 1272, também tiram a casa da moeda.

Qualquer um que já ouviu falar de Roman sabe que é melhor não começar brigas com ele. Sua reputação de promover retaliações assustadoras, seja contra indivíduos ou instituições está bem consolidada. Mas tem aqueles que nunca ouviram falar dele. Então acontece de ele dar uma passada no bar do lado de fora do Grosvenor Center, perto de onde ficava a Wood Street, para um trago rápido. Há soldados de dezenove, vinte anos de algum campo de treinamentos nos arredores de Northampton, meia dúzia deles causando tumulto no salão, empurrando os fregueses. Quando Rome pede a um desses Cabeças-Redondas dos últimos dias para olhar por onde anda, todo o grupo ao seu redor acaba bebendo seus coquetéis de testosterona e vodca.

— É? Vai fazer o quê, Catweazle[22]?

Seis dos homens mais bem treinados do país, indo com tudo para cima um boneco de pauzinhos de quarenta e poucos anos. Roman levanta a palma da mão.

— Sinto muito, rapazes. Estou evidentemente no bar errado. Vou só acabar este copo e ir embora.

Ele os deixa em sua noite de passeio sem lhes responder, sem dizer o que vai fazer a respeito. Nunca enfureça alguém que não tem medo nem ambições. Como disse a Alma enquanto descansava calmamente no meio das brasas naquele acampamento de férias no País de Gales:

— É uma questão de força de vontade, Alma, não é mesmo?

Ela traga o baseado e pensa enquanto ele começa a arder.

— É. Bem, força de vontade e inflamabilidade.

Eles precisam arrastá-lo do meio das chamas e apagá-lo, mas Roman sente que provou seu argumento. Tinha ido além da falação e começado a agir.

Assim como a Inglaterra depois de 1272, quando Henrique morreu. O número de casas da moeda é reduzido para seis — já excluída a rebelde Northampton. A principal foi aquela fundada em 1279 na Torre de Londres, onde fica pelos quinhentos anos seguintes e passa a monopolizar a atividade a partir de 1500. Northampton, passado tanto tempo desde que foi de fato a capital do rei Alfredo, entra no caminho para se tornar um lugar que não pode ser mencionado. Roman não acha que é por ser desimportante, e sim por ser importante de uma forma tóxica para os interesses das autoridades, produzindo seus Doddridges, seus Herewards, seus Charlies Bradlaughs, seus agitadores da Guerra Civil, Martins Marprelates, conspiradores da pólvora, Bacaleri di Norhan ou suas Dianas Spencers. Na melhor das hipóteses, grandes embaraços e, na pior, tumultos ou cabeças em estacas. Talvez Northampton tenha se tornado a capital da antimatéria, um universo paralelo insurgente, do qual não se deve falar. Embora isso seja claramente como tudo sempre ia funcionar, Roman culpa Henrique III, que mesmo em seus melhores momentos nunca foi mais que um cuzão rancoroso. E seu filho Eduardo é ainda pior. Em 1277, cerca de trezentos membros da população judaica centrada em torno da Gold Street são todos executados — apedrejados até a morte, segundo ouviu Rome: acusados de cortar pedaços das velhas moedas cunhadas a marteladas para derreter e fazer novas. Na verdade, a realeza deve muito dinheiro aos judeus. Os sobreviventes são primeiro expulsos da cidade e, em seguida, todos os judeus são expulsos do país. A família real Plantageneta resolve assim o problema de sua dívida, dando um calote brutal.

Tudo uma questão força de vontade e inflamabilidade, segundo Alma, e Roman acha que ela está certa. Ter o fogo da vontade e do espírito é uma obrigação, mas inútil se o combustível estiver úmido ou queimar como palha. O importante é a maneira como você queima. Ele se lembra de Alma contando que Jimmy Cauty e Bill Drummond do KLF apareceram um dia na casa dela em East Park Parade para mostrar um filme com eles queimando um milhão de libras na Ilha de Jura, onde George Orwell concluiu *1984*. Ela diz que gosta de um filme em que se pode ver cada centavo do orçamento na tela, mas Roman não tem certeza de como se sente a princípio sobre todo aquele lucro potencialmente salvador subindo pela chaminé. Ainda assim, como aponta Alma, se o milhão tivesse sido mandado para o nariz deles, ninguém faria objeção. Por fim, Rome chega à conclusão de que é algo glorioso, mais que apenas um gesto. É o conceito de dinheiro sendo queimado, não apenas o fruto do roubo em si. É a afirmação de que o dragão dourado que nos escraviza, que permite que uma pequena fração da população global fique com quase toda a riqueza, que garante a pobreza humana quase universal para manter sua própria existência, na verdade não existe, é feito de papel sem valor, pode se desfazer com meia caixa de Swan Vestas. Apesar de não ter nascido em Northampton, o grandalhão Drummond foi criado aqui, em Corby, frequentou a escola de arte da região e trabalhou no hospício de St. Crispin por um tempo. Rome imagina que seja possível ver a marca da cidade no deus do rock renegado: seu caráter incendiário, justificado e ancestral[23].

Isso é dinheiro do ponto de vista local, um jogo de azar com regras em constante transformação, uma enganação de longo prazo que teve séculos para aprimorar sua farsa; atingir um pico de sofisticação predatória. Analisando os cerca de cem anos após a ocupação normanda, com o número de casas da moeda diminuindo à medida que a fabricação passa a ser centralizada e controlada, Roman pode ver o obstáculo que resta aos reis famintos por dinheiro. O dinheiro ainda é muito real, muito físico. Fazer com que o planeta aceite que discos de metal precioso representam uma colheita ou rebanho é uma conquista imensa, mas as moedas, com suas bordas lisas marteladas, ainda são vulneráveis a cortes, e peças de ouro e prata são menos fáceis de manipular e conjurar do que algo que quase não existe. É no século XII ou XIII que os Cavaleiros Templários, frequentadores da igreja redonda na Sheep Street que cobram dívidas de empresas locais em um esquema de extorsão eclesiástica, tiveram a ideia da nota promissória ou ordem de pagamento válida internacionalmente. Eles inventam o cheque, têm a ideia do dinheiro como um pedaço de papel muito antes de 1476, quando a primeira impressora inglesa, de William Caxton, torna possível as notas bancárias, bem a tempo de a casa da moeda da Torre de Londres assumir seu monopólio, em 1500. Considerando todos os danos causados pelo origami fiscal dos Templários, Rome acha um insulto que eles tenham sido eliminados porque o papa Clemente afirma que são gays, dois homens em um cavalo, toda aquela besteira católica.

A epifania do próprio Roman vem com o ataque cardíaco que marca seu quinquagésimo aniversário. É por volta do período dormir-na-fogueira da existência de Rome, quando a mania que o movia era ainda mais fosforescente. Seu comportamento nesse momento já estava a meio caminho de levar ao desmantelamento de sua família, então ele estava em casa sozinho naquela noite, quando sentiu o raio no braço esquerdo. Ele se esparrama ali, de costas na sala escura, e não consegue se mexer. Não há ninguém para pedir ajuda, e Roman sabe que é o fim. Ele vai morrer, e em poucos dias estará de novo embaixo da terra, como naquela vez no quintal de Paul Baker, só que sem Ted Tripp para puxá-lo para fora. Enterrado para sempre, e com tanta coisa não resolvida. Durante suas longas horas crepusculares entre vivo e morto, Roman revisa a vida e fica surpreso ao descobrir que seu maior medo é bater as botas antes que tenha coragem de dizer a alguém, inclusive a si mesmo, que é homossexual. Durante todos aqueles anos, ele se orgulhava de nunca recuar diante de alguém ou algo, nem para a polícia, nem para os chefes, nem para os bêbados valentões, nem mesmo para o elemento fogo, para descobrir que é dentro de si que está o maior e mais cor-de-rosa desafio de todos. Roman decide que, se por acaso sobreviver, sairá para se divertir e depois contará a todos. No fim é isso que acontece, mas ele não espera pelo amor. Não está esperando Dean, os dois juntos no mesmo cavalo a partir de então.

Gays ou não, os Cavaleiros Templários claramente não são as primeiras pessoas a pensar em dobrar dinheiro — Roman acha que se lembra de ler a respeito de papel-moeda na China do século VII —, mas eles são os primeiros a introduzir a noção no Ocidente. É só no século XIX que se vê grana inglesa impressa de fato, mas em 1500, na casa da moeda exclusiva da Torre de Londres, a ideia já estava sendo desenvolvida. Os banqueiros ourives do século XVI emitem esses recibos chamados notas de dinheiro corrente, escritos à mão e prometendo pagar ao portador quando solicitado. Mesmo com a prensa de Caxton, a quase impossibilidade de imprimir riqueza à prova de falsificação significa que o papel-moeda da Inglaterra será pelo menos rabiscado pelos trezentos anos seguintes ou mais. O conceito do papel só ganha força quando o Banco da Inglaterra é estabelecido, em 1694, e na sequência levanta fundos para a guerra de Guilherme III contra a França por meio da circulação de notas bancárias inscritas em papel especialmente produzido para esse fim, assinadas pelo caixa com a quantia anotada em libras, xelins e pence. No mesmo ano, Charles Montague, mais tarde conde de Halifax, torna-se o chanceler do Tesouro. Dois anos depois, precisando de um novo diretor da casa da moeda, oferece o cargo — "Rende quinhentas ou seiscentas libras por ano e não tem muitos negócios a ponto de exigir mais atenção do que você pode dispensar" — a um homem de cinquenta e cinco anos anteriormente preterido para cargos de alto escalão no governo: Isaac Newton.

Roman diz a Bert Regan, Ted Tripp e os outros que o mais temido e respeitado membro da formidável quadrilha deles agora joga oficialmente no outro time. De modo simpático, considerando a tradição homofóbica da classe trabalhadora, eles apenas tiram sarro, assim como fariam se ele dissesse que era metade irlandês ou que sofria de um câncer facial com deformações cômicas, e seguem a vida como sempre. Tratam Dean com respeito, apesar do fato de que os acessos de TOC dele tendem a colocá-lo no extremo "Ooh, olha que sujeira isso aqui" do espectro homossexual. Ted Tripp pergunta a Rome quem é o cavalo e quem é o jóquei, e ele pacientemente explica que a coisa toda é menos sexual do que se imagina, e tem mais a ver com amor. Ted pode fazer suas piadinhas sobre bunda, mas compreende, sempre esteve lá quando Rome precisou, empresta qualquer coisa a Rome, principalmente se não souber que está fazendo isso. Na noite em que Rome sai do bar do porão com a zombaria militar ainda ecoando nos ouvidos, ele marcha até o Black Lion, na St. Giles Street, e na taverna notoriamente assombrada encontra Ted Tripp no salão da frente, jogando cartas com o rotundo trovador Tom Hall e Curly Bell, dono do ferro-velho. Rome senta-se com Ted e joga conversa fora por alguns minutos enquanto a cabeça do amigo está concentrada no jogo, e então se levanta e sai. Ted mal registra a visita de Rome, muito menos que as chaves do carro, que deveriam estar na mesa do bar ao lado do tabaco, não estão mais lá.

Voltando ao século XVII: ele foi desgraçado desde o início e depois piora até chegar no porra do Isaac Newton como seu grande finale. Começa com a conspiração da pólvora e a cabeça de Francis Tresham empalada no final da Sheep Street, ganha impulso com a Lei dos Cercamentos, quando todos os grã-finos têm liberdade para se apossar de áreas de terras comunais, um assalto legalmente sancionado, que revolta a população local e provoca a aparição de incendiários como os capitães Swing e Slash e Pouch, todos cheios de ousadia e todos condenados ao fracasso. O capitão Pouch tem sua cabeça colocada em uma estaca na Sheep Street dezoito meses depois de seu elegante adversário Francis Tresham. Muitíssimo populares, os Diggers reivindicavam as terras e os Levellers impulsionam a luta de classes, e em meados da década de 1640 apoiam Oliver Cromwell, ao lado de todos os outros dissidentes vociferantes que usam Northampton como um parque temático milenar naqueles anos. A cidade assume o lado de Cromwell. Ele acaba sendo como Stálin, mas sem senso de humor. De qualquer forma, Cromwell está morto em 1658, seu filho e herdeiro vai para a França e assim, em 1660, Carlos II está no trono. Incomodado com o papel de Northampton na decapitação do pai, ele manda demolir o castelo como punição, mas também está preocupado com a moeda. O reinado de Carlos vê a introdução de bordas fresadas em algumas das moedas antes cunhadas a marteladas para evitar cortes, mas essa prática ainda é comum em 1696, quando chega à cidade Isaac Newton, o Eliot Ness das finanças inglesas da época.

Se Roman está na cama, abraçado ao namorado, mergulhando na escuridão por trás de suas pálpebras enrugadas, toda a loucura de sua vida faz perfeito sentido. Logo depois que ele e Dean se envolveram, no início dos anos 1990, foi quando Jesse, um dos filhos dele e de Sharon, começou a dar problemas. Frequentador da cena rave, Jesse toma vários biscoitinhos disco — ecstasy e ketamina e Deus sabe o quê — no meio caminho de uma crise nervosa agravada pelo abuso de drogas, assim como o enteado de Bert Regan, Adam, o melhor amigo de Jesse nas festas turvas e borradas do nascer do sol. É fato que Jesse aceita mal a saída de Rome do armário, mas há muitos outros fatores na mistura. O amigo Adam fica espetacularmente louco e decide que também é gay, um anjo gay masculino com as asas arrancadas por mulheres traiçoeiras — e diz que se trata de uma afirmação para ser levada ao pé da letra. Para Jesse, deve parecer que a realidade de repente se tornou indigna de confiança, então para de sair, começa a beber para amortecer suas alucinações agora perpétuas, para apagar da mente os gatos com rosto humano e, em algum momento, descobre que, nesse quesito, a heroína é superior à bebida. Seu novo melhor amigo drogado é o primeiro a ter uma overdose, a cair fora do mundo no quarto de Jesse na casa de Sharon e, alguns meses depois, Jesse também está morto, bang, do nada. Ah, porra. Sharon culpa Rome por tudo, sequer aceita que ele vá ao funeral. Está escuro, e os médicos finalmente dão um nome ao fogo intenso de Roman, sua alma contraditória: depressão maníaca. Como sirenes de carros de polícia ou economias nacionais, parece que Rome tem seus altos e baixos.

Aquele cargo de diretor da casa da moeda não serve para muita coisa, mas Isaac leva sua função a sério, fareja o cheiro de sangue e dinheiro. Chegando ao trabalho em 1696, quando a falsificação e o recorte ainda degradam a moeda, Newton inicia sua Grande Recunhagem, com a qual recupera e substitui todas as moedas de prata cunhadas a marteladas em circulação. O trabalho leva dois anos e revela que um quinto de todas as moedas recolhidas são falsas. A falsificação era classificada como traição, punível com evisceração, e ainda que conseguir condenar alguém por isso fosse bem difícil, o homem da gravidade se mostrou à altura da tarefa. Disfarçado de habitué de tavernas, Newton perambula, bisbilhota, reúne evidências. Então dá um jeito de ser nomeado juiz de paz em todos os condados em torno de Londres para poder interrogar suspeitos, testemunhas, informantes e, no Natal de 1699, envia com sucesso vinte e oito forjadores desonestos para serem arrastados por cavalos, enforcados e depois esquartejados, para os lados de Tyburn. Como reconhecimento ao trabalho bem-feito, no mesmo ano em que se tornou diretor da casa da moeda, seu salário saltou das quinhentas ou seiscentas libras de Montague para entre mil e duzentas e mil e quinhentas libras por ano. A recunhagem de Newton reduziu a necessidade de notas bancárias de baixo valor rabiscadas à mão, e com isso aquelas com valor inferior a cinquenta libras foram recolhidas. Claro, são apenas aqueles na faixa de renda de Newton que vão notar isso, já que, para a maioria das pessoas, os ganhos anuais na Inglaterra do século XVII são muito inferiores a vinte libras, e elas nunca verão uma nota bancária em suas vidas.

Quando Rome foi diagnosticado pela primeira vez como alguém um pouco instável, passou a ser tratado com novos antidepressivos, os ISRSs, inibidores seletivos de recaptação de serotonina como o Prozac, que em 1995 pareciam ser a primeira opção dos médicos britânicos para qualquer coisa, da depressão clínica ao tédio ocasional. Esses medicamentos, na opinião de Rome, nascem da ideia provavelmente americana de que quem vive no mundo desenvolvido tem o direito inalienável de estar contente a cada minuto de sua existência. E daí se essas pílulas da felicidade não existem há tempo o bastante para que saibamos quais são seus efeitos colaterais? E daí se não foram efetivamente testadas? Há um mercado ansioso pelo fim de todos os seus problemas, há indústrias farmacêuticas ansiosas para ganhar dinheiro, e o espírito de céu azul desse período de boom econômico sem fim estipula a gratificação instantânea. Quem quer que discorde desse otimismo maníaco obrigatório é uma pessoa negativa, um alarmista ou pessimista, está fora de sintonia com toda a euforia do laissez-faire e provavelmente se sentiria melhor tomando Prozac. Rome também tenta, já que não foi informado de que um subproduto ocasional dos ISRSs é a depressão sombria e suicida. Quando Dean pergunta o que há de errado, Rome o chuta pela sala de estar. Joga os comprimidos fora e, nas depressões, faz longas caminhadas e se resolve sozinho. Os picos maníacos ele guarda para reuniões de conselho, para campanhas ou organização de protestos. Eficiência energética. Esse é um dos primeiros princípios que você aprende na engenharia.

Newton, que está familiarizado com tal princípio, traz conhecimento químico e matemático para a casa da moeda. Depois da Grande Recunhagem, pediu para repetir o truque na Escócia, em 1707. Isso leva a uma moeda comum e ao novo reino da Grã-Bretanha. Ainda não satisfeito, em 1717, o homem de 76 anos proclama pela primeira vez seu padrão bimetálico, segundo o qual 21 xelins de prata equivalem a um guinéu de ouro. A política inglesa de pagar as importações com prata enquanto recebe o pagamento das exportações em ouro significa que há uma escassez de prata, então o que Newton está fazendo é mudar o padrão britânico de prata para ouro sem anunciar isso. A nível pessoal, está se saindo muito bem, fazendo dinheiro. Confiando em sua habilidade com somas para dobrar seu dinheiro, investe no mundo infalível de alto retorno da bolha dos Mares do Sul, perdendo vinte mil – três milhões pelo cálculo atual – quando a coisa toda dá errado, em 1721. O gênio fiscal da época perde as calças. Permite que a ganância fale mais alto que sua capacidade de avaliação de risco, exibe o fatal excesso de confiança de um especialista em suas habilidades, assim como são principalmente os micólogos que acabam se matando com uma omelete com cogumelo tóxico. E o que derruba Sir Isaac é se intrometer onde tinha de saber que não deveria, em um mercado inflado por uma forma de título conhecida como derivativo, em parte responsável pelo fiasco dos bulbos de tulipa holandesa ocorrido em 1637, cinco anos antes do nascimento de Newton, e que provavelmente está prestes a afundar a economia mundial quase trezentos anos após sua morte.

Roman e Dean se instalam na St. Luke's House, em um quarteirão entre a St. Andrew's Street e a Lower Harding Street, onde ficava a Bellbarn. Sempre conheceu os Boroughs, mas é a primeira vez que mora lá. Roman se apaixona por sua população oprimida, com seus vetustos blocos residenciais, resistentes aos rigores da chuva. A grama branqueada brota das emendas dos apartamentos, e nela Rome pode testemunhar o fundo do poço inglês. A área está entre os dois por cento mais carentes do Reino Unido. Somente viver ali tira dez anos de sua vida. Essas pessoas na base da merda da teoria econômica são o produto de toda aquela contabilidade criativa. Indivíduos traídos por banqueiros, governos e, sim, Rome admite, pela esquerda. Dean é mestiço e ambos são gays, mas nenhum deles vê muito benefício na ênfase que a esquerda dá à luta pela igualdade racial e sexual. De que adianta Peter Mandelson e Oona King[24] estarem bem, quando a desigualdade entre ricos e pobres que o socialismo pretendia corrigir permanece visivelmente sem solução? Rome deixa o Partido Trabalhista em 97 ao primeiro sopro do Novo Trabalhismo e seu líder de sorriso ricto, para se tornar um anarquista e ativista. Os agitadores que reúne às vezes se saem com um "Defenda a Moradia Pública", às vezes com um "Salve nosso Sistema Nacional de Saúde", dependendo do que for a situação do momento. Thompson, o Leveller, encontrou seu lugar no campo de batalha: a terra arrasada onde pode fincar o pé e tomar sua posição em meio à fumaça das bombas.

Morrendo em 1727, na casa dos oitenta e ainda no cargo, Newton vê o início da mudança para o papel-moeda. Em 1725, os bancos emitem notas nas quais o sinal da libra é impresso, mas a data, o valor e outros detalhes são escritos à mão pelo signatário, como um cheque. O dinheiro gradualmente se torna mais abstrato, mas um truque maior ocorre centenas de anos antes com a invenção dos derivativos, o conceito que ajuda a destruir Newton. Um derivativo — um título derivado dos bens reais à venda — surge quando alguém faz um acordo para vender seus bens por uma quantia acordada em alguma data futura. O que determina quem fez a melhor aposta é se o preço de mercado sobe ou desce antes disso, mas o importante é que o título derivativo agora tem um valor potencial e pode ser vendido por um valor que pode se multiplicar continuamente. Essa desvinculação entre dinheiro e bens reais contribui para a loucura das tulipas e a Bolha dos Mares do Sul, enquanto o valor atual dos derivativos pelo mundo, pelo que Rome ouve, é até dez vezes maior do que os sessenta ou mais trilhões de dólares que compõem a receita fiscal de todo o planeta. A cisão entre realidade e economia é uma fissura tênue que se alarga ao longo dos séculos até uma abertura oceânica profunda da qual formas de vida sem precedentes vêm à tona com uma regularidade sombria: bolhas e loucuras, quebras de Wall Street e Quartas-Feiras Negras, Enron e qualquer merda maior que esteja inevitavelmente vindo a seguir; os pesadelos de uma era racional que o bom e velho William Blake chama de "sono de Newton".

Rome vasculha as ruas dos Boroughs em busca de problemas. Em algumas das últimas residências municipais remanescentes, há amianto pelo qual a prefeitura não assume a responsabilidade, e muito menos remove. Tentativas de atrair pessoas para esquemas de habitação privada, participando de um sorteio de prêmios que nunca são ganhos; não existem. Há inúmeras fraudes ou privações para tratar, e Rome tem uma ampliação de missões, disposto tanto a fazer campanha contra a venda de casas do século XVIII em Abington Park quanto a berrar insultos por um alto-falante quando trazem Yvette Cooper, ministra da Habitação, para inaugurar as torres NOVAVIDA, vendidas para uma incorporadora imobiliária pelo ex-vereador Jim Cockie pouco antes que ele passasse a fazer parte do conselho da empresa. E sempre há alguma nova afronta no horizonte. No momento, é uma movimentação para colocar a Eurograna destinada aos Boroughs em um grande arranha-céu, similar à torre da Express Lifts, mas em Black Lion Hill. Roman suspeita que seja para facilitar os subornos de qualquer empresa que feche o negócio. Rome planeja fingir desinteresse, deixá-los pensar que não está acompanhando tudo de perto. Vão marcar datas para uma votação secreta, para votar as propostas sem que os cidadãos saibam que eles apoiaram essa ideia claramente ruim. Então, na tarde anterior, Rome vai cobrar um favor de alguém com influência na prefeitura, fará com que mudem para uma votação aberta, levantar a pedra para lançar luz sobre as coisas que se contorcem ali embaixo e fazer com que votem contra, se quiserem manter seus cargos. É um procedimento complicado, mas ele também é um homem complicado.

O dinheiro continua a evoluir — em especial após os eventos notáveis em um moinho de milho de Northampton que Rome descreveu para uma boquiaberta Alma há menos de uma hora. No ano de 1745 surgem notas parcialmente impressas de vinte a mil libras. Cinquenta anos depois, após as Guerras Napoleônicas, a banca deixa de pagar ouro pelas notas no chamado Período de Restrição. É quando Sheridan se refere à banca como "uma senhora idosa na City", o que o cartunista Gilray artisticamente trata de modo sarcástico como "a Velha Senhora da Threadneedle Street"[25]. Em 1821, o padrão-ouro é restabelecido e perdura em condições robustas até a Primeira Guerra Mundial. Os papéis parcialmente manuscritos são transformados em curso legal para todas as quantias acima de cinco libras em 1833, tornando-se cédulas modernas de fato. Então, em 1855, o processo se completa com notas totalmente impressas. A Grã-Bretanha por fim abandona o padrão-ouro em 1931, com a moeda agora lastreada em títulos de papel em vez de barras de metais preciosos. Em meados do século XX, na visão de Roman, temos uma economia mundial cada vez mais baseada na lógica de um enorme cassino, e prestes a ver uma onda de inovações do pós-guerra que mudará o planeta. Quando essas novas ideias impactam os mercados monetários, criam as pré-condições para um nível de devastação nunca antes testemunhado ou imaginado. As oscilações no fluxo de caixa se transformam em redemoinhos, turbilhões, e temos os ingredientes de uma tempestade catastrófica. Como dizem nos anos sessenta, não é preciso ser meteorologista.

Nem todas as tarefas de Rome são tão dramáticas. Há a arrecadação de fundos, para a qual Alma fez o tal pôster, e o bate-papo de porta em porta para garantir que todos sejam informados. Como ontem: Rome passou o dia avisando as pessoas sobre o evento de Alma na creche, enquanto saía de uma depressão, uma das baixas de mercado de sua alma. O ar fresco faz com que se sinta otimista, enquanto subir todas aquelas escadas nos prédios deve ter algum benefício cardiovascular. Arrastando-se nessa tarefa, encontra alguns dos residentes mais velhos. Eles não vão se interessar pela exposição, mas é um pretexto para ver se estão bem. Perto da Tower Street, avista Benedict Perrit saindo para um dia de bebedeira, e então finge não notar o pequeno czar local das drogas, Kenny Nolan, um merdinha amoral que está afundando o distrito sem nem precisar ser vereador; não está nem sendo pago para isso. Atravessando a Bath Street, Roman sobe o zigurate descascado dos degraus da frente para dar uma olhada na pequena Marla Stiles, que está patinando na prostituição e no crack. Os olhos famintos de lêmure dela disparam para todos os lados quando ele chega à porta. Não presta atenção quando Rome fala da exibição de Alma, mas pelo menos ele pode ver que ainda está viva. Por quanto tempo, bem, isso é uma incógnita. Ele sobe a calçada central dos blocos de apartamentos para visitar outras causas de preocupação em torno da St. Katherine's House e, no caminho de volta, mais tarde, precisa desviar de um cocô de cachorro recém-depositado que lembra vagamente um cifrão. É engraçado, não, os pequenos detalhes que a gente percebe?

A economia como arte começa figurativa, torna-se abstrata, mas só no século XX vira surrealismo. A Grã-Bretanha começa a abandonar o padrão-ouro em 1918, o que coincide com o início do desmantelamento dos Boroughs, que se estenderá pelos próximos cinquenta anos. Quase todas as fileiras de casas já não existem mais no final dos anos 60, quando as inovações fiscais daquela década começaram a entrar em ação. Rome fica sabendo de um artigo publicado, no início dos anos 1970, com novas equações para ajudar a calcular o valor dos derivativos com base no valor dos bens dos quais são derivados. Teoricamente, isso torna esses negócios uma aposta mais segura e, para os mercados financeiros, é a bandeira quadriculada que sinaliza sua vitória. Os especialistas em matemática de repente aparecem como os salvadores do setor. Agora existem novas maneiras de ganhar dinheiro, se não houvesse essa regulamentação no caminho. No fim da década, Thatcher e Reagan chegam ao poder, dois liberais do livre mercado do século XVIII que compartilham a convicção mística de Adam Smith de que o mercado de alguma forma se autorregula. Eles começam a remover suas restrições bem no momento que o grande boom dos computadores dos anos 1980 se inicia. Quando aplicados às ações, os computadores podem ganhar ou perder fortunas em milissegundos, aumentando a volatilidade do sistema. Quebras e apertos vêm e vão, arruinando incontáveis milhares, mas os maiores jogadores continuam obtendo os maiores lucros. Então, em 1989, o Muro de Berlim cai, e é como uma represa estourando. Sentindo o cheiro de sangue com a morte repentina de seu único grande concorrente, o capitalismo escapa da coleira.

Quando os colapsos do próprio Rome chegam, as analogias fiscais se desfazem. Ele sempre acaba no escuro. Pombas escuras, sorvete escuro, um casamento escuro, um Natal escuro, fervendo em um caldo de suas próprias merdas, e não há nada a fazer além de viver com isso, fazer aquelas longas caminhadas subindo o gradiente de cores do ébano mais profundo ao cinza neutro e administrável. Tom Hall chama isso de "o cachorro negro", em homenagem ao nome de Winston Churchill para o fenômeno. Nos primeiros dias com sua futura esposa Diane, Tom vai se deitar no Hipódromo depois de aprontar algo para testar a paciência dela, o que é frequente. Ele pode ver o cão escuro através das pálpebras semicerradas, sentado calmamente na grama amarelada pelo verão ao lado dele. Roman sente falta de Tom, mas quem não sente falta daquela presença planetária que manteve metade da cidade girando com sua gravidade, sua leveza? Naquela noite no Black Lion, após o encontro de Roman com o exército novo, Tom está se gabando quando Roman aparece para roubar o automóvel de Ted Tripp; quase certamente vê Roman surrupiar a chave, mas apenas ri consigo mesmo e continua com seu jogo. Rome os deixa nesse momento e, depois de pegar outra coisa de que vai precisar no salão dos fundos, vai buscar o carro no estacionamento do bar. Furiosamente calmo, dirige até a Abington Street e para ao lado da entrada do Grosvenor Center com os faróis apagados, à espera. Obviamente, com a rua agora só para pedestres, não seria possível fazer esse tipo de coisa hoje. É o Departamento de Saúde e Segurança Ocupacional enlouquecido.

Após a queda do muro, os financistas se lançam em uma farra épica de vitórias. Livre para proliferar, o capitalismo sofre rápidas mutações. Não é nem mesmo um frenesi de livre mercado como os anos Thatcher-Reagan, é algo totalmente novo, mas com alguns rostos antigos. Alan Greenspan, que dirige as finanças dos EUA sob Reagan, George Bush, Clinton e Bush Junior, é um grande fã da libertarista Ayn Rand, e é sob sua supervisão que alguns magos do J.P. Morgan inventaram os Credit Default Swaps em 1994. Em resumo, são um seguro. Você empresta muito dinheiro com uma boa taxa de juros para um bando de caipiras com bebês ciclopes, e você tem medo de que não paguem. Então você paga um terceiro para garantir a dívida. Desde que os caipiras paguem, todos saem ganhando. Agora, se os caipiras deixarem de pagar os empréstimos porque mandaram seus bebês para a faculdade Ciclope, não tem problema. A seguradora vai bufar, mas vai pagar e, supondo que você não tenha emprestado *apenas* para ciclopes, ela provavelmente também não se incomodará muito. Isso aparentemente remove o obstáculo final para ganhar muito dinheiro, que é o risco. Os bancos e as empresas agora podem fazer o que quiserem, empurrando para outros a responsabilidade de pagar por seus erros. Como seria de se prever, eles enlouquecem e obtêm lucros recordes fazendo isso. Quando os conservadores requentados agora conhecidos como Novo Trabalhismo chegaram ao poder, em 1997, momento em que Rome deixou o partido, deram ao Banco da Inglaterra o controle sobre a taxa de juros e, portanto, sobre toda a economia. Com lucros assim, eles devem saber o que estão fazendo.

Depois de muitos aborrecimentos, Dean e Roman trocam o apartamento deles na Lower Harding Street por uma casa individual destinada à moradia social em Delapré. O novo lugar é muito melhor, embora tenham um vizinho que presta uma queixa quando, certa noite, Dean vai fumar no quintal e solta uma torrente de palavrões depois de pisar no laguinho do jardim. É o tipo de problema que a prefeitura tenta exagerar até justificar um ASBO quando tentam atingir Rome por meio de Dean, seu calcanhar de Hércules. Curiosamente, suas antigas acomodações na St. Luke's House acabam sendo usadas pelo CASPAR, o pequeno grupo de apoio comunitário a quem todas as modestas melhorias na área podem ser atribuídas. Rome só descobriu isso na noite de ontem, quando está na creche com Burt Reagan, preparando-se para a exposição de Alma e conhece Lucy, que está organizando tudo e pega no pé se algo der errado. Acontece que ela trabalha para o CASPAR, labutando onde ele e Dean ficaram juntos pela primeira vez, fizeram amor, prepararam o café da manhã. Lucy e Rome conversam enquanto ele e Burt penduram as pinturas e colocam a grande escultura, ou seja, lá como se chama, nas mesas juntas no centro da sala. Falam do banheiro minúsculo e incômodo de seu antigo apartamento, em meio às assombrosas imagens de monstros do rio erguendo-se sobre a Spencer Bridge, de crianças de carvão em exposição múltipla piscando em um terreno baldio e gigantes furiosos vestindo camisolas e brandindo seus tacos de bilhar em arco, com seu sangue dourado espirrando como fogo.

O lema econômico agora não é cautela, mas inovação, novas formas de pilhagem que não foram testadas ou pensadas. A Enron toma empréstimos endossados por derivados futuros de áreas de tecnologia ainda não inventadas, algo como Daleks ou raios teletransportadores, mas evidentemente nem de longe tão sólidas. O estouro da bolha da Enron coincide com a chegada de Dubya Bush ao poder em 2000. É a pior catástrofe monetária da história dos Estados Unidos até então e, quando os fatos vêm à tona, ninguém consegue acreditar no catálogo de loucuras, e no terrível presságio que isso representa para a economia em geral. As pessoas pedem uma regulamentação mais rígida, o que atrapalharia os lucros, então o negócio da Enron é minimizado como uma anomalia estatística, alguns de seus executivos vão para a cadeia e todos continuam fazendo tudo como de costume. O grande mercado no Reino Unido e nos Estados Unidos agora é o imobiliário, e esses Credit Default Swaps significam que os bancos podem oferecer hipotecas a quase qualquer cidadão, um milhão de caipiras ciclopes, confiantes de que as seguradoras cobrirão tudo se der problema. A menos, claro, que os caipiras se tornem inadimplentes todos de uma vez. Se Rome estiver correto, os mercados financeiros inflados do mundo estão todos se apoiando na parcela menos confiável e mais empobrecida da sociedade, em pessoas que quase certamente vão estragar tudo. Pessoas como os moradores deste mesmo distrito. Os esquemas destinados a reduzir o risco, em vez disso, espalham-no por todo o sistema como um caruncho, até que, de Beverly Hills a Bermondsey, pessoas que nunca sonhariam sequer em visitar uma área como os Boroughs descobrem que agora são os Boroughs que vem visitá-los.

Roman tem a capacidade de cometer atos de violência, e não uma propensão a isso. Faz parte da equação, seja nas brigas com policiais em um beco ou diante da embaixada dos EUA em Grosvenor Square, assim como nos mercados financeiros durante sua adolescência problemática. Quando os Bacaleri di Norhan encenam protestos econômicos em 1263, Henrique III envia as tropas para quebrar algumas cabeças. Quando os tumultos contra o Poll Tax começaram, no final dos anos 1980 — também protestos de fundo econômico —, Thatcher envia a tropa de choque para quebrar algumas cabeças[26]. Rome imagina que, quando a bolha explodir em nosso tecnológico século XXI, quem quer que esteja comandando as coisas provavelmente enviará robôs caçadores-assassinos do Atari para... bem, você já entendeu. A violência, ou pelo menos a ameaça de violência, está sempre presente, daí Rome nunca ter tido dificuldade em demonstrar a associação entre finanças e criminalidade. Sempre há capangas contratados no meio, sejam brutamontes ou oficiais de justiça, sejam samurais de tropa de choque ou soldados. Rome fica sentado no escuro do carro emprestado de Ted Tripp e espera até que meia dúzia de soldados saiam cambaleando, irritados e berrando, do bar no porão para caírem em um micro-ônibus que sem dúvida é o transporte de volta para a base. Ele segue pela Abington Street, provavelmente com destino a Bridge Street, South Bridge e a rodovia mais além. Rome espera alguns segundos e então liga o carro de Ted, seguindo os soldados pelas luzes brilhantes da cidade até onde a escuridão se reúne em torno de Northampton como uma mãe zangada e protetora.

No ano passado mesmo, em 2005, em meio às bombas no metrô e ao pesadelo contínuo do Iraque, o grande primeiro-ministro Gordon Brown vendeu as últimas reservas de ouro da Grã-Bretanha bem quando a taxa atual estava temporariamente baixa. Não há mais nada sólido segurando as coisas, nem mesmo papel, apenas impulsos eletrônicos e matemática girando no éter. Rome, como um maníaco-depressivo, cogita possibilidades obscuras: quando os bancos começarem a quebrar, quando as bolhas de ar que os sustentam explodirem, como os governos lidarão com isso? O dinheiro está preso nos bancos, em especial na Grã-Bretanha, onde comandam o espetáculo desde 1997, e se eles caírem, toda a economia vai junto. Ninguém vai deixar isso acontecer. Na verdade, os bancos agora estão imunes ao controle ou às repreensões do governo. Furtivamente, tornaram-se uma monarquia. Não é mais capitalismo, não é o brutal vale-tudo darwiniano proposto por Adam Smith, Maynard Keynes e Margaret Thatcher. É um arranjo do início do século XVII reformulado, com um governante mimado e caprichoso dominando até o Parlamento. Rome não tem certeza se chamaria de arranjo — é uma usurocracia ou algo assim —, mas parece que o setor bancário se considera parte da realeza. Roman concorda. Ele os vê, mais precisamente, como o rei Carlos I. E todo mundo por aqui sabe como isso acaba: em fogo e lanças, vísceras molhadas e pólvora seca. Mundos virados de cabeça para baixo. Gritos na noite.

As estradas vicinais nos arredores da cidade estão submersas em uma escuridão rural. Não há mais ninguém por perto, nenhum outro carro.

Roman acelera, emparelha ao lado do micro-ônibus. Eles pensam que é uma ultrapassagem até que bate neles, BDANC! O ônibus guincha, tentando recuperar o controle, com todos a bordo pensando que foi um terrível acidente, quando Rome avança, deliberadamente batendo neles de novo, BDANC! Dessa vez, embicam para uma vala, capotam e caem de cabeça para baixo. Rome para alguns metros adiante, recupera o taco de bilhar do Black Lion que escondeu na parte de trás e sai do carro. Ele não se apressa enquanto anda de volta pela estrada, com o taco sobre o ombro magro. Ninguém vai a lugar nenhum. A porta lateral do transportador de tropas acidentado está aberta. Roman sobe a bordo. Os soldados estão todos pendurados em seus cintos de segurança, contundidos e sangrando. Dentre aqueles que conseguem focalizar os olhos, ninguém fica exatamente satisfeito em vê-lo. Ele caminha pelo corredor entre os assentos, bem, na verdade caminha pelo teto do ônibus, mas dá no mesmo. Caminha pelo corredor e examina todos os rostos atordoados e invertidos, escolhendo aqueles que o amolaram.

— Você.

A ponta grossa do taco de bilhar aponta para a frente, nos dentes.

— E você.

Mais uma vez o taco desce, e de novo. Ele encaçapa um olho roxo, uma garganta rosa, uma caveira de bola branca. De novo. E de novo. Rome esvazia a mesa em uma única tacada e a multidão no Crucible[27] vai à loucura.

O problema é que, mesmo que este século invente um Cromwell que arraste todos os banqueiros para o cepo, por mais que Rome considere uma imagem linda de se ver, não adiantará nada. O Ocidente está falido. Não existe uma forma agradável de colocar isso. Falido e endividado por gerações, mas ainda mantendo uma fachada, do jeito que o imperador Diocleciano faz quando começa a adulterar a moeda do império. Qualquer revolucionário que consiga derrubar os bancos herdará a mesma situação sombria, o mundo terrível com o qual eles nos deixaram depois de sua farra vertiginosa e embriagada, fodido a ponto de se tornar irreconhecível. Não, apenas executar os executivos não adianta nada. O que se precisa executar é o dinheiro, ou talvez apenas o dinheiro como é desde Alfredo, o Grande, em diante. Rome vê um cara da London School of Economics na televisão enquanto está passeando pelos canais. O sujeito argumenta que os governos na verdade não fazem nada por nós. A única coisa que sustenta seu poder é o controle de toda a moeda. Quem quer que no passado tenha proposto uma alternativa ao dinheiro foi reprimido de maneira brutal, mas, no passado, não existia a internet, que torna algumas coisas muito mais fáceis de configurar; e muito mais difíceis de reprimir. Rome consegue ver um futuro no qual, em uma Grã-Bretanha detonada, uma vaca ainda vale cinco feijões mágicos ou o equivalente, e não há moeda padrão e, portanto, não há governo padrão, nem reis, nem agências de crédito. Apenas mil bandeiras coloridas e esfarrapadas.

O Leveller beija o namorado em meio à fumaça na Castle Street, e há uma sirene chegando mais perto, oscilações estridentes descendo da Mounts para a Grafton Street, com o motorista talvez começando a perceber que é difícil responder a chamadas de alarme dos Boroughs, com suas ruas fechadas com *bollards* em um esforço malsucedido para obstruir o fluxo do comércio sexual que, no entanto, teve bastante sucesso em obstruir todas as outras coisas. Ele dá um apertão rápido na bunda de Dean e sente o tudo-de-uma-vez crescendo ao seu redor. Sabe que ainda está de alguma forma lá em cima nos telhados como uma criança de sete anos, furtando ao luar. Ainda está nas barricadas, ainda bagunçando sua vida com Sharon, ainda sob o deslizamento de terra no quintal de Pete Baker, ainda retirando a mercadoria duvidosa de Ted Tripp do depósito desprotegido, ainda semimorto na sala escura em seu aniversário de cinquenta anos, ainda falido e ainda furioso, ainda dormindo no fogo, ainda espreitando o micro-ônibus capotado com seus olhos apocalípticos arregalados, com seu taco de sinuca sangrento. Ele é quem é, exata e perfeitamente, e se o que Alma diz sobre aquele circuito interminável de azulejos de Delft na parede norte da creche for verdade, ele é quem é para sempre. As pequenas e adoráveis ruas pobres, com todas as memórias preciosas, estão queimando em algum lugar atrás dele. Roman Thompson encara o futuro com olhos de desdém e sabe que não será o primeiro a desviar o olhar. Gritando sua ária de pânico, aquela sirene se aproxima.

AS TRAVES
E AS VIGAS

Esmagado nas mandíbulas verde-ferro do Atlântico ao largo de Freetown, em seu navio magro de uma Bristol engordada pelo comércio de açúcar e de africanos, John Newton chora, faz promessas que não cumprirá imediatamente, implora pela graça divina, e no horizonte, iluminadas por raios, há crinas de granito caindo, cavernas rosnantes e patas pesadas de avalanche. Serra Leoa, como o aventureiro português Pedro de Sintra chamou aquela terra em 1462. Romarong, como é conhecida pelos membros da tribo local mende. Serra Leoa, o nome encardido de poeira ou com cheiro de emboscada, onde doces hinos são extraídos de safras de pânico mortal e vergonha eterna.

Ao ficar velho, Black Charley não liga mais para as canções e não liga para capelas. Faz de celeiros vazios sua igreja, com sua engenhoca com aro de corda deixada do lado de fora e encostada em um barril, que está ali para acumular água da chuva. Henry George, de joelhos num chão de terra batida, com a palha espetando os joelhos por baixo das calças gastas. Ele respira o cheiro almiscarado de cavalos que se foram há muito tempo, juntando as palmas das mãos pálidas, falando com o que quer que possa sentir que o escuta de algum lugar muito distante, além de todas as estrelas e luas, apenas ouvindo e sem nunca responder ou interromper, sem nunca dizer qualquer coisa. Acima, os pássaros vêm e vão através das aberturas entre as telhas, e sobre sua cabeça Henry ouve a linguagem suave deles; asas batendo quando pousam em vigas e caibros cobertos de piche e marcados por excrementos ancestrais. Suas orações silenciosas flutuam por juntas robustas e madeira encurvada, em vez de uma companhia de santos de mármore e salvadores martirizados em vitrais coloridos. Ele admite que esse modo de louvação o levou a imaginar o paraíso como um lugar construído em madeira e cheirando a serragem e esterco, e não escadas e estátuas por toda parte. Considera essa visão de um céu rústico preferível ao que os vigários descrevem, e muito mais provável, de acordo com seu raciocínio. Por que uma coisa verdadeiramente sagrada teria necessidade de mostrar opulência? Black Charley não tem fé no coronel Cody, nem em canções e pinturas religiosas, nem em nenhuma instituição que faça um grande espetáculo de si mesma. Pelos buracos no teto do celeiro, entram pilares luminosos que se apoiam uns contra os outros como ruínas de luz velhas e empoeiradas, e Henry coça o ombro marcado sobre o paletó remendado antes de começar a murmurar mais uma vez.

A costa oeste da África, um lobo frontal ancestral, inflamado e inchado, se projeta no oceano frio com Serra Leoa na parte inferior, a Guiné acima e a Libéria abaixo. Pedro de Sintra encontra o país, o nomeia pelas alcateias de colinas em torno da sua baía, e depois dele, inevitavelmente, vêm os mercadores e os negreiros; primeiro de Portugal, depois da França e da Holanda. Então, cem anos após a funesta descoberta de Sintra, John Hawkins embarca trezentas almas para atender à grande demanda surgida das colônias da Inglaterra, recém-estabelecidas na América. Seguem-se dois séculos como um dos principais portos de escravos da África Ocidental e então, em 1787, um grupo de filantropos britânicos estabelece uma Província da Liberdade, onde assentam uma pequena população de negros pobres, asiáticos e africanos cuja presença crescente nas ruas de Londres tornou-se dispendiosa demais, incluindo americanos negros que, apenas uma década antes, haviam se juntado ao lado britânico durante a Guerra da Independência, com a promessa de liberdade como atrativo. Cinco anos depois, com números diminuídos por doenças ou por ataques de tribos nativas hostis, são acrescidos de mais de mil vindos da gelada Nova Escócia, principalmente escravos fugidos dos Estados Unidos. Assim, Freetown é estabelecida como o primeiro refúgio para afro-americanos que fugiram do trabalho forçado nas colônias americanas, com a vizinha Libéria somente seguindo esse exemplo ousado depois de trinta e cinco anos. Gradualmente, mais escravos libertos retornam para engrossar as fileiras dos colonos, conhecidos como o povo krio por sua língua crioula, um inglês mestiço vindo da América. O refúgio floresce, com mulheres e negros ganhando direito ao voto antes do final do século XVIII. Em 1827, a Faculdade Fourah Bay é estabelecida, a primeira universidade da África subsaariana ocidental no modelo europeu, o que torna Serra Leoa um polo educacional. É nessa instituição, na década de 1940, que o elegante e bonito Bernard Daniels, estudante de direito, começa a contemplar uma vida na Inglaterra.

Meio século atrás, na década de 1890, Henry George admite que não está pensando tanto em uma vida na Inglaterra, e sim em uma vida longe dos Estados Unidos. Agora na casa dos quarenta, com pai e mãe mortos, não tem motivos para ficar em um lugar que nunca lhe deu nada e o marcou a ferro quente no braço. Verdade seja dita, ele é a favor de partir mais cedo, mas a mãe e o pai não suportam a ideia de toda aquela distância sobre a água. Ao contrário de Henry, nascido lá no Tennessee, os dois já fizeram uma longa viagem oceânica e não têm pressa em repeti-la. "Você vai, Henry", ambos dizem a ele. "Vá para lá enquanto ainda é jovem e tem forças, e não se preocupe conosco". Mas Henry não é o tipo de homem que poderia fazer isso, então cuida deles e espera, fica genuinamente feliz por cada minuto que estão vivos. Assim que eles são enterrados, porém, não há mais nada que o segure, nada para impedi-lo de partir do cais a bordo do *The Pride of Bethlehem*, vindo de Newark com destino a Cardiff e, em certo sentido, traçando a terceira linha de um triângulo ancestral para Henry, uma forma pontiaguda e perigosa conectando a África, os Estados Unidos e a Inglaterra nos mapas manchados de trezentos anos antes. Naquelas longas e agitadas noites de travessia do Atlântico, porém, não pensa em nada disso. Folheia com desdém os livretos de Buffalo Bill à luz do lampião e não tem o menor pensamento ou especulação sobre como pode ser seu país de destino; raramente pensa no lugar pelo nome, em vez disso, refere-se a ele apenas como Não América.

Essa não é a visão de Bernard Daniels, de sua perspectiva a partir da Faculdade Fourah Bay em meados do século XX. Bernard vem de uma família krio relativamente abastada depois de anos de serviço para a empresa de comércio de Macauley & Babington, e imagina que a Europa em geral — e a Inglaterra em particular — seja a fonte de toda a civilização. Essa crença é predominante entre os krio, a maioria deles descendente de escravos fugitivos dos EUA, que, graças à lealdade inabalável a seus chefes britânicos, são o grupo étnico dominante e mais próspero de Serra Leoa, com tribos nativas como sherbro, temne, limba, tyra, kissi e, mais tarde, o povo mende, se unindo cada vez mais em um ressentimento compartilhado. Bernard é criado acreditando que os nativos tribais que vivem no Protetorado são selvagens[28]; adota os óculos de aros de ouro e os coletes imponentes, lança-se com maior diligência a seus estudos em um esforço para assinalar da maneira mais profunda possível uma linha divisória fundamental. Observa a sociedade ao seu redor, as explosões de agitação e tumultos tribais que continuaram intermitentemente desde a grande guerra do imposto das palhotas de 1898, quando as tropas britânicas são enviadas para reprimir o levante temne, e Bernard vê que a coisa vai ficar feia. É 1951, novembro, e Sir Milton Margai, nascido krio, mas criado como um membro da etnia mende, está trabalhando no rascunho de uma nova Constituição que vai preparar o terreno para a descolonização. Bernard se identificou com o opressor. Adotou os medos e o esnobismo da raça dominante e não quer continuar vivendo na sombra das Montanhas do Leão com os animais controlando o zoológico. Formado em direito, começa a planejar sua partida com rapidez e eficiência. Bernard se casa com Joyce, a jovem e dedicada noiva, tão ansiosa para se mudar quanto ele, e organiza a viagem e uma acomodação adequada para quando chegarem a Londres. Em apenas algumas semanas vertiginosas, sua visão equivocada da metrópole foi golpeada na cara pelo inverno de Brixton dos anos 1950, com suas luzes e seus insultos, chapéus de lado, tumultos desconhecidos. Insinuações cochichadas nas barbearias.

Com as pernas magras ainda bambas do oceano, Henry tropeça na prancha para a Tiger Bay do século XIX e, por não ter as mesmas expectativas de Bernard, acha que não é tão ruim, e de forma alguma é um choque para ele, todos aqueles rostos negros, todos aqueles engraçados sotaques cantados. A coisa mais surpreendente para Henry é o próprio País de Gales: nunca em sua vida tinha imaginado um lugar tão úmido, antigo e selvagem. É só quando conhece Selina, eles se casam e ninguém diz nada a respeito, que ele começa a entender que está em um lugar diferente agora e entre pessoas diferentes. De Abergavenny, eles caminham para se juntar aos tropeiros em Builth Wells e ficam sozinhos uma ou duas noites, acampados na escuridão de um milhão de anos entre colinas gigantes, que não se parecem em nada com o Kansas. Chega a manhã, e os dois estão nus como no dia em que nasceram e de mãos dadas enquanto seguem o caminho lento e cuidadoso descendo a margem íngreme até um riacho raso onde podem se lavar. Está muito frio, mas sua Selina é uma jovem gordinha de vinte e dois anos, e o fogo da paixão arde entre eles. Logo estão em um congresso matrimonial, levantando-se na espuma e fluindo com a água limpa batendo ao redor das canelas, sob a luz rosada da alvorada, sem ninguém por perto, exceto todos os pássaros que estão naquele momento acordando e testando as vozes. Ele e a nova esposa também estão fazendo barulho, e Henry tem a impressão de estar em um Éden de onde ninguém caiu, com pequenos diamantes espirrando e formando gotas no lindo traseiro de Selina. Sente que escapou e não consegue se lembrar de nenhum momento em sua vida anterior em meio a tanta alegria perfeita. Então, depois, quando estão deitados na barranca para secar e recuperar o fôlego, Selina traça com a ponta do dedo as linhas em violeta desbotado em seu braço úmido, a fita que pode ser uma estrada, a forma acima dela que pode ser uma balança, e não diz nada.

Para Joyce e Bernard, a Londres do século XX é uma história diferente. Há uma inversão térmica que prende o escapamento dos carros e a fumaça da fábrica sob nuvens baixas, as pessoas morrem às centenas, e o governo distribui máscaras de papel inúteis à população na tentativa de parecer que está fazendo alguma coisa. Todo mundo está tossindo, cuspindo sujeira preta nos caminhos nublados, com o logotipo da Durex nadando para a frente na névoa da rua lateral em um neon de creme, esparadrapo e batom. Bernard percebe tarde demais que a Inglaterra também é uma terra de tribos rudes distintas e apartadas — bandidos e feirantes, socialistas e vigaristas do mercado negro, brancos selvagens—, unidas apenas por suas queixas e pela inveja em relação a seus superiores. Pior ainda, ninguém aqui parece capaz de ver o enorme abismo de status que existe entre os homens negros da colônia de Serra Leoa e os de seu protetorado, veem qualquer pessoa de cor como um preto qualquer, independentemente de sua elocução ou porte, ou de seus óculos e coletes. Joyce tem o primeiro filho do casal, um menino chamado David, e está grávida do segundo, enquanto o marido descobre que os empregos para os quais está qualificado, nos quais os empregadores também não se importam por ele ser africano, são poucos e dispersos. Bernard tem a impressão de que fora da capital pode haver escritórios de advocacia não muito acostumados com a grande disponibilidade de funcionários de qualidade quanto os de Londres e que, portanto, poderiam ficar mais impressionados com suas qualificações impecáveis. Decide lançar a linha mais longe e finalmente consegue fisgar uma companhia de advogados em um lugar chamado Northampton, bem quando Joyce o presenteia com um segundo filho, que sugere que batizem como Andrew. Procurando acomodação na nova cidade, Bernard se depara com uma regra que o equipara tanto aos cães quanto aos irlandeses, ao mesmo tempo que expressa uma recusa em alugar propriedades para todas essas três categorias. A sensação irritante de ser desprezado só é aplacada por sua empatia pela posição dos proprietários intolerantes. Se o próprio Bernard tivesse um espaço para alugar, sabe que não o disponibilizaria para criminosos dickensianos com cães ferozes, para trabalhadores irlandeses bêbados ou para os vagabundos que compõem a grande maioria de seus compatriotas. Quando recebe notícias de quartos disponíveis não muito longe do centro da cidade, em uma via movimentada conhecida como Sheep Street, a alegria de Bernard dura apenas até o parágrafo final da carta de aceitação, segundo o qual o acordo é feito com base no entendimento de que apenas o sr. Daniels e a mulher residirão no apartamento e não haverá animais de estimação ou, principalmente, crianças morando lá.

Enquanto isso, em 1896, Henry e sua jovem mulher são levados para sua nova casa em uma vasta e espumosa maré de ovelhas. Pelo que Henry entende, os rebanhos que branqueiam a paisagem são pastoreados de Builth para o leste através de Worcestershire e Warwickshire, até chegarem como ondas que quebram balindo em Northampton. É uma trilha que existe há mil anos ou mais, e Henry ouve como nos velhos tempos, mais ou menos um século antes, os tropeiros aprenderam a ficar longe de estalagens que tivessem cavalos em ótimas condições amarrados do lado de fora. Isso se deve ao fato de que esses cavalos bem alimentados provavelmente pertenciam a salteadores, que na época costumavam fazer amizade com os tropeiros que se dirigiam ao leste, convidando-os a tomar uma bebida no caminho de volta, quando tivessem trocado todas as suas ovelhas por dinheiro. Era na volta então que os salteadores atacavam, e o tropeiro acabava em alguma vala de Stratford, sem o dinheiro e com a garganta cortada. Por causa disso, a maioria dos tropeiros saíam de Northampton com suas ovelhas e as levavam para Londres, para que pudessem voltar ao País de Gales por Bristol e fazer a viagem por outro caminho, longe das tabernas de Worcester, onde os salteadores estariam à espera. Ocorre a Henry que essa rota entre País de Gales, Northampton e Londres marca outro triângulo muito parecido com aquele que liga a Inglaterra à América e à África — e em ambos os casos é uma espécie de rebanho sendo movido. Além disso, claro, há outra semelhança no fato de que alguns dos animais de que Henry está encarregado — embora não muitos deles, pensando bem — foram marcados a ferro. A principal diferença é a cor das mercadorias. Henry reflete sobre o movimento de sua família ao longo de gerações ter percorrido essas rotas de comércio tradicionais, seja o comércio de ovelhas ou pessoas, de aço dos EUA ou livretos de Buffalo Bill, e supõe que essas linhas de menor resistência, que são entalhadas a princípio pelo empreendedorismo, acabam se tornando destinos. É por essas trilhas de dinheiro que, digamos, o gosto de um tataravô por uma bebida ou os grandes olhos verdes de uma avó vagam pelo mundo e através dos tempos. Henry e Selina não têm algo do que se poderia chamar de um plano por trás de sua jornada, imaginando que talvez continuem até Londres com os tropeiros e, se não gostarem de lá, ora, então seguirão em frente de volta ao País de Gales. Isso foi antes de chegarem a Northampton e se afunilarem pelo portão norte em uma grande faixa branca, onde há aquela igreja circular que é mais velha que as colinas, aquela árvore todo-poderosa marcada por todas as guerras. Isso foi antes que Henry e a mulher, Selina, com a quilométrica fila nupcial infestada de carrapatos e trotando atrás deles pelas pedras, vissem a Sheep Street pela primeira vez.

A escolha de assumir um novo endereço nas avenidas cinza e bege de Northampton, em 1954, exige que Joyce e Bernard tomem algumas decisões difíceis. A regra de "casal sem filhos" apresenta o maior obstáculo para morar no apartamento da Sheep Street e, portanto, para Bernard aceitar sua melhor e até agora única oferta de emprego. Mas ele acha que há uma maneira de contornar o problelma. Numa viagem para conhecer o lugar, vindo de trem de Londres em uma nuvem de vapor e fumaça de carvão, conhece por acaso o possível vizinho dos quartos do andar de baixo, um idealista simpático da Liga de Amizade Internacional. O grupo é uma espécie de coalizão socialista inglesa, por sorte totalmente ineficaz. É o tipo de coisa que Bernard costuma evitar, mas, nesse caso, o velho parece oferecer a ele uma solução para sua situação de "filhos proibidos": o homem dá a entender que tem espaço para esconder uma criança em sua acomodação no andar de baixo nas ocasiões em que o proprietário for fazer uma visita, o que ajudaria a resolver o dilema de Bernard pelo menos em parte, sendo a outra o segundo filho dele com Joyce, o pequeno Andrew. O novo vizinho não tem espaço para esconder dois bebês e, como primogênito de Bernard, parece justo que David, de dois anos, tenha precedência. Depois de uma deliberação muito acalorada com a mulher, Bernard decide que seria melhor se Andrew ficasse em Brixton com alguns parentes de Joyce até que eles se estabelecessem na cidade e conseguissem um empréstimo para ter um endereço permanente com espaço para todos da família. Na opinião de Bernard, com Andrew ainda alguns meses antes do primeiro aniversário, seria menos provável que tivesse formado um forte apego à mãe e, portanto, sentiria menos falta dela do que David. Bernard duvida que uma criança tão pequena perceba que algo está diferente. Além disso, mais tarde na vida, o bebê não será capaz de se lembrar de nada sobre isso. Seria como se aquela situação que, sim, era aquém do ideal, não tivesse acontecido. Por fim, tudo está arranjado e segue adiante e, na primeira noite no novo apartamento com vista para aquela igreja peculiar e de aparência pouco cristã do outro lado da rua, Joyce não dorme e chora até de manhã. Bernard não entende por que ela não pode apenas se resignar e tirar o melhor proveito de tudo. Estão simplesmente fazendo o que precisam fazer e, talvez em um ano, tudo ficará bem para todos. Andrew vai ficar bem. Não há mal algum.

Henry e sua Selina descem a Sheep Street até a praça do mercado para que possa receber seu salário na Welsh House de lá, e ele sabe, pelo jeito como todos o olham, que é o único rosto negro da cidade. Não que pareçam ressentidos ou o encarem como se ele não devesse estar lá, como teria sido no Tennessee. As pessoas de Northampton parecem estar impressionadas, olhando para Henry como se fosse uma daquelas grandes girafas que só viram em fotos, ou algo tão raro e fora do comum que ninguém esperava ver na cidade ou na vida. As pessoas sorriem ou algumas parecem chocadas, mas, na maioria das vezes, ficam paradas com uma expressão pasmada, como se não soubessem o que fazer. De sua parte, Henry imagina que a expressão em seu rosto deve ser parecida com as daquelas pessoas: ele está boquiaberto com a estranheza da cidade antiga. É como se Henry e Northampton estivessem mudos de espanto mútuo. Primeiro há aquela igreja redonda, que está ali há oitocentos anos, enquanto na rua há aquela grande faia que deve ser quase tão antiga quanto, e então há uma praça do mercado que é mais ou menos da mesma época, dos anos mil e alguma coisa. Isso é muito tempo, o suficiente para fazer sua cabeça girar. Ora, naquela época o comércio de escravos entre os países não havia sido inventado, pelo que Henry sabe. Não havia Estados Unidos, nem Tennessee, e os brancos nunca tinham ouvido falar da África. Há apenas a igreja circular, a faia e o rio de lã serpenteando entre ali e o País de Gales. Para Henry, parece que todos esses séculos em que o lugar esteve ali são uma espécie de largura ou profundidade que não pode ver, mas que conspira para dar à cidade uma sensação de grande magnitude, maior do que seu tamanho real visível. Depois de receberem o pagamento de Henry, os dois saem da praça do mercado e voltam para a Sheep Street, onde entram em um antigo beco com uma placa que o identifica como Bullhead Lane, tão íngreme e estreito que parece um desses lugares absurdos que aparecem em sonhos, e é assim que descem para os Boroughs. Desde o início tudo ao redor está clamando pela atenção deles. Duas velhas duronas parecem prestes a arrancar a cabeça uma da outra em plena rua, em frente a uma das cervejarias e, em qualquer lugar que você esteja, pode ver cerca de uma dúzia de pubs semelhantes, são muitos deles. Há um cego tocando realejo, coelhos pulando ali mesmo na calçada, todo mundo de chapéu e ninguém armado. Há todo tipo de berros e conversas, e na Scarletwell Street, onde gastam uma parte do pagamento de Henry no aluguel adiantado de uma casa que adoram, avistam o impressionante animal de Newton Pratt bebendo sua cerveja e tentando ficar de pé do outro lado da rua. Henry e Selina consideram isso um sinal e se mudam imediatamente. Têm uma casa inteira para eles e, embora seja pequena e enfiada em sua fileira fuliginosa como um livro socado em uma estante, parece grande demais a princípio, mas isso é antes de os bebês começarem a sair de Selina em uma inundação alegre e bagunceira que sobe até os tornozelos, depois os joelhos e, no que parece ser apenas um ano ou dois, estão com crianças até os ombros.

Adulto, David Daniels não consegue lembrar muita coisa de suas origens lá no apartamento em Sheep Street, seus dois anos como residente oficial dos Boroughs. Sua infância, aquela continuidade infinita de momentos em que cada momento é uma saga, evaporou-se para deixar apenas um fino resíduo de imagens e associações, frágeis fotografias sépia tiradas do nível do chão, com os detalhes e o contexto desbotando nas bordas. Ele se lembra da infinita planície do carpete na sala de estar, bege suave com folhas e arabescos que são um acre de penugem dourada agora em sua memória, perfurada por lâminas oblíquas de luz solar. Há um filme interno bruxuleante rodando em loop, com alguns segundos de duração, de David preso à mãe, Joyce, por rédeas de couro, tropeçando com passos incertos ladeira abaixo ao longo de um caminho ladeado por grandes dentes semicaídos, que ele agora percebe que eram as lápides do cemitério do Santo Sepulcro, a velha igreja do outro lado da rua. Quando é levado para caminhar, é sempre para o norte ou leste da Sheep Street, nunca para o oeste ou o sul. É sempre para o Hipódromo, um pouco depois da Regent's Square, e nunca para os Boroughs, um bairro de má reputação onde, sem o conhecimento dele, sua futura companheira de brincadeiras, Alma Warren, dorme um sono profundo no seio de seu clã ordinariamente peculiar. As lembranças iniciais de David sobre o pai são mais como memórias de um navio do que de uma pessoa, com o peito e a pança projetados para a frente como uma vela mestra de brocado inchada pelo vento de cauda. Polegares enganchados presidencialmente nos bolsos do colete e, acima do nó da gravata, o rosto orgulhoso de Bernard como uma bandeira; uma caveira de pirata mais bem nutrida, com suas órbitas de vidro cintilantes douradas nas bordas, que navegou até aqui nas correntes temperadas da costa da Barbária, vindo das montanhas leoninas do antigo país em que David foi concebido e que seus pais raramente mencionam. Depois, há os dias de mistério e aventura, quando a mãe o leva no trem-dragão bufante para Londres para que possa visitar amigos ou familiares, ele não tem certeza, e David passa as tardes em salas de visitas desconhecidas de Brixton brincando com um garotinho chamado Andrew, que parece até legal, mas que não conhece. Quando David tem quatro anos, em 1956,

Bernard e Joyce finalmente descobrem um casal branco que assinará por eles uma hipoteca para burlar as restrições raciais dos bancos. Eles se mudam para uma casa agradável em Kingsthorpe Hollow, o pequeno e engraçado Andrew aparece inesperadamente para morar com eles e, pela primeira vez, David entende que tem um irmão, que teve um irmão todo esse tempo e nunca ouviu nada a respeito até então. Ele começa a se perguntar quanto de sua vida está acontecendo sem seu conhecimento, a especular sobre onde seus pais poderiam ter estado e quem poderiam ter sido antes de se materializarem repentinamente como um casal proprietário de uma casa em Northampton, como se sempre tivessem estado ali. Por que David e o irmãozinho parecem não ter avós? Sua mãe e seu pai nasceram como deuses, da lama e do céu, da paisagem de Northampton, sem ancestrais mortais que os precederam? Tem a sensação de uma história longa e complicada na qual entrou no meio, e sua impressão é de que foi mantida à distância dela, em quarentena, como Andrew. Como poderiam não ter dito a ele que tem um irmão? Começa a se preocupar com mais surpresas atordoantes que possam estar à espera. Com a nova casa e os novos vizinhos, e a maneira como sua família é incentivada a enxergar a si mesma, agora que não mora mais nos Boroughs, David começa a se perguntar se é mesmo negro, se David é mesmo seu nome verdadeiro.

Quase assim que Henry põe os pés nos Boroughs, ele se torna Black Charley, como se o título estivesse apenas esperando que ele aparecesse e o vestisse como um sobretudo velho. Ele não se importa. Não é desrespeitoso, o "black" não é nada mais do que a pura verdade, enquanto "Charley" é apenas como chamam um homem por aqui quando não conseguem se lembrar de seu nome. À sua maneira, é quase como uma marca de uma posição especial, uma forma de reconhecer que ele é único e que não há outro lugar em torno de Northampton que possa se orgulhar de alguém tão notável quanto Henry George. Embora outras pessoas de cor tenham chegado à cidade ao longo dos anos, nenhuma delas é tão conhecida quanto Henry. Pelo menos até 1911, quando o time de futebol local – chamado de Cobblers, ou seja, os sapateiros, por causa de todas as chuteiras e sapatos feitos aqui na cidade – contrata um jogador negro chamado Walter Tull. Fazem um grande alarido nos jornais locais, e é assim que Henry fica sabendo do fato, que desperta seu interesse e o leva a querer descobrir tudo o que puder sobre esse recém-chegado que ameaça roubar sua coroa cravejada de carvão. Chega até a pegar uma carona para o campo de futebol, que fica na Abington Avenue, para ver Tull jogar, apesar de nunca ter gostado muito do jogo, e é forçado a admitir que o menino consegue correr como um raio e com certeza sabe como chutar uma bola. É bonito também, um jovem de cerca de 24 anos, trinta e cinco anos mais novo que Henry e com a pele muito mais clara. Parece que Tull nasceu em Kent, a terra do lúpulo. Seu pai era de Barbados e a mãe, uma garota inglesa. Pelo que Henry ouviu, os pais de Tull faleceram antes de ele completar dez anos. Ele e seu irmão Edward — o mesmo nome do filho mais novo de Henry e Selina — foram criados em um orfanato de Londres até que Edward fosse adotado por uma família de Glasgow. Ele foi para a Escócia e se tornou o primeiro dentista negro do país, por mais incrível que possa parecer. Quanto a Walter, ele joga futebol em um clube para meninos em Bethnal Green ou em algum outro lugar, onde é notado pelos olheiros que todos os times grandes têm, e em pouco tempo é contratado para jogar no Tottenham Hotspurs, que costuma ser chamado só de Spurs. Isso foi em 1909 e, embora Tull não seja o primeiro homem negro ou pardo a jogar futebol profissional aqui na Inglaterra — há outro jogador negro em Darlington, acredita Henry, um goleiro —, Walter é o primeiro a jogar na linha, e não no gol. Ele não fica no Tottenham mais do que um ou dois anos e, segundo disseram a Henry, é porque, quando o time joga em outra cidade, todos os espectadores gritam coisas ofensivas para Tull, comentários motivados pela cor dele. Qual deve ser a sensação, pensa Henry, de estar em um estádio cheio de pessoas que odeiam e ridicularizam você; de ter centenas de olhos em você e nenhum lugar para onde possa fugir até o apito final? Do ponto de vista de Henry, algo assim seria seu pior pesadelo, e ele fica muito aliviado por não ver nada parecido nas vezes em que vai ver Walter jogar no que eles chamam de County Ground, em Abington. Todos parecem sentir que é um prazer ter Tull aqui na cidade, e Henry se orgulha de sua associação pela aparência. Então, em 1914, irrompe aquela terrível guerra europeia, e Walter Tull prova ser tão corajoso quanto é bom de bola ao ser o primeiro jogador da cidade a se alistar no Exército e ir lutar. Pelos relatos que voltam da linha de frente, parece que se sai muito bem. Luta na primeira Batalha do Somme e é promovido a sargento. Então, em 1917, quando é promovido a segundo-tenente e sai para lutar em Ypres e Passchendaele, se torna o primeiro oficial negro em todo o Exército britânico. No ano seguinte, o último da guerra, Walter volta para a França para o que é chamado de Ofensiva da Primavera, onde é explodido e não conseguem recuperar seu corpo, de modo que nunca recebeu um túmulo adequado. Na noite em que ouviu a notícia, Black Charley tem um sonho em que Walter Tull aparecia com o herói do faroeste predileto de Henry, Britton Johnson, e os dois estão vestidos como caubóis, abrigados atrás dos garanhões que alvejaram para usar como barreira e respondendo ao fogo enquanto, ao redor deles, aos berros, circula a infantaria montada alemã, usando cocares de penas em vez de capacetes com espeto.

Mais ou menos quarenta anos depois disso, David segue em frente com a vida. Ele se dá bem com o irmão mais novo, Andrew, e se dá bem assim que começa a estudar em St. George's, no coração de Semilong. Tão bem, na verdade, que David descobre que precisa aguentar todo o peso da aprovação e do encorajamento orgulhosos e radiantes do pai, Bernard, algo que o deixa desconfortável quando começa a perceber que o mesmo entusiasmo não se estende a seu irmão mais novo. Embora a mãe deles, Joyce, seja escrupulosamente equitativa ao demonstrar afeto aos filhos, começa a parecer que o marido já escolheu qual deles salvaria em caso de um incêndio doméstico. No lugar de onde vem Bernard, essa atitude pragmática não é incomum. Às vezes a vida é muito difícil. Às vezes, a única maneira de garantir que algum de seus filhos sobreviva é tomar decisões brutais e terríveis e colocar todos os seus recursos em apenas uma criança. É uma abordagem estratégica, militar, segundo a qual os reforços são enviados para os regimentos já vencedores, nunca para as tropas sitiadas, as que estão próximas da derrota. Por que investir no que vai mal? Do ponto de vista do pai, a crescente disparidade entre os irmãos é apenas como as coisas são, pelo menos em sua residência em Kingsthorpe Hollow. Aquilo não é mencionado e, depois de um tempo, quase nem notado, é só uma coisa com a qual conviver. David ama seu irmão. Andrew é seu companheiro constante de brincadeiras, para não dizer quase o único. David não é muito próximo de nenhum dos outros alunos, as crianças brancas, de sua sala na escola. É mais inteligente, na maioria dos casos, e tem uma cor diferente, e esses atributos não contribuem para uma boa convivência com seus colegas de classe. Há outras crianças negras com quem David e Andrew às vezes brincam no parquinho com balanços e gangorras no Hipódromo, mas são principalmente filhos de imigrantes jamaicanos, e David se sente como se houvesse algum tipo de barreira que os separa dele e de Andrew, algo que não consegue ver nem entender. Parte disso está na ostensiva desaprovação de seu pai aos novos amigos, e parte na maneira com que o pai inculca em David e seu irmão a ideia de que deveriam compartilhar dessa desaprovação. A ideia de que têm uma origem melhor que seus amigos do Caribe. David sabe que isso não é certo, essa atitude, mas de alguma forma ela está implícita nas coisas, mesmo em uma simples brincadeira em um gira-gira, e cria uma atmosfera, cria uma distância – mesmo entre ele e meninos e meninas de sua própria cor –, como se David já não fosse solitário o bastante. A agenda segregacionista e classista do pai tem um lado positivo pelo menos quando se trata da formação educacional de David. Sem a distração dos companheiros, tem pouco a fazer a não ser se concentrar em seus estudos, preparar-se para o exame de seleção para o ensino ginasial, que mais ou menos determinará, na tenra idade de onze anos, as perspectivas para o resto da vida de David. O único respiro que tem da escola, além do tempo que passa com Andrew, vem de sua descoberta da fantasia, de sonhos envolvendo pessoas de aparência nobre com habilidades surpreendentes. David nunca ouviu falar de Henry George, muito menos do herói de Henry, o pistoleiro negro Britton Johnson, mas talvez haja algo em seu sangue ditado pelo triângulo comercial escravagista que lhe dê uma predisposição para o vibrante sonho em Technicolor que são os Estados Unidos da América. Às quartas e aos sábados, David começa a frequentar a banca de livros e revistas de Sid, que fica na antiga praça do mercado, onde o proprietário de boina, cachecol e cachimbo fumegante preside uma maravilhosa coleção de tesouros sinistros. Há caixas abarrotadas de brochuras amareladas de segunda mão, entre as quais as capas delirantes de livros de ficção científica parecem predominar, e penduradas na parte superior da barraca, nas mandíbulas ferozes dos prendedores, estão revistas de aventura masculinas nas quais fuzileiros navais nus até a cintura com os dentes cerrados são açoitados por mulheres adoráveis vestindo apenas roupa de baixo e braçadeiras com suásticas, com chamadas que lhe prometem acesso às DEPRAVADAS DEUSAS DO AMOR ALEMÃS DA ILHA DA TORTURA! Ainda mais sedutoras do ponto de vista de David são as fileiras de quadrinhos americanos exibidos na mesa principal da livraria: borboletas coloridas que só não voam por causa dos discos de metal que servem como pesos de papel. O Homem de Ferro luta contra Kala, a Rainha do Mundo Subterrâneo, e bem acima dos arranha-céus, o Homem-Aranha luta contra o Abutre. Super-Homem e Batman se encontram quando ambos são apenas meninos, como é possível? As fileiras em constante expansão de personagens fantasiados tornam-se as companheiras secretas da imaginação de David, todo um mundo oculto de amigos que ninguém mais além dele parece conhecer. Guarda os gibis que coleciona em seu quarto, esparrama-se na cama e os lê enquanto, no andar de baixo, o pai se irrita com as notícias de algum lugar chamado Serra Leoa, que alguém chamado Milton Margai acaba de levar à independência. Nada disso é tão relevante ou tão interessante quanto os skrulls, o Tocha Humana e Starro, o Conquistador. Apesar do entusiasmo por sua nova paixão, o desempenho escolar de David não é afetado, e ele passa nos exames de admissão para o ensino ginasial. Isso certamente agrada ao pai: significa que David será enviado para o prestigiado Liceu de Meninos na Billing Road. Bernard fica ainda mais deleitado quando o *Chronicle & Echo* envia um jornalista e um fotógrafo para cobrir a entrada de David em seu novo local de aprendizado, com uma foto o mostrando em seu novo uniforme escolar, sentado em sua carteira em uma sala de aula deserta, para o caso de ele ainda não se sentir suficientemente invisível ou isolado. A manchete afirma que se trata do PRIMEIRO ALUNO NEGRO NO LICEU, e o rosto de David na fotografia mostra um olhar de cautela e apreensão, como se ele não tivesse ideia do que vai acontecer a seguir.

Entrando na rodovia do século XX, Henry e Selina mandam seus vários filhos para a Escola Spring Lane, que fica do outro lado da rua de onde moram, espremida em meio à confusão de casas, bares e negócios existentes entre a Spring Lane e a Scarletwell Street. Quando anda em sua carruagem de rodas de corda para procurar bugigangas todas as manhãs, Henry gosta de ouvir os meninos e meninas rindo e gritando em algum lugar no parquinho que fica atrás da escola de tijolos vermelhos, se por acaso for a hora certa do dia. Ele desce em direção à Saint Andrew's Road, com a linha férrea além, passando pelo The Friendly Arms, as lojinhas e as casas, e ouve os jovens fazendo barulho para ver se consegue identificar as vozes da própria prole dentre eles. Pelo que Henry sabe, os filhos dele e de Selina são os primeiros alunos que não são brancos na escola, mas ainda assim nunca ouvem falar de perseguição ou provocação, ou pelo menos nada relacionado à cor da pele. Em mais de uma ocasião, quando se esforça para subir a Black Lion Hill até a Marefair e suas vitrines iluminadas, ou desce a Bath Street, onde há aquela grande chaminé escura — aquele Destruidor —, ocorre a Henry que, apesar das aparências, ele e Selina escolheram exatamente o lugar certo para criar a família. Levou um tempo para entender isso, mas Henry acha que as relações entre negros e brancos ali são um pouco diferentes do jeito que as coisas são nos Estados Unidos. O negócio de classe tem muito a ver com isso, na visão de Henry. No Tennessee, mesmo os brancos mais humildes ainda desprezam os negros, talvez porque, aos olhos deles, um homem negro sempre será um escravo. Mas aqui na Inglaterra, embora os ricos controlem quase tudo, eles não mantêm escravos. Então, em um lugar como os Boroughs, onde as pessoas e seus pais e avós, desde os dias dos cavaleiros de armadura, são sempre os de baixo, eles olham para Henry e a primeira coisa que veem não é um homem negro, é um homem pobre. Se quiser saber a diferença entre os dois países, basta observar suas respectivas guerras civis. Pelo menos essa é a opinião de Henry, que mora no local que forneceu as botas para ambos os conflitos. Na Inglaterra, lá atrás no século XVI, o velho Cromwell finge que está lutando para libertar os pobres da opressão. Enquanto isso, nos Estados Unidos, quando Henry é apenas uma criancinha, o velho Lincoln finge que está lutando para libertar os escravos das fazendas. Falando por experiência própria, Henry acha que o senhor Lincoln só quer tirar os escravos dos campos de algodão no Sul para trabalhar em tecelagens e fábricas no Norte. E, pelo que Henry ouve sobre a Guerra Civil Inglesa, parece que o senhor Cromwell está apenas atrás de poder e glória. Uma vez que consegue, começa a matar os líderes das pessoas comuns que o apoiaram, e tanto na Inglaterra quanto nos Estados Unidos as guerras civis terminam e aqueles que deveriam libertar não estão em melhor situação do que antes, os negros por lá, os pobres aqui. Ora, colocando dessa forma, as guerras parecem quase a mesma coisa, mas Henry tem a impressão de que, embora ambas provavelmente tenham conquistas de poder como grande objetivo, na Inglaterra ela é apresentada ao povo como uma revolta contra quem é mais abastado, assim como o negócio que está em todos os jornais sobre a Rússia no momento. Nos Estados

Unidos, por outro lado, tiveram que simular que sua Guerra Civil era pela libertação de escravos, porque os americanos nunca vão querer derrubar os ricos; ficar rico é a ideia fixa de todo o país. Aí está a diferença, é o que Henry pensa. Na Inglaterra, mal conseguem compreender o ódio que existe entre pessoas de cores diferentes, porque o que ocupa seu pensamento é o ódio entre pessoas de classes diferentes. Com os pneus de corda ribombando nos paralelepípedos, Black Charley corre pelos bairros como uma música que todo mundo conhece. Contanto que fique nessa parte da cidade, não terá nenhum problema, mas isso vale também para todos os brancos aqui embaixo. Ele gosta dali e, em particular, fica maravilhado com todas as coisas grandes e pequenas que ligam o lugar ao país de onde veio. Há George Washington e o velho Benjamin Franklin também, com famílias que deixaram Northampton para escapar de uma guerra civil e indo para a América para ajudar a preparar outra. Há as botas confederadas, e Henry ouve sobre a influência considerável do sr. Phillip Doddridge sobre o reformador William Wilberforce e, claro, há o pastor Newton escrevendo sua "Amazing Grace" lá em Olney. Há um sr. Corey que é batizado na igreja redonda na Sheep Street, vai para a América e é torturado até a morte em Salem, envolvido naquela tolice de bruxaria de Cotton Mather. As estrelas e listras, a bandeira dos Estados Unidos, vêm de um antigo brasão de aldeia que os Washington levaram de Barton Sulgrave quando partiram, e então há o próprio Henry George, mais um elo nessa corrente feia que liga uma terra à outra. Henry trepida nas pedras dos Boroughs e ama os mistérios sujos de seu distrito adotivo, com todos os seus séculos jogados em plena rua, empilhados em fardos como jornais não vendidos. Gosta das curvas de seus caminhos e becos — o que chamam de viela aqui — e, ainda que todo o lugar não tenha mais de meio quilômetro quadrado e ele more lá há quase vinte anos, Henry ainda consegue descobrir passagens e atalhos que não conhece. Então chega o fim da guerra em 1918, e ele vê tudo começar a mudar, com Walter Tull em uma cova sem identificação em algum lugar da França e o início da lenta e dolorosa demolição dos Boroughs, todos os interessantes pátios e becos e complexidades atrás da Marefair derrubados e transformados em escombros que não eram nem interessantes nem complexos, todas as vidas e histórias naquelas ruas estreitas simplesmente apagadas, como se nunca tivessem existido. Vê cada vez mais terrenos cercados com folhas de metal corrugado, cada vez mais viúvas da guerra obrigadas a vender fornicação no cemitério da igreja de Saint Katherine, e a poderosa torre do Destruidor fumegando em um céu do meio-dia que é quase tão negro como ele. Um grande peso começa a tomar conta dele, e Henry nota com perplexidade que, em meio a todas as alterações, a Scarletwell Street parece estar gradualmente ficando mais íngreme.

Um pouco acima, em 1964, David mergulha em uma compreensão repentina da antiguidade e estranheza da Inglaterra quando começa a frequentar o Liceu da Billing Road como um aluno do primeiro ano, de calças curtas, seu blazer azul-marinho e boina obrigatórios. Já começando a desenvolver um senso aguçado para se vestir, sabe que essa não é uma roupa que o favoreça, principalmente as calças curtas. Essa intuição é confirmada quando descobre que o orientador das primeiras séries, o sr. Duncan Oldman, é um amante inveterado de meninos e aparentemente tem permissão para chamar crianças de onze anos para ficarem ao lado de sua mesa, onde pode passar os dedos rechonchudos sobre coxas descobertas, pelo menos naqueles cujos pais decidiram que não estão prontos para calças compridas. O sr. Oldman é um molestador de crianças assustador e arquetípico de um cartum de Charles Addams, com o corpo balofo de molusco afinando-se em mãos e pés delicados, nariz e orelhas de porco e olhos redondos e incisivos; a teia de vasos sanguíneos estourados em suas bochechas que lhe dá um rubor perpétuo de menino de coral. Segundo as conversas no parquinho, em pelo menos duas ocasiões distintas o sr. Oldman convidou alunos do primeiro ano para sua casa, ali perto, para lições depois da aula, onde tentou tocá-los e beijá-los. Nos dois casos conhecidos em que isso chegou aos pais do menino e foi feita uma reclamação formal, o novo diretor implorou que considerassem a boa reputação da escola, fizeram um acordo fora do tribunal e Dunky Oldman foi autorizado a continuar como orientador das primeiras séries impunemente, com seu harém de menores de idade ao redor, como um imperador Tibério que ensina Instrução Religiosa. O novo diretor, o sr. Ormerod, substituiu recentemente o titular anterior, o sr. Strichley, depois que este tomou uma dose cavalar de remédios para dormir e enfiou o carro em alta velocidade num muro de pedra. O sr. Ormerod, por outro lado, trabalhou anteriormente como vice-diretor em uma escola de elite e não vê seu novo trabalho como diretor de uma escola ginasial como uma promoção. Afinal, embora o exame de admissão faça um trabalho bastante razoável para garantir que apenas um mínimo de meninos de origens menos distintas possa frequentar a escola, ainda há o risco de que o sr. Ormerod possa encontrar um membro das classes trabalhadoras ou, no caso de David, um membro dos hotentotes. De fato, em meados da década de 1970, alguns anos depois que David deixou a instituição, os liceus foram todos transformados em escolas ginasiais, sujeitas a receber a mesma ralé de uma escola comum. De acordo com o boato que David ouve, para o sr. Ormerod é um rebaixamento, uma indignidade grande demais, e um dia ele chega para trabalhar um pouco mais cedo do que o normal para seguir o exemplo de seu antecessor, enforcando-se em uma escada perto da sala de artes. Pelo que David soube, o diretor que vem depois de Ormerod evita ter de se matar ao ser demitido por roubar três libras e quarenta pence do troco da máquina de bebidas da escola, mas, quando David está apenas começando na escola, tudo isso é futuro, e o antigo regulamento das escolas públicas ainda é válido. Um homem alto com um defeito no ouvido que o faz inclinar a cabeça para o lado como um abutre com o pescoço quebrado, Ormerod tenta recriar sua nova escola nos moldes da antiga. Dadas as pretensões que o liceu já tem, a instituição não precisa de muito esforço de convencimento para isso. Muitos dos funcionários ainda usam becas pretas e há até mesmo alguns dos professores mais velhos usando capelos, talvez os últimos na cidade a se vestir assim fora das páginas do *The Beano*. A sala do diretor tem um semáforo vermelho e verde instalado do lado de fora da porta para informar aos visitantes que devem esperar ou entrar, dispensando assim o sr. Ormerod de ter que dizer algo tão trivial quanto "entre". Dentro de sua sala, uma caixa com frente de vidro contém uma variedade de varas projetadas para infligir vários graus de punição; as grossas, que deixam hematomas; as finas, que cortam. Quando Ormerod decreta que, de agora em diante, os meninos que usam a piscina ao ar livre da escola devem nadar sem recorrer a calções de banho, conforme o costume em seu estabelecimento anterior, não há um ruído de protesto da equipe, e o sr. Oldman provavelmente escreve uma carta de congratulações ao diretor. Esse, então, é o mundo em que todos os recém-chegados à escola se sentem desconcertados, mas pelo menos os brancos têm uns aos outros para dar apoio. David não tem ninguém. Assim acontecia na St. George's, seus colegas de classe não querem conversa com ele, e os professores parecem vê-lo como uma oportunidade para piadas de antigos espetáculos de *blackface*. Por um tempo, David espera egoisticamente que, em um ano ou dois, seu irmão Andrew possa passar no exame de admissão para o ensino ginasial, para que pelo menos um cuide do outro naquele hospício preconceituoso, mas isso não é o que acontece. Andrew ressentido com o favoritismo do pai, com toda a razão, percebe que, por mais que tente, nunca vai ter a aprovação dele e, portanto, adota uma abordagem mais relaxada em relação aos estudos, não consegue passar no exame e opta pelas expectativas modestas de uma escola onde pelo menos há outras crianças negras. Enquanto isso, David está descobrindo que, embora pudesse ser o melhor da classe em St. George's, entre esses meninos educados em escolas preparatórias, ele não tem chance. Depois daquele primeiro ano, todos fazem provas para ver em qual nível se encaixam para o restante da carreira escolar, e David acaba no "C", junto aos burros e aos aprendizes de sociopata. Os professores e as outras crianças pegam no seu pé na escola, o pai desapontado pega no seu pé em casa, por isso David passa a maior parte de seu tempo livre no Edifício Baxter, ou na Mansão dos Vingadores, ou em alguma Fortaleza da Solidão alternativa. Numa manhã de sábado clara e fresca, David está na banca de Sid na praça do mercado. Os últimos quadrinhos da Marvel acabaram de chegar, e David está tentando descobrir por quantos pode pagar sem problemas, se deve deixar os *Strange Tales* ou *Fantasy Masterpieces* para outro dia, quando percebe que há outra cliente e que está olhando para ele. Virando-se lentamente, David se depara pela primeira vez com as olheiras escuras de Alma Warren, que acabou de fazer doze anos e não está usando maquiagem. Ela está segurando uma cópia de uma revista em quadrinhos da qual David nunca ouviu falar, uma coisa chamada *Forbidden Worlds*, de uma das editoras pequenas para as quais ele não dá a menor bola. Ambos sorriem com condescendência para o péssimo gosto um do outro e, lá no alto, os pombos esvoaçam inquietos de parapeito em parapeito, tecendo suas trajetórias como linhas sobre o tear de pedra da praça.

Black Charley em geral evita as partes mais nobres da cidade, restringindo-se aos Buroughs, ou às vilas nos confins do condado, onde é tão conhecido que as mães o usam como uma forma de obrigar os filhos a fazer o que mandam: "Se você não for para a cama, Black Charley vai te pegar". Henry não se importa muito em ser pintado como monstro aos olhos das crianças, acha que é uma medida de sua fama. Ele normalmente não tem problemas lá nas vilas, as Houghtons e as Haddons e as Yardley Gobions e todo o resto, embora uma vez, perto de Green's Norton, tenha sido atacado por um enorme lavrador bêbado, que segura Henry por uma perna e o pendura acima de uma fogueira até que seu cabelo branco esteja chamuscando e ele esteja gritando a ponto de acordar os mortos. Essa é a única vez que algo realmente ruim acontece com Henry quando está fora em suas rondas, e no final o camarada o deixa ir e ele sai com a impressão de que o gigante só queria colocar fogo na cabeça dele como uma espécie de piada idiota de Green's Norton, esperando que Henry também achasse aquilo cômico. Ainda assim, é o tipo de incidente que marca uma pessoa e, agora que está envelhecendo, Henry se dá conta de que suas viagens pelas vilas estão em círculos cada vez menores, até que todo o seu mundo é reduzido apenas aos Boroughs. Não que ele se importe. Na maior parte da vida, se mudou de cá para lá, do Tennessee para o Kansas, para Nova York e para o País de Gales, nunca conseguindo se estabelecer em um lugar por tempo o bastante para sentir o benefício de fazer parte de uma comunidade. Nos Boroughs, depois de morar ali há tanto tempo, Henry passou a entender que estar em um distrito e ver como a vida de todos funciona, em muitos aspectos, é como a leitura de um livro de histórias enorme e surpreendente com o qual você acaba por descobrir o que acontece com todos os personagens e suas circunstâncias. Chacoalhando em sua bicicleta pela Freeschool Street e contornando a Green Street, ele vê a jovem May Warren, a quem chama de jovem mesmo depois de ter todos os filhos e se tornado uma matrona. Ela está bamboleando pela pequena passagem que chamam de Narrow Toe Lane, vestida com seu casaco preto e gorro preto, como uma bola de boliche redonda de ferro retumbando para que os pinos saibam que é melhor sair do caminho. Henry imagina que esteja na rua por causa de algum trabalho relacionado à sua vocação de defunteira, as mulheres que eles têm por aqui que cuidam de todos os bebês e dos corpos, ambos em grande número. Henry e Selina recebem uma mulher chamada sra. Gibbs quando os filhos nascem, mas ele não tem dúvidas de que, se a sra. Gibbs não estivesse disponível ou estivesse ocupada com outros assuntos, May Warren faria um trabalho igualmente bom. Ele acha que é a perda da primogênita, uma coisinha linda também chamada May, que a torna tão boa no que faz. Henry faz uma saudação alegre a May Warren ao passar de bicicleta e, em troca, ela levanta um braço pesado e oferece a ele um rabugento "Oi, Black Charley, como vai?" como resposta. Enquanto segue para a Gas Street e aquele pedaço, Henry considera a sina tão peculiar da família Warren, com o pai de May, o velho Snowy Vernall, que certa vez apareceu no jornal depois de, bêbado, subir no telhado da prefeitura e ficar gritando, com o braço em volta daquele anjo lá em cima, como se fossem velhos amigos. E então, claro, há a tia de May, a irmã louca de Snowy, Thursa, que tem aquele grande acordeom com o qual anda vagando pelas ruas, tocando aquela música estranha e horrível com intervalos inusitados, fazendo você pensar que acabou antes de começar tudo de novo. Quando Henry está descendo perto da pequena ponte que vai até Foot Meadow, vê Freddy Allen, um jovem vagabundo que sem dúvida está voltando para casa, visto que dorme sob os arcos da ferrovia na grama. Aos vinte e poucos anos, Freddy não tem casa nem família, tudo por causa da pobreza e da bebida. Henry não pode dizer que aprova as atitudes de Freddy, que sobrevive roubando coisas das portas das pessoas, mas não pode deixar de sentir pena do menino, e sabe que um corpo precisa se alimentar. Curvando em direção à encruzilhada da West Bridge, onde ainda estão as ruínas do castelo, há todo tipo de pessoa nas ruas cuidando de seus assuntos. Ele conhece quase todo mundo que vê, e quase todo mundo que vê o conhece. Atravessa o cruzamento quando é seguro e desce a St. Andrew's Road, mas quando está no alto da ladeira, com aquele muro sujo de tijolos vermelhos se elevando acima dele à direita e todas as ruínas caídas do castelo aparecendo na grama à esquerda, uma forte tristeza toma conta dele de repente, e não sabe por quê. Está pensando em Selina e nos filhos, e o que mais o preocupa é o caçula, o pequeno Edward. Henry viu os trechos de entulho cinza brotando ao redor do distrito como se fossem manchas de alguma trepadeira nova e terrível, todas as casas demolidas nos fundos da igreja de St. Peter, onde só há prímulas e urtigas mortas agora, e lhe ocorre que os Boroughs serão outra coisa quando seu filho menor crescer. São todas essas demolições que o perturbam, lugares que Henry sabe que estão de pé há cem anos ou mais e que pensou que durariam para sempre, simplesmente derrubados e desaparecidos como se não significassem nada. Desde o fim da guerra, é possível sentir isso. Alguma grande mudança está chegando e, embora não consiga imaginar como o lugar vai parecer daqui a cinquenta, sessenta anos, tem a sensação de que provavelmente não gostaria muito. Não gosta de pensar como será para Edward ou seus outros filhos depois que ele e sua Selina morrerem. Apesar de saber que Edward estará devidamente crescido até então, não consegue deixar de imaginá-lo como é agora, uma criança negra vagando sozinha por alguma rua miserável e fria de um amanhã que Henry não reconhece.

Dave Daniels desliza sobre o asfalto cantante da Barrack Road montado em sua bicicleta Raleigh, com todo aquele potencial de uma manhã de sábado, com o vento forte contra o rosto ansioso. Está saindo para visitar sua nova amiga Alma em sua casa na fileira de residências geminadas meio toscas, mas agradáveis, entre a Spring Lane e a Scarletwell Street. É 1966 e a música nos rádios transistorizados é doce e efervescente, Vimto para os ouvidos[29]. Mês após mês, os quadrinhos americanos só melhoram, há programas de que gosta na televisão, David tem uma amizade de verdade e é o fim de semana de dinheiro no bolso, cheio de sorvetes Sky Ray e talvez um single da Tamla Motown na John Lever, sem aulas e, portanto, sem humilhação institucionalizada até segunda-feira. Ele descreve um arco livre jubiloso através da Regent Square, da Barrack Road até a Grafton Street e, ao fazê-lo, dá uma olhada na Sheep Street, com sua extremidade superior se abrindo à esquerda. Sabe que era ali que sua família morava quando chegaram à cidade, um ou dois anos antes de saber que tinha um irmão mais novo, mas suas memórias reais são confusas e muitas vezes contraditórias. Consegue se lembrar, no entanto, das viagens de carrinho de bebê para o Hipódromo, evitando excursões para o oeste, para os matagais aqui-há-tigres das entranhas escuras de Northampton, o continente interior conhecido como Boroughs, decrépito e por algum motivo vergonhoso. David conta aos pais que tem uma nova amiga chamada Alma, que às vezes visita, e até a leva em casa para conhecer o pai uma vez, mas não conta onde ela mora. Enquanto desliza para o longo mergulho da Grafton Street, David vê a vitrine empoeirada e a porta esmeralda descascada do clube caribenho na esquina da Broad Street. Alguém pichou ali a frase "ESTA MONTANHA NEGREJANTE", que supõe estar relacionada com a "montanha verdejante" da música "Mountain Greenery", que se lembra vagamente de ter ouvido no rádio na infância. David acha aquilo um tipo de piada idiota e ignora o preconceito, deixando tudo passar por ele sem afetá-lo, de acordo com sua política pessoal sobre insultos raciais – ou melhor, fazendo o possível para não ser afetado. Na verdade, cada passagem deixa um resíduo feio de raiva pisada em sua bílis de quatorze anos, mas o que pode fazer? A maneira do pai, Bernard, de lidar com isso seria supor que pintar frases no clube caribenho é apenas uma afronta aos jamaicanos, de quem também não gosta muito; que ser um advogado de sucesso com sua formação significa que as palavras "negrada", "crioulo" ou "macaco" quase certamente se referem a outra pessoa. David sabe que não, parado no parquinho vazio do Liceu com um apagador em cada mão, batendo-os em cúmulos explosivos e sufocantes de pó de giz enquanto seu professor e os colegas riem dele pela janela da sala de aula. Descendo a Grafton Street, pisando no freio ao se aproximar da banca de revistas Weston no meio do caminho, David desmonta e arrasta sua Raleigh para a calçada, apoiando-a no painel de arame cruzado – com uma manchete sobre o transplante de coração realizado pelo dr. Christiaan Barnard – que está debaixo da vitrine da frente. Olhando através do vidro um tanto esverdeado, seu próprio órgão cardíaco vibra ao descobrir que chegaram pelo menos alguns dos últimos quadrinhos da Marvel, cuja distribuição na Inglaterra é irritantemente errática porque só chegam dos Estados Unidos como lastro de navio. David vê uma nova edição de *Os Vingadores* que vai comprar, apesar de achar Don Heck – o artista da revista – um pouco chato, embora Alma diga que gosta do trabalho de Heck. Com mais entusiasmo, vê que há um novo *Quarteto Fantástico* e, ainda mais importante, um novo *Thor* com *Contos de Asgard*, de seu ídolo Jack Kirby, no fundo. Ele entra na banca, saindo pouco menos de um minuto depois com seis adições à sua coleção cada vez maior. Gastou apenas quatro xelins e seis pence. Depois de enfiar os gibis na mochila que carrega sobre um ombro, David segue pela Grafton Street até a Lower Harding Street, onde vira à esquerda. Logo fica claro que agora está em uma parte muito diferente da cidade. À direita de David, um amontoado de entulho que antes poderia ter sido dois ou três quarteirões de casas desce a ladeira em direção à Monk's Pond Street e aos pátios traseiros de um curtume fedorento. De acordo com o que Alma lhe conta, é o equivalente dela às manhãs apáticas de David no parquinho infantil do Hipódromo. Ela fica se arrastando dentro de grandes canos de concreto naquele terreno baldio, batendo acidentalmente as unhas até que fiquem pretas e caiam, enquanto David está sentado com o irmão, Andrew, bem mais leve, em uma gangorra que não se mexe e nunca vai se mexer, e sempre deixará o irmão mais novo encalhado no ar. David não tem certeza se é ele ou Alma quem sai em vantagem nessa, concluindo que no fundo tudo aquilo é trocar seis por meia dúzia, os balanços e gira-giras. Não gostaria de viver ali na fuligem soprada dos pátios da ferrovia, entre salgueiros-rosa enraizados na mesma sujeira, com pétalas murchas como papel alumínio rosa. Mas há momentos em que pode ver o apelo misterioso da área. Há uma ocasião em que visita Alma e ela não está, o que o faz deixar um recado com a avó dela. De acordo com o que Alma lhe conta mais tarde, a avó depois descreve o visitante como um menino mais ou menos da altura de Alma ou talvez um pouco mais baixo, de bicicleta, que falava muito bem, vestindo jeans e um suéter azul. Alma, no esforço de agilizar a identificação, pergunta à avó se por acaso o menino é negro, ao que senhora de setenta e poucos anos reage parecendo assustada e perplexa, respondendo:

— Sabe, eu realmente não saberia dizer.

Nem mesmo Alma sabe bem o que pensar disso, e David fica pasmo, embora ao mesmo tempo se divirta e também esteja impressionado de uma forma que não consegue compreender por completo. Ele é obrigado a dizer que, em termos de aceitação e atitude imparcial em relação a visitantes, a avó de Alma, Clara, supera seu pai, Bernard, com facilidade. Ainda sente vergonha pela vez em que convidou Alma para ver seus gibis e o pai insiste em interrogá-la a sós na sala de visitas, como um patriarca vitoriano em busca de uma garantia de suas intenções. Depois que Alma se vai, Bernard puxa David de canto e explica com toda a seriedade que, embora não haja nada de errado em se misturar com brancos, Alma não é bem o tipo certo de branco para o filho de Bernard ser visto andando por aí. Ela havia falhado no teste. Dave e Alma riem disso e concluem que, nas tabelas de classificação do preconceito, a classe é mais importante que a raça. Dave pedala pela Lower Harding Street em direção ao topo da Spring Lane, e as pessoas por quem passa não parecem prestar a menor atenção nele, quase como se já tivessem visto negros de bicicleta antes. O menino desce a antiga colina em uma corrida estimulante para a St. Andrew's Road, com pátios ferroviários adormecidos mais adiante sob a ferrugem e o sol, pedalando para ver a amiga que vive ali em outro mundo, outra década, com a mochila cheia de deuses e cientistas impressos em quatro cores, Zonas Negativas e Pontes de Arco-Íris em seu ombro, seus talismãs enquanto desce ao distrito e suas maravilhas em ruínas, sua estridente atmosfera pré-histórica.

Quando está no *The Pride of Bethlehem* por todas aquelas longas semanas, Henry lê os livretos de Buffalo Bill espalhados pelo porão como lastro, mas é só porque às vezes é tudo o que há para fazer, e não por causa de alguma admiração que possa ter pelo Coronel Cody. Ainda assim, entende a necessidade que as pessoas têm dessas aventuras absurdas e não se ressente delas por isso. O que Henry considera é que, em meio aos trancos, ao esforço e ao pouco conforto deste mundo, quando estamos aqui embaixo, atolados nele e encarando o que somos, um homem precisa ter uma estrela lá em cima para poder se guiar, e essa estrela é algum tipo de ideal que não se pode alcançar, mas que mostra o caminho. Lá no Tennessee, na lavoura, você ouve as velhas histórias vindas da África sobre os guerreiros destemidos e todos os animais espirituais inteligentes que ensinam como é bom ser gentil com as pessoas e os benefícios de ser astuto e coisas do gênero. Ao mesmo tempo, há as canções e a religião, incluindo o hino do pastor Newton, que Henry supõe ser outra espécie da mesma coisa, uma maneira melhor de viver ou algum lugar melhor ao qual talvez nunca cheguemos, mas cuja ideia é capaz de nos dar forças para seguir avante do mesmo jeito. Não faz diferença saber que o homem que compõe o hino tem seu lado vergonhoso e não faz jus ao que escreve, porque o ideal é o que importa. Na mesma linha, há invenções mitológicas como, digamos, Hércules, e personagens inventados de livros, como aquele Sherlock Holmes que eles têm aqui ou, nesse caso, como Buffalo Bill, que para Henry só pode ser um personagem inventado. Ainda que não existam de verdade, a não ser quando você está imerso em suas histórias, a mera ideia de existir alguém tão inteligente, engenhoso ou corajoso lhe dá algo para almejar, uma força para tocar a carroça da vida. E depois há os homens e mulheres reais que, na opinião de Henry, são os faróis mais brilhantes e os bons exemplos mais gloriosos que se pode seguir, visto que são de carne e osso, e não algum deus antigo ou herói de um livro, o que significa que talvez, se você se esforçar tanto quanto eles, coisas maravilhosas possam realmente resultar disso. Às vezes, quando está dormindo, se recorda de Britton Johnson, como uma bela visão pisando nos calçadões de algum lugar gigante que sempre está presente nos sonhos de Henry, girando seus revólveres de seis tiros como um caubói em um filme ou então se vestindo como um índio pele-vermelha para conseguir resgatar a mulher e os filhos de volta dos comanches. Como será ser um homem assim? Henry espera que, se Selina ou seus filhos estiverem em perigo, terá a coragem de fazer exatamente o que Britton Johnson faz, ou pelo menos algo que seja tão corajoso quanto. Black Charley já recebe atenção suficiente no curso normal das coisas e não saberia se disfarçar de pele-vermelha. Fará isso se for preciso, mas é pouco provável que chegue a ser necessário ali nos Boroughs. Henry sonha com Mãe Seacole animando os soldados feridos com algumas ervas, um pouco de rum e talvez uma dança rápida pelo hospital de campanha e loja de provisões gerais que mantém na linha de frente da Guerra da Crimeia. Apesar de tudo, aos olhos da maioria, Mãe Seacole nunca será comparável à sra. Nightingale, assim como Britton Johnson jamais terá um livreto bobo em sua homenagem como Bill Cody. Henry sonha com Walter Tull jogando futebol nas trincheiras daquela terra de ninguém, numa dessas partidas que, dizem, os alemães e os ingleses jogam no dia de Natal antes de todos voltarem a explodir os órgãos vitais uns dos outros na manhã seguinte. Henry sonha com Walter Tull em seus shorts brancos largos e camisa bordô, driblando entre as barreiras antitanque e os cavalos mortos, disparando de um lado para outro, invulnerável ao gás mostarda, e chutando a bola bem acima de todas as passarelas e dos corpos e do arame farpado para os céus negros sobre Passchendaele, como um sinalizador estourando. Ele nunca sonha com John Newton, nunca sonha com Jesus e, agora que está envelhecendo, Henry prefere que seus santos sejam apenas homens e mulheres comuns, sem grandes aspirações à santidade. Ele não é ateu, de forma alguma, é mais como se hoje em dia não estivesse especialmente inclinado a colocar fé religiosa em pessoas que podem decepcioná-lo, ou em alguma instituição diferente de si mesmo, de quem tem certeza. Henry erigiu uma igreja tosca em seu coração e a leva aonde quer que vá, para velhos celeiros e tudo mais, com seu próprio cantarolar em vez de música de órgão, e a luz do vitral derramada de sua imaginação no chão sobre toda a palha e o estrume de cavalo. Henry pensa em tudo o que fez, cuidando da mãe e do pai como cuidaram dele, cruzando o grande mar e deslizando para Northampton em uma avalanche de lã nevada, ele e Selina criando seus filhos sem perder nenhum, e se sente contente consigo mesmo e com sua vida. É melhor, acredita Henry, que um homem seja seu próprio ideal e defensor, por mais que demore para chegar lá.

Nadando cachorrinho nas correntes preguiçosas e pouco exigentes do nível C, David completa os seis anos de sua educação engolindo muita água, mas sem se afogar. Consegue passar em um ou dois exames de nível O em matérias inúteis, toma bomba em todos os outros e não vê sentido em reprovar também nos exames de nível A. Não quer ir para a faculdade, quer acabar logo esses anos de prelúdio inútil e humilhante para poder seguir com sua vida em algo que se pareça com o mundo real. O pai está furioso com a decepção. Nada está saindo do jeito que Bernard queria. Em Serra Leoa, é golpe militar em cima de golpe militar, com Siaka Stevens, membro da etnia limba, por fim terminando no comando e imediatamente revelando sua verdadeira face, executando os rivais na política e nas forças armadas no cadafalso montado na Kissy Road, em Freetown. De mal a pior, é assim que Bernard vê as perspectivas de sua terra natal e do filho mais velho. Dave é rebaixado nas estimativas do pai, embora obviamente não tanto quanto o irmão mais novo, Andrew, que nunca figurou nelas. David não se importa. Ser o escolhido sempre foi um fardo, e Dave descobre que ele e Andy se tornam muito mais próximos na aconchegante casa de cachorro da desaprovação paterna. Sussurrando e rindo na escuridão após apagar as luzes, começam a planejar sua fuga ousada. Do lado de fora da porta da frente de seus pais, a onda dos anos 1970 está se crescendo até mesmo na fossa de Kingsthorpe Hollow, uma onda fluorescente de salto plataforma e estrelas adesivas. As letras das músicas são todas cromadas em ficção científica e Jack Kirby deixou a Marvel Comics para produzir uma inundação incrivelmente prolífica de novas ideias para seus principais rivais no ramo, cheia de deuses da tecnologia em guerra e versões atualizadas das gangues de crianças do Brooklyn dos anos 1940. Enquanto isso, uma gangue local de jovens aprendizes de skinheads, uns pivetes de dezessete anos, fez uma até sofrida conversão, assumiu o novo nome de "Bowie Boys" e agora usam delineador e carregam bolsas com o xadrez do Bay City Rollers. A década chega à cidade em uma nevasca de lantejoulas e deixa rastros de purpurina nas sarjetas. Ostentando suas fantásticas roupas da Biba e cabelo de porco-espinho com produtos Day-Glo, ela, tão sedutora, pisca o olho para os dois irmãos, os convence a fugirem de casa e se juntarem ao circo. Os irmãos se mudam para Londres assim que ambos têm idade para isso sem precisar das bênçãos e do consentimento do pai, o que nunca vai acontecer. Agora é um lugar muito diferente da cidade que Joyce e Bernard enfrentaram quando chegaram a Brixton vinte anos antes, e ser negro está quase na moda. Esse mundo nunca antes sonhado abraça Dave e Andy de uma forma que Northampton jamais poderia, oferecendo apartamentos, oferecendo trabalho. David começa sua trajetória profissional em uma loja de roupas que é o assunto do momento no ramo do entretenimento negro, se vê recomendando roupas para Labi Siffre, lutando kung-fu com Carl Douglas e descobrindo o perfumado mundo feminino. Tudo o que seria impensável em Kingsthorpe Hollow, onde, sob o olhar de aros dourados de Bernard, eram mantidos à distância de garotas, enfiados em uma escola ginasial só para meninos. David tem a impressão de estar vivendo pela primeira vez, vestindo-se como quer e ficando um pouco Funkadelic quando lhe convém, passando por todo o período inebriante sem recorrer a dreadlocks ou a afros. Ele e Andrew às vezes voltam a Northampton, só para ver a mãe e para que David possa conversar com Alma, mas a atmosfera e os silêncios de arame farpado em torno do pai fazem com que os intervalos entre as visitas aumentem gradualmente. Até Alma está se tornando mais difícil de encontrar depois que sua fileira de casas geminadas na Andrew's Road é demolida, no toque final da operação de limpeza dos Boroughs iniciada no fim da Primeira Guerra Mundial. A família Warren se muda para Abington, então Alma se manda sozinha para encarar uma série de namorados, quitinetes e endereços sem telefones. Aos poucos, os dois perdem o contato, mas a essa altura David já está com Natalie, uma garota bonita de uma família nigeriana que parece ser alguém para namorar. A vida dele acelera até passar pelos anos como se estivesse em uma bicicleta Raleigh, com a alegria apenas ligeiramente reduzida pelo fato de que, na vida, parece não haver freios. Não se pode parar, nem mesmo desacelerar.

Henry e este lugar onde mora estão ficando sem sorte, ele sabe disso, se é que já tiveram alguma, para começo de conversa. Há uma rigidez nas articulações e dobradiças, há uma qualidade reumática nos olhos e janelas, e uma sensação de nunca mais nas coisas. Algumas das ruas e muitas das pessoas que conhecia desapareceram. Ao redor de Chalk Lane, onde tudo está caindo e todo mundo está se mudando, vê as senhoras que conhece paradas na calçada, chorando, e uma dizendo para a outra: "Bem, é o fim de nossa amizade". Ele sente pena dos prédios caídos, da poeira e dos escombros num lugar que um dia significou algo para alguém, mas são pedras duras, e são as pessoas, que são mais frágeis, que se machucam mais cruelmente. São os laços entre elas, delicados e construídos ao longo dos anos, que são destruídos, tudo com uma canetada de alguém na prefeitura. Há amigos e famílias que se dispersam de repente, como bolas de bilhar, enviadas para os quatro cantos de Northampton, com as vidas seguindo para um caminho diferente, e Henry não pode deixar de experimentar um grande desgosto. Pelo que ouve, não vai demorar muito para que a Bath Street, a Castle Street e sua própria Scarletwell Street também sejam demolidas, e ele sabe que chegará um momento em que até o Destruidor será destruído, e tudo será substituído por alguma variedade desses grandes e modernos sobrados dos quais não gosta muito. Admite que pode ser um pouco mais limpo e mais higiênico aqui depois de todas as mudanças, mas pelo que viu dos diagramas e desenhos impressos no jornal, não é nem de longe tão simpático na aparência, e não tem certeza de que haverá vaga para defunteiras ou loucos como Thursa Vernall; para os vagabundos, como Freddy Allen ou Georgie Bumble; até mesmo para Black Charley, com sua bicicleta e carrinho de aparência engraçada. Vem arrastando mais seus blocos de madeira pelas ruas agora, quando está descendo as ladeiras, com medo de que, se pegar muita velocidade, ele e seu veículo sejam despedaçados. Um dia, quando Henry está descansando na grama perto da ruína do velho castelo, conversa com um jovem cavalheiro bastante agradável, bem-educado e que parece muito instruído em história antiga. Esse rapaz menciona o assunto da pele de Black Charley, mas de uma forma apreensiva, temendo cometer uma grosseria quando diz que não é a primeira vez que aquelas velhas pedras em ruínas conhecem um homem negro. Então, quando Henry pergunta o que isso quer dizer, ele fala sobre esse sujeito chamado Peter, o Sarraceno, um homem negro vindo da Terra Santa ou da África, que mora aqui por volta do ano 1200, trabalhando como fabricante de bestas para aquele que chamam de João Sem-Terra, quase setecentos anos antes de Henry chegar a essas partes. Por um lado, Henry admite sentir-se um pouco desapontado por não ser o primeiro homem de sua compleição por aqui, mas isso é apenas vaidade orgulhosa e, por outro lado, fica satisfeito por ter outro herói que pode socializar com Walter Tull e Britton Johnson em seus devaneios ociosos. Ele se imagina conduzindo os três em sua engenhoca com a corda em vez de pneus, escoltando o fabricante de bestas, o jogador de futebol e o caubói por todo o caminho de volta para casa no Tennessee sessenta anos atrás, para que possam libertar todo o povo de Henry com seus tiros extravagantes e seus dardos de besta silenciosos e mortais e seu faro de artilheiro. Ele anda dormindo mais ultimamente, e por isso tem mais tempo para todos os seus devaneios. Enquanto isso, pela janela, pode-se ver os armazéns e lugares assim virem abaixo na Scarletwell, até não restar mais do que aquela estreita fileira de casas geminadas na Saint Andrew's Road. Um pouco acima, o Friendly Arms está todo fechado com tábuas, pronto para desaparecer quando chegar a hora. Ele descobre por alguém que o sr. Newton Pratt adoeceu e morreu há alguns anos de pneumonia, ou pelo menos foi o que disseram. Sobre o que aconteceu com o lendário animal de Pratt, no entanto, Henry nunca ouve uma palavra, e no final está meio convencido de que deve ter sonhado tudo aquilo, já que a existência de um animal como aquele era mais improvável do que o encontro entre Walter Tull, Peter, o Sarraceno, e Britton Johnson. Henry cochila enquanto o mundo à sua porta se desfaz.

Apenas cinco ou seis décadas depois, David desliza confortavelmente para os anos 1980, agora casado com Natalie e abençoado com dois lindos filhos, Selwyn e Lily. As predileções por ficção científica da infância significam que, quando os primeiros computadores disponíveis comercialmente chegam às lojas, ele os adota com prazer, esses dispositivos fabulosos anteriormente desconhecidos fora da Bat Caverna. Tendo sido sempre muito mais inteligente do que seu histórico no nível C do Liceu sugere, logo descobre que sabe quase tudo sobre a nova tecnologia, quase o único em um mundo ainda embasbacado que parece não ter a menor ideia. Como um explorador em um planeta distante e selvagem que subjuga os nativos pasmos com um espelho e uma caixa de fósforos, a facilidade tranquila de David em fazer uma máquina recalcitrante funcionar de novo é vista como milagrosa por aqueles que a testemunham, e logo ele se encontra trabalhando em Bruxelas, em casa nos fins de semana, como um solucionador de problemas cibernéticos altamente valorizado. Quando tem oportunidade, mantém contato com Andrew, que é casado e tem dois filhos e também está bem. David voltou a se relacionar com o pai, mas percebe que só volta para Northampton de vez em nunca. Tudo o que vê da transformação da cidade, portanto, é uma sequência desconexa de instantâneos em um álbum de fotos mal-conservado, no qual anos inteiros de continuidade simplesmente estão faltando. Em uma visita por volta de 1985, por exemplo, descobre que a comunidade negra predominantemente jamaicana da cidade assumiu o controle da sede vitoriana do Exército de Salvação isolado em meio à desolação da Sheep Street, logo abaixo do atentado ao senso estético que é a rodoviária Greyfriars. David imagina que algum tipo de ordem de preservação mantém a bela estrutura antiga de pé depois que tudo ao redor foi demolido. Seus novos habitantes, com madeixas feito lagartas enfiadas em bulbos tricotados da bandeira etíope no topo das cabeças, transformaram o forte abandonado numa enérgica colmeia de atividade afro-caribenha. Renomeado como o Matafancanta Club por causa do que David entende ser o jeito jamaicano de se referir a algo como "lugar de compartilhamento", ele os vê cuidando das crianças em idade pré-escolar, dando aos artistas locais e seus *sound systems* um lugar onde possam montar suas coisas e ensaiar, mantendo um ensopado perpétuo em sua cantina no segundo andar. A construção, com sua fachada de tijolos cor-de-rosa e graciosos arabescos nas molduras que ganham vida por todos os acontecimentos dentro dele, parece fantástico. Quando passa por Northampton apenas alguns anos depois, o forte foi demolido e não há nada além de um trecho de grama amarelada e algumas histórias sobre dirigentes não confiáveis partindo para Kingston com todo o dinheiro, jovens com apelidos pitorescos traficando erva e por fim batidas policiais, depois que muitas BMWs são vistas no estacionamento do local. Lá se vai a ordem de preservação histórica, se é que em algum momento houve uma. Na mesma viagem, David fica aliviado ao descobrir que a faia incrivelmente velha da qual meio que se lembra da infância ainda está viva e prosperando em um pátio mais adiante na Sheep Street e, claro, a divisa igualmente antiga da igreja do Santo Sepulcro está bem ali onde sempre esteve – junto da faia, aparentemente tão imóvel quanto Alma Warren, com quem voltou a ter contato. Apesar da paixão pelos quadrinhos estar cada vez mais minguada, David faz algumas visitas a uma livraria de Covent Garden chamada Comics Showcase e descobre que a antiga amiga está se saindo bem ao perceber o tom reverencial com que outros clientes comentam as artes de capa feitas por ela. Ele pega algumas das revistas e fica impressionado com a qualidade realista assombrosa que Alma traz para aqueles tolos personagens fantasiados de trinta anos, retratando-os com muito mais seriedade do que eles parecem merecer. Então, apenas algumas semanas depois, quando passeia pela mesma livraria com sua filhinha Lily nos ombros, David encontra a própria Alma. Os dois ficam muito felizes em se ver, têm muito o que colocar em dia e, a partir desse ponto, suas viagens para Northampton se tornam um pouco mais assíduas. Ele gostaria de ir com mais frequência, mas a situação com o pai e Andrew ainda é tensa e estranha. Após os esforços de Bernard para encorajar um filho em detrimento do outro naufragarem com a recusa de David em se envolver na competição, o velho encontrou uma maneira de levar seu desagradável favoritismo para uma nova geração, adorando Selwyn e Lily enquanto ignora os dois filhos de Andrew, Benjamin e Marcus. O que mais incomoda David no comportamento do pai é o quanto isso machuca Andrew, muito mais do que quando era apenas ele que Bernard negligenciava. Andy podia suportar aquilo antes, quando era com ele, mas não agora, quando é com seus filhos. Ele começa a ficar obcecado em garantir que seus filhos obtenham a mesma atenção despejada sobre os dois filhos de David, estimulando-os na escola e na faculdade, determinado a fazer com que a excelência acadêmica force o avô a reconhecê-los. David aconselha Andrew a esquecer o pai, mas percebe que é mais fácil falar do que fazer quando são seus filhos que estão sendo maltratados bem na sua frente. Ele vê a amargura e o ressentimento nos olhos do irmão e não sabe onde isso vai dar, mas suspeita que não seja nada de bom.

Black Charley está morrendo em sua casa na Scarletwell Street, sairá apenas alguns meses antes que a derrubem para construir apartamentos e o mudarem junto de sua família para outro lugar de que não vão gostar tanto. Selina e os filhos vêm e vão ao lado da cama em um tipo de borrão sonolento que Henry não consegue acompanhar por causa do remédio que lhe dão para que o peito não doa. Dizem que tudo o que havia do outro lado da rua se foi, exceto a Escola Spring Lane e as poucas casas lá embaixo. Ele não quer ver como está, não quer ver tudo transformado em montes de tijolos espalhados no matagal, mas gosta de imaginar aquele estábulo que ainda existe atrás das casas sobreviventes na Saint Andrew's Road. Já que não gosta de frequentar a igreja e sequer poderia ir lá hoje em dia, mesmo que pudesse, aquele velho celeiro é a coisa mais próxima da ideia de Henry de um local de culto ao qual poderia ir a pé se pudesse andar. Agora aquilo está à distância de um pensamento, que é o que ele pode percorrer. Supõe que está se aproximando da ocasião em sua vida em que lhe faria bem trocar algumas palavras com seu criador e então é isso o que faz, desce para aquele velho galpão em sua mente sem precisar sair da cama nem uma vez. Ele se imagina subindo na velha bicicleta que deu ao filho Edward para brincar alguns meses atrás, depois que ficou claro que não precisaria mais dela. Em sua imaginação, finge que está descendo a Scarletwell Street, que é exatamente como era, com Newt Pratt e seu bicho bêbado, ambos diante de um Friendly Arms igualmente ressuscitado, e cumprimentando Henry com ruídos bem-intencionados, mas ininteligíveis, enquanto passa por eles indo para Saint Andrew's Road, como faziam quando ainda andava de bicicleta e os dois estavam vivos. Ele se vê todo jovem e vigoroso, embicando seu veículo à direita, para a longa viela de paralelepípedos que chamam de Scarletwell Terrace, descendo até os portões traseiros do estábulo, que na mente de Henry estão abertos, e não fechados com tábuas do jeito que lhe disseram que estão na vida real, agora que os cavalos que antes estavam lá se foram. Henry deixa a engenhoca imaginária encostada na parede imaginária do lado de fora e se imagina abrindo o trinco enferrujado e entrando, invocando todos os aromas e ruídos de um lugar como aquele da melhor forma que é capaz, com o bater de asas dos pombos em ninhos e o cheiro na palha não trocada há anos: aveia velha e uma vaga lembrança de esterco. A luz entra através das telhas quebradas acima enquanto Henry cai de joelhos imaginários e pergunta à coisa que sente que pode estar ouvindo em algum lugar se realmente está prestes a morrer e se há algo que deve esperar depois que isso acontecer. Como sempre, não obtém qualquer resposta. Henry então se pergunta que tipo de resposta pode estar à sua espera, que tipo de pós-vida lhe agradaria na próxima parte da eternidade. Não está tão convencido da ideia do Céu como visto nas ilustrações da Bíblia. Admite que parece limpo e bonito, com as nuvens e as escadas de mármore, mas, assim como acontece com esses prédios modernos que dizem que estão construindo, não consegue ver nenhum lugar para si nessa imagem, ou pelo menos nenhum lugar em que parece que se sentiria confortável. Ora, se não quer isso, então o que quer? Ele reflete sobre a crença dos camaradas hindus, de ter que nascer de novo em uma nova vida como alguém diferente, talvez até como algum tipo de animal estúpido, e não gosta disso. Se ele morrer e outra pessoa nascer na próxima semana, uma pessoa diferente, que não tem memória de ter sido ele, de que forma ela pode ser Henry George? A menos que haja algo naquilo que ele não tenha notado, parece bastante claro que seria alguém inteiramente outro, e não Henry George. Não, quando tenta evocar sua ideia de paraíso, descobre que está evocando as coisas que conhece, o que já aconteceu. Pensa que gostaria de ver o pai novamente e ouvir a mãe quando cantava nos campos. Gostaria de viver novamente aqueles anos de despreocupação, quando era só uma criança, antes de ser marcado, quando tudo parecia gentil e misterioso. Gostaria de encontrar Selina pela primeira vez e passear com ela pelo rio Usk, onde atravessa Abergavenny, ou estar deitado com ela em sua barraca esfarrapada ao lado do grande rebanho, depois que eles se casaram e saíram do País de Gales em direção a Northampton. Anseia por voltar àquela tarde em que acabou de receber seu pagamento e ele e sua Selina viram pela primeira vez a Scarletwell Street, onde ele viveria e morreria em breve, quer estar com a mulher e a pequena sra. Gibbs, a defunteira, quando o chamam para o quarto de confinamento para ver seus bebês recém-nascidos. Quer sua velha bicicleta com os pneus de corda de volta do passado, junto à capacidade de andar nela. Percebe que o que mais deseja é toda a sua vida novamente, todas as coisas que lhe são mais queridas e familiares. Se pudesse ter isso, Henry acha que valeria a pena as marcas e as noites de enjoo a bordo do *Pride of Bethlehem*. Isso é tudo que ele quer, mas, em seus pensamentos, a luz do sol entrando pelo telhado quebrado nas vigas marcadas de excrementos de pombo parece ficar mais brilhante, e então, mais tarde, quando Selina traz seu jantar para ver se ele quer tentar comer um pouco, não consegue despertá-lo.

Em algum outro lugar, é 1991, e Bernard Daniels, agora aposentado, decide que ele e Joyce devem visitar Serra Leoa mais uma vez, antes que fiquem velhos demais para viajar. David não sabe muito sobre a política prevalente na África Ocidental na época, mas não tem certeza de que a viagem é uma boa ideia, e Andrew sente o mesmo. O pai deixa suas preocupações de lado. Seus filhos nasceram em Brixton, nunca estiveram na África e sem dúvida a veem através de seus olhos ingleses como um lugar ameaçador, como um continente escuro. Bernard e Joyce são africanos e não têm essas preocupações. Estão simplesmente indo para casa, e David falar sobre as tensões que rugem nas montanhas leoninas no momento não vai dissuadi-los. Bernard lança um olhar superficial sobre as páginas internacionais do *Times*, concluindo que a situação lá é apenas normal para os padrões de Serra Leoa. Siaka Stevens deixou o cargo há alguns anos em favor de outro membro da etnia limba, o major-general Joseph Momoh. Existem todas as tentativas habituais de derrubá-lo, ou pelo menos alegações disso, e todas as retaliações de sempre por meio de alvos fáceis que acabam pendurados ao longo da Kissy Road. É certo que há tudo isso acontecendo, com Momoh sendo forçado a restabelecer a política multipartidária, muitos rumores sombrios surgindo nas fileiras da oposição, mas Bernard sabe que, se esperar um clima político favorável para fazer sua viagem, ele e Joyce vão esperar para sempre. Está tudo resolvido. Os voos são reservados. Não há mais nada que David, Andrew e suas famílias possam fazer a não ser cruzar os dedos e torcer pelo melhor, o que obviamente nunca dá certo. Em toda a preocupação com a tensão política em Serra Leoa, ninguém considerou o que está acontecendo na fronteira com a Libéria, uma guerra civil sangrenta e terrível, em sua maior parte orquestrada pelo líder da Frente Patriótica Nacional, Charles Taylor. Esse é o homem responsável pelo slogan mais contundente e persuasivo já usado em uma eleição em qualquer lugar:

EU MATEI SUA MÃE.
EU MATEI SEU PAI.
VOTE EM MIM.

Taylor decide que é de seu interesse que a luta comece também em Serra Leoa. Ele ajuda a fundar a Frente Revolucionária Unida com o cabo do Exército da etnia temne Foday Sankoh, especialista em guerrilha, treinado na Grã-Bretanha e na Líbia. Quando a guerra civil estoura em Serra Leoa, Bernard e Joyce são pegos de reboque, na casa dos setenta anos, ambos da etnia krio, malquista pelas tribos nativas, sem voos entrando ou saindo do país e, portanto, sem ter como sair. É assustador. Vidas estão terminando bem do outro lado da rua em meio a súplicas inimagináveis, quase nunca com um tiro, quase nunca rapidamente. Há os colares com pneus em chamas e execuções de vinte minutos com facões sem corte que podem deixar os assassinos exaustos. Acovardado em seu hotel, o casal espia por entre as cortinas fechadas a fumaça que se espalha, a furiosa maré negra subindo e descendo a rua. Enquanto isso, na Inglaterra, David e a família estão em um estado de frenesi, fazendo ligações para agentes de viagens, embaixadas e, no fim, de alguma forma, conseguem trazer os pais para casa, gravemente abalados, mas ilesos. Ilesos e, no caso de Bernard, mais rígido em suas opiniões. Tudo o que viu confirma sua forte convicção de que as tribos nativas de Serra Leoa são selvagens que só se beneficiaram do domínio colonial e agora se veem incapazes de viver sem ele. Quanto às suas opiniões sobre eventos mais próximos de casa, permanecem igualmente inalteradas. Bernard ainda se recusa a dar o mesmo afeto e apoio aos filhos de Andrew que dá aos de David, enquanto as tentativas de Andrew de provar que o pai está errado, forçando Benjamin e Marcus a brilhar academicamente, estão mais arraigadas e obsessivas. David observa esse estado de coisas, e é como uma história de fantasmas, uma assombração, uma estranha repetição de eventos e atitudes do passado manifestando-se assustadoramente nos dias atuais, em 1997. Por fim, recebe um telefonema do irmão em uma manhã de sábado, no qual Andrew mal consegue falar, não consegue pronunciar as palavras direito. Marcus, seu filho mais velho, havia se suicidado. Andy tinha acabado de ser informado disso pela faculdade. A pressão dos exames, é o que eles pensam. Ah, Cristo. Um lento e terrível desastre de trânsito que começou em Freetown quarenta anos antes atinge seu ponto de impacto, e a família Daniels se encontra sentada, atordoada e paralisada entre os escombros emocionais, com flores oscilando sob a brisa por toda a Kissy Road.

É 1997, e o Railway Club, no final da St. Andrew's Road, perto da Estação Castle, é praticamente a razão de viver de Eddie George. Está envelhecendo, oitenta anos ou mais, e tem uma daquelas coisas que não consegue pronunciar, esclerose ou o que quer que seja, mas, se puder sair de sua casa na Semilong e descer para sua mesa habitual no clube, ficará feliz por apenas tomar uma Guinness e ver todos os seus amigos. Há todo tipo de pessoa do distrito indo para lá, é disso que Eddie gosta. Casais com seus filhos, muitas velhas e velhos como ele e todas as belas moças que não há mal nenhum em admirar. Muitas vezes, quando está lá, encontra o jovem Mick Warren e sua família — Cathy, a mulher dele, às vezes a irmã de aparência desalinhada e os dois filhos, Jack e Joe. Jack tem cerca de seis ou sete anos e parece gostar de bater um papo com Eddie quando o vê. Eddie também gosta. Eles geralmente falam um monte de bobagens um para o outro, e isso o leva de volta a quando era menino, brincando com todas as irmãs e irmãos na calçada em frente à casa deles na Scarletwell Street com seus carrinhos e, mais tarde, quando o pai deu a Eddie sua própria bicicleta esquisita com carrinho antes de morrer. A maldita coisa se desfez em pedaços apenas algumas semanas depois. Eddie ri só de pensar nisso enquanto está chamando seu táxi para levá-lo ao Railway Club, mas essa lembrança provoca um baque em seu peito e então ele apenas se senta no sofá e se acalma enquanto espera o carro chegar. É um dia cinzento, o que, aos olhos de Eddie, parece meio sombrio enquanto está sentado na pequena sala de estar. Está pensando em acender a luz só para animar um pouco, e dane-se a despesa, bem quando o táxi aparece e buzina do lado de fora. O simples fato de ficar de pé o deixa tonto, como se todos os pensamentos e sensações em sua cabeça fossem drenados para seus pés. Ele permite que o jovem e competente motorista o arraste da porta da frente para o banco de trás do veículo, onde precisa de ajuda para colocar o cinto de segurança corretamente. Pelo menos está quente e, quando o motor é ligado e eles partem, está olhando pela janela para os apartamentos e casas de seus vizinhos, que deixa para trás enquanto desce a ladeira da Stanley Street em direção à St. Andrew's Road. Stanley Street, Baker Street e Gordon Street. Só depois de alguns bons anos morando ali em Semilong, Eddie descobriu que são os nomes de famosos generais ingleses que libertaram Mafeking e todo aquele negócio, há mais de cem anos[30]. Por um bom tempo, pensou que tudo aquilo era relacionado ao ator de cinema Stanley Baker, e lembrar disso agora o faz sorrir. O táxi vira à esquerda na St. Andrew's Road, e à direita passam todos os pátios, empresas de recuperação de móveis e depósitos que estão aqui desde que Eddie se lembra, alguns com letreiros nos portões de madeira descascados que, aos seus olhos, parecem vitorianos ou algo assim. Do outro lado da rua, e à sua esquerda, estão as aberturas para as ladeiras que formam Semilong, todas paralelas umas às outras, Hampton Street e Brook Street e todas elas. Eddie sempre foi muito feliz aqui. Gosta do bairro, mas ninguém pode dizer que é um lugar que esteja prosperando. Não é o pior dos lugares, nem de longe, mas, em termos de conservação, é óbvio que Semilong está bem abaixo na lista. O que Eddie vê é que o local onde mora agora está bem próximo de onde morava, ou seja, os Boroughs, ou Spring Boroughs, como chamam hoje em dia. É como se coisas como pobreza e baixos preços de imóveis fossem contagiosas e se espalhassem de uma área para outra se não fossem mantidas isoladas. Talvez fosse o caso de pendurar um cobertor embebido em desinfetante na porta, como costumavam fazer na Scarletwell Street quando alguém tinha escarlatina. Assim como com sua confusão sobre Stanley Baker, Eddie se lembra de quando pensava que a escarlatina era algo que só as pessoas que moravam na Scarletwell Street tinham; que talvez as pessoas na Green Street fossem acometidas pela *greenlatina*. O jeito como a gente pensa quando é jovem é algo que nunca deixa de surpreendê-lo, e ele espera que o pequeno Jack esteja lá quando chegar ao clube. Pela janela à direita agora está o trecho de grama e árvores que desce até o rio marrom-esverdeado, que na juventude de Eddie sempre foi conhecido como Paddy's Meadow, mas agora deve ter um outro nome. Ele espia com os olhos injetados o antigo parquinho infantil no sopé da encosta gramada, que ainda chama de Happy Valley. Há um pouco de luz do sol caindo por entre as nuvens para atingir o gira-gira enferrujado e a lâmina do escorregador dilapidado, e Eddie sente um nó na garganta porque tudo é tão precioso. Ele se lembra de se aventurar entre os juncos na beira da água com todos os outros garotinhos sujos e que eles gostavam de assustar uns aos outros fingindo que havia um monstro terrível e comprido no rio, que os agarraria se chegassem muito perto. Olha para o prado vazio agora e lhe vem a certeza de que todos aqueles dias ainda estão lá, nos juncos, nos balanços rangentes, ainda acontecendo, ainda que agora muito longe para que ele possa ver. Deve ser assim. Não consegue acreditar que em qualquer momento, qualquer um, qualquer coisa está realmente perdida. A questão é que ele e todos os outros seguem em frente e se veem afundados em momentos e circunstâncias que não entendem por completo ou de que não necessariamente gostam, mas sem encontrar uma maneira de voltar para onde estão felizes e contentes. Há muito sobre o mundo hoje em dia de que Eddie não tem medida. Não tem certeza do que pensar desse novo governo que acabou de entrar, esses trabalhistas que não falam ou não se parecem muito com os trabalhistas de que se lembra, e o negócio da morte da princesa Diana naquele acidente de carro pega Eddie de surpresa, tanto quanto qualquer um, com todo o país parecendo ter desmoronado por um tempo com tanto choro. Eddie tem a impressão de que hoje em dia há mais notícias o tempo todo, até que se sente cheio até a tampa com isso, e que mais uma modelo com deficiência alimentar ou uma gangue de jogadores de futebol estupradores pode fazer todo o conhecimento que já está nele se espalhar pelo chão. A essa altura, seu táxi está parado no semáforo onde a Andrew's Road passa pelos baixos da Spencer Bridge com a Grafton Street, e ele se vê olhando para o estacionamento de caminhões logo depois do semáforo e do outro lado da estrada, aquele lugar Super Sausage, que costumava ser um prado com banhos públicos em uma das extremidades. Ainda está claro demais para qualquer uma das garotas estar por ali, e Eddie fica feliz porque odeia ver isso, as mulheres entrando nessa linha de trabalho cada vez mais jovens. Ele está cansado. O mundo o está deixando cansado, e Eddie se mexe no banco traseiro, onde parece que seu cinto de segurança está muito apertado, como se não estivesse preso da maneira certa. O sinal fica verde, os carros seguem em frente e agora estão passando pelo estacionamento cercado dos caminhões, com os pátios de trem atrás da parede à direita, e à esquerda deles está a pequena faixa de grama entre a Spring Lane e a Scarletwell Street, que já foi uma fileira de casas geminadas. Eddie dá uma longa olhada na rua em que nasceu enquanto o táxi passa por ela, onde aquela estranha construção única ainda sobrevive perto da esquina, por conta própria. A velha encosta se eleva com a área de lazer da Escola Spring Lane de um lado, e do outro lado da rua os apartamentos que construíram na década de 1930, depois que demoliram as casas em que Eddie, sua família e seus amigos viviam. As varandas arredondadas estão descascando, e as entradas para o pátio interno agora têm portões. No topo da ladeira estão aqueles dois prédios de apartamentos maiores que todos os outros, Claremont e Beaumont Court, as torres que restaram vitoriosas quando tudo ao redor foi derrubado. A rua não parece grande coisa, admite, mas é seu ponto de origem e ainda tem uma espécie de luz dentro dela. Eddie fecha os olhos diante de seu local de nascimento, e então vê todas aquelas flutuantes bolhas coloridas e gelatinosas. O padrão acidental lembra Eddie de algo, e ele não consegue descobrir o que, então percebe que é a cicatriz que seu pai tem no ombro, com os triângulos, as linhas onduladas. Pensa nos pais e se dá conta de que se passaram exatamente cem anos, talvez naquele mesmo mês, que eles vieram para Northampton e viram a Scarletwell Street. Que tal isso? Não é demais? Cem anos. Ele meio que sente o carro parar do lado de fora do Railway Club e meio que ouve o motorista dizer "Chegamos", o que lhe dá satisfação, mas, verdade seja dita, Eddie já está morto há uns bons minutos.

Avançando pouco menos de dez anos, em 2006, Dave Daniels caminha pela ensolarada Sheep Street a caminho da exposição de Alma. Com exceção da igreja redonda, tudo é diferente, e ele não consegue descobrir qual das janelas pode ser a de sua antiga casa, aquela de onde Andrew foi excluído, ou mesmo se ainda está lá. Tem uma vaga ideia de que pode ser uma daquelas demolidas para dar lugar às enormes instalações cor de carne enlatada pertencentes à Receita Federal, mas não tem certeza. Não importa. Ele mal se lembra de ter passado aquele primeiro ano ou mais ali, de qualquer maneira. Depois que o filho mais velho de Andrew tirou a própria vida daquele jeito, David passou a culpar a situação no início dos anos 50 pela morte do sobrinho, embora saiba que a verdade é muito mais complicada, muito menos preto no branco. Geralmente é assim. Mais adiante na rua, ele espia pelo portão aberto para o quintal onde ficava a velha faia, mas, depois de ter falado com Alma ao telefone na outra noite, sabe o que esperar. A árvore se foi, uma coisa tão velha quanto a própria igreja redonda que resistiu a todas as cruzadas e guerras civis. E se foi por ter sido envenenada à noite por algum figurão dono de um negócio vizinho que tem planos para o local que a faia e sua ordem de preservação infelizmente estão atrapalhando. Pelo menos é isso que dizem todos os rumores horríveis que Alma transmitiu a David. Ele balança a cabeça, suspeitando de que é esse o caminho que o mundo está tomando. Quando chega ao final da Sheep Street, atravessa uma via dupla que não existia antes e caminha ao lado da abertura vazia de grama desgrenhada onde ficava o Matafancanta, logo abaixo da estação de ônibus ainda em pé, recém-eleita a construção mais feia do país. Ele se lembra de Alma dizendo que, além de ser horrível, aquela coisa tem a entrada no lado errado, obrigando os ônibus a fazer um circuito completo antes de entrar, graças a um urbanista que trabalhou com as plantas de cabeça para baixo. Chega a ser quase engraçado. Ele vira à direita antes de chegar ao antigo Mercado de Peixe no alto da Drapery e passa por um restaurante chinês, que está do outro lado do estacionamento de vários andares da rua movimentada. Não conhece nada dali. Diante dele há um tipo de encruzilhada brutal onde costumavam ficar os alegres limites da Mayorhold, que reconhece pela loja de Harry Trasler, onde ele e Alma, lá atrás, procuravam gibis quase todos os sábados. Hoje em dia nem olha para os quadrinhos, embora tenham entrado na moda a ponto de os adultos poderem lê-los sem medo do ridículo. Ironicamente, na opinião de David, isso os torna muito mais ridículos do que quando eram concebidos como um meio perfeitamente legítimo e muitas vezes lindamente elaborado para entreter crianças. Aos treze anos, a ideia de paraíso de David era algum lugar onde os quadrinhos eram aclamados e estavam sempre disponíveis, talvez com dezenas de filmes de grande orçamento apresentando seus personagens fantasiados obscuros favoritos. Agora que está na casa dos cinquenta e seu paraíso está ao seu redor, ele o considera deprimente. Conceitos e ideias destinados às crianças de uns quarenta anos atrás: isso é o melhor que o século XXI tem a oferecer? Em meio a tantas coisas extraordinárias acontecendo em todos os lugares, as fantasias do pós-guerra de Stan Lee baseadas no empoderamento da classe média americana branca e neurótica são realmente a resposta mais adequada? David desce para uma passagem subterrânea para pedestres iluminada por lâmpadas de sódio que o leva sob o tráfego intenso para emergir do outro lado de uma ampla cachoeira de automóveis que ele acha que pode ser chamada de Horsemarket. Descendo ao lado do fluxo agitado de aço, David espera encontrar o Centro de Controle de Crédito Barclaycard, na esquina da Marefair, na parte inferior, mas descobre que até isso se foi, substituído por um tipo de complexo de lazer/entretenimento. Caminhando pela Marefair quase até o final da Estação Castle, vira à direita na Chalk Lane, que acha que deve levá-lo à pequena creche onde a exposição de Alma está acontecendo. Ele se vê imediatamente cercado de papoulas, que jorram da argamassa desgastada de uma parede de pedra de aparência muito antiga à sua direita. A súbita saturação escarlate traz à mente a notícia que ouviu algumas semanas atrás, sobre o processo de extradição que fará com que Charles Taylor seja julgado por crimes de guerra em uma caixa de vidro em Haia e que está apenas começando. Estava na hora. Cinquenta mil pessoas morreram nos dez anos de guerra civil, até que finalmente declararam seu fim em 2002, e as forças de paz da ONU foram obrigadas a permanecer por lá até o que, seis meses atrás? É impressionante pensar que todo esse estrago e essa carnificina podem ser instigados por um único indivíduo. "Eu quase matei sua mãe. Eu quase matei seu pai. Agora me conceda clemência". Improvável. Joyce e Bernard estão mortos há um ou dois anos, mas as memórias de David daquelas poucas semanas frenéticas tentando livrar os pais do pesadelo de Serra Leoa ainda estão nítidas como se a coisa toda ainda estivesse acontecendo em algum lugar. Passando por um humilde edifício com fachada de pedra calcária que acredita ser a igreja Doddridge, percebe uma porta aparentemente redundante presa no meio de uma parede e pensa em seu sobrinho, Marcus, que agora ficará congelado aos dezenove anos para sempre em seus pensamentos. Pensa nos preconceitos que o pai, Bernard, enfrentou quando chegou aqui nos anos 50, e nos preconceitos que trouxe consigo. Suas ideias de status, o esnobismo usado como forma de defesa pelas famílias krio que escaparam da escravidão para povoar uma colônia britânica e assumir um profundo ressentimento do povo nativo de Serra Leoa. Todas essas pequenas engrenagens que giram as engrenagens maiores, na história e no coração das pessoas, um mecanismo quase impossível de conhecer ao certo, e sua ação ocorrendo ao longo de décadas, séculos. A maneira como tudo funciona. De sua parte, está ficando cansado de Bruxelas, quer talvez relaxar um pouco com Natalie e seus dois filhos, viver das economias e da renda de Natalie por um tempo e ver o que acontece. Quer aproveitar a vida enquanto está acontecendo, em vez de retrospectivamente ou como algo adiado para o futuro. Tudo pode acabar assim, com uma guerra civil repentina, um exame acadêmico importante, nunca se sabe, e David quer valorizar cada momento como um diamante extraído com ética. Ele consegue ver a creche mais à frente, um pequeno aglomerado de pessoas que não conhece reunidas do lado de fora, e no meio delas vê Alma em um suéter turquesa peludo, acenando para ele. Cada momento. Cada momento como uma joia.

Em 1897, Henry e Selina param de repente para ficarem boquiabertos no meio da Scarletwell Street. É uma visão tão improvável que por um momento parece que estão sonhando ou encantados, e dão as mãos sem dizer uma palavra, como se fossem duas crianças. Amarrado em seu poste diante do Friendly Arms, o animal os ignora. Depois de talvez meio minuto, um sujeito corpulento com grandes suíças sai da taverna com um copão de cerveja que dá para a criatura, que começa a beber. O homem, que descobrirão mais tarde, é o sr. Newton Pratt, olha do animal para Henry e depois ri.

— Minha nossa! Vocês se conheciam, então, lá da antiga terra?

Henry também ri.

— Bem, falando por mim, nunca estive na África, mas a mãe e o pai desse velho camarada bem podem ter esbarrado nos meus. Onde conseguiu ele, se não se importa com a pergunta?

O homem não se importa nem um pouco.

— Consegui ele no Zoológico Whipsnade, quando não tinham espaço e iam vender para os matadouros, para fazer cola. Horace, é o nome dele. Parece que gostou da sua jovem senhora.

Henry olha e lá está Selina sorrindo como se fosse uma manhã de Natal, enquanto aquela raridade permite que ela acaricie seu focinho escuro. Ele observa o animal, as listras pretas e brancas de sua pele como uma incrível bandeira da selva estacada orgulhosamente entre as pedras e as chaminés, o movimento preto da cauda afastando as moscas da carne, a crina eriçada que é como o corte de cabelo de um moicano, e além disso cambaleava como se estivesse meio bêbado. Henry decide no momento que é ali que vai morar, ele e Selina. Ficam conversando com o homem por um tempo, e ele diz que é Newt Pratt, e que o lugar em que estão se chama Burrows, ou é o que parece, e agora Henry acha que vê coelhos rastejando, pulando por toda parte onde tem grama. O cavalo da savana arrota. Pratt pergunta o nome dele, e ele diz Henry George, e Newton Pratt diz que vai se lembrar disso. Mas, é óbvio, não se lembra.

OS DEGRAUS
DE TODOS OS SANTOS

Elenco
JOHN CLARE
MARIDO
ESPOSA
JOHN BUNYAN
SAMUEL BECKETT
THOMAS BECKET
MULHER MESTIÇA

Os três largos degraus frontais e o pórtico protetor de uma igreja de estilo gótico tardio com colunas dóricas à esquerda, e à direita, uma noite enevoada. Ao fundo, abaixo do pórtico, há aberturas na parede frontal de pedra calcária da construção, nos dois lados das portas trancadas. De longe, o som quase inaudível de um piano tocando "Whispering Grass". Sentado no recesso do lado direito, JOHN CLARE, com vestes rurais do início do século XIX que parecem empoeiradas, incluindo um chapéu alto de aba larga. A sola de um dos sapatos está dependurada. Ele olha para a escuridão ao redor, esperançoso.

JOHN CLARE: Bem, essa é uma noite do tipo assombrada. Quem está por aqui?

[*Pausa*]

JOHN CLARE: Ora, vamos, pareçam vivos... apesar de que, por mim, não me importo com isso hoje em dia. Estaria tudo bem, talvez, se não fosse por tantas caminhadas e decepções. Quanto à presença de carne e sangue, sou da opinião que é muito parecido com a questão dos sapatos, que, em termos físicos, têm um cheiro fresco e um lindo brilho de cereja quando são novos, mas tornam-se inúteis quando a lingueta fica amarfanhada, e a sola, gasta. E, como é bem sabido, é um problema quando os pregos começam a chegar nos pés. [*Pausa reflexiva enquanto* CLARE *examina o sapato danificado.*] Não, no geral sou mais feliz com uma posteridade gasosa, para que o espectro do meu traseiro revisite todos esses lugares de que outrora gostava. A única pena é que a vida continue assim, pois do contrário provavelmente haveria mais pessoas da minha idade e tempo de extinção aqui para conversar. [*Inclina a cabeça, ouvindo uma música fraca ao longe.*] É uma bela ária. Gostaria de saber quem está furioso o suficiente para enfiá-la em todo mundo.

[*Passos arrastados se aproximam de longe. Entram* MARIDO *e* ESPOSA, *pela frente à direita. Estão vestidos para sair à noite, ela de casaco comprido e gorro, levando uma bolsa, ele de paletó xadrez amarelo chamativo e gravata borboleta, com cabelo escuro oleoso e bigodinho de lápis. Eles param e olham para os degraus vazios da igreja.*]

MARIDO: Podemos sentar aqui.
ESPOSA: Não podemos sentar aqui. Ainda consigo ouvir o som dela. Chega longe à noite.
MARIDO: Vamos ter que sentar aqui mesmo. Se precisar se aliviar, há os banheiros em Wood Hill, não muito longe. Com certeza ela vai parar com isso logo, de qualquer jeito. Não sei o que deu nela.
ESPOSA: [*Bufa de modo irônico.*] Eu sei.

[*Resignada, ela senta-se no segundo degrau da igreja. Seu marido fica olhando para ela por um momento. Ela não olha para ele, mira a névoa com raiva em vez disso. Quando ele finalmente senta-se ao seu lado, ela se afasta alguns metros. Ele olha para ela, surpreso e magoado.*]

MARIDO:	Celia...
ESPOSA:	Não começa.
JOHN CLARE:	Olá? Não imagino que estejam mortos, estão?
MARIDO:	É assim que vai ser?

[*Ela não responde.* MARIDO *olha para ela, à espera.* JOHN CLARE *se levanta do recesso onde está e caminha hesitante para a frente, para se posicionar atrás e no meio do casal sentado.*]

JOHN CLARE:	Desculpe, senhor, mas estava falando comigo agora ou com a senhora aqui? Se, em resposta à minha própria indagação sobre sua própria mortalidade, estivesse perguntando se essa continuidade enevoada e monótona era como seu pós-vida seria, então, pela minha própria experiência, a resposta é sim. Sim, é assim que vai ser. O senhor vai acabar no meio de um nevoeiro e ninguém vai aparecer. Se está esperando um criador chegar para esclarecer suas intenções, acho que vai esperar muito tempo. Mas, enfim, se ele aparecer, eu agradeceria se o senhor o encaminhasse para mim depois de tratar o que tem para tratar com ele. Há certos assuntos que eu gostaria de discutir com ele. [*A dupla o ignora. Ele experimenta balançar um braço para cima e para baixo entre eles, como se para determinar se são cegos. Depois de um momento, para e olha para o casal com tristeza.*] Claro, pode ser que estivesse se dirigindo à sua companheira, e nesse caso espero que me perdoe pela intrusão. Não tive a intenção de ofender com minha suposição de que um casal aparentemente tão insatisfeito poderia muito bem estar morto. Eu mesmo não sou estranho às inconveniências do casamento. Quando estava com Patty, era sempre em Mary que eu pensava. Muitas vezes eu...
MARIDO:	Eu perguntei se é assim que vai ser, a noite inteira até de manhã? Se tem alguma coisa em mente, então desembucha, pelo amor de Deus.
ESPOSA:	Você sabe.

MARIDO: Não sei.
ESPOSA: Não quero falar disso.
MARIDO: Do quê?
ESPOSA: Você sabe. Dos acontecimentos. Só me deixa em paz.
JOHN CLARE: [*De modo lento e deliberado.*] Sabe quem eu sou? [MARIDO *continua a encarar a* ESPOSA, *que mira a névoa.*] Não pergunto por vaidade ferida, e sim mais pelo verdadeiro espírito de investigação. Tenho a impressão de que posso ser lorde Byron, embora me pareça agora, ao me ouvir em voz alta, que Byron certamente não diria tal coisa. Se for assim, então, pode ser que eu seja o rei Guilherme IV, e então ficaria grato por notícias sobre em que ano sofremos atualmente e se minha linda Vicky ainda é rainha. Por favor, leve o tempo que precisar. Trata-se de algo sem grande importância, minha verdadeira identidade, desde que seja alguém bem-conceituado.
MARIDO: Acontecimentos? Que acontecimentos?

[ESPOSA *não responde. Ele a encara por alguns momentos, então desiste e olha para os sapatos em silêncio.* CLARE *olha de um para outro, esperançoso em continuar a conversa. Como nada acontece, ele desiste, desanimado.*]

JOHN CLARE: [*Suspirando.*] Ah, não importa. Perdão pelo incômodo. É só uma brincadeira que criei para quando não tenho ninguém aqui para conversar. Muito bem, vou deixá-los sozinhos e cuidar da minha vida. [CLARE *se vira e começa a se arrastar de volta para seu recesso. No meio do caminho, ele se vira e olha por sobre ombro para o casal na escada.*] Às vezes acho que sou a estátua com asas de pedra no topo da prefeitura mais adiante aqui na rua e que, por sua vez, ela é todo mundo, sabe? [O *casal não responde.* CLARE *balança a cabeça com tristeza e segue em direção ao recesso, onde se senta mais uma vez. Há um longo silêncio, durante o qual a música do piano termina abruptamente no meio de um compasso. Ninguém reage.*]

MARIDO:	[*Por fim.*] Olha, eu sei tanto quanto você. Quanto aos acontecimentos, não que eu esteja dizendo que estou ciente de algum, é apenas a vida, no que me diz respeito. Na vida, sempre tem muitos acontecimentos. E jovens muito tensas podem ter umas perturbações esquisitas...
ESPOSA:	Existem acontecimentos e acontecimentos. É isso o que estou dizendo.
MARIDO:	Celia, olha para mim.
ESPOSA:	Não consigo.
MARIDO:	No fim, ela pode só estar de chico.
ESPOSA:	[*Virando-se para ele com raiva.*] Mentiroso. Você escutou o que ela gritou.
MARIDO:	O quê?
ESPOSA:	Você escutou.
MARIDO:	Não escutei.
ESPOSA:	Todo mundo escutou. Dava para escutar lá em Far Cotton. "Quando a grama estiver sussurrando sobre mim, então vai se lembrar"[31]. Então? Agora se lembra? O que ela quis dizer? Para mim, parece uma coisa bem esquisita para se dizer.
MARIDO:	Bom, aquilo é só... é só a letra da música, não? A música que ela estava tocando...
ESPOSA:	Você sabe que não é essa a letra. E você sabe o que fez.
MARIDO:	Está falando desses seus acontecimentos?
ESPOSA:	Não são meus acontecimentos. São seus. É só isso que estou dizendo.

[*Enquanto conversam,* JOHN BUNYAN *entra vindo da direita ao longe, sob o pórtico atrás deles, com roupas empoeiradas e sem cor do século XVII. Ele não parece notar que* CLARE *está sentado nas sombras de seu recesso, mas faz uma pausa para ouvir a briga do casal nos degraus com uma careta intrigada.*]

MARIDO:	Não fiz nada que alguém na minha posição não fizesse. E você não tem ideia de como é, com as minhas responsabilidades de empresário da banda. São muitas viagens juntos, e uma intimidade que se desenvolve com o tempo, isso reconheço, mas...

ESPOSA:	Eu diria que existe mesmo intimidade! Então, devo entender que admite os acontecimentos?
MARIDO:	Não sei o que você quer dizer com isso. Como assim, acontecimentos?
ESPOSA:	Estou falando da outra coisa.
MARIDO:	Do quê?
ESPOSA:	Do nheco-nheco.
MARIDO:	Não entendi.
ESPOSA:	Do vem-pro-papai,
MARIDO:	Ah. [*Pausa longa.* ESPOSA *vira o rosto furioso para o* MARIDO, *que olha sem expressão para o chão diante dele.*] Bem, não podemos ficar sentados aqui a noite inteira.
ESPOSA:	Tem razão. Não podemos.

[*Ambos permanecem sentados. Atrás deles,* BUNYAN *observa o casal silencioso com perplexidade. Ainda não nota a presença* CLARE, *até que ele fala do recesso escuro ao fundo.*]

JOHN CLARE:	Ha! Aposto que também não me escuta, seu grande pateta.
JOHN BUNYAN:	[*Girando para esquadrinhar a escuridão sob o pórtico.*] Quê? Quem vai lá, esgueirando-se como um assassino?
JOHN CLARE:	Ah, não. Calculei mal. Que vergonha.
JOHN BUNYAN :	Saia! Saia, antes que puxe minha espada!

[CLARE *se levanta nervosamente para fora de seu recesso, cambaleando de modo hesitante, estendendo as duas palmas da mão em sinal de apaziguamento.*]

JOHN CLARE:	Ah, deixe disso. Não há necessidade. Foi apenas uma brincadeira, pela qual peço desculpas. Não havia percebido que também estava morto. É, imagino, um erro comum.
JOHN BUNYAN:	[*Surpreso.*] Então estamos mortos?
JOHN CLARE:	Pelo meu entendimento da situação, devo dizer que sim, é isso mesmo.
JOHN BUNYAN:	[*Virando-se para olhar para o casal nos degraus.*] E quanto a eles? Estão mortos?

JOHN CLARE:	Ainda não. Imagino que estejam esperando para ver o que acontece.
JOHN BUNYAN:	Isso é de fato um enigma. Morto, então. Pensei que estivesse apenas sonhando no meu catre na prisão, e fizesse um tempo muito longo que eu não me virava de lado ou acordava para urinar.
JOHN CLARE:	É um fato evidente que jamais fará essas coisas outra vez.
JOHN BUNYAN:	Ora, estou pasmo. Pensei que o mundo fosse se tornar um local mais feroz do que isso, e agora estou desapontado com o que escrevi sobre isso.
JOHN CLARE:	[*Interessado.*] O senhor escreveu? Bem, aqui está uma bela combinação. Eu mesmo estive nesse tipo de trabalho, por falar nisso. Escrevia o dia todo, tenho certeza, quando fui casado primeiro com Mary Joyce e depois com Patty Turner. Eu era Byron então, ou era rei? Agora não consigo me lembrar de todos os detalhes menores. Mas e quanto ao senhor? Haveria algum de seus escritos que eu possa conhecer?
JOHN BUNYAN:	Acho pouco provável. Certa vez, escrevi algumas palavras sobre um peregrino, com a intenção de mostrar as armadilhas e os problemas que existem na vida mundana. As pessoas comuns gostaram bastante, mas eu não rastejava pela corte como Dryden e, quando o outro Carlos subiu ao trono, não me dei muito bem. Essa notícia recente de morte me faz supor que a maior parte do que escrevi não sobreviveu a mim.
JOHN CLARE:	[*Incrédulo, começando a compreender.*] O senhor não seria o sr. Bunyan, que viveu em Bedford?
JOHN BUNYAN:	[*Cautelosamente lisonjeado.*] Esse sou eu, a menos que haja outro. Faz tão poucos anos desde minha morte que ainda sou lembrado? Mas as coisas parecem tão mudadas. Os pilares da igreja de Todos os Santos não eram feitos de madeira quando passei por aqui pela última vez? Ou tudo se perdeu no fogo? Fico feliz em pensar que o senhor me conhece.
JOHN CLARE:	Ora, pelo aspecto das coisas, diria que já se passaram

trezentos anos desde a última vez que esteve vivo. Acho que o senhor deve ter notado as belas panturrilhas e os tornozelos da mulher ali, pois foram as primeiras coisas que olhei. Estamos em dias estranhos, pode ter certeza, mas eu apostaria um xelim que o progresso de seu peregrino está na boca de todos, assim como seu nome está nos pés de todos[32]. Nestes meus pés, certamente, quando saí da prisão de Matthew Allen na floresta e caminhei quase cento e trinta quilômetros de volta para casa em Helpstone. O senhor sem dúvida já ouviu falar disso e de mim. Sou lorde Byron, a quem chamam de poeta camponês. Isso lhe recorda algo?

JOHN BUNYAN: Não posso dizer que sim. Por que o chamam de camponês, se é um lorde?

JOHN CLARE: Parece engraçado, agora que o senhor menciona. E por que a rainha Vitória pensa que é minha filha? Pode ser, pensando bem, que eu não esteja totalmente certo sobre isso de lorde Byron. Foi sem dúvida toda a coxeadura que me confundiu. Agora me ocorre que na verdade sou John Clare, autor de Don Juan. Pronto! Esse é um nome que acredito que lhe será mais familiar.

JOHN BUNYAN: Receio que não.

JOHN CLARE: [*Desapontado.*] Ora, nem Clare, *nem* Don Juan?

JOHN BUNYAN: Nenhum deles.

JOHN CLARE: Ah, Deus. Não sou nem John Clare?

[CLARE *cai em um silêncio deprimido, olhando para o chão.* BUNYAN *o observa, preocupado.*]

MARIDO: Olha, eu não sou santo.
ESPOSA: [*Sem olhar para ele.*] Não me diga.
MARIDO: [*Depois de uma pausa.*] O que estou dizendo é que sou de carne e osso.
ESPOSA: [*Com raiva, virando-se para encará-lo acusadoramente.*] Bem, que tipo de desculpa é essa? Somos todos de carne e osso! Me mostre alguém que não seja!

[*Ela desvia o olhar novamente, voltando ao silêncio. Atrás da dupla,* CLARE *e* BUNYAN *trocam olhares lúgubres e pouco convencidos.*]

JOHN CLARE: [*Dá de ombros.*] Parece-me que estamos apenas atrapalhando aqui. O que diria da perspectiva de sentar-se melhor? Na minha opinião, é a melhor das posturas, e estou convencido de que é ficar de pé e andar de um lado para o outro que nos causa tantos problemas como população. Venha, vamos tirar o peso dos pés.

JOHN BUNYAN: Tinha a intenção de ver o mercado próximo, onde foi legado o édito do conde de Peterborough ao qual me referi naquele meu artigo sobre a Guerra Santa. Mesmo assim, pode ser que alguns momentos de descanso não sejam grande coisa nas longas jardas da posteridade. Mas, quanto a tirar o peso de nossos pés, em nossa condição atual, não creio que haja algum peso para tirar. De fato, é um espanto que não saiam todos voando pelos céus pela falta de peso.

JOHN CLARE: Achava que todos nós devíamos guardar um ou dois gramas daquilo que carregamos em nossos corações para tais emergências. Sentemo-nos, e então talvez possamos discutir isso mais a fundo. [CLARE *começa a conduzir* BUNYAN *para o fundo do espaço sob o pórtico.* BUNYAN *dirige-se para o recesso do lado direito, mas* CLARE *fica agitado e o corrige.*] Ah, não, não é bom. Esse é o recesso reservado a mim, em virtude de eu já estar aqui antes. O senhor deve ficar com o do outro lado, que guardo especialmente para visitas. Admito que não seja tão suntuoso quanto o meu, mas, se essa inconveniência é a pior coisa que a Eternidade tem para o senhor, deveria estar feliz.

[BUNYAN *parece descontente, mas concorda com as determinações de* CLARE. *Ambos se sentam em suas alcovas designadas.*]

JOHN BUNYAN: Tem razão. Não é desconfortável mesmo.

JOHN CLARE: É. [*Pausa.*] O senhor se refere ao recesso, agora, ou à Eternidade?

JOHN BUNYAN: Principalmente ao recesso. [*Pausa. De fora ouve-se o som de um automóvel solitário passando pela neblina.* MARIDO e ESPOSA *não prestam atenção ao carro que passa, mas* CLARE *e* BUNYAN *o seguem com os olhos.*] Tenho me perguntado sobre essas coisas. É óbvio que são uma variedade de carroça, mas não consigo entender como sua locomoção é efetuada.

JOHN CLARE: Bem, eu mesmo pensei nisso e acredito que a resposta esteja em algum avanço da ciência natural que tornou o cavalo invisível à visão normal.

JOHN BUNYAN: Com certeza essa conjectura pode ser facilmente refutada com a simples observação de que não há uma abundância notável do esterco que esses pangarés invisíveis certamente haveriam de produzir. Responda-me isso, caso saiba como.

JOHN CLARE: Ha! Ha! Então o farei. Não lhe ocorre que seres que são visíveis a todos, como nós mesmos, produzem excrementos que são igualmente visíveis a olho nu? Não se segue que um cavalo invisível produziria esterco de natureza etérea semelhante?

JOHN BUNYAN: [*Depois de uma pausa pensativa.*] Certamente, porém, por mais rarefeita que seja sua substância, uma evacuação invisível ainda seria fedorenta. Aliás, a merda espectral que propõe não apresentaria uma maior inconveniência para o pedestre, mais propenso a pisar desprevenido no estrume numinoso do que em uma excrescência que está à vista de todos e, portanto, pode ser contornada e assim evitada?

JOHN CLARE: [*Uma pausa, durante a qual* CLARE *reconsidera.*] Não havia pensado nisso e, portanto, retiro minha especulação. [*Outra pausa, enquanto* CLARE *contempla preocupado o estrume de cavalo invisível.*] Estrume de cavalo que não se vê. É um horror, agora entendo as implicações. Ora, haveria uma sujeira fedorenta escondida do conhecimento de todos, que nunca poderia ser limpa, na qual a mais pura das coisas poderia ser inadvertidamente tornada imunda...

MARIDO: Celia, eu prometo, não tem nada acontecendo. Nada

	que ninguém mais possa ver. Você me mostre onde tem alguma coisa acontecendo.
ESPOSA:	Não preciso ver. Sinto o cheiro. Sinto cheiro de queimado. Tem coelho nesse mato.
MARIDO:	Celia, escute o que está dizendo. Um coelho queimado?
ESPOSA:	[*Ela se inclina para ele, olhando-o nos olhos de modo duro e acusatório.*] Um coelho queimado. Isso. É exatamente disso o cheiro que sinto, mesmo quando alguém tomou banho de colônia. Um coelho queimado, com bigodes torrados e orelhas tostadas, que tem uma grande cauda parecendo um verme rosa para arrastar na água suja. Deus, você devia ter vergonha.
MARIDO:	Não tenho! Não tenho vergonha! Não fiz nada de que me envergonhar! Ora, minha consciência é uma vidraça polida, sem um traço de culpa ou de cocô de passarinho em qualquer lugar. O que faz você pensar que sou culpado? Existe algum motivo para culpa no que eu disse, ou em meus modos? De onde vem todo esse julgamento de culpado, culpado, culpado? Porque está me dando nos nervos e, se continuar, vou perder as estribeiras. Como posso pensar direito com esse barulho? E por quanto tempo ela vai continuar tocando a mesma música antes de me deixar louco?
ESPOSA:	[*Olha para ele intrigada depois levemente preocupada.*] Quanto tempo ela...? Johnny, ela parou de tocar faz quase meia hora.
MARIDO:	[*Olha para ela sem expressão.*] O que, verdade?
ESPOSA:	Uns bons vinte minutos, no mínimo.
MARIDO:	[*Ele se vira e mira o espaço, horrorizado e assombrado.*] Meia hora. Ou ao menos uns bons vinte minutos...
ESPOSA:	Fiquemos no meio-termo. Digamos que 25.
MARIDO:	Ah. Deus. [*Eles caem em um silêncio. O MARIDO olha, assombrado, para a névoa. A ESPOSA o observa por uns minutos, perplexa, e então desvia o olhar.*]
JOHN BUNYAN:	[*Depois de uma pausa respeitosa.*] O senhor tem alguma ideia do que os aborrece?
JOHN CLARE:	Não tenho a menor noção. Imagino que seja uma

perplexidade conjugal que em geral é opaca para quem está de fora, embora, tendo tido duas esposas, seja um homem com uma experiência além da comum. Com minha primeira esposa Mary, que gozava da mais doce disposição, eu era feliz e não havia brigas do tipo que vemos acontecer aqui. Nosso leito conjugal era repleto de harmonia e, quando entrei nela, foi como se entrasse no próprio prado de Deus. Com minha segunda mulher, com Patty, não havia nada mais do que insinuações maléficas e recriminações sombrias, embora ela muitas vezes fosse boa para mim. Ainda assim, havia noites em que ficava com ciúme do meu tempo com Mary, que era uma garota muito mais nova do que a própria Patty. Não, como vê, não sou estranho à vida de casado e suas reviravoltas, embora na verdade eu não convivesse tanto com minha família.

JOHN BUNYAN: Então, há outra coisa que temos em comum, com nossos nomes próprios, ocupação mútua e nosso atual estado incorpóreo. Eu também tinha uma família, de quem me separei por causa do meu confinamento.

JOHN CLARE: [*Empolgado.*] Esteve confinado? Ora, eu também! É como se fôssemos reflexos um do outro! Onde esteve confinado?

JOHN BUNYAN: Na prisão, por causa de minhas pregações. E o senhor?

JOHN CLARE: [*Subitamente vago e evasivo.*] Ah... foi em um hospital.

JOHN BUNYAN: [*Preocupado.*] Então padecia da carne?

JOHN CLARE: Bem... não. Não na verdade. Não da carne. Veja, houve um tempo em que fui muito manco.

JOHN BUNYAN: Então, não da carne. Entendo.

[*De fora vem o som do relógio da igreja, batendo uma vez.*]

MARIDO: É como se estivéssemos aqui há horas. Acha que isso foi à meia-noite e meia ou uma hora?

ESPOSA: Que importância tem isso? Quem se importa se é meia-noite e meia ou uma hora? Sempre vai ser a mesma hora de agora em diante, no que depender de você.

Sempre tarde demais. Ou quem sabe? Pode ser meia hora tarde demais. Eu não saberia dizer. [*Eles entram em outro silêncio hostil.*]

JOHN CLARE: O que está me dizendo, que entende?

JOHN BUNYAN: Quê?

JOHN CLARE: Quando eu disse que, confinado no hospital, não padecia da carne, o senhor disse: "Então, não da carne. Entendo". Entende o quê?

JOHN BUNYAN: Foi um modo de falar. Não penso nada disso.

JOHN CLARE: Não vou pensar nada disso, pois para mim pareceu que havia uma implicação, não?

JOHN BUNYAN: Uma implicação?

JOHN CLARE: Ah, não banque o tolo comigo. Sou duas vezes mais idiota do que jamais será. Sabe muito bem a natureza da implicação a que me refiro. O senhor praticamente disse: "Se não da carne, então o quê?". Negue se puder.

JOHN BUNYAN: Não vou negar. Mas havia imaginado que o senhor seria considerado doente do pensamento ou do espírito, e fiquei surpreso que existissem hospitais cuidando de tais casos. Pode acreditar quando digo que não busquei julgar sua clareza, ou falta dela.

JOHN CLARE: Não quis me chamar de lunático? Há quem não seja tão contido.

JOHN BUNYAN: Eu mesmo já fui chamado da mesma coisa, além de blasfemador e diabo. É sempre assim, parece, com qualquer homem que tem uma visão em sua alma e ousa falar sobre isso, em especial se for uma visão inconveniente para os ricos e o funcionamento habitual das coisas.

JOHN CLARE: É exatamente isso! O senhor definiu tudo em poucas palavras. Quando há medo de que alguma verdade seja dita, quem fala é trancado a sete chaves e chamado de criminoso, ou então de louco. Minhas próprias circunstâncias deixam isso claro, pois, se até mesmo lorde Byron pode ser considerado insano, então por que não qualquer homem? Está além da minha compreensão.

JOHN BUNYAN: [*Uma pausa, durante a qual* BUNYAN *olha para* CLARE *com compreensão e pena.*] Da minha também. [*Outra pausa, pensativa e reflexiva.*] Então ainda existem desigualdades e prisões até nesta era de cavalos invisíveis. Devo supor que a Nova Jerusalém não chegou?

JOHN CLARE: Devo confessar que não a notei por aqui, embora possa ter aparecido enquanto estava confinado e ninguém pensou em me avisar.

JOHN BUNYAN: [*Balança a cabeça, desapontado.*] Se fosse esse o caso, então todos nós seríamos santos.

JOHN CLARE: Talvez sejamos.

JOHN BUNYAN: Esse é um resumo sombrio da situação.

JOHN CLARE: O senhor está certo. Sim. É pior do que o estrume invisível. Gostaria de nunca ter dito isso.

[*Ele e* BUNYAN *caem em um silêncio taciturno.*]

MARIDO: O leão se deitará ao lado do cordeiro. Está na Bíblia.

ESPOSA: Ah, e a Bíblia diz se o cordeiro ainda estará lá para se levantar pela manhã?

MARIDO: Celia, achei que gostasse da Bíblia.

ESPOSA: Tem muita coisa na Bíblia, Johnny. Muita coisa mesmo. E tem as filhas de Lot. Então, vai admitir? Você se deitou ao lado do cordeiro?

MARIDO: Não sou santo.

ESPOSA: Sim, e já disse isso. Você também não é um leão. E não é um homem. Não passa de uma criatura vaidosa que já empresariou uma banda de baile e agora não é homem o bastante para enfrentar as consequências.

MARIDO: [*Assustado*] Você disse que tinha parado.

ESPOSA: Tinha. [*Pausa*]. Sobre o que a grama estava sussurrando?

MARIDO: Não sei. Nada. Você sabe como é grama. Está sempre sussurrando. Não tem nada melhor para fazer. O que ela sabe? É grama, pelo amor de Deus.

ESPOSA: Dizem que toda carne é erva.

MARIDO: Bem, não a minha carne. Não eu. Não sou grama.

ESPOSA: Sim, você é. Você é grama. Olhe para você. Foi

aparado e perdeu o vigor. E, como toda carne, vai chegar a época de ser ceifado. E então vai ter isso em sua consciência por toda a eternidade. A música, ela ainda estará tocando. E a grama ainda estará sussurrando.

[Sob o pórtico atrás deles, SAMUEL BECKETT vem de fora, pela esquerda. Ele nota o casal nos degraus, mas não CLARE ou BUNYAN em seus recessos. BECKETT se aproxima para ficar logo atrás do casal, olhando para os dois com perplexidade, enquanto eles o ignoram.]

MARIDO: Eternidade. Deus, que ideia. Todo aquele maldito sussurrar, pela eternidade.
BECKETT: Ora, olá. Como vão as coisas esta noite?
ESPOSA: Sou eu que vou precisar aguentar todos os sussurros e todas as más línguas.
BECKETT: Más línguas? Não sei ao certo se a compreendo.
MARIDO: Ah, e isso é culpa minha?
BECKETT: Não digo que seja culpa sua, apenas que não compreendo.
ESPOSA: Bem, você é quem tem todos esses segredos, mistérios e acontecimentos.
BECKETT: Ah, isso é comum, dizerem que sou impenetrável.
MARIDO: Ah, essa velha história de novo não. Trate de parar com todos esses seus silêncios compridos e toda essa tagarelice evasiva e insinuante de que tanto gosta. Estou farto disso.
BECKETT: Devo dizer que não creio que tenham uma compreensão clara do drama contemporâneo.
JOHN CLARE: Eles não conseguem ouvi-lo. Já passamos por tudo isso.
ESPOSA: Sou eu que estou farta disso tudo.
BECKETT: [Assustado, BECKETT se vira para encarar CLARE e BUNYAN.] Quem é? Do que se trata tudo isso?
JOHN BUNYAN: Não se assuste. Meu amigo aqui me explicou. Nós, como o senhor, somos apenas sombras que partiram, e almas vivas como o casal no degrau não conseguem nos ver nem nos ouvir.
JOHN CLARE: Eu iria mais longe. Não creio que possam nos cheirar, tampouco.

BECKETT:	Sombras que partiram? Não venha me dizer que estou morto. Nem estou tossindo. Para mim, é mais provável que seja algum tipo de sonho.
JOHN BUNYAN:	Isso é muito parecido com o que eu supunha, mas ainda assim me disseram que estamos na metade do século XX, depois do nascimento de nosso Senhor, e que eu mesmo estou enterrado há mais de duzentos anos.
BECKETT:	Duzentos anos? Ora, então eu estou bem. [BECKETT *olha em volta e gesticula em direção ao centro da cidade ao redor.*] Tudo isso parece ser logo depois da guerra, mas, pelo que sei, estou dormindo em um hotel na pouco satisfatória década de 1970.
JOHN CLARE:	Um hotel! Na década de 1970! Não sei qual dessas coisas é mais difícil de imaginar.
JOHN BUNYAN:	Logo depois da guerra, o senhor diz. Foi outra guerra civil?
BECKETT:	Uma guerra civil? Deus, não. É dessa época que os senhores são? Foi uma guerra com a Alemanha, principalmente; a segunda das duas guerras mundiais que tivemos. Eles arrasaram Londres, então os ingleses bombardearam Dresden, e aí os americanos jogaram algo que não podem nem imaginar sobre os japoneses, e então tudo acabou.
JOHN BUNYAN:	[BUNYAN *também olha para a cidade ao redor, com uma expressão triste.*] Então, parece que a peregrinação da nação a levou um pouco além da Cidade da Destruição. Pelos meus cálculos, isso tornaria este lugar a Feira das Vaidades.
BECKETT:	O senhor está citando Bunyan para mim, agora?
JOHN CLARE:	Ele não tem como evitar. Afinal, é John Bunyan. E eu sou Byron.
JOHN BUNYAN:	[*Para* BECKETT.] Ah, não dê ouvidos a ele. [*Para* CLARE.] Não, o senhor não é. E está passando uma má imagem de nós dois como indignos de crédito. O senhor mesmo disse que era John Clare. Não saia de seu roteiro, ou vamos terminar todos tão confusos quanto o senhor!

BECKETT:	[BECKETT *ri, espantado.*] John Bunyan. E John Clare. Bem, certamente é um sonho vívido. Preciso me hospedar neste hotel novamente.
JOHN CLARE:	[*Surpreso e incrédulo.*] John Clare. Já ouviu falar dele? Já ouviu falar de mim?
BECKETT:	Ora, é claro. Sendo eu mesmo um escritor, estou familiarizado com os dois e tenho respeito pelas suas realizações. Pelas suas, sr. Clare, especialmente. Na minha época, o senhor é lembrado como o Poeta Camponês, talvez a maior voz lírica que a Inglaterra já teve, e que tratou de forma tão injusta, com a morte no manicômio e tudo mais. [*Uma pausa.*] O senhor estava ciente disso, da morte num manicômio? Espero não ter sido insensível ao revelar isso dessa maneira.
JOHN CLARE:	Ah, eu já sabia. Estava por lá naquela época. Mas diga-me, minha amada mulher também é relembrada? Mary Clare, que um dia se chamou Mary Joyce?
BECKETT:	[BECKETT *olha para* CLARE *com um olhar sério e perscrutador.*] Ah, sim. Sua primeira mulher. Sim, sim, é uma história bem conhecida, ainda discutida nos meios literários.
JOHN CLARE:	Então fico feliz. Ficaria triste se fosse lembrado apenas pela maluquice.
JOHN BUNYAN:	[*Para* BECKETT.] O senhor disse que também era escritor. Será que reconheceríamos seu nome?
BECKETT:	Não creio que seria provável. Ambos os senhores estavam mortos havia um bom tempo quando surgi. Sou Samuel Beckett. Pode me chamar de Sam, se puder chamá-los de John. Aqui é Northampton, não? O pórtico da igreja de Todos os Santos?
JOHN BUNYAN:	Eu pretendia mesmo perguntar o que estava fazendo aqui. Tanto o sr. Clare aqui quanto eu nascemos nas redondezas e tínhamos assuntos a tratar aqui com frequência, mas, pela sua voz, eu diria que é irlandês. O que o traz para estas partes, seja na posteridade ou, como prefere, em sonhos?
BECKETT:	Bem, ora, em primeiro lugar seria o críquete, e depois uma mulher.

JOHN BUNYAN: Críquete?
JOHN CLARE: Ah, eu conheço bem os pormenores do jogo. O senhor precisa ver!
BECKETT: Claro, joguei contra o Northampton no Campo do Condado. Ficamos no hotel ao lado do campo e, na noite seguinte ao jogo, meus companheiros estavam todos decididos a sair em busca de bebida e prostitutas, coisas que esta cidade tem em abundância. Eu mesmo estava mais inclinado a passar a noite na companhia das antigas igrejas góticas de Northampton, que são igualmente abundantes. Imagino que seja a lembrança daquela noite que me traz de volta para cá em meus sonhos, embora deva admitir que os senhores trazem um elemento novo.
MARIDO: Tudo bem! Tudo bem, aconteceu mesmo. Ficou feliz?
ESPOSA: [*Friamente, depois de uma pausa.*] Você ficou?
MARIDO: [*Desafiadoramente, após um momento de deliberação.*] Sim! Sim, fiquei feliz! Foi maravilhoso, e eu estava mais feliz do que nunca. [*Com menos confiança, após uma pausa.*] Pelo menos no começo.
BECKETT: O que é tudo isso que está acontecendo?

[BUNYAN e CLARE *olham um para o outro, então, com relutância,* levantam-se *de seus recessos de pedra e caminham lentamente para se juntar a* BECKETT *perto do casal a brigar.*]

JOHN CLARE: Nós mesmos não temos certeza. Se eu fosse do tipo que aposta, imaginaria que estão discutindo sobre algum tipo de infidelidade.
ESPOSA: E quando foi isso?
MARIDO: Quê? Quando foi o quê?
ESPOSA: Você disse "pelo menos no começo". Quando foi que começou?
MARIDO: Isso faz diferença?
ESPOSA: Ah, você sabe que sim. Sabe muito bem que faz diferença, os acontecimentos e quando começaram. Olhe no meu olho e me diga, agora. Quando foi?

MARIDO:	[*Desconfortável.*] Bem, foi há algum tempo.
ESPOSA:	Há algum tempo. Quando? Dois anos atrás?
MARIDO:	Eu não me lembro. [*Depois de uma pausa.*] Não. Foi há mais tempo que isso.
ESPOSA:	Sua coisa imunda. Criatura imunda. Quantos anos? Quantos anos ela tinha quando começou?
MARIDO:	[*Amargurado.*] Você sabe que não sou bom com aniversários.

[A ESPOSA *olha para o* MARIDO *com raiva e nojo antes de ambos ficarem em silêncio mais uma vez.*]

BECKETT:	Para mim, parece muito que a infidelidade se deu com uma mulher mais jovem. Uma menina, pode-se dizer.
JOHN BUNYAN:	E isso, no seu tempo, faria muita diferença para a questão? A infidelidade e o adultério não são por si suficientes para explicar o estado infeliz deles?
BECKETT:	Dependeria exatamente do quanto a outra parte era jovem. Hoje em dia há costumes diferentes dos que existiam no seu tempo. Agora há uma coisa que chamam de "idade de consentimento" e, se mexer com isso, com certeza estará em apuros.
JOHN CLARE:	[*Subitamente preocupado.*] E quantos anos isso seria?
BECKETT:	Acho que dezesseis é a idade normal. Por que pergunta?
JOHN CLARE:	[*Levemente evasivo.*] Nenhuma razão em particular. Como poeta, estou naturalmente interessado nos fatos das coisas.
JOHN BUNYAN:	[*Depois de uma pausa.*] Bem, devo tomar meu caminho. O conde de Peterborough não vai me esperar para sempre para entregar seu édito, e o caminho que sigo é difícil e sem fim. Foi instrutivo conversar com os senhores e, se eu acordar amanhã em minha cela em Bedford, podem ter certeza de que todas as coisas curiosas que dissemos serão uma grande diversão para mim.
JOHN CLARE:	Terei o maior prazer em dizer que o conheci, mesmo que apenas nessas circunstâncias ambíguas.

BECKETT: Sim, cuide-se. E, cá entre nós dois, o que realmente pensava de seu homem Cromwell?

JOHN BUNYAN: Ah, ele era aceitável. [*Com menos confiança, após uma pausa.*] Pelo menos no começo. Mas, apesar de suas certezas antinomianas, pode ter certeza de que não era um santo. Muito bem. Vou deixá-los com seus entretenimentos neste bairro de Almumana. Uma boa noite, senhores.

[BUNYAN *caminha cansado para sair do palco à esquerda.*]

JOHN CLARE: E para o senhor.

BECKETT: Sim, cuide-se. [CLARE *e* BECKETT *observam* BUNYAN *partir, e então voltam a contemplar o casal sentado nos degraus.*] Bem, para um Cabeça Redonda, ele pareceu bastante agradável. Qual foi a sua impressão?

JOHN CLARE: [*Um pouco decepcionado.*] Achei que não era tão alto quanto parecia nas ilustrações. [*Depois de uma pausa.*] Então, o senhor disse que, na sua época, eu era bem-visto. É do meu Don Juan que eles gostam?

BECKETT: Não, esse era Byron. O senhor é admirado por todos os seus escritos, pelo "Shepherd's Calendar" e obras posteriores desesperadas, como o seu "Eu Sou". O diário que manteve enquanto caminhava desde Essex é considerado o documento mais comovente de todas as letras inglesas, e com muita razão.

JOHN CLARE: [*Espantado.*] Ora, pensei que tivesse sido jogado fora! Portanto, é da minha caminhada que se lembram, de volta da prisão de Matthew Allen na floresta para a casa de minha primeira esposa, Mary, em Glinton. Ah, essa foi uma odisseia empolgante, pode ter certeza, com todas as coisas heroicas que fiz e todos os lugares por onde passei. [*Uma pausa, durante a qual* CLARE *franze a testa, perplexo.*] Como acabou mesmo? Não me lembro...

BECKETT: Em relação a sua primeira mulher? Nada bem. Quando chegou à casa dela, bem, digamos apenas que ela não

	estava. A essa altura o senhor já havia encontrado aquela que suponho que chamaria de sua segunda mulher, Patty, e ela no fim o mandou para o hospício ali na Billing Road, onde o senhor morreu mais tarde. Perdoe minha franqueza a respeito.
JOHN CLARE:	Não, está tudo bem. Eu me lembro agora. Morei com Patty e nossos filhos por um tempo, no chamado Bangalô do Poeta em Helpstone, mas ninguém poderia me aturar por muito tempo e então... o senhor evidentemente sabe o resto. Veja bem, não culpo Patty, embora ela sempre tenha tido ciúme de minha primeira mulher, que eu amava mais.
MARIDO:	Ela tinha quinze. Tinha quinze anos quando tudo começou, os acontecimentos. Pronto. Pode ir e contar à polícia, se é essa sua intenção. Já tirei isso do meu peito.
ESPOSA:	Você jamais vai tirar isso do peito. Quinze anos. E foi maravilhoso, quando você ficou mais feliz. Quinze anos.
JOHN CLARE:	Ora, isso não é tão jovem.
BECKETT:	Não?
MARIDO:	Sim! Isso, eu fiquei feliz! Só o cheiro, o gosto dela, era como uma manhã no jardim! E a sensação, ela não parecia uma coisa pesada e sólida, era muito mais como um pouco de penugem, ou como um líquido. Celia, foi maravilhoso.
JOHN CLARE:	Não levando em conta o aspecto mais amplo da coisa. Quinze anos não é particularmente jovem, quando observamos de uma perspectiva mais ampla. Não no campo.
ESPOSA:	Você me dá nojo. Você não passa de uma lacrainha se arrastando na lama.
BECKETT:	Não é uma fala ruim. Vou me lembrar disso, apesar de provavelmente soar como um absurdo quando eu acordar. Muitas vezes é assim.
MARIDO:	Quando um não quer, dois não brigam, Celia. É só isso que eu digo.

JOHN CLARE: Começo a sentir empatia por ele. Mulheres guardam rancor por qualquer motivo.

ESPOSA: Não diga mais nenhuma palavra. Não me fale mais nada.

BECKETT: Não acho que seja uma avaliação justa. Conheço mulheres com muitas dores na vida.

JOHN CLARE: Pode ser que sim, mas em termos gerais mantenho o que disse. A vida de um homem romântico nunca é fácil. O senhor não disse antes que, além do críquete, veio aqui por uma mulher?

BECKETT: Isso eu disse. E admito que era uma mulher do tipo romântico difícil, pelo menos no começo... mas talvez sempre tenha estado na categoria sofrida. Essas coisas não são fáceis de determinar. Parece que pode haver um certo grau de sobreposição entre as duas variedades.

CLARE: Pode acontecer. Pode ser que seja normalmente o caso. Qual era o nome dela, de sua mulher?

BECKETT: Ah, o senhor não a conheceria. Nasceu muito tempo depois de sua morte, bem depois do começo do século XX. Uma senhorita Joyce...

JOHN CLARE: [*Perplexo, quase assustado.*] Não, ela não! Isso é um jogo cruel comigo? Essa é minha Mary, Mary Joyce, de Glinton...

BECKETT: Ah, não. Essa moça de quem falo é outra pessoa, a filha de James Joyce.

CLARE: [*Empolgado.*] Ora, esse era o nome do pai de Mary! Certamente sua mulher e minha própria primeira esposa devem ser a mesma! Como ela está? Dê-me notícias dela.

BECKETT: [*De modo gentil e empático.*] Não. Não, não é ela. A senhorita Joyce a que me refiro chama-se Lucia. Ela se notabilizou em Paris por sua dança na década de 1920, mas sofreu um abalo em seu juízo. Desculpe se o decepcionei.

JOHN CLARE: [*Suspira pesadamente.*] Ah, é culpa minha. Sendo louco, sabe, é muita autoindulgência. Eu deveria me animar e seguir adiante com as coisas. [*Uma pausa.*] Como ela era, sua srta. Joyce pessoal? Uma jovenzinha, como a minha?

BECKETT: Todas elas começam jovenzinhas, todas as srtas. Joyce.
JOHN CLARE: Sim, é verdade.
BECKETT: A minha era uma menina muito bonita, que sofria de um antigo estrabismo em um olho, que considerava sua ruína. O senhor conhece as mulheres e a baixa estima que elas costumam ter.
JOHN CLARE: Conheço.
BECKETT: Houve alguns problemas com o irmão dela, creio eu, quando era menina, que podem ter tido conexão com seu abalo posterior. De qualquer forma, o resultado foi que Lucia ficou ruim da bola.
JOHN CLARE: [*Perplexo.*] Não tenho certeza se entendi seu fraseado.
BECKETT: Ela ficou com um parafuso a menos.
JOHN CLARE: Não, não entendi nada.
BECKETT: Miolo mole.
JOHN CLARE: Ah! Ah, agora, acho que o entendi. Ela seria o que chamam de histérica?
BECKETT: Quase isso. Foi enviada para vários sanatórios e psiquiatras. Sabe como é. No fim ela veio parar no Hospital Saint Andrew's, na Billing Road, em Northampton, onde permanece no momento.
JOHN CLARE: Esse é o lugar onde fiquei, embora tivesse um nome diferente na época.
BECKETT: O próprio. A instituição tem um pedigree literário interessante.
JOHN CLARE: Sabe, acho que conheço a garota de quem fala. Se é em quem estou pensando, fiz uma farra com ela no hospício há pouco tempo.
BECKETT: Não, acredito que seja apenas sua loucura que está falando. Embora seja verdade que os dois foram acomodados no mesmo hospício, não convergiram na cronologia das coisas. Cada um é de um período muito diferente.
JOHN CLARE: Ora, eu poderia dizer o mesmo de mim e do senhor, mas aqui estamos. Não, essa moça a quem me refiro tinha cabelos escuros e pernas longas, bem pouco busto e um olho preguiçoso.

BECKETT: Admito que essa descrição é muito parecida com ela.

JOHN CLARE: Faz muito barulho na hora do clímax. Veja bem, eu mesmo tive um clímax tão forte que letras do alfabeto saíram voando de meus ouvidos.

BECKETT: Ora, o senhor me convenceu. Essa é Lucia nos mínimos detalhes, embora esteja perplexo sobre as circunstâncias desse encontro. O senhor não estaria falando metaforicamente?

JOHN CLARE: Não, creio que não.

BECKETT: Ora, isso é um mistério. Ela não mencionou isso para mim em minha última visita.

JOHN CLARE: Pode ser que tenha ficado envergonhada. Eu não sou o que se poderia chamar de apresentável, e tive a impressão de que ela era do tipo mais distinto.

BECKETT: Pode ser isso. Pode ter pensado que o senhor estava abaixo dela.

JOHN CLARE: Bem, então ela estaria certa. Essa foi exatamente a configuração da nossa interação.

BECKETT: Deixe isso para lá. Agora o senhor está me irritando.

JOHN CLARE: Então peço seu perdão. O senhor ainda tem sentimentos por ela?

BECKETT: De natureza carnal, não, embora um dia tenha sentido. Para ser sincero, naqueles dias, eram apenas sentimentos carnais mesmo, embora esse não fosse o entendimento dela a respeito. Agora, vou visitá-la sempre que posso. Eu a amo, de certa forma, mas não do jeito que ela quer. Não sei por que vou tanto, para ser completamente honesto.

JOHN CLARE: Pode ser por sentir pena dela?

BECKETT: Não, não acho que seja só isso. Ela é feliz, à sua maneira. Pode muito bem ser mais feliz que eu. Na verdade, eu teria dificuldade em acreditar que fosse o contrário, então, não, não é pena. Acho que sinto que lhe devo algo. Quando a conheci, fui insensível e não consegui ver que ela estava se afogando. Poderia ter feito mais, é o que estou dizendo. Ou poderia ter feito menos. De um jeito ou de outro, é tarde demais agora.

JOHN CLARE: Então é culpa?
BECKETT: Imagino que seja. Muitas vezes percebo que existe culpa no fundo de algo.
JOHN CLARE: Eu mesmo tendo a partilhar desse ponto de vista.
ESPOSA: Como assim, quando um não quer, dois não brigam?
MARIDO: Achei que não queria que eu falasse com você.
ESPOSA: Não banque o espertinho. Você não é esperto, Johnny. Nem de longe. Explique o que quis dizer quando falou que quando um não quer, dois não brigam.
MARIDO: Quis dizer que era um dueto. Era um tango. Flanagan e Allen. Uma coisa que envolvia duas pessoas, e é isso que estou dizendo. Por que precisa ser tão obtusa?
ESPOSA: Então era uma coisa que ela queria, é esse o xis da questão?
MARIDO: Exatamente! Esse é o xis da questão, o que resume tudo: era uma coisa que ela queria.
ESPOSA: Ah, nesse caso, tudo bem, eu acho.
MARIDO: [*Suspira, aliviado.*] Sabia que ia mudar de ideia.
ESPOSA: Como você sabia?
MARIDO: Que você ia mudar de ideia? Ah, enfim, você sabe que não consegue ficar brava comigo por muito tempo...
ESPOSA: [*Devagar e deliberadamente.*] Como sabia que ela queria? Foi isso que ela disse? Ela disse: "Eu quero"?
MARIDO: Não com essas palavras. Não, isso ela não falou. Mas...
ESPOSA: Ora, que palavras ela usou, então? Que palavras ela usou quando disse que queria?
MARIDO: Bem, não foram exatamente palavras. Não foi uma coisa que ela comunicou por palavras.
ESPOSA: [*Cada vez mais irritada.*] Ora, então foi o quê? Dança interpretativa? Ela fez mímica para você?
MARIDO: [*Soando acuado e desconfortável.*] Foram sinais.
ESPOSA: Sinais?
MARIDO: Pequenos sinais. Você sabe como é, como as mulheres são.
ESPOSA: Talvez não saiba.
MARIDO: Os sinais que elas dão. As caras e bocas, tudo aquilo. Ela estava sempre sorrindo para mim, encostando em mim e me dizendo que me amava...

ESPOSA:	[*Horrorizada, gritando de raiva.*] Ora, mas é claro que sim! Claro que ela fazia isso! Johnny, você é o pai dela!
BECKETT:	Ah, meu Deus. Aí está o problema.
MARIDO:	Mas... quer dizer, eu não tinha pensado nisso. Não estou acostumado com esse tipo de coisa. Se uma menina, uma mulher, olha para você de uma certa maneira. Quer dizer, você conhece nossa Audrey, sabe como ela é...
ESPOSA:	[*Furiosa, em um choro impotente.*] Não sei! Eu não sei como é a nossa Audrey, ou não como você, pelo menos! Diga você, Johnny. Diga como ela é. Ora, vamos, vai ser divertido. Eu sei: na primeira vez, ela chorou?
JOHN CLARE:	Isso é um horror. Por essa eu não esperava.
MARIDO:	Celia...
ESPOSA:	Diga, Johnny. Diga como é estar com nossa Audrey na cama. Ela chorou? Ela era virgem, Johnny? Era? E o que você fez com os lençóis?

[O MARIDO *olha para a* ESPOSA, *assombrado, mas apenas mexe a boca como um peixe e não consegue responder. Por fim, desvia o olhar e mira o espaço, desolado. Sua* ESPOSA *afunda a cabeça nas mãos, talvez chorando silenciosamente. Enquanto* CLARE *e* BECKETT *ainda estão olhando em silêncio horrorizado para o casal sentado,* THOMAS BECKET *entra à esquerda e caminha lentamente para se juntar aos dois. Eles o olham com perplexidade silenciosa. Ele olha para o casal assombrado, e então para* CLARE *e* BECKETT.]

THOMAS BECKET:	Por favor, alguma grande catástrofe se abateu sobre eles?
BECKETT:	Sim.
THOMAS BECKET:	E vocês não podem consolá-los?
JOHN CLARE:	Eles não conseguem nos ouvir.
THOMAS BECKET:	São surdos?
BECKETT:	Não, estão vivos. O restante de nós está morto ou sonhando, ou pelo menos foi isso o que deduzi. Quem seria o senhor?
THOMAS BECKET:	Sou Becket.
BECKETT:	Serei sincero com o senhor: essa é uma resposta que não esperava. Eu sou Beckett.

THOMAS BECKET: O senhor é Thomas Becket?
BECKETT: Não, sou Samuel Beckett. Este é John Clare. [*Uma pausa.*] Ora, espera aí, o senhor disse que é Thomas Becket?
THOMAS BECKET: Thomas Becket, arcebispo da Cantuária. Sim, isso mesmo. O que disse sobre eu estar morto? Pelo que sei, vim ver o rei, que está no castelo de Hamtun, para que possamos nos reconciliar.
JOHN CLARE: Acredite em mim, o senhor está morto. As coisas vão mal para o senhor no castelo, e o senhor foge para a França por alguns anos. Quando volta, o que acontece é que está na sua catedral e...
BECKETT: Não precisamos entrar em todos os detalhes da questão.
JOHN CLARE: Mas pelo jeito aconteceu isso mesmo: fizeram muitos detalhes nele...
BECKETT: [*Para* CLARE.] Já chega. Basta. [*Para* BECKET] O que o senhor deve ter em mente não é a mecânica bruta da questão, mas seu resultado.
THOMAS BECKET: [*Preocupado.*] Foi uma questão de mecânica bruta?
JOHN CLARE: Os famosos detalhes.
BECKETT: Já disse que não é isso o que importa. Deixe essa parte de lado. O que mais se destaca em tudo isso é que se descobriu que o senhor era incorruptível. Isso explicaria a santidade que lhe foi concedida ultimamente. O senhor é o primeiro que conheço, e não tenho certeza do que devo fazer a respeito.
THOMAS BECKET: Ah, Deus. Então serei martirizado?
JOHN CLARE: Receio que seja uma notícia velha. Vai fazer oitocentos anos, e tudo mais.
BECKETT: [*Com raiva.*] Veja! [*Mais baixo, assustado com a própria explosão.*] Veja, tudo o que estou dizendo é que o senhor foi santificado, só isso. Certamente o próprio fato supera os meios pelos quais chegou a essa condição. Pensei que ficaria satisfeito com isso.
THOMAS BECKET: Satisfeito? De ser queimado, ou arrebentado em uma roda?

JOHN CLARE: Ah, não foi assim. Não, o senhor foi só picotado um pouco, segundo me disseram.
THOMAS BECKET: Ah, não, não me conte mais.
BECKETT: [*Para* CLARE.] Por favor... o senhor não está ajudando [*Para* BECKET] Não serve de conforto, então, a distinção da santidade?
THOMAS BECKET: [*Muito chateado*] Eu pareço confortado? O senhor me diz que virei santo, e no entanto onde estou?
JOHN CLARE: Ora, essa é uma mera questão de geografia. Não há teologia nenhuma nisso. O senhor está sob o pórtico da igreja de Todos os Santos aqui em Northampton, meio século depois daquele em que morri, portanto o vigésimo. Sou informado de que uma grande guerra com os alemães foi recentemente concluída a nosso favor.
BECKETT: Não, não é a Grande Guerra que foi concluída recentemente. Isso foi algum tempo antes, embora os alemães estivessem envolvidos, então sua confusão é compreensível. Só nos referimos a ela como a Grande Guerra porque não sabíamos que haveria outra.
JOHN CLARE: Uma maior?
BECKETT: Acho que isso depende em boa parte de sua perspectiva.
THOMAS BECKET: [*Exasperado.*] Eu apenas perguntei onde estou. Se sou um santo, não pareço estar no Céu.
BECKETT: Não. Admito que não parece ser mesmo.
THOMAS BECKET: Porém tampouco é o fogo eterno do oposto do Céu.
JOHN CLARE: Ah, não. Não é tão ruim quanto isso, nem de longe.
THOMAS BECKET: Então devo supor que isto é o purgatório, este lugar cinzento em que os fantasmas vagam perdidos e têm conversas inúteis, presos aqui por todo o tempo?
MARIDO: [*Desoladamente, ainda olhando para o nada.*] Joguei fora e comprei novos.
ESPOSA: [*A* ESPOSA *olha para seu* MARIDO, *sem entender.*] O quê?
MARIDO: Os lençóis. Eu joguei fora e comprei outros novos. E virei o colchão.
BECKETT: [*Para* THOMAS BECKET.] Isso que o senhor acabou de dizer, acho que pode estar muito perto da verdade.

ESPOSA: [*Ela olha para seu* MARIDO, *balançando a cabeça em um nojo incrédulo.*] Esse é você. É você para sempre, de colete e suando, tentando virar o colchão, tentando encobrir todas as suas manchas. E ela estava olhando enquanto fazia isso? Estava sentada lá e assistindo?

MARIDO: Ela estava chorando.

ESPOSA: Pois é. O que foi que eu disse?

MARIDO: [*Desesperadamente.*] Enfim, eu pensei... Achei que eram todas as emoções que ela estava sentindo que a faziam chorar.

ESPOSA: Ah, sim. Eu diria que sim. Todas as emoções. Enquanto ela via o pai tentando esconder o sangue dela porque estava tão orgulhoso do que tinha feito.

MARIDO: [*Como se entendesse o que fez pela primeira vez.*] Ah, Deus. [*Depois de uma pausa, ouve-se o som de fora do relógio da igreja, batendo uma vez.*] É... é uma hora, e já era meia-noite e meia antes, ou é uma e meia, e...

ESPOSA: [*Explosivamente, perdendo a compostura.*] Ah, cale a boca! Cale a boca! Não diga mais nada! É sempre a mesma hora! Não podemos seguir em frente com isso! Estamos presos aqui nesta escada, nesta noite, de novo e de novo!

[A ESPOSA *começa a chorar novamente. Seu* MARIDO *também afunda a cabeça nas mãos.*]

THOMAS BECKET: [*Abatido e resignado.*] Purgatório, então. Mas o senhor diz que eles ainda estão vivos?

BECKETT: Mais uma vez, acho que isso depende muito da sua perspectiva. Eles estão vivos aqui, no tempo deles, assim como nós no nosso. Em certo sentido, todo mundo está morto e sempre esteve. Como a mulher aqui estava dizendo, estamos todos presos. Talvez tenhamos tudo, o bom e o ruim, repetidamente. Isso não resumiria bem o Céu o e o Inferno, como ameaçavam para todos nós?

THOMAS BECKET: Considero essa uma ideologia temerosa. Ousei esperar por algo melhor.

JOHN CLARE: Eu temia por algo pior! Se isso significasse que eu fosse ter minha primeira esposa, Mary, ao meu lado novamente, então as dores da vida seriam nada, e isso por si só seria meu Céu.

BECKETT: Não estou dizendo que acredito. É apenas algo que me foi dito. O pai da garota de quem falei, James Joyce, lembro-me dele me contando sobre sua predileção pela ideia de Ouspensky do que suponho que se chamaria de grande recorrência. Tinha alguma relação com o dia eterno em Dublin que foi circum-navegado de várias maneiras em seus maiores romances.

THOMAS BECKET: Cada vez mais, espero que isso seja um sonho bizarro e, sem nenhum desrespeito, que os senhores sejam apenas invenções. Pode ser que seja um começo de noite, afinal, nascido de minhas apreensões por ter ofendido o rei, algo que nossa antiga amizade não atenuará.

BECKETT: Bem, confesso ter tido a princípio o mesmo pensamento. Algum tipo de sonho seria a explicação mais razoável, mas, como não concordo com as interpretações do professor Freud, não vejo por que deveria estar sonhando com todo esse vaivém miserável e incestuoso. E isso sem tentar entender como um monte de santos e escritores nos quais não penso há anos se encaixariam aqui. É um quebra-cabeça poderoso, e não posso dizer que estou gostando.

THOMAS BECKET: [*Olhando para o casal nos degraus.*] Esse é o pecado que os prende nesse desentendimento, então? O homem se deitou com a filha?

JOHN CLARE: No campo, acontece mais do que os senhores imaginam.

BECKETT: Mesmo nas cidades, eu diria que não se saem muito melhor. A mulher de quem eu estava falando, Lucia, havia quem achasse que foi exatamente isso que deu início aos problemas dela, todo o incesto e tudo mais.

JOHN CLARE: [*Chocado.*] O pai dela, que o senhor disse que se chamava James Joyce, assim como o da minha Mary, ele era culpado do mesmo crime?

BECKETT:	Ah, não, ele não. Ele a adorava. Era para ela que escrevia, e sobre ela. Pode ter tido pensamentos desse tipo, talvez, mas, se os levou adiante, apenas tentou tocá-la com sua escrita, com uma frase aqui ou ali, uma passada de mão no seio escondida dentro de um subtexto. Não, o culpado em termos físicos, caso haja alguém, meu palpite é que pode ter sido o irmão dela.
THOMAS BECKET:	Na minha época, isso seria considerado um pecado... pelo menos em uma conversa aberta. De minha parte, estou convencido de que não há lugar onde não aconteça.
JOHN CLARE:	Embora reconheça que seja um assunto sério, conheço muitos que se divertiram com um irmão ou uma irmã sem grandes consequências.
BECKETT:	Bem, Lucia era muito jovem quando isso ocorreu, se de fato tiver ocorrido.
JOHN CLARE:	Mas dissemos antes que sua própria opinião sobre o que é uma idade adequada pode não valer para épocas anteriores.
BECKETT:	Se eu estiver certo, Lucia teria dez anos.
THOMAS BECKET:	A não ser que estejamos falando da realeza, essa é uma idade que até no meu tempo seria considerada jovem demais.
JOHN CLARE:	[*Um tanto timidamente.*] Verdade? Bem, nesse caso, sim, entendo por que agravaria o incesto.
THOMAS BECKET:	No que diz respeito a pecados, eu observaria que esse não é, evidentemente, considerado mortal, e que em minhas leituras da Bíblia Sagrada encontrei uma espécie de ambiguidade.
BECKETT:	Daria um olho se não for mencionado de modo adverso em alguma parte do Levítico.
THOMAS BECKET:	Isso é verdade, sem dúvida, mas e quanto à exceção incomum concedida a Lot depois que ele e suas filhas escaparam das cidades da planície?
BECKETT:	Eu imaginei que, como homem, Deus se sentiu mal por transformar a mulher do pobre sujeito em sal. Ele provavelmente achou que devia um favor ao homem,

	Lot, e considerou que era o mínimo que podia fazer, fingir que não viu pelo menos uma vez.
THOMAS BECKET:	É uma interpretação incomum, mas...
JOHN CLARE:	Sabe, sempre considerei o Éden um enigma que se encaixaria no seu argumento.
BECKETT:	Do que está falando?
JOHN CLARE:	Ora, de Caim e Abel. Eu achei que era óbvio que, mesmo que o Senhor tivesse concedido a Eva e Adão um de cada tipo, em vez de dois meninos, o amor impróprio dentro da família certamente seria inevitável. E ainda mais no Éden do que em, digamos, Green's Norton, a menos que haja algo que não considerei. Talvez o que enlouqueceu a sua amiga e a pobre criança que é o problema desse casal lamentável seja algo que faz parte de nossa condição desde nossas origens, lá no jardim de Deus.
BECKETT:	Éden. Ora, houve alguns questionamentos sobre aquele lugar, sabe.
THOMAS BECKET:	Questionamento? Que tipo de questionamento? Nunca ouvi nenhum.
BECKETT:	Ah, bem, não quero entrar muito nesse assunto. Há quem diga que Gênesis foi escrito muito depois de alguns dos outros livros e só foi colocado no início por um mal-entendido na ordem da compilação. Caso contrário, é difícil ver como poderia haver uma terra de Nod povoada para Caim cumprir seu exílio, com ou sem incesto.
THOMAS BECKET:	E eu pensei que sua notícia de meu martírio iminente era o aspecto mais inquietante desse sonho até então. Tenho esperança de esquecer tudo isso ao acordar, e fico angustiado em pensar que me deparo com tais blasfêmias até mesmo em meus pensamentos espontâneos.
BECKETT:	Não é meu desejo aborrecê-lo. O senhor é alguém que admiro, e não gostaria que toda a minha conversa com um santo se resumisse ao que aconteceu com a srta. Joyce quando tinha dez anos.

JOHN CLARE: [*Subitamente, com voz embargada e angustiada.*] Foi a consumação de um matrimônio!
BECKETT: [*Perplexo.*] O quê? O negócio com o irmão? Como o senhor chegou a essa conclusão?
JOHN CLARE: [*Momentaneamente desorientado, então recuperando a compostura.*] Como eu... oh! É da sua senhorita Joyce que está falando. Não dê atenção às minhas manifestações lunáticas. Não são nada. Não sei o que estou dizendo na metade do tempo. [*Pausa, enquanto ele tenta encontrar um rumo seguro para a conversa.*] O senhor deve ter um grande carinho por ela, por sua amiga, para visitá-la em sua adversidade.
BECKETT: Ela era uma garota adorável, bem-intencionada e cheia de energia e luz, como o nome sugere. As coisas que dizia eram engraçadas e inteligentes, quando ela se esforçava para não se enrolar demais. Era o que se chamaria de uma dançarina em um milhão, e a maneira como imitava Charlie Chaplin era um deleite, embora eu não espere que estejam familiarizados com o trabalho dele.
THOMAS BECKET: Não creio que seja um nome que conheço.
JOHN CLARE: Conheço vários Charlies, mas não consigo pensar em nenhum Chaplin. Como ele era em suas maneiras, que sua amiga imitava?
BECKETT: Ele tinha um certo jeito de andar e um bigode, uma certa maneira de mover as sobrancelhas e coisas do gênero. Lucia conseguia fazer tudo isso. A arte dele estava no páthos inspirado no homem infeliz ou comum, o caminhante com os pés doloridos, como o senhor, mas em uma época de linhas férreas mais longas e edifícios mais altos. Ele o fazia lamentar pelas grandes injustiças que existem na vida e depois o fazia rir de todos os triunfos do indivíduo. Não creio que tenha sido necessariamente um homem feliz. Lembro-me de ter lido algo do cineasta Jean Cocteau... não, não pergunte, é muito complicado... em que ele mencionou Chaplin dizendo algo no sentido de que a

	maior tristeza de sua vida foi o fato de ter ficado rico interpretando alguém que era pobre.
JOHN CLARE:	É a culpa de que estávamos falando de novo, mas, se minha maior tristeza fosse ser rico, acho que não seria triste.
THOMAS BECKET:	Pode ser que as tristezas da vida rica sejam só mais caras. Às vezes, é como se meu rei e companheiro de infância se tornasse pesado pelo peso do ouro que está em seu coração.
BECKETT:	Bem, se está atrás de culpa, então seu amigo da realeza levaria uma surra. Na verdade, pensando bem, foi exatamente o que ele levou. Com a confusão que ele criou com o senhor, Roma mandou que fosse açoitado como penitência, apesar de ser rei. Pelo que ouvi, ele se ajoelhou ali e recebeu o açoite. Devia saber que merecia o castigo.
THOMAS BECKET:	O rei foi açoitado, e se submeteu a isso?
BECKETT:	Isso mesmo. É um acontecimento bastante conhecido. Foi após a exumação, quando se provou que o senhor era incorruptível, que a questão foi decidida. Na minha opinião, ele teve sorte de escapar só com o açoitamento.
JOHN CLARE:	Eu o teria feito ficar de joelhos e só sair de lá depois de esfregar todo o chão da catedral. Ainda estaria lá até hoje.
THOMAS BECKET:	[*Horrorizado.*] Ele foi açoitado. O rei foi açoitado. Por causa do que tinha feito comigo.
BECKETT:	Essa é a grande questão. Ninguém achou que ele foi punido com firmeza, digamos assim.
THOMAS BECKET:	Mas, se ele foi tratado dessa maneira, então, o que ele deve ter...?
BECKETT:	O senhor não vai querer saber dos detalhes.
JOHN CLARE:	Dos muitos detalhes. Não mesmo, concordo.
BECKETT:	É melhor assim. Não há benefício em se preocupar sem necessidade.
THOMAS BECKET:	[*Rabugento e ressentido.*] Não. Não, não há. Aliás, não entendo por que se sentiu na obrigação de mencionar esse assunto, para começo de conversa.

BECKETT: Eu odiaria pensar que testei sua paciência a ponto de me tornar proverbial.
THOMAS BECKET: Testar minha paciência é pouco, quando o que tentou foi minar minha própria fé com suas sofisticações.
BECKETT: Não foi minha intenção.
THOMAS BECKET: Mas fala com desdém do Éden e de nossos primeiros pais, insinua um amor indescritível entre Eva e seus filhos e insiste que estamos no século XX de Nosso Senhor, e ainda assim Deus não veio?
JOHN CLARE: Sim, o sr. Bunyan, com quem falamos há pouco, fez um protesto semelhante sobre a contínua ausência de Jerusalém.
BECKETT: [*Para* THOMAS BECKET.] Ele nunca vem. É assim que vejo a questão. Ou, pelo menos, nunca está por perto quando se precisa Dele, tal como um policial.
JOHN CLARE: Há uma expressão que ouvi por aqui. Ora, como era mesmo? Tem algo do significado de "policial", mas com uma conotação de coletor de dízimo ou de aluguel em torno de sua figura. Não consigo me lembrar neste momento, mas é possível que venha a lembrar.
THOMAS BECKET: [*Para* SAMUEL BECKETT.] Se, como o senhor diz, Ele nunca vem, como pode ter certeza de que está realmente lá?
BECKETT: Imagino que é aí que entra a fé. Para meus próprios propósitos, gosto de pensar que a não vinda Dele não é necessariamente uma indicação de Sua inexistência.
THOMAS BECKET: Mas Ele não conversa com o senhor?
BECKETT: Não é uma questão de grande importância se Ele fala comigo ou não. Existe muita gente que não fala comigo, ou que nunca vejo, mas não me preocupo em saber se estão lá ou não. Não é como se me sentisse desprezado ou algo assim.
THOMAS BECKET: Mas se o senhor nunca ouve a voz Dele...
BECKETT: Às vezes parece que há uma certa qualidade nos longos períodos de silêncio.
THOMAS BECKET: Ah, sim?
BECKETT: Creio que sim.

[CLARE, BECKETT e THOMAS BECKET *entram em um silêncio pensativo. Há uma longa pausa.*]

MARIDO: Eu fiz tudo isso. Fiz o que você disse. Sou tudo o que você me chamou. [*Pausa.*] Mas você sabia.

ESPOSA: [*Virando-se para olhá-lo com desdém.*] Do que você está falando?

MARIDO: Estou dizendo que você sabia.

ESPOSA: Sabia do quê?

MARIDO: Dos acontecimentos.

JOHN CLARE: De entrar nos detalhes. É disso que ele está falando.

ESPOSA: Os acontecimentos? Está dizendo que eu sabia deles?

MARIDO: O tempo todo. É tudo que vou dizer.

ESPOSA: Ah, como se atreve? Como você se atreve a sentar aí e dizer que eu sabia sobre o que estava acontecendo? Se eu soubesse dos acontecimentos, teria interrompido tudo ali mesmo. Não teriam acontecido de jeito nenhum.

MARIDO: Você sabia. E fez vista grossa.

ESPOSA: Vista grossa?

MARIDO: De maneira deliberada. Você sabe que sim. Era conveniente.

ESPOSA: [*Com cautela.*] Conveniente? Não sei o que quer dizer com isso.

MARIDO: Você sabe, sim, Celia. Sabe muito bem o que quero dizer com isso. Quase não nos tocamos nesses últimos doze anos de casamento. Ou não percebeu?

ESPOSA: Isso é normal. Com todo mundo é assim. O que acontece é que você é louco por sexo, vem atrás disso a cada cinco minutos, e não se importa se a outra parte quer ou não.

MARIDO: Você nunca teve vontade, nem a cada cinco meses, muito menos cinco minutos. E, quando parei de incomodar, quando parei de tentar, achou mesmo que eu também tinha perdido o interesse? Que deixei de ter sentimentos dessa natureza só porque era assim com você?

ESPOSA:	Eu... imagino que achei que você tivesse feito outros arranjos. Que recorreu a um livro obsceno ou outra coisa do tipo.
MARIDO:	Ah, e o que seria essa outra coisa? Um caso fora do casamento, dormir com a garçonete no Black Lion, algo dessa natureza?
ESPOSA:	[*Chocada.*] Ah Deus, Johnny, diga que não fez isso. Não com aquela Joan Tanner. Todos iriam saber! O que iriam pensar? O que iriam pensar de mim?
MARIDO:	Não seja idiota. Claro que não. Eu sabia que você não iria querer isso, que todo mundo soubesse.
ESPOSA:	[*Aliviada.*] Oh, graças a Deus. Claro que eu não gostaria que ninguém soubesse. Se vai fazer uma coisa estúpida como essa, então deveria...
MARIDO:	Manter segredo?
ESPOSA:	[*De modo incerto.*] Ora... sim.
MARIDO:	Manter entre quatro paredes?
ESPOSA:	Sim, acredito que sim.
MARIDO:	Restringir a coisa a um assunto de família?

[A ESPOSA *olha para seu* MARIDO *em silêncio por alguns momentos, percebendo sua própria cumplicidade não reconhecida, então se vira para olhar para o espaço com uma expressão assombrada. O* MARIDO *desvia o olhar, para baixo e para o lado.*]

BECKETT:	Bem, é um argumento justo. Pela minha própria experiência, acho muito raro uma mulher não saber o que está acontecendo na própria casa, mesmo que preferisse não saber. No caso da srta. Joyce que mencionei antes, o problema que ela pode ter tido aos dez anos, se foi isso que aconteceu, não consigo imaginar Nora — que era a mãe de Lucia —, não consigo imaginar que ela não soubesse disso. Acho que muitas vezes as mulheres são mais hábeis em lidar com toda uma teia de segredos do que a maioria dos homens seria capaz.
JOHN CLARE:	Ainda não estou totalmente convencido em meu coração de que dez anos seja uma idade inadequada.

THOMAS BECKET: A idade da vítima, creio eu, não tem influência material sobre o pecado, nem sobre sua gravidade. Eles estão condenados, esses miseráveis, à infelicidade sem fim, sentados aqui nestes degraus duros e inflexíveis esperando uma absolvição que não virá.

BECKETT: Eles estão condenados, então, e além do alcance da misericórdia ou do perdão. O senhor parece ter certeza disso.

THOMAS BECKET: O marido deitou-se com a própria filha, um desses pequeninos que Deus disse que não devemos prejudicar. Parece que a mulher consentiu de modo tácito com a ligação nociva, e assim uma pessoa inocente e sem culpa foi duplamente traída. Não consigo imaginar que um Criador justo possa estender sua misericórdia àqueles que nunca pensaram em exercer essa qualidade eles mesmos.

BECKETT: Bem, na qualidade de santo, o senhor deve ter autoridade em tais questões.

JOHN CLARE: Veja, quando Deus estava falando desses pequeninos, ele disse especificamente que tinham dez anos? É disso que estou falando.

BECKETT: [*Ignorando* CLARE.] A mim parece que, embora o sexo seja provavelmente lamentável e desagradável, o principal problema ainda seria a traição. Com Lucia, quando o irmão que ela achava que a amava mais do que fisicamente anunciou que se casaria com uma mulher mais velha muito parecida com a mãe, ela começou a se comportar mal e jogar cadeiras. Acho que foi o irmão dela que sugeriu pela primeira vez que ela recebesse tratamento psiquiátrico em algum lugar, e pode-se supor que foi porque não queria que ela dissesse nada que não pudesse ser descartado como delírio. Pelo menos, essa foi a minha impressão. E Nora não demorou a aceitar aquela ideia. Lucia não era o que se poderia chamar de sua filha favorita, mesmo antes de começar o arremesso de móveis. Disseram que Lucia era o que chamavam de esquizofrênica, embora, se me perguntar, era mais porque era jovem e mimada e não conseguia lidar bem com contrariedades. Pensava que seu comportamento deveria ser tolerado. Achava que era imune por ser quem era e nunca sonhou que pudesse acabar presa em uma instituição, como no fim acabou acontecendo.

JOHN CLARE: Bem, para ser justo, o confinamento é algo que poucos de nós previram ou permitiram. Em geral é sempre uma surpresa. Em um momento você é lorde Byron, e no seguinte está em uma sala cheia de idiotas comendo mingau.

THOMAS BECKET: E o senhor mesmo disse que devo deixar Northampton e partir para a França, então me parece que estarei no exílio, um confinamento que não esperava.

JOHN CLARE: Pelo que soube, o senhor escapou na calada da noite por uma brecha no muro do castelo e depois saiu pelo portão norte da cidade, lá no final da Sheep Street, logo depois da velha igreja redonda.

THOMAS BECKET: Sim, sei onde ela fica.

JOHN CLARE: Parece que o senhor saiu pelo portão e cavalgou para o norte, então eles devem ter pensado que era para onde estava indo, então fez a volta e partiu para o sul, para Dover, e de lá para a França.

THOMAS BECKET: Isso parece ser a coisa cautelosa e inteligente a fazer. Vou me lembrar disso quando acordar.

BECKETT: Sim, foi o que pensei ao ouvir uma fala da mulher ali há menos de meia hora, mas já me esqueci. Acho que era algo sobre lacrainhas.

JOHN CLARE: [*Para* THOMAS BECKET.] Há alguma controvérsia sobre a rota que o senhor tomou em sua fuga. É comum ouvir que, ao deixar Northampton, fez uma parada para tomar um gole do poço de pedra perto do Beckett's Park. Mas, se de fato saiu pelo portão norte, isso não parece provável.

THOMAS BECKET: A resposta para isso é fácil. Conheço o poço de que fala e tomei um gole lá, e em seguida entrei em Hamtun pelo portão de Dern. Foi chegando à cidade, e não partindo, mas, fora isso, a história é bastante verdadeira, embora pareça algo de pouca importância. Estou mais impressionado com o pensamento de que exista um parque com o meu nome.

JOHN CLARE: Bem, mais uma vez, há alguma controvérsia. Embora exista a história do poço, o nome do parque tem dois Ts no final, ao contrário do seu, e por isso pode não ter sido nomeado em sua homenagem.

BECKETT: Dois Ts? Bem, aí está. Então poderia ter o meu nome?

JOHN CLARE: Pelo que me disseram, foi em homenagem a uma dama benemérita da cidade que o parque ganhou esse nome, e não a qualquer um dos senhores. As coisas sobre o poço possivelmente não passam de uma coincidência. Mas, pensando bem, acredito que o nome do poço também seja escrito com dois Ts no final, embora provavelmente não seja mais que a ignorância local e a falta de jeito com as palavras em sua expressão correta. Espero não tê-lo decepcionado com o que disse.

THOMAS BECKET: [*Parecendo desapontado.*] Decepcionado? Não, eu não diria... não, não decepcionado. Seria realmente um homem vaidoso quem se decepcionasse com tal coisa, e já não disse que serei um santo? Não. Decepcionado não. Por que estaria?

BECKETT: [*Soando igualmente desapontado.*] Eu também não. Fiz meu comentário como uma piada, quando a verdade é que não faz diferença se um parque tem meu nome ou não. É tudo a mesma coisa, no que me diz respeito. Ter um parque com o seu nome parece algo vulgar e comum, como os muitos parques que levam o nome de Vitória.

JOHN CLARE: Ah, sim. Minha filha linda. Teve notícias dela? Como ela está se saindo na vida?

BECKETT: Deus, não essa bobagem de novo, quando pensei que tínhamos parado com isso. Não aguento mais essa conversa. E, para ser franco, também não espero muito mais desse casal. Tenho a sensação de que praticamente esgotaram o que tinham em termos de diálogo.

THOMAS BECKET: Nisso eu devo concordar. Estão os dois um tanto atordoados em meio aos destroços lamentáveis que eles próprios criaram, e não buscam expiação nem podem ter expectativa de redenção. É uma história sombria contada com muita frequência e, assim como o senhor, estou cansado. E, além disso, se o que me contou for verdade, tenho minha própria história sombria para levar adiante. Acho que posso continuar nessa direção [THOMAS BECKET *aponta para o público, como se estivesse em uma rua fora do palco*] para ir ao castelo onde meu antigo companheiro de brincadeiras me espera.

BECKETT: Sim, eu poderia acompanhá-lo. Estava planejando descer por aquele caminho e dar uma olhada na velha igreja de St. Peter, como fiz pela primeira vez quando vim aqui para jogar críquete.

THOMAS BECKET: É uma bela construção do tipo antigo, e eu a conheço bem. Devo dizer que fico surpreso ao saber que ainda está de pé, já que tem mil anos. Caiu no esquecimento? Todos os horríveis seres grotescos de que me lembro ainda estão fazendo caretas na pedra?

JOHN CLARE: Alguns caíram ou foram derrubados ao longo dos anos, mas a maioria ainda está no lugar. Então, os dois estão de partida? Não posso convencê-los a ficar e me fazer companhia, para que eu tenha alguém que me ouça, com quem possa conversar?

BECKETT: Sinto muito, mas não, não posso ser persuadido. Foi um prazer conhecê-lo, apesar de todas as suas loucas fantasias e sua história de ter se deitado com Lucia de modo malicioso. Não me importaria se o encontrasse novamente, embora deva admitir que digo isso na expectativa de que não seja o caso.

JOHN CLARE: De minha parte, lamentarei ficar aqui sozinho, mas, como consequência da minha insanidade, sem dúvida logo esquecerei que esteve aqui ou, de outra forma, terei me convencido de sua natureza ilusória, como no caso da minha primeira m... como no caso de alguns outros equívocos cômicos que eu possa ter cometido. Achei os senhores bastante simpáticos, os dois, mas devo observar que são muito parecidos, tanto na grafia de seus nomes quanto no fato de que considero ambos muito soturnos.

BECKETT: O senhor não é soturno, nem um pouco?

JOHN CLARE: Não. Sinto muita melancolia improdutiva, mas não acho que tenho coragem de ser soturno. Triste às vezes, talvez, mas não o que chamaria de soturno. Não tenho estômago para isso.

THOMAS BECKET: [*De modo gentil e compreensivo.*] Não quer nos acompanhar até a igreja? Não gosto de pensar que o deixaremos sozinho.

BECKETT: [*De lado, silenciosamente exasperado.*] Ah, que maravilha!

JOHN CLARE: [*Para* THOMAS BECKET.] Não, obrigado pela gentileza, mas acho que vou ficar aqui por algum tempo. Não tenho certeza se esses dois terminaram o debate, e ainda espero que haja alguma poesia em sua conclusão. Espero, mas sem muita esperança. Afinal, sou um homem realista por natureza, pelo menos em minhas descrições, por mais que digam que sou romântico ou um tolo. Os senhores aproveitem sua noite, agora, e deixem-me aproveitar a minha. Boa sorte para ambos, especialmente para o senhor, são Thomas, e parabéns por evitar a decomposição.

THOMAS BECKET: Hum. Sim, bem, obrigado... embora eu não tenha como pensar, com toda a humildade, que foi devido a algum esforço da minha parte.

BECKETT: Sim, boa sorte para o senhor também. Lembre-se de que John Clare foi um poeta muito melhor do que lorde Byron. Isso deve mantê-lo com a cabeça no lugar. Adeus, agora. [SAMUEL BECKETT *e* THOMAS BECKET *caminham em direção à direita do palco, conversando enquanto caminham.*] Então, sobre a canonização e tudo isso. O senhor tinha alguma ideia de habilidades milagrosas antes do negócio de não apodrecer?

THOMAS BECKET: Não que me lembre. Eu tinha certa fluência em caligrafia, mas não achava isso milagroso. E quanto ao

	senhor, ainda é próximo da Santa Igreja?
BECKETT:	Bem, não vou mentir. Tivemos nossos altos e baixos...

[*Eles saem à direita.* JOHN CLARE *fica parado e os segue com os olhos, primeiro para a direita do palco, depois virando a cabeça lentamente até que esteja espiando por cima da plateia. Há uma longa pausa enquanto ele espera para ter certeza de que eles estão muito longe para ouvir.*]

JOHN CLARE:	Eu ainda digo que me deitei com sua amiga. O léxico saiu dos meus ouvidos como se fosse um esperma de linguagem. Foi um encontro que considerei revigorante e do qual não me arrependo.

[CLARE *fica onde está por mais um momento ou dois, olhando entediado para os inexpressivos* MARIDO *e* ESPOSA. *Como eles não se movem nem falam, ele se vira triste e resignado para voltar ao seu recesso no centro/direita da parte de trás do palco, onde se senta, lastimando a visão do casal imóvel em primeiro plano. Depois de mais alguns momentos, ouve-se ao longe o som do relógio da igreja batendo uma vez. Sentada em seu degrau, a* ESPOSA *levanta os olhos como se estivesse chocada, enquanto o* MARIDO *não reage.*]

ESPOSA:	Ainda é uma hora. Como ainda pode ser uma hora? Por que é sempre uma hora?
MARIDO:	[*Sem empatia.*] Você mesmo disse, é tarde agora. É sempre meia hora depois que não há mais nada a fazer.
ESPOSA:	Mas isso valia para você. Foi você quem nos causou isso. Por que ainda é uma hora para mim?
MARIDO:	Porque você fazia parte disso tanto quanto eu, de todos os acontecimentos. E foi o que aprendi com os acontecimentos. Eles continuam. Continuam. Nada nunca termina.
ESPOSA:	[*Depois de uma pausa horrorizada, enquanto ela reflete.*] Isso é o inferno? Johnny, nós fomos para o inferno?
MARIDO:	[*Com exaustão, sem olhar para ela.*] Celia, eu não sei.
JOHN CLARE:	Falamos sobre isso antes e achamos que o purgatório é a maior probabilidade. Não que eu esteja reivindicando qualquer grande autoridade sobre o assunto.

[*Uma pausa.*] Você não pode me ouvir. Qual é o sentido de tudo isso?

[*Juntamente com* MARIDO *e* ESPOSA, CLARE *cai em um silêncio sombrio. Após alguns instantes uma* MULHER MESTIÇA *entra no palco à esquerda sob o pórtico. Depois de alguns passos, ela para e avalia a cena, olhando primeiro para o casal na escada e depois para* JOHN CLARE, *sentado em seu recesso.*]

MULHER:	Você é o poeta, não? É John Clare.
JOHN CLARE:	[*Surpreso.*] Sou? Tem certeza? Não sou Byron ou o rei Guilherme?
MULHER:	[*Com gentileza e simpatia.*] Não, amor. Você é John Clare. Pelo que soube, você se confunde um pouco de vez em quando.
JOHN CLARE:	Isso é verdade. Eu me confundo. E não acha isso desconcertante?
MULHER:	Não. Sendo bem sincera, querido, quando ouvi falar de você, achei que devia ser muito engraçado. E parte do que escreveu é lindo. É verdade aquilo de ter andado cento e trinta quilômetros até aqui depois de ter caído fora de uma casa de doidos em Essex?
JOHN CLARE:	Casa de doidos?
MULHER:	É, você sabe. A fazenda dos pirados. A fábrica de Napoleões. A academia do riso. O depósito de loucos.
JOHN CLARE:	[*Rindo, divertido e encantado.*] Ah, está falando do bedlam. Deveria ter dito. Sim, era onde estava. A senhorita parece saber muito sobre mim.
MULHER:	Ah, eu sei de todos os tipos de coisas. É um prazer conhecê-lo, sabe, sr. Clare. Fico bem contente.
JOHN CLARE:	Bem, eu digo o mesmo. Qual seu nome, moça?
MULHER:	Todo mundo me chama de Kaph.
JOHN CLARE:	Kath?
MULHER:	Kaph. K-A-P-H. É com P.
JOHN CLARE:	Esse é um nome bem incomum mesmo. E de quais partes de Northampton e da eternidade você seria?
MULHER:	Spring Boroughs, 1998 a 2060. Na maior parte do tempo trabalhei no anexo da Saint Peter, ao lado da

	igreja, tentando resolver a questão de todos os refugiados do leste.
JOHN CLARE:	Leste da Índia?
MULHER:	Leste da Anglia. Yarmouth e aquela região. Temos muitos problemas com o clima na minha época.
JOHN CLARE:	Sim, ora, sempre foi assim na Inglaterra.
MULHER:	Não foi, não, querido. Acredite em mim. Não foi assim, não. Está tudo indo parar no mar, amor, e quando tantas pessoas se deslocam de uma vez, elas trazem junto seus problemas, e são problemas muito piores. Drogas e doenças, violência e abuso e todos os transtornos mentais que vêm com eles. Quando estava no anexo, tive uma ideia para processar — isso significa, tipo, separar — grandes multidões que foram vítimas de emergências. Não era nada muito inteligente. Só um questionário, um formulário a ser preenchido, e era só uma questão de bom senso, pelo que já tinha visto enquanto trabalhava com os refugiados. De qualquer forma, o procedimento foi espalhado pelo mundo e, pelo jeito, salvou muitas vidas.
JOHN CLARE:	Para minha vergonha, não tenho a menor ideia do que ouvi agora. A essência que pude extrair foi que a senhorita é uma mulher de inteligência e mérito incomuns, mas, sendo o tolo que sou, acabei olhando para seu busto e, portanto, posso ter perdido a maior parte. Por favor, não me julgue mal.
MULHER:	[*Rindo.*] Ah, tudo bem. Você é o John Clare. É uma honra que faça o esforço de olhar para os meus peitos.
JOHN CLARE:	A senhorita é uma mulher gentil, eu acho, robusta e de boa disposição. Eu deveria prestar-lhe o respeito de ouvir o que diz. Por favor, conte-me tudo de novo e certifique-se de que a olho nos olhos.
MULHER:	Ah, você é uma lenda. Exatamente como pensei que seria, pela poesia. Não estou dizendo que tenha lido muitas, mas algumas me fizeram chorar. Quanto a mim, não tem muito mais para contar. O negócio do questionário fez com que eu acabasse recebendo muito

	mais atenção do que desejava ou merecia. Começaram a me chamar de santa, mas, para ser sincera, achei isso um pouco deprimente. Como disse antes, não era nada disso que eu queria.

JOHN CLARE: Então a senhorita é uma santa?

MULHER: Não de verdade. Só nos jornais. Eles transformam qualquer um em santo. Tentei não entrar nessa.

JOHN CLARE: Tinha um de verdade passando agora mesmo por aqui. Thomas à Becket.

MULHER: Sério?

JOHN CLARE: Ou então eu sonhei.

MULHER: Ele é bem famoso, Thomas Becket.

JOHN CLARE: Sim, ele é muito famoso, de verdade. Nós conversamos sobre isso. Ele estava passando por aqui porque estava a caminho da condenação no castelo. Então o outro sr. Beckett, ele estava aqui revisitando as igrejas de Northampton como havia feito em uma ocasião anterior, enquanto o sr. Bunyan passou a caminho de ouvir uma proclamação no mercado. Quanto a mim, este é o lugar onde sempre me sentei, então essa é a explicação para minha presença, mas e quanto à senhorita? Morta ou sonhando, seja como for, o que a traz aqui?

MULHER: Ah, estou morta. Sem dúvida. Fiquei presa em um tumulto quando a coisa estava ficando feia em 2060, e meu coração não aguentou, não na casa dos setenta.

JOHN CLARE: A senhorita não parece ter setenta.

MULHER: Bom, obrigada. Esta sou eu aos trinta anos, com minha melhor aparência. Para ser sincera, mais jovem eu era um desastre, e as drogas me deixaram esquelética. Quanto ao motivo para estar aqui... bem... são eles.

[A MULHER MESTIÇA *acena com a cabeça para o casal na escada.*]

JOHN CLARE: Então os conhece?

MULHER: Ah, sim. Bem, não em vida, nunca os conheci, mas sei tudo sobre eles. Ele, o cara, é Johnny Vernall, e a mulher é a esposa dele, Celia. Esta é a noite em que a filha deles

	os trancou para fora de casa na Freeschool Street, e eles vieram para cá e ficaram sentados sob o pórtico até de manhã. É que eu conhecia a filha deles, Audrey.
JOHN CLARE:	Ah, sim. Essa seria aquela com quem foram feitas as coisas. Eu estava tentando entender isso, junto de todos os outros fantasmas que estiveram aqui antes. Parecia uma coisa detestável.
MULHER:	Ah, foi. Mas imagino que precisava acontecer.
JOHN CLARE:	Como a conheceu, a pobre criança?
MULHER:	Bem, ela já era velha quando a conheci. Foi numa noite quando eu era jovem e estava metida em problemas, e ela salvou minha vida. Era a pessoa mais assustadora e incrível que já conheci, e aquela noite mudou tudo para mim. Se o que fiz depois disso ajudou muita gente, foi tudo por causa dela. Se ela não tivesse me ajudado, eu estaria morta, e nada disso, essa coisa do questionário, nada disso teria acontecido. Ela é a verdadeira santa, Audrey. Ela é a mártir, e esta noite é a véspera de quando foi levada para a fogueira. E é por isso que estou aqui. Depois do que Audrey fez por mim, achei que era o certo. Achei que era justo vir ver e ser testemunha.
JOHN CLARE:	Se há uma poesia nisso tudo, parece que as mulheres feridas são um assunto central. [*Uma pausa.*] Mas onde estão meus modos? Eu tenho uma jovem que ficou aqui todo esse tempo e não lhe ofereci um assento!
MULHER:	[*Ri, começando a caminhar em direção ao recesso de* JOHN CLARE.] Ah, bem, é muita gentileza sua. Eu...
JOHN CLARE:	[*Um pouco alarmado, temendo que ela o tenha entendido mal.*] Não, aqui não. Este é o meu recesso. Aquele ali do outro lado é o que guardo para as visitas. Disseram-me que é muito confortável.
MULHER:	[*Surpresa, porém mais divertida do que ofendida.*] Ah, certo. Está bem, então. Por aqui, sim? [*Ela vai e se senta no recesso à esquerda da porta.*] Hmm. Você está certo. É muito bom. Um bom lugar para sentar.
JOHN CLARE:	Bem, não tão bom quanto este, mas espero sinceramente que seja do seu agrado.

MULHER: [*Ela ri, encantada com a seriedade dele.*] Tudo bem. É como um pequeno trono. Então, sobre Johnny e Celia ali, o que eu perdi?

JOHN CLARE: Você sabe a maior parte, ao que parece. A esposa o admoestou um pouco, até que ele se levantou e fez uma confissão completa, e nisso ela o admoestou um pouco mais. Há pouco ele levantou a questão de ela estar ciente do que acontecia e, nesse sentido, ser cúmplice de suas circunstâncias abjetas.

MULHER: Como ela reagiu a isso?

JOHN CLARE: No primeiro momento, não muito bem, não mesmo. Negou de forma ultrajada, mas não pude deixar de sentir que, no fundo, estava hesitante. Então, depois de algum tempo, pareceu que aceitava o que era dito, tornando-se mais angustiada e contrita. Há pouco, parecia preocupada com a ideia de que pudessem estar no inferno, embora me pareça que a opinião mais difundida e popular é a de que tudo isso é o purgatório.

MULHER: O que, isto aqui? Nada disso, bobagem, aqui é o céu. Tudo isto é o céu.

JOHN CLARE: É?

MULHER: Ora, claro que sim. Olha ao seu redor. É um milagre.

JOHN CLARE: Olhar o quê? O incesto e a infelicidade?

MULHER: Olhar e ver que exista alguém vivo capaz de abusar de seus próprios filhos; que existam filhos; que exista abuso sexual; que seja possível sentir infelicidade. A meu ver, no geral não há muito do que reclamar. É o paraíso. Mesmo em um campo de concentração ou quando você está sofrendo um espancamento e estupro, mesmo que seja um dia ruim, ainda é o paraíso. Está me dizendo que escreveu todas aquelas coisas sobre as estações e a joaninha e tudo mais e não sabe disso?

JOHN CLARE: Tem certeza de que não é uma santa de verdade?

MULHER: Se soubesse metade das coisas que fiz quando era mais nova, não ia nem perguntar. Ou nenhum de nós é santo, ou todos somos.

JOHN CLARE:	Não apenas alguns poucos escolhidos entre nós, como o sr. Bunyan estava sugerindo?
MULHER:	Não sei quem é esse, mas não. Com certeza não. É sempre tudo ou nada, na merda ou na moita o tempo todo. Somos santos e pecadores, as duas coisas, todos nós, ou então não existem santos nem pecadores.
JOHN CLARE:	Ah, acho que existem pecadores, com certeza, mas sobre santos eu não sei. De minha parte, acho que em vida posso ter feito uma coisa monstruosa e ignóbil.
MULHER:	Ai, amor. Não precisa se martirizar. Todos nós já fizemos coisas ruins, ou consideramos que fizemos. É só quando não consegue encarar isso e colocar em perspectiva que você acaba preso às suas cagadas, então isso se torna para sempre quem você é e onde está.
JOHN CLARE:	"Para sempre" é muito tempo para ficar preso a algo sombrio.
MULHER:	Bem, errado você não está.

[JOHN CLARE e MULHER MESTIÇA *caem em um silêncio pensativo, olhando* MARIDO e ESPOSA *sentados na escada.*]

ESPOSA:	[*Depois de uma longa pausa, na qual sua expressão mudou de culpada e assombrada para um olhar mais frio e pragmático.*] Então, o que nós vamos fazer a respeito?
MARIDO:	[*Olha para ela, surpreso.*] Nós?
ESPOSA:	Você disse tudo com todas as letras. Nós dois estamos envolvidos.
MARIDO:	Estamos. Fico feliz que entenda isso.
ESPOSA:	E, se esse assunto vier a público, estamos perdidos, os dois perdidos, pelo menos por aqui. E para onde mais podemos ir? Eu também entendo isso.
MARIDO:	O que está dizendo, então?
ESPOSA:	Estou dizendo que as pessoas nos conhecem. Temos amigos aqui, Johnny, e conhecidos. Temos nossa vida aqui. Temos perspectivas.
MARIDO:	Temos?
ESPOSA:	[*Sibilando com urgência.*] Temos! Mas não se alguém

	descobrir que você colocou essa sua coisa imunda em Audrey! E o que vão pensar de mim? Não vou deixar você nos destruir, Johnny. E não vou deixar que ela nos destrua.
MARIDO:	Mas... quer dizer, a situação não vai chegar a esse ponto, com certeza. Vai? Quer dizer, talvez se eu falar com ela quando se acalmar...
ESPOSA:	Ah, sim. Isso vai ajudar muito. Obviamente, você pode convencê-la a fazer qualquer coisa, e foi assim que chegamos aqui! Ela quer vingança, seu idiota. Vai flertar com você e incentivar seus avanços mostrando as suas saias e sutiãs e, quando for tonto o bastante para cair nessa, vai querer um pouco de drama, de teatralidade.
MARIDO:	Ela fazia isso. Ela me incentivou.
ESPOSA:	E agora está preparando o espetáculo dela para todo mundo ouvir.
MARIDO:	[*Subitamente confuso e alarmado.*] Foi você quem disse que tinha parado!
ESPOSA:	[*Franzindo a testa como se não tivesse certeza.*] Sim, bem, achei que sim, mas não tenho certeza. Acho que ainda consigo ouvir quando o vento sopra em nossa direção. Mas não é esse o ponto. A questão é que ela decidiu que vai acabar contando tudo a todos em alto e bom som. Você viu Eileen Perrit saindo para ver o que era todo aquele barulho, quando Jem e ela acabaram de colocar a pequena Alison para dormir. Ela ouviu tudo, "Whispering Grass" e tudo o que aquela puta imunda estava gritando. Tudo. [*Pensativa, depois de uma pausa.*] Nem sei o que ela ouviu. Já pode ser tarde demais.
MARIDO:	Mas então o que podemos fazer?
ESPOSA:	[*Irritada.*] Não sei, Johnny. Não sei o que fazer. É isso que estou tentando descobrir, o que vamos fazer. [*Uma pausa.*] Aquela puta imunda. Pensou que eu nunca tinha notado, na cozinha, na pia, lavando o cabelo sem a blusa, e quando secou e prendeu com a toalha, então você lá sentado e olhando, e com as pernas cruzadas, sentado lá e olhando, e disse: "Aahh, está bonita, nossa

Audrey, com o cabelo preso", para não dizer você está bonita sem blusa, sentado lá e olhando com as pernas cruzadas, e depois disso ela sempre com o cabelo preso para que todos possam ver o pescoço dela, olhem meu pescoço lindo, olhem meus seios, não tem nada de mais, olhem para mim balançando quando toco acordeom para minha saia subir, e todo mundo pode vir dar uma olhada e ver meus joelhos e pensar na minha xoxota, e ela pensou que eu nunca percebi. [*Uma pausa longa e agitada, durante a qual o* MARIDO *parece assustado e abalado por sua explosão.*] Me deixa pensar. Preciso pensar. Temos que pensar no que precisa ser feito.

JOHN CLARE: [*Depois de uma pausa.*] Não estou gostando muito dessa conversa. Tenho um pressentimento doloroso de onde isso tudo vai acabar.

MULHER: É. Vão encobrir tudo. Vão enterrar tudo porque não conseguem enfrentar o que fizeram. Vão enterrar Audrey dentro deles em algum lugar, vão sentar na umidade e na névoa e continuar brigando nesses degraus para sempre. Tudo porque não conseguiram encarar quem eram de verdade.

JOHN CLARE: [*Depois de uma pausa longa e angustiada, a confidencialidade lutando contra a consciência.*] Eu fiz uma coisa. Fiz uma coisa sobre a qual nunca contei a verdade. Quando eu tinha quatorze anos. [*Ele fecha os olhos. Mal consegue falar.*]

MULHER: [*De modo gentil e encorajador.*] É? Aconteceu alguma coisa?

JOHN CLARE: [*Com os olhos ainda fechados, ele começa a se balançar para a frente e para trás em seu recesso.*] Quando eu tinha quatorze anos. Quando eu tinha quatorze anos. Quando eu tinha quatorze anos, havia alguém. Havia alguém. Havia alguém na rua, na vila ao lado. Havia. Havia. Havia alguém. Havia alguém. Havia uma jovem... eu tinha quatorze anos. Havia uma jovem. Uma jovem moça. Tinha mais ou menos a minha idade. Mary. Mary. Mary. Ela era linda. Mais linda que tudo. Quando eu tinha quatorze anos. E eu a conheci. E eu a encontrei na rua e perguntei se ela sairia comigo e Mary disse que sim, disse que sairia comigo. Tinha mais ou menos a minha idade. E eu a acompanhei pelo caminho. Nós fomos. Nós fomos. Nós fomos para o lado de um riacho onde havia, onde havia, onde havia um pilriteiro. E eu disse. Eu disse que a amava e. E. E. E eu perguntei se ela queria se casar comigo. Debaixo do pilriteiro. Debaixo do pilriteiro, e ela riu e disse que queria, e nós entramos. Entramos de quatro sob o pilriteiro e eu fiz um anel para ela. Eu fiz um anel. Fiz um anel de grama para ela e coloquei em seu dedo e disse. Eu disse. Eu disse que éramos casados. Ela tinha mais ou menos a minha idade. Eu tinha quatorze anos. Ela era, ela era, ela era um pouco mais nova. Um pouco mais nova do que eu era. E eu. E eu. E eu brinquei. Eu brinquei. Eu brinquei e disse. Eu disse. Eu disse que era nossa noite de núpcias. Fiz um anel de grama para ela. Eu disse que era nossa noite de núpcias e que devíamos. Devemos tirar a roupa, e eu disse isso na brincadeira. Eu disse isso para fazer parecer uma brincadeira, debaixo do pilriteiro, mas ela disse, ela disse, Mary disse que queria. Tinha mais ou menos a minha idade. Um pouco mais nova. Mary disse que queria e estava rindo. Ela estava rindo, estava tirando suas coisas e eu... estava... olhando para ela. Estava olhando para ela, tirando suas coisas, e estava com pressa. Estava com pressa. Estava correndo para tirar as minhas também, e ela estava olhando para mim. Tinha dez anos. Ela tinha dez anos. Ela estava rindo e eu disse. Eu disse que nós. Eu disse que nós. Eu disse que nós deveríamos fazer isso. Ela estava rindo e disse fazer o quê? Ela disse faz o quê, e eu falei, falei que ia mostrar para ela, e deu certo. Estava tudo bem. Fiz um anel para ela e nos casamos e estava tudo bem e então eu contei. Eu disse. Eu disse a ela o que fazer. Eu disse. Eu disse a ela que ela deveria deitar de costas, e ela estava rindo.

Ela estava rindo. Estava rindo, e eu subi em cima dela, e Mary perguntou. Ela perguntou. Ela perguntou o que eu estava fazendo, e tentei colocar dentro dela. Eu tinha quatorze anos. Ela disse que doeu. Ela disse que doeu. Disse que estava machucando e que não queria fazer, que não queria fazer, que doía, mas eu disse. Eu disse. Disse que estava tudo bem. Disse que éramos casados. Estava tudo bem. Que ela iria começar. Ela ia começar a gostar daqui a pouco e não deveria. Que não deveria. Que não deveria chorar. Não deveria chorar. Não deveria chorar. E eu. E continuei. E ela parou de chorar dali. Dali a pouco. E quando eu terminei nós limpamos com a minha camisa e eu disse. Eu disse que ela foi minha primeira esposa e sempre seria minha primeira esposa, e ela não deveria contar a ninguém, ninguém, ninguém sobre isso. O que fizemos, o que fizemos, o que eu fiz. Sob o pilriteiro. Sob o arbusto pilriteiro. Quando eu tinha quatorze anos. Eu tinha quatorze anos. Ela tinha dez anos. Nunca mais a vi depois disso, a não ser na melhor das minhas ilusões. [*Ele está chorando neste ponto. Ele se cala.*]

MULHER: [*Depois de uma longa pausa.*] Tem certeza de que não quer que eu me sente aí?

JOHN CLARE: [*Ele olha para ela, angustiado.*] A senhorita se sentaria? Faria isso? Caso contrário, estou sozinho aqui.

[A MULHER MESTIÇA *levanta-se de seu recesso e depois caminha até onde* JOHN CLARE *está sentado. Ela se senta ao seu lado e, com empatia, coloca um braço em volta dos ombros dele.*]

MULHER: [*Acariciando o cabelo dele.*] Você tinha quatorze anos. Morava no campo. Era mil e oitocentos e tanto faz. Essas coisas acontecem, querido. Vocês dois eram crianças, estavam brincando. Se foi a culpa que te fez falar dela como sua primeira esposa, se foi alguma coisa a ver com isso que te fez passar todo aquele tempo no Saint Andrew's, então se puniu dez vezes mais, quando tudo o que fez foi amar alguém na hora errada. Há crimes piores do que esse, amor. Há crimes piores do que esse. Fique calmo. Fique calmo agora.

ESPOSA: Poderíamos levá-la para algum lugar.

MARIDO: Como assim?

ESPOSA: Para Berry Wood. Ali depois da curva em St. Crispin's. Poderíamos levá-la para lá.

MARIDO: O asilo de loucos?

ESPOSA: Em Berry Wood. Poderíamos dizer que ela está se comportando de um jeito esquisito faz um tempo.

JOHN CLARE: Ah, não. Ah, já vejo onde isso vai dar.

MULHER: Ora, calma. É só algo que aconteceu no mundo um dia. Está tudo bem.

MARIDO: Bem, suponho que, com a música, ela sempre foi muito tensa mesmo. Sabe como é, o temperamento artístico. E aquele negócio esta noite, bem, aí está a prova.

JOHN CLARE: É a mesma coisa! É a mesma coisa que o outro sr. Beckett disse que aconteceu com a amiga!

ESPOSA: Sim, bem, é um fato muito conhecido. Se está surtada porque é louca, poderia dizer qualquer coisa. Poderia fazer todo tipo de acusação, e isso não incomodaria ninguém.

MARIDO: [*Incerto e desconfortável.*] Mas, Celia, como assim? Nossa Audrey, em um hospício. Não gosto de imaginar isso.

ESPOSA: Não precisa ser por muito tempo. Só até ela superar seus delírios, como eles chamam, e parar de falar coisas que não fazem sentido.

MARIDO: Mas, quer dizer, não é exatamente isso o que chamam de delírios, certo?

ESPOSA: Johnny, me escute: é, sim. É tudo delírio. É um mal de família, afinal de contas. Não é sua culpa, não podemos escolher onde nascemos, mas aconteceu com seu pai. E seu avô. E sua tia-avó Thursa. Não é de admirar que Audrey tenha feito o que fez. Podemos tomar as providências pela manhã.

MARIDO: As providências?

ESPOSA: Com o hospital, para interná-la.

MARIDO: Ah. Ah, sim. As providências. Acho que não podemos...

ESPOSA: De manhã. É o melhor a fazer.
MARIDO: Sim. Sim, imagino que sim. É o melhor para Audrey.
ESPOSA: É o melhor para todo mundo.

[*Eles caem em um silêncio pensativo.*]

JOHN CLARE: [*Ele agora recuperou a compostura.*] Assuntos terríveis estão sendo decididos aqui esta noite. [*Ele se vira para olhar a* MULHER MESTIÇA *sentada ao seu lado.*] Você, que admirava tanto a filha deles, deve estar sentindo uma raiva terrível.
MULHER: Não, na verdade não. Sinto pena deles todos. Quer dizer, veja o casal. Agora estão presos neste momento. Sim, pode-se dizer que eles mesmos causaram isso, mas o quanto de escolha alguém realmente tem? É melhor não julgar. Mesmo os estupradores, assassinos e malucos — sem ofensa —, pensando bem, eles provavelmente chegaram onde estavam de alguma forma bastante comum. Tiveram um pouco de azar ou mergulharam em um tipo de pensamento do qual não conseguiam se livrar. Quando eu era mais jovem, era terrível. Parecia que era tudo culpa minha, mas, olhando para trás com olhos mais tolerantes, não tenho tanta certeza. Não tenho certeza de que alguém teve culpa. Chega um ponto em que todo esse punitivismo cansa.
JOHN CLARE: Eu admiro essa capacidade de perdão que a senhorita tem em sua natureza. Uma generosidade que faz o restante de nós parecer pequeno. Tem certeza absoluta de que não é uma santa de verdade?
MULHER: Ah, quem se importa? Isso é uma palavra. Quer dizer, você estava dizendo que encontrou Thomas à Becket. Ele é um santo de verdade. Era parecido comigo?
JOHN CLARE: Não. Não, não era.
MULHER: Muito bem, aí está.
JOHN CLARE: Na opinião dele, os pecados desse casal infeliz os colocavam além do alcance de qualquer misericórdia ou redenção.

MULHER: Bem, não é assim que vejo a situação, de forma alguma. Não acho que ele considerou toda a bilharística e a balística do assunto.

JOHN CLARE: E o que quer dizer com isso?

MULHER: Bem, veja dessa maneira: se Johnny Vernall não tivesse lido um ou dois livros obscenos e ficasse obcecado com a ideia de transar com a filha, ela não os teria trancado para fora de casa enquanto tocava "Whispering Grass", e a mãe dela não teria tido a ideia de mandá-la para o Crispin's. Portanto, não estaria lá quando os Tories começaram a fechar os hospitais para doentes mentais e não teria sido colocada no que chamavam de cuidado comunitário. E, quando eu precisei dela, quando eu estaria morta se não fosse sua intervenção, ela não estaria lá, e aí eu não teria acabado como acabei. Não haveria questionário, e milhares de vidas acabariam ou tomariam outro rumo em todo o mundo. E pense em todas as vidas que essas vidas afetam, para o bem ou para o mal, e assim por diante, até que você dá um passo para trás e tudo é só bilhar. Johnny abaixando as calcinhas de Audrey, isso é um ricocheteio na beirada da mesa. Tudo se encaminha para isso quando as bolas foram espalhadas. Mas nada justifica o que ele fez. Johnny e Celia, você e eu e todo mundo, ainda temos que responder à nossa consciência. E a consciência é a desgraçada mais vingativa e perversa que já conheci, e não acho que ninguém se safa facilmente dela. Todos nós nos julgamos. Todos nós nos sentamos aqui nestes degraus frios, e isso basta. O resto é bilhar. Todos sentimos as porradas e culpamos a bola que nos atingiu. Todos nós adoramos quando pegamos embalo e disparamos, achando que isso deve significar que somos especiais, mas tudo se resume a bolas. Bolas e bilhar. [*Uma pausa.*] Você está olhando dentro da minha blusa de novo.

JOHN CLARE: Eu sei. Sinto muito. Imagino que se possa argumentar que meu oportunismo foi predeterminado. Se, como diz, devo responder à minha consciência, então acre-

	dito que minha resposta não será difícil nem arduamente longa.
MULHER:	[*Ela ri, divertidamente atraída por ele.*] Ah, os poetas. Essa sua linguagem linda, você a usa como um lince ou algo assim, não é? Quando quer as garotas em cima de você? E, de qualquer maneira, não tem uma mulher em casa?
JOHN CLARE:	Ah, se me ouvir falar, pensará que tenho várias. Não me dê atenção. Todo aquele negócio com as esposas provavelmente não passa de delírios de um louco. Eu sou bem conhecido por isso. [*Os dois estão rindo agora.*]
MULHER:	Como você é? Você, com seus olhos lindos. Não acho que seja nem um pouco antiquado. [*Eles começam a se abraçar.*] Entendo por que gosta deste recesso cheio de sombras, seu cachorro velho. É muito confortável. Muito conveniente.
JOHN CLARE:	Todas as vezes que me sentei aqui, nunca pensei em usar este lugar para esse propósito.
MULHER:	[*Beijando-o de leve no rosto e no pescoço.*] Não pensou? Por que não?
JOHN CLARE:	Eu estava vivo. Era plena luz do dia em uma tarde de sexta-feira, com pessoas passando e, de qualquer forma, eu geralmente estava sozinho. Não teria dado certo. Você é uma bela garota. Dê-me um beijo, como se estivéssemos vivos, e... Ah! Ah, meu Deus. O que está fazendo agora?
MULHER:	Eu já disse. Não sou nenhuma santa.

[*Eles começam a se beijar e se acariciar sob as sombras obscuras do recesso.*]

ESPOSA:	[*Depois de uma longa pausa, em tom monótono e emocionalmente esgotada.*] Deus me ajude, Johnny, mas eu te odeio. Eu te odeio tanto que isso até me deixa exausta.
MARIDO:	[*De modo igualmente monótono e sem sentimento real.*] E eu te odeio, Celia. De todo coração, eu te odeio. Eu não te suporto.
ESPOSA:	Bem, pelo menos isso. Pelo menos ainda significamos alguma coisa um para o outro.

MARIDO:	[*Sem que o casal se olhe, o* MARIDO *estende o braço e pega a mão da* ESPOSA. *Ela aceita isso sem comentários ou reações. Há uma longa pausa enquanto eles olham sem expressão para o nada.*] Ainda estamos planejando... você sabe. Com Audrey e o hospital. Isso ainda é o que queremos fazer?
ESPOSA:	É o que precisamos fazer.
MARIDO:	É, imagino que seja. [*Depois de uma pausa.*] Só que não agora, certo?
ESPOSA:	Não. Pela manhã. Não tenho mais vontade de fazer isso do que você.
MARIDO:	Não. Não, imagino que não. Mas é o que temos que fazer, você está certa. Totalmente certa. De manhã, vamos descer lá e arregaçar as mangas.
ESPOSA:	Isso. Quando amanhecer.
MARIDO:	Vai amanhecer um dia?
ESPOSA:	Não sei. Estou esperando o relógio bater novamente. Se for apenas uma vez, saberemos que estamos no inferno, ou que está quebrado. Se for duas vezes, vai começar a amanhecer em uma ou duas horas. Podemos ir até a Freeschool Street e cuidar disso.
MARIDO:	Isso. Isso, eu vou. Vou me portar como um homem a esse respeito. Vou descer lá e pegar o touro pelo chifre.
ESPOSA:	Vamos ver os médicos necessários.
MARIDO:	De manhã, quando clarear, vou descer lá e fazer o que precisa ser feito.
ESPOSA:	Nós vamos descer lá. Vamos descer lá e dar um jeito nisso.
MARIDO:	Vamos.
ESPOSA:	Vamos. Vamos dar um jeito em tudo.
MARIDO:	Vamos enfrentar as consequências.
ESPOSA:	[*Depois de uma longa pausa*] Sabe, acho que o relógio vai bater.
MARIDO:	Acho que tem razão.
ESPOSA:	E aí vamos saber.
MARIDO:	É. Aí vamos saber.

CAI O PANO

COMENDO
FLORES

— *No que está pensando agora? – pergunta a menina de dezoito meses, nua, montada nos ombros de um velho igualmente nu. Em cada mãozinha ela segura um cacho dos cabelos brancos dele como rédeas. As mãos de couro do homem, ossos articulados e gaiolas de tendão, estão fechadas em torno dos tornozelos da criança para impedir que ela caia enquanto prosseguem pelo enorme corredor cercado de gelo sob diagramas de estrelas cadentes. Essas são as distâncias Fimbul da avenida do tempo. Bolas de quebra-cabeças de hiperágua, congeladas em intrincados ouriços de vidro marinho, ressoam e tilintam nas correntes em torno dos joelhos do ancestral.*

— *Estava pensando agora em como morri – ele diz –, coisas de quando eu era-serei*

Snowy Vernall sempre sentado, sempre batendo as botas ali na casa da filha na Green Street. Laranja, sálvia e marrom salpicados em um tapete de pontas de lã ao lado da lareira, onde o gato preto dorme e ronca. Entre os tique-taques do relógio, ouve-se a poeira assentar no aparador, nas tigelas de vidro esmeralda, uma cheia de maçãs douradas murchando, a outra cheia de balas ficando úmidas e moles. Há um perfume de mofo no indecifrável papel de parede de coroas e flores-de-lis, descascando como pele acima do rodapé onde está tão úmido e pesado. Dos fundos, mais abaixo, chega o alarido abafado das galinhas cacarejando no longo quintal lá fora, que desce a ladeira para a Saint Peter's Way, de onde às vezes vem o eco prateado dos cascos ou então a glossolalia de um trapeiro, pequenos ruídos frágeis carregados pelo vento de verão fedorento que sempre sopra naquela tarde de quarta-feira. Na casa da filha, ali na sala, uma mesa à esquerda — com cinquenta anos de talheres escorregadios e xícaras de chá escaldantes meticulosamente registrados no verniz —, e sobre ela está um vaso de porcelana com tulipas; *o vaso de porcelana de tulipas*. Gloriosas, elas são. Amarelo creme brilhante, rosa açúcar de confeiteiro, roxo de groselha negra profundo como a meia-noite, só vendo mesmo para saber. Um velho sozinho entra, vem fazer uma visita com todo mundo fora e começa a ficar frouxo da cabeça, começa a ter problemas de perspectiva conforme se aproxima da virada mortal. Em cima do aparador há um espelho, com outro pendurado acima da lareira, ou melhor, acima do aparador há uma janela com outra colocada na parede sul. Não é fácil saber, da mesma forma que o canto de uma sala pode ser côncavo e convexo ao mesmo tempo se for observado por tempo o bastante. À deriva no ar quente, com partículas de pó opala todas brilhando, há outros detalhes

que podem me ocorrer depois de um tempo, mas em suma é isso.
Ele escolhe o caminho descalço, ossudo, entre dunas frias de hiperneve espinhosa acumulada no parquete congelado daquele corredor estonteante. May se mexe desconfortavelmente, um pequeno peso cálido sobre a nuca do avô, e mantém olhos cemicerrados em meio ao intenso lustre formado por uma enxurrada de cristais suspensos e giratórios com mais de três dimensões, uma metanevasca hipnótica. Olhando para além desse turbilhão de diamantes, a lindíssima bebê nua concentra seus tristes olhos de tartarugas-das-galápagos nas paredes altas dos penhascos que fazem fronteira com o gigantesco empório da perpetuidade, distantes de ambos os lados através dos quilômetros intermediários de solo de tundra. Ela sabe que naquelas latitudes do Sempre há menos pessoas vivas na vizinhança do andar de baixo, e que têm vidas oníricas menos complicadas. Por isso, a imensa arcada ao redor dela e de Snowy acumulou muito pouco em termos de mobiliário e decorações astrais, enfeites emprestados da imaginação esparsa de um acampamento polar que tem menos com o que sonhar. Na face norte está algo que May acredita que pode ser a visão de alguém de um entreposto comercial muito expandido, com paredes de escudos de madeira envernizada e cortinas de pele de lobo que são branco-azuladas salpicadas de bege. Em outro lugar, seus olhos quase turquesa pousam no que supõe ser a forma de sonho inflada de uma hospedaria do século XXII, o andar térreo escavado de um antigo prédio de escritórios, onde pode distinguir fantasmas locais com burcas de pele e seus rádios de corda, seus afiados e ornamentados "vulpões" de matar lobo presos num punho robusto enquanto se arrastam estoicamente por

um Valhalla desolado. Fora isso, o corredor sem fim oferece apenas ocasionais construções de pedra ou cascos de concreto, vestígios de eras anteriores encaixados na extensão contínua de rocha imponente e gelo cinzelado. Ao redor, a confusão ótica dos hiperflocos cae em silêncio ao seu redor, uma obscura lingerie de renda flutuando no ar. Ela inclina a linda cabeça para trás, com um halo de cabelo dourado e nebular, examinando o dossel arruinado acima da interminável vastidão invernal da via cronológica. O vidro tingido de verde que outrora abrigava o grande bulevar estava quebrado e tinha desaparecido fazia muito tempo, com a estrutura de ferro vitoriana reduzida a mastros de carcaças enferrujadas através das quais planos de constelações feitos de estrelas superiores são visíveis. Recordando a conspícua variedade de lojas e prédios encontrada apenas cem anos atrás, May entende que pode não haver mais ruas ou nomes de ruas no território abaixo. Uma mente bem desenvolvida dentro de uma forma gloriosa, ela sente uma pontada de vago desapontamento com a ideia, mas nada mais, consolando-se com a observação de que pelo menos ainda há árvores. Percebidos como imensidões desgastadas neste plano superior, os pinheiros gigantes, pesados com os cristais, despontavam aqui e ali dos buracos restantes, quando não tinham sido cobertos pelo esmalte do pergelissolo ou desmoronado de vez. Ocorre a ela que o terreno material abaixo de seus alcances matemáticos mais elevados já não é mais chamado de Boroughs, e ela até se pergunta se essas distâncias árticas do mundo superior ainda são chamadas de Almumana. Voltando a atenção para o velho louco que cavalga, May faz uma pergunta a ele, com a voz que é uma mistura perturbadora de gorgolejo infantil e sintaxe de senhora idosa.

– Os construtores e os demônios chegam até aqui algum dia?

Com o pescoço queimado de sol apertado entre os joelhos da criança precoce, o avô ri quase gargalhando quando responde:

– Claro que sim. Você ainda os encontrará quando não houver mais pessoas. É que eles tendem a ficar mais nos trechos populosos do tempo, como na parte de onde viemos. E antes disso, se decidir voltar tão longe, encontrará ainda mais deles. Lá nos pastos, eles até se aventuram no andar de baixo de vez em quando, como quando estão direcionando aquele monge ali da Jerusalém Geográfica, ou quando estão ordenando que aquele saxão imbecil volte à igreja de St. Peter para ajudar a desenterrar são Ragener. Um deles fala com o pobre velho Ern, meu pai e seu bisavô, na cúpula da Catedral de Saint Paul durante toda a tempestade e os relâmpagos costumeiros que eles parecem favorecer, embora seja apenas o eletromagnetismo descarregado. É estrondoso quando *aquele vem falar comigo daquela vez, quando estava bêbado em cima da Prefeitura, na Saint Giles Road, se é que você consegue imaginar: seu avô, eu, no topo do telhado balançando em*

uma brisa gelada vinda do leste, com nuvens de tempestade cavalgando na direção da cidade vindo por Abington, por Weston Favell, e a cor azul-clara das ardósias sob seus pés tornada azul-marinho antecipando a umidade que se aproxima. Na George Row e na St. Giles's Street, abaixo de todos os ovais pálidos inclinando-se para trás e boquiabertos de espanto, movendo-se como besouros em seus gorros e bonés ao redor da loja de bicicletas no alto da Guildhall Road, com o aroma de giz de alfaiate e borracha subindo da porta. Vendo como a figura no topo vacila e balança, alguns dentre a multidão reunida gritam avisos, com a maior parte das advertências lançadas na direção da igreja de Todos os Santos ou da Bridge Street no vento crescente, deixando apenas restos para trás: "... dando um espetáculo...", "... manda chamar um guarda...", "... idiota, vai quebrar o pescoço e...", mas não é isso que vai acontecer. Nas fortes rajadas cortadas pelas chaminés, na canto apimentados dos pássaros e no lixo valsando pela sarjeta enquanto a chuva se aproxima, não é o que vai acontecer. Em seguida, há uma dancinha precária, como se fosse espontânea, como se não fosse predestinada desde o início da eternidade, com um deslizamento e uma recuperação oscilante que faz o público prender a respiração no momento apropriado de sua programação desconhecida. Que espetáculo o mundo faz de si mesmo. Que performance. Embora tudo esteja imóvel no espesso vidro do tempo, há a aparência de um tropeço de embriaguez e outra respiração contida da multidão plana, comprimida pela perspectiva, pessoas desenhadas no diagrama de uma rua abaixo. Um braço puído envolve os ombros frios da estátua do teto, entre as asas de pedra dura e uma guirlanda de merda de pombo incrustada em volta do pescoço, num embriagado excesso de familiaridade que também oferece maior apoio e estabilidade. Está garoando agora, as primeiras gotas frias partindo-se contra as bochechas, o dorso das mãos, mas ainda assim a multidão olha ansiosa o bêbado e o alado homem de pedra juntos, que estão ali como se fossem amigos, contra um céu que escurece. O primeiro inicia uma longa e inaudível arenga dirigida aos observadores terrestres confusos, que parecem incertos sobre o que entender daquilo.

— Estou com minha neta morta caminhando nu por um pós-vida congelado, quase trezentos anos a partir de agora. Diga aos seus descendentes para terem cuidado com os lobos. Talvez seja bom eles inventarem algum tipo de vara pontiaguda.

Lá na Giles's Street, um tapete de pavão de olhos atônitos. A luz salta de repente e depois vem o estrondo malva azulado de um címbalo celestial, mascarando o som mais suave de pedra raspando na pedra enquanto o ícone alado vira lentamente a cabeça para fazer contato visual. Em toda a garganta cinzelada há um colar de pequenas rachaduras que ondulam por um instante, que se estilhaçam e se ramificam antes de se fundirem em uma nova configuração tão perfeita quanto a anterior. Da mesma forma, há teias finas de fraturas autocicatrizantes nos cantos dos olhos e da boca enquanto as feições esculpidas piscam, sorriem e então falam.

— Vernalq, limt sbus?

As sílabas quebradas pousam como cinzas ou sedimentos nos tímpanos do ouvinte, onde se organizam em uma informação ou, como neste caso, uma indagação. Algo como "Vernall, que limites busca?", mas com uma gama vertiginosa de subtextos; de dobras conceituais e linguísticas penduradas em um véu cintilante nas periferias da apreensão. Abaixo, os observadores terrestres não veem nada, olhando contra a garoa ou distraídos pela busca de abrigo contra o aguaceiro que se aproxima. Tudo o que ouvem é a risada delirante do alpinista embriagado e a resposta insondável.

— Não são as bordas dos céus e a borda da razão e os pátios de manobra do próprio tempo todos os limites que exigem minha inspeção e, portanto, estão sob minha jurisdição? Responda com essa sua cara séria e esse cocô no queixo!

O ser de granito balança a cabeça, lenta e imperceptivelmente, acompanhando uma fratura minuciosa e um rangido suave, então admite com um "Vome pegssa", que se traduz por algo na linha de "Você me pegou nessa". O crânio envelhecido volta em frações para a posição original e fica em silêncio. A essa altura, lá em cima, o trovão é um touro correndo por prateleiras de vasos chineses e a chuva vem feito uma cortina de ouropel caindo sobre um espetáculo de nudismo. Lá embaixo, no moderno pontilhismo que forma a pintura urbana, há de repente uma grande preponderância de índigo quando chegam os policiais que, daquela posição elevada, não parecem ser nada compreensivos. Pombos espantados por relâmpagos rodopiam

em torno de mim, ou ao menos é como realmente me recordo.

Eles avançam, o velho e sua pequena passageira, por uma distância de talvez mais uma dúzia de anos antes de ambos concordarem em parar e montar acampamento. A mais jovem dos Vernall pede para ser colocada dentro de uma concavidade oca de concreto em um lado do grande corredor, com o teto subsumido sob uma ilusão de ótica de um lustre de pingentes de gelo formados por uma anormal proliferação matemática. A luz refletida por eles no teto quebrado da infinita arcada externa inunda toda a câmara com um rubor prismático, com manchas iridescentes que se acumulam nas rugas da testa dele ou empoam a pele impecável dela. Em um canto, vê-se que ainda existem algumas peças dos sonhos de peles de lobo polvilhadas pela neve, e Snowy supõe que seu paradeiro atual possa ser mais uma versão da taverna astral improvisada pela qual passaram algumas décadas antes. Explorando o deslumbramento enevoado dos espectros, cambaleando sobre perninhas rechonchudas, a eterna bebê May emite um súbito e estridente gritinho de satisfação que soa e ecoa, reverberando pelas estalactites de gelo e trazendo seu intrigado avô para seu lado. Ali, a seus pés nus, um modesto carpete que à primeira vista parece ser formado por chapéus-de-puck comuns se estende por alguns metros em todas as direções. Uma inspeção minuciosa deixa claro que se trata de uma nova cepa do fungo etéreo, nascida da imaginação de diferentes épocas e pessoas. As formas de fada esbeltas tradicionais com as quais ambos estão familiarizados foram substituídas por figuras femininas um pouco mais baixas e rechonchudas, embora cativantes do mesmo modo e ainda compartilhando membros e características faciais umas com as outras, fundidas em suas configurações habituais de estrela-do-mar ou floco de neve. Para surpresa deles, as requintadas mulheres nuas são todas agora albinas, com pedras cor-de-rosa no lugar dos olhos, pele de alabastro e, no tufo central e nas junções peludas de suas pernas-pétalas, o pseudocabelo sedoso é como titânio claro e brilhante ao ponto de ofuscar. O Vernall mais velho tira um talo cor de giz com a enegrecida unha do polegar, provocando assim o habitual gemido moribundo que nenhum deles havia percebido antes, o som periférico de um aparelho elétrico desligado de repente, saindo da altura de apito canino para cair no audível. Virando a metaflor nas mãos curtidas, ele nota que, na parte de baixo, o anel de asas minúsculas agora não é mais de gaze como nas libélulas, e sim do tipo emplumado, como os de minúsculos periquitos-australianos brancos. Parte a fruta branca em *duas e dá metade para a neta. Ao provar, ele se surpreende com o aumento da intensidade da doçura da flor da dimensão superior. Entre bocadas babadas, ele e May concluem que isso talvez reflita a falta de açúcar refinado na dieta daqueles que ainda vivem no reino do Andar de Baixo, enquanto a aparência alterada das Bedlam Jennies sugere novas noções de fascínio e beleza lá embaixo, na continuidade mortal presa no gelo. À medida que o formigamento esperado e o calor iluminador se espalham por seus organismos-fantasmas, ambos entendem, sem a necessidade de verbalizar o pensamento, que essa profusão de fungos astrais não comidos deve significar que há menos fantasmas famintos por aqueles limites do além-vida, se é que sobrou algum. A Corrente do Golfo que aquecia a Grã-Bretanha, como tinham notado antes, deve ter visto seu fluxo de convecção benigna cessar em meados do século XXI, quando o derretimento contínuo da plataforma de gelo da Groenlândia a tornou insuficiente para alimentar aquela antiga deriva hidrotérmica. O país, sempre compartilhando a mesma faixa de latitude com locais invernais como a Dinamarca, foi lembrado pela primeira vez em incontáveis gerações de sua verdadeira condição polar. Também tornou-se uma das últimas áreas do mundo, junto às megacidades da Antártida, com clima adequado para o cultivo de alimentos em um planeta no qual as regiões equatoriais se rendiam cada vez mais ao deserto. May sugeriu a certa altura que isso parecia ter resultado num período de superpopulação, ocasionado talvez por invasões ou uma onda frenética de refugiados e imigrantes, antes da mortandade em massa de seres humanos que já haviam testemunhado nos últimos trechos daquele século, quando os intermináveis calçadões de Almumana estavam lotados de aparições confusas de recém-mortos, entre os quais a bebê nua e seu corcel de olhos arregalados foram forçados a abrir caminho. Depois disso, ambos concordam que há menos companhia por perto e menos sinais de habitação espectral, indicando que se existe alguma população mais abaixo, nas ruínas congeladas do Primeiro Borough, ela foi bem diminuída. Snowy e May consomem seu jantar perfumado, a variedade de chapéus-de-puck que decidiram chamar de "do tipo rainha da neve", em um silêncio profundo e pensativo. Acima do corredor sem fim, fora de sua estrutura eviscerada, com sua crosta de geometrias de vidro, constelações abstratas se desdobram contra a escuridão de profundidade insondável. Eles espanam os hipercristais congelados das encantadoras peles de lobo, e cada um toma uma como cobertor, apenas pelo costume e pelo conforto da ideia, e não pelo calor ou pela cobertura, desnecessários. Também não é pelo calor que se aconchegam um ao lado do outro em suas mantas e nem é por sono que ambos fecham os olhos para vagar no tempo e na memória. O velho pensa na distância tremenda pelo corredor sempiterno que já percorreram e na distância muito maior ainda a percorrer, as incontáveis distâncias de um pé antes do outro ou a paralaxe em camadas separadas rastejando em distintas velocidades de ambos os lados, e é lembrado das caminhadas igualmente longas que são seu hábito enquanto em vida e na terceira dimensão,*

nas longas caminhadas saindo de Northampton e atravessando as ruas e campos até Londres, dos Boroughs até uma Lambeth reluzente, molhada depois da chuva. Ele conhece um truque que comprime a jornada entre as despedidas afetuosas de Louisa na porta de casa na Fort Street até sua chegada com os pés doloridos nas calçadas dos anjos ao sul do Tâmisa. A técnica consiste em desligar-se de sua perspectiva habitual sobre o mundo sólido, lento e tridimensional, para adotar uma atitude a partir da qual o tempo se torna uma questão de metros e centímetros. O aceno de despedida da esposa, e sua cara fechada e desconfiada, se fundem com as ruas de paralelepípedos, as cervejarias e as olarias na periferia da cidade e depois com as flores à beira do caminho, prímulas, miosótis e outras, um motivo floral no movediço papel de parede do condado. O disco fixo do sol incha e se avermelha como um olho irritado, ofendido, mirando com raiva até ser aliviado pelo piscar prolongado de uma pálpebra coberta de nuvens, cinza e cheia de lágrimas. O mundo de forma, profundidade e tempo é achatado em um único plano como em um mapa, e a chuva que se segue é reduzida a uma textura metálica que se espalha por uma área do diagrama. O dia se torna noite, duas vezes, duas faixas grossas de alcatrão roxo pontilhadas com cabeças de pregos, e então, além desse ponto na tela que se desenrola dos dias, a orla esmeralda da Watling Street dá lugar ao impasto grosso e craquento das geometrias desenhadas por pombos. Os detalhes mais minuciosos da avenida larga e da fileira de casas estreita se desdobram a partir dessas complexidades para cercá-lo, com fábricas planas agora surgindo nos cantos de seu olhar vidrado de sonâmbulo e toda a capital se tornando um livro pop-up infantil. Ao longo do desenrolar da Hercules Road, ele desce até o familiar Bedlam de sua cidade natal, morrendo de fome e, por algum motivo esquecido, de repente quase manco, e tudo parece acontecer em questão de um instante. Ele engole os noventa ou mais quilômetros em um gole debilitante e vertiginoso, termina sua exaustiva jornada no balcão de Lambeth e estala os lábios com prazer na garçonete mais próxima como uma celebração. A boca dela é a fita tensa, mas sem resistência, da linha de chegada dele e, mesmo assim, ele tropeça ainda mais, cambaleando e ofegando até o quarto de despejo de tempo dela, para o interior de seu útero, em uma infidelidade que, de algum modo, envolve e é uma extensão da cara desconfiada de Louisa no degrau da frente de casa. Mesmo enquanto está descendo com a gelati na leitosa das coxas dela contra o peito, sabe que está se lembrando desse momento da perspectiva de alguém sob uma coberta peluda em uma caverna coberta de gelo em outro mundo muito depois que ele e todos que conhece estão mortos. Tem a breve visão de uma série de infinitas versões de si mesmo, uma gama infindável de homens de olhos arregalados em um estado apocalíptico de consciência mútua, acenando uns para os outros por um longo e estreito corredor que a princípio pensa ser o próprio tempo, mas percebe que é outra imagem de outro momento enquanto geme e se esvazia nela, em uma voragem suarenta e linear de circunstâncias humanas, com ambos se contorcendo, presos como mártires à roda esmagadora de tudo. A manhã chega de imediato. Ele se desdobra da cama e faz crescer uma pele de roupas, cria um novo quarto ao seu redor que se estica em uma rua, outro bar, alguns dias de trabalho de decoração em Southwark, onde as horas são aplicadas em camadas, com os minutos de pincelada fundindo-se suavemente um no outro. Há um trabalho de construção de telhado em Waterloo, dançando com o céu e a gravidade, e ele olha para o leste, pela trança de chumbo do rio, onde ao longe se ergue o crânio esbranquiçado da catedral. Sabe que em sua famosa galeria trovões de cinquenta anos ainda sussurram para as fracas vibrações residuais de seu pai gritando, enlouquecendo, uma conversa interminável entre ecos. Esforça-se para ver se consegue pegá-los, perde o controle do corpo e gira os braços como moinhos de vento, depois recupera o equilíbrio em um movimento roteirizado, balançando no limiar de um novo século. O coração bate forte com o quase acidente, e ele treme um pouco com a adrenalina, sabendo que nunca houve perigo de queda e, no entanto, sua carne permanece desconfiada, como sempre. Ele respira pelo nariz enquanto desce a escada na sequência, para a história imunda, os degraus transmutando-se em seus dedos úmidos para se tornarem um envelope de pagamento lustroso, o peso de vidro de uma cerveja, a buceta de uma outra garçonete, a maçaneta do quarto dela e, enfim, os cadarços de suas botas quando se ajoelha para amarrá-los para a caminhada de volta a Northampton. Os riachos fluem para trás e as poderosas frentes de tempestade se dobram e se contraem em bolas de tecido laranja enrolado antes de desaparecer. Um atarefado cavalo de carga bufa e estremece, divide-se em duas solteironas andando de bicicleta, que levantam seus chapéus ao passar. Sementes de guarda-chuva colhidas pelo vento são remontadas em cogumelos antes de se condensarem em dentes-de-leão dourados cor de mijo, e então o planeta os suga através dos canudos leitosos de seus caules. O planeta por fim suga tudo de volta, bebe cada folha de grama, bebe todo mundo enquanto retrai o comprimento de centopeia de sua forma expressa no tempo desde a Ponte Blackfriars até a igreja de St. Peter e a Marefair, gira seu aqui e agora ao longo da Estrada Romana para os Boroughs com folhas amadurecendo e indo de ruivo esfarrapado a um verde lustroso enquanto flutuam para se reagrupar. Ele amarra a forma geral de sua excursão em um arco bem-feito, cumprimentando Louisa com um beijo ao chegar à porta de casa, com o sumo de outra mulher ainda dando sabor a seus lábios, e o tempo todo ele sabe

que está nas ruínas geladas de um mergulho onírico em algum lugar acima das causas e efeitos, com uma criança de dezoito meses envolta em seus braços esqueléticos, ambos fazendo o que os mortos fazem em vez de dormir. No alto, inextricáveis geometrias de gelo pingam hiperesferas líquidas, cada respingo e plinc cuidadosamente espaçados em uma acústica aprimorada, sobrepondo-se com atraso e, assim, reunindo-se em uma música esparsa e acidental. Sendo a noite um local fixo na avenida sem fim, eles se levantam após o que sentem ser descanso satisfatório e passam algum tempo fazendo um saco de pele de lobo, para que possam levar a maioria dos chapéus-de-puck com eles enquanto viajam em direção à erupção de ouro de um amanhecer. Fortalecido pela pausa, o velho corre em passos largos de Muybridge, cada passo com um minuto ou dois de largura, horas glaciais de tábuas do assoalho desaparecendo sob seus pés sujos. O saco de chapéus preso ao seu pescoço fornece uma sela peluda onde sua jóquei pula, nua e aos risos, fechando os punhos em rédeas de cabelos brancos e gritando no tédio da história. Sem os constrangimentos de carne ou da física-do-Andar-de-Baixo, aceleram para atingir um galope no qual a sucessão dos dias se torna um estroboscópio cor de azeviche e opala. Às vezes, manchas agrupadas passam com rapidez e se afastam no turbilhão, outras pessoas, outros fantasmas, mas poucos e distantes entre si, e nunca em número suficiente para exigir mais que um desvio pregui-

çoso na trajetória borrada de Snowy e da neta. Os fantasmas apontam e encaram o patriarca nu enquanto ele passa com seu equipamento murcho batendo e um querubim siamês crescendo nos ombros. Trovejantes, seus passos medem as fases cegas da lua, batem através dos séculos até que ele possa detectar uma mudança sutil de coloração na passagem da sempraisagem, alabastro frio aos poucos impregnado com tons verdes de degelo. Ele restringe seu ímpeto terrível, diminuindo a velocidade de modo que cada passo caia em um domingo, depois em um pôr do sol derretido, depois dez minutos passados da hora e, por fim, os leva a uma paralisação no estranho trópico recuperador do instante. Erguendo o peso quase imperceptível de May sobre a cabeça, ele a coloca sobre um tapete de musgo que parece ter colonizado as tábuas do assoalho antes envernizadas com gelo, e naquela vizinhança temporal recém-descoberta o ancião e a bebê ficam de pé e olham ao redor. Naquelas latitudes, a imensa arcada recuperou um pouco de sua estrutura e complexidade, sugerindo uma vida onírica e, portanto, uma população pelo menos em parte renovada nos subterritórios. Imaginações imensamente ampliadas de entrepostos comerciais parecem ter florescido mais uma vez nas bordas distantes do corredor imenso, e construções imponentes de bambus de um metro de diâmetro, locais de culto ou, talvez, academias. Ao contrário da sombria austeridade polar da visão que prevalece apenas algumas centenas de anos antes ao longo da linha, no entanto, estes parecem mais intrincados e equatoriais em sua decoração. Proliferam arranjos de penas e máscaras de monstros estilizadas. Há uma construção que é como um timbale do tamanho de um gasômetro, feito de casca de árvore gigante e coberto por uma vasta faixa de pele de cobra fluorescente, com o dossel outrora vitoriano acima parcialmente restaurado por cipós grossos, além dos quais nuvens brancas esquemáticas se desfazem na camada granadina em degradê do céu. Puxando a pelanca da coxa do avô, May observa que as árvores colossais que se projetam através dos buracos no chão recentemente descongelados são agora figueiras-de-bengala e coisas do gênero, um pontilhado de manchas vermelhas nos galhos altos que ela acha que podem ser compostos de papagaios. Além disso, observa que as grandes aberturas de onde brotam agora não são mais retangulares e estão dispostas em vertiginosas fileiras de círculos e elipses, estendendo-se na distância desimpedida, com longas franjas de jardim suspenso de musgo úmido e trepadeiras descendo para as cabanas e abrigos dos mortais do mundo mais abaixo. Embora no clima imutável do Andar de Cima o par não sinta o calor crescente, assim como ocorreu com o frio dos confins mais árticos, eles veem evidências de um sonho fecundo e úmido em todos os lugares ao redor. Aqui e ali, em cavidades do tamanho de pratos fundos, entre *os montes de líquen, há metapoças tensionando-se para adquirir tridimensionalidade, torcendo-se para cima em folhas translúcidas para formar uma coisa de planos líquidos que se cruzam, muito parecida com a reprodução fluida de um giroscópio, antes de desaparecer. Algo como uma borboleta flutua cansada no vapor da matemática superior com asas úmidas e pesadas, um saco de polietileno estala e esvoaça farfalhando entre nevoeiros esquemáticos de vapor extrapolado. Em folhas de terrina enceradas, gotas poliédricas rechonchudas brilham e exibem índices de refração impossíveis, transpiração de Koh-i-noor, e então, das sombras vegetais ocultas emergem os espectros distintamente adaptados do período: sombras futuras pisando hesitantes da folhagem etérea para se envolver com esses recém-chegados bizarros, com esses viajantes de uma antiguidade longínqua, esses representantes de uma espécie quase esquecida. Com passos vacilantes e incertos de gato, os novos habitantes do Segundo Borough se aproximam pela camurça musgosa, nenhum deles com mais de um metro ou um metro e meio de altura, bípedes sem pelos e luminosos, com peles gravadas ou crenuladas de uma cor de berinjela escura e leve. Quando falam, suas vozes são flautadas e agudas, a linguagem soa incompreensível no início, mas tem uma inflexão que não é diferente*

do burburinho no Blue Anchor ao entrar, recém-saído de Chalk Lane e do ar cristalino que queima a garganta da manhã do dia seguinte ao Natal. Batendo as crostas de neve das botas em esteiras de coco, cerdas frisadas com água derretida, o jovem valentão sente-se heroico, mítico, embora não por qualquer motivo que possa apontar com o dedo entorpecido pelo frio. O brilho do inverno lá fora é filtrado pelas cortinas de renda para se difundir na fumaça leitosa de cigarro com seus fluxos sépia e azul mosqueados. Em grupos de três e quatro ao redor de suas mesas, ilhas polidas flutuando na atmosfera formada por bafo de cerveja e tabaco, os adultos da Ilha de Páscoa olham felizes para seus copos, para silêncios que pontuam o gotejamento medido de anedotas. Eufóricas com a época de festas de fim de ano, as crianças giram alegres sobre os joelhos dos pais como correntes de maré, carregadas por convecção para outras salas ou quintais de paralelepípedos envidraçados e escorregadios com mijo congelado. Snowy tira o casaco e o cachecol xadrez para prendê-los no gancho de ferro preto de chapéu logo na porta do bar, com a boina achatada juntando-se a eles assim que se lembra de que está usando uma. Diferenças de temperatura entre o interior e Chalk Lane tostam suas orelhas geladas como se fossem fatias de bacon, com sua caminhada agora concluída ao longo da trilha de inverno de Lambeth carregada atrás de si em um trem real de arminho circunstancial. Embora o propósito aparente de estar ali seja visitar primos sapateiros desempregados em uma das vilas periféricas, sabe que nunca chegará lá depois de uma interrupção casual em suas viagens que ocorrerá em breve, com esta última atribuição sendo a verdadeira razão pela qual está esfregando e trazendo a circulação de volta para as mãos no Blue Anchor, o verdadeiro motivo da viagem: este porto de escala casual, em apenas alguns minutos, vai se tornar o pano de fundo contra o qual vê pela primeira vez a mulher que será sua esposa. Ali, naquele exato segundo, naquele local, por bilhões de vezes antes, Snowy ficou de pé e esfregou as palmas das mãos como se tentasse acender o fogo, sempre depois de raspar a mesma neve moldada em suas solas no mesmo capacho grosseiro. Cada detalhe, cada fibra do instante é tão perfeita e imortal que ele teme que possa desmoronar sob a ferocidade de sua própria investida, o próprio peso sagrado de tampas de garrafa e significado. Ele tenta, não pela primeira vez, caracterizar o sabor singular e indescritível da manhã, anexar palavras a uma atmosfera tão frágil e efêmera que até a linguagem a estoura como uma bolha. As conversas têm a suavidade tênue do som de uma capela e, de algum modo, o murmúrio vai na mesma frequência de onda com que a luz se assenta feito talco, até que na prática os dois fenômenos não possam ser distinguidos. As narinas distendidas captam o aroma único e fugaz, um caldo de lúpulo e fios de fumaça como lascas de coco doce; uma memória diluída de rosas nas mulheres, um fingimento vivaz de perfume, recém presenteado. No dia frio e claro ali há uma satisfação sonolenta, um langor satisfeito caindo como uma manta sobre os dosadores de bebida, sobre o piano há muito intocado e taciturno, envolto em dobras que caem sobre as famílias sentadas e algo como a placidez que se segue depois da relação, a tensão do Natal e o estresse da apresentação acabaram, não há mais preocupação de que alguém possa ficar desapontado. Agulhas de pinheiro derramadas, esmeralda brilhante nas meias cinzas das crianças. A adorável ganância e a indulgência em uma mistura viscosa com a calma da crença temporária na natividade e a ausência de trabalho. A qualidade mais requintada é a aparente transitoriedade e brevidade da trégua, uma sensação de que em breve os pastores e as coisas assexuadas com asas de cisne e trombetas douradas vão desbotar em ausências sobre cartão branco com o sol de janeiro, que não demora até que os cantores de Natal pintados e seus fraques desapareçam em meio aos flocos de neve que caem e voltem à década cristalina e de camaradagem na qual ninguém jamais viveu. O ritmo e a fúria do mundo parecem suspensos e convidam ao pensamento de que, se as supostas necessidades que justificam as correntes que aprisionam a todos pelo mundo podem ser interrompidas até agora, por que não mais? Ele quase pode sentir o sedimento do instante, o marrom-avermelhado nublado agitando-se na parte de baixo da calça, vadeando até o bar para apoiar os cotovelos na madeira, enfiar os ombros entre as costas viradas e berrar seu pedido de uma caneca da melhor cerveja. O proprietário vira-se pesadamente do caixa cheio para estudar Snowy com uma mistura de tédio e simpatia, e há algo no rosto do homem que é mais familiar e tem mais impacto do que os outros semblantes exibidos naquele estabelecimento, que em si mesmos abrigam a aparência já vista de canecas Toby[33]. Vistos através de sua lente de tempo telescópico, ele percebe que os olhos claros do taberneiro e as dobras de borracha do queixo se tornam mais reconhecíveis por todos os futuros encontros que os dois terão: o proprietário é prelembrado. Mal a palavra sogro começa a se formular em sua consciência de globo de neve, ao virar a esquina do outro bar ela vem, explode em sua história com um balanço de saia verde e algum comentário casual sobre um barril que precisa ser trocado. Sim, claro, o vestido esmeralda e as grossas pérolas falsas em volta do pescoço, penduradas em um fio cinza, tudo volta para ele com a velocidade de que tanto gosta, essa mulher que nunca viu antes e, quando em poucos minutos ela diz que seu nome é Louise, ele dirá "eu sei". Ele não vai dizer que está com a neta dela morta a seiscentos anos de distância

na companhia de homens roxos cujo paraíso é uma selva interna, desfilando nus no Éden espelhado deste mundo caído. Naquelas ocasiões em que a grande granada desdobrada de um sol é visível além das redes de trepadeiras de quilômetros de largura que cobrem a avenida estupefata, o orbe solar parece maior do que era. May imagina que isso é causado por níveis mais altos de partículas na atmosfera em lenta transformação, resultando em uma maior dispersão da luz, e não por uma amplificação real das dimensões da estrela. Montada nos ombros ossudos do avô, é carregada pelo alto de árvores-garrafa expandidas, prenhes de hiperágua, e em meio à tímida pressão de pigmeus violeta, como uma rainha bebê. A geleia fatal de orvalhinha de grande diâmetro no topo está ali para que ela a prove, de modo que logo tem uma carreata de libélulas monstruosas iridescentes e suspensas em seu rastro, íris afiada ou jade azedo, correndo para lamber seu queixo pegajoso. Passeando pelos séculos arbóreos, com humanos do futuro fascinados e boquiabertos em sua estridente comitiva lilás, são os fantasmas gigantes de um paraíso anterior, brancos como giz e pré-históricos, de alguma forma vindos dos Sótãos do Alento, de uma latitude tão distante que já deixou até de ser lendária. Aos poucos vão compreendendo um pouco da fala vibrante dos espectros nativos, que ressoa e estremece no atraso cristalino gotejante; no eco explodido. Uma palavra de cada vez, eles juntam algo da história excêntrica que informou esses pós-povos carecas e em relevo, forrageando seu Elísio selvagem: uma mudança climática e o esgotamento do cinturão de ozônio, ao que parece, compensaram com relativa rapidez o frio ártico temporário causado pela quebra da Corrente do Golfo, em apenas algumas centenas de anos. A era atual é um estágio intermediário trópico, quando toda a chuva e vegetação do planeta se restringem às Regiões Polares em aquecimento, que são, portanto, a última morada da vida terrestre. Com recursos cada vez menores e um ambiente habitável limitado, até uma população humana muito reduzida não consegue ser mantida sem modificações severas, alcançadas com algum tipo de reengenharia da configuração básica dos mortais, com a humanidade, como resultado, muito menor e com células imbuídas de clorofila fotoativa. A coloração de berinjela brilhante e a intrincada textura da pele, projetada para maximizar sua área de superfície, são características criadas nessa nova linhagem da humanidade, que complementa as rações decrescentes de sustento orgânico disponível empanturrando-se da luz solar abundante. Snowy e a bebê sob seus cuidados por fim deduzem, a partir de fragmentos de anedotas que são capazes de traduzir, que essas miniaturas retorcidas e ornamentadas de um tom quase índigo têm uma expectativa de vida abreviada, de menos de trinta anos, antes de ascender às pastagens mais altas, à vibração ultrassônica que é o termo deles para Almumana. Para o velho vigoroso, é um tempo lamentavelmente reduzido, e para sua passageira juvenil, mais do que generoso, e surge uma pequena discussão entre eles enquanto vagam mais adiante no passeio que se rendeu às samambaias e suas manchas verdejantes e perfumes prolongados. Passam por madrugadas sangrentas incendiadas com periquitos e lingotes de pores do sol que galvanizam o par em ouro líquido, parando para acampar nos estádios farfalhantes da meia-noite, onde uma extravagância facetada que May identifica como Hiper-Sirius é visível na escuridão além do macramê de videiras mais acima. O acampamento consiste de monstruosas folhas verde-garrafa dobradas sobre uma cavidade musgosa e presas por grossos espinhos *negros, ali nos trópicos metafísicos depois do homem. Ao se levantarem, após a curta caminhada até a manhã, descobrem o que parece ser um crescimento de chapéus-de-puck brotando de uma massa corroída não identificável que Snowy pensa ser uma viga caída do teto. Mais uma vez, os fungos astrais parecem ter se adaptado ao ambiente alterado, desenvolvendo novas características para melhor atrair os humanoides modificados dessas paragens inundadas pelo sol. Essa última variedade é, na opinião da dupla, a menos apetitosa até agora. As formas femininas suculentas e pálidas sobrepostas que tipificavam as amostras anteriores foram substituídas aqui por um arranjo semelhante de insetos enormes, pretos como fuligem e ainda assim iridescentes contra a luz. Os caroços dos olhos agora são facetados, e uma mordidela experimental em um tórax arrancado fez com que ambos cuspissem e reclamassem por vários quilômetros de tempo do sabor avinagrado, quase impossível de se livrar. Na parada de descanso seguinte, à sombra de uma construção em forma de timbale imponente e dilapidada, estendem o saco de pele de lobo para se banquetearem com as flores albinas "rainha da neve" que coletaram alguns séculos atrás na trilha. Por sugestão de May, cuspiram as sementes cor-de-rosa na vegetação rasteira ao redor, para que possa haver uma colônia de fungos comestíveis estabelecida aqui para a viagem de volta, quando os dois estiverem vindo do fim dos tempos. Revigorados pelo café da manhã com belezas anêmicas, retomam a jornada assim que a garotinha é colocada na sela bronzeada dos ombros do avô. Desfocando a arcada da eternidade, May observa que estão passando por menos máscaras enormes e bongôs do tamanho de um gasômetro, menos pessoas roxas. Ela se lembra*

do gramado vazio do Beckett's Park, afogando-se na luz, em uma de suas escassas quinhentas tardes. Ela não tem noção de onde termina ou onde o mundo começa e, como nunca tinha visto o adorável crânio dourado sobre o qual todo mundo faz tanto barulho, May assume que está sem um; que toda a largura do dia e seus céus magníficos estão em uma bolha de vidro descomunal equilibrada em seus ombros infantis sem cabeça. Sente o arrastar prateado de nuvens de pele de peixe pelo azul dentro dela, enquanto o canto dos pássaros é cítrico e pungente, flutua em sua língua e a faz babar. Ela não diferencia as formas inteligentes e complicadas das casas do outro lado do Victoria Promenade, a moeda polida do sol ou as árvores balançando, na altura da chaminé, para lamber o vento. Uma vez que todas essas coisas se encontram dentro de sua cabeça ausente, a criança supõe que sejam seus pensamentos, que é assim que os pensamentos se parecem, quadrados com chapéus de ardósia azul, ou minúsculos e em chamas, ou altos e sussurrantes. A menina de dezoito meses não separa os sorvos e calafrios daquele segundo de seus cheiros, formas ou sons, confundindo o ressoar asmático e distante de um acordeom e a progressão comedida dos pequenos lampiões a gás do outro lado da rua, sendo ambos os fenômenos, a partir de sua perspectiva, coisas que parecem correr por avenidas. Então é um instante diferente, sem o acordeom a gás chiando suas notas de ferro fundido em intervalos ao longo da rua, e inclusive a própria rua desaparece e é esquecida quando a criança descobre que está se movendo para uma nova direção que traz uma outra visão. Flutuando sem esforço alguns metros acima do sibilar das ondas do tapete de grama, descendo aos poucos para o domínio em miniatura do mais distante, com suas cabanas de brinquedo, arbustos e margaridas manchadas de tinta, May não se recorda de que está sendo carregada nos braços da mãe até que a gota de chocolate revestida de bolinhas seja colocada em sua boca. O calor acompanhado do murmúrio materno que se derrete na língua da bebê é como uma doçura cremosa em seus ouvidos. Enquanto ela explora as contas de açúcar multicoloridas que salpicam a superfície superior do confeito, a sensação se torna inextricável da explosão pontilhista de um canteiro de flores próximo que May observa, e ela está imersa em uma glória indiferenciada. Ela e o grande corpo favorito, também chamado May e do qual é um componente destacável, parecem estar de pé sobre um soluço no cascalho castanho-avermelhado, uma saliência com grades onde o caminho esguicha em um arco pedregoso sobre um rio como uma mulher velha muito longa, espirrando até a outra margem para escorrer em trilhas de seixos entre as ervas daninhas. Uma das palavras que a mãe sussurra é "cisne", um som que começa com um uivo cortante e depois se curva em um deslizamento majestoso, e de alguma forma algo surge no centro privado da continuidade de May, uma ideia branca emocionante que bate as asas até um ser fantasmagórico, causando uma comoção. Cisne. A palavra é a experiência, e não importa se ela está vendo um agora ou não. Mudando de posição, May se perde e abandona o universo em favor das sardas no pescoço da mãe. Um jato cuspido de ilhas de caramelo à deriva em um oceano dérmico, flutuando em suas ondulações pontiagudas, cada mancha tem sua própria identidade única visto a um centímetro de distância. Esta é como a cabeça de um leão fumegante bocejando, esta, como um pedaço de ferradura quebrada, cada uma menor que um grão de sal. Ela se concentra em sua geografia implícita, na relação entre esses atóis distintos e minúsculos. Será que se conhecem? Os mais próximos são amigos? Depois, há o arranjo geral a se considerar, predeterminado e perfeito, cada ponto onde deveria estar em um mapa que está aqui para sempre, proposital e antigo como as constelações ou a periodicidade musical dos postes de iluminação. A beldade gigante embala May através do tempo, durante o verão, com os pompons dos dentes-de-leão explodindo como granadas de vapor. Há tantas folhas e galhos para observar, tantas brisas para conhecer e cada uma com personalidade própria, que leva um milhão de milhões de anos até que voltem ao mesmo momento na mesma ponte, mas dessa vez sem gotas de chocolate e atravessando para o outro lado, onde uma cidade nova e desconhecida é visível. Um ângulo diferente é um lugar diferente, e espaço é tempo. Seus momentos futuros são a terra engraçada que está adiante, onde as pequenas coisas ficam maiores, não como na terra engraçada atrás dela, onde as coisas que pareciam tão grandes ficam cada vez menores até que se vão para um passado do tamanho da poeira, ela não sabe bem onde. Ínfimas, as vacas-formigas amadurecem em um ou dois minutos até vacas-rato e, de repente, têm idade o bastante para que ela veja seus cílios e cheire onde fizeram suas necessidades, olhando sem interesse para May por cima do portão superior das barreiras de madeira do mercado de gado. O fedor de frutas e pimentas que a cerca, que por si só não é desagradável, tenta informá-la sobre suas histórias nobres e lendas tocantes, mas os pontos pretos vibrantes da pontuação da história dificultam a compreensão e, portanto, a mãe espanta todos. O peito, o salto e o ritmo da passagem de May acalmam o dia à distância, como se fosse uma imagem em um livro infantil confiscado. Cascos e pedras próximas diminuem o volume da conversa em um gesto de cortesia, e ela está exausta de tanto respirar e olhar. Cortinas cor-de-rosa luminosas caem sobre o teatro das coisas reais, e May é levada às pressas por um cenário fascinante, mas incompreensível, no qual

uma bebê galopa um velho por um século distante estrangeiro depois que o povo e o pós-povo desapareceram, com décadas arbóreas pisoteadas em seu passeio. As paredes distantes do empório imensurável, onde estão visíveis entre os baobás e as acácias modificadas, são agora apenas fileiras de paliçadas de monstruosos troncos de árvores, sem entrepostos comerciais ou outros sinais de artifício estruturado. É *claro que nada de humano ou pós-humano vive e sonha no território inferior do Andar de Baixo, os pântanos abafados que antigamente eram os Boroughs. Apontando para a teia de madeira acima e para o céu desdobrado além, May chama a atenção do avô para a falta de pássaros ou de seus cantos. Sem interromper seu passo galopante, ele arrisca que essa ausência possa implicar uma cascata de extinções terrível e ilimitada. Eles correm em silêncio por um tempo, cada qual considerando essa possibilidade sombria e tentando determinar como se sentem a respeito do fato de sua espécie desaparecer junto a uma enormidade de outras formas de vida, despejadas na vala de drenagem da obsolescência biológica. Snowy por fim conclui que não está muito incomodado, com pés descalços martelando os anos de líquen ininterrupto. Tudo, ele raciocina, tem sua duração no tempo, seu tempo, seja um indivíduo, uma espécie ou uma era geológica. Cada vida e cada momento tem sua própria localização; ainda está lá, em algum lugar ao longo deste sótão sem fim. É só ali que a humanidade não existe mais e, quando ele e a neta voltarem para o outro lado, após concluírem sua peregrinação absurda, sabe que os séculos em que a Terra é habitável estarão esperando por eles, de volta para casa entre os vagabundos sempiternos e os canos de esgoto enferrujados imortais dos tempos deles, do bairro desgastado que ocupam no céu deles. Tudo está a salvo, pecadores, santos e migalhas debaixo do sofá, embora não no sentido religioso convencional da expressão: tudo está a salvo no vidro quádruplo do espaço-tempo, sem a necessidade de um salvador. Snowy troveja na direção do próximo milênio, seja qual for, com sua passageira belíssima batendo e balançando em sua sela de pele de lobo cheia de fadas-fungo anêmicas. Só quando percebem que, apesar da falta de qualquer presença aviária, ainda há o guincho melancólico da música reverberando no espaço auditivo descompactado do grande corredor, diminuem a velocidade até parar, o que os impede de correr a toda velocidade para o grupo de baleias de musgo. Arrastando caudas esmeralda de algas, os leviatãs belos e póstumos cruzam pesadamente uma clareira pós-histórica através da luz rosa de outro hiperamanhecer, chamando umas às outras em suas estranhas vozes de radar-sonar. Impressionados e estupefatos, os dois viajantes notam que, embora as enormes mandíbulas inferiores das criaturas e os olhos relativamente pequenos voltados para trás sejam cetáceos, todas parecem vir equipadas com um enorme par de chifres projetados para a frente, presas montadas na testa que empurram para o lado quaisquer galhos que obstruam seu caminho. Além disso, suas nadadeiras anteriores e posteriores parecem ter se adaptado em pernas atarracadas que terminam* em cascos incrustados de cracas, cada um do tamanho de um ônibus ósseo, estilhaçando ritmicamente a vegetação do fim do mundo enquanto, como geleiras verde-acinzentadas, continuam seu deslizamento prolongado entre as árvores brobdingnagianas. Retomando a expedição talvez interminável em um ritmo cauteloso de caminhada, os pedestres temporais se envolvem em especulações acaloradas sobre as origens mais prováveis dos extraordinários organismos futuros. Snowy postula um cenário em que a secagem dos oceanos do planeta precipitou uma migração da vida marinha mais adaptável para a terra em busca de sustento, mas não consegue explicar a flagrante incongruência representada pelos chifres e cascos. Depois de alguma cogitação, May sugere que, se as baleias são mamíferos que respiram ar e escolheram retornar ao estado aquático de onde toda a vida se origina, pode ser que, durante a breve aventura como animais terrestres, elas tenham sido relacionadas biologicamente a algum gênero improvável, como, por exemplo, um ancestral da cabra. O ancião de cabelos brancos curva o pescoço para olhar de soslaio para sua amazona e determinar se ela está brincando, embora nunca esteja. Eles seguem adiante, e a hipótese de Snowy de mares sem limites reduzidos a salinas, provocando uma migração para o solo seco, é confirmada por vislumbres da outra megafauna do período, ou pelo menos do resíduo astral dessa fauna. Percorrendo uma das aberturas agora com contornos irregulares no chão coberto de trepadeiras da galeria, May percebe os espectros de crustáceos marrom-teca com conchas de um metro e meio de diâmetro, como mesas ambulatoriais. Mais tarde, experimentam um momento de espanto de tirar o fôlego quando o trecho de floresta para o qual caminham de repente se desenrola, com a cena detalhada e sua profundidade destacando-se do fundo para revelar um cefalópode arranhando o céu, uma ultralula suntuosa e bem camuflada no ambiente do pós-vida por meio dos receptores de pigmento evoluídos na pele. Deslocada para uma posição mais confortável, aquele titã com tentáculos ajusta a seguir seu disfarce cintilante, sua superfície uma camada de cores Seurat espetacularmente animada que se resolve em uma reprodução quase fotográfica da avenida sem fim ao seu redor. Snowy se recorda das imagens em movimento no fogo quando é apenas

um garotinho em Lambeth, esperando o pai voltar do trabalho. Durante todo o dia a chuva de outubro caiu da calha quebrada para respingar ruidosamente no telhado de ardósia do banheiro, no fundo do quintal. John Vernall, de dois anos, quase três, senta-se perto da lareira e esfrega a palma das mãos até que misteriosos fios enrolados de sujeira de alcaçuz apareçam para ele limpar ou brincar. Observa gotas na vidraça centenária que tem um verde fraco na espessura, estudando a forma dos diamantes que rastejam com lentidão, como um espectador encantado em uma corrida de cavalos líquida. Algumas das contas movidas pelo vento caem no primeiro obstáculo, fracassando em completar a longa trajetória diagonal sobre o vidro, a substância fluida minguando e se esgotando muito antes de atingirem a moldura de madeira desgastada que é a linha de chegada. Então há glóbulos mais gordos, que parecem ser mais predatórios e competitivos, absorvendo com avidez as sobras hidratadas das colegas caídas e, com massa reabastecida e impulso redobrado, rolam majestosamente pelo campo brilhante para a vitória fácil. Quando essa corrida nunca concluída de água deixa de ser divertida, John se agacha no tapete feito em casa ao lado do fogo e volta a atenção errante para as monumentais ilustrações bíblicas que desaparecem quase no mesmo momento que surgem, paisagens de Doré gravadas entre os carvões taciturnos. O fim de Gomorra se eleva em um véu cinza do antracito fendido, enquanto naqueles restos de madeira ou papel usados para iniciar o fogo os flocos negros retorcidos retratam simoníacos, adúlteros ou pagãos virtuosos sofrendo seus arcos díspares do Inferno. Sob a luz rubi crepitante, os insondáveis profetas de barbas de cinza franzem seus lábios cheios de marcas chamuscadas, seus avisos puxados para a garganta sibilante da chaminé e, em algum lugar em outra terra, a mãe e a avó brigam sobre o dinheiro necessário para isso ou aquilo. A irmãzinha Thursa choraminga, inquieta em seu berço de vime, seu rostinho de macaco cor de morango fechado como um punho. Ela fica nervosa e ansiosa mesmo durante o sono, intimidada pelo mundo e todos os sons alarmantes que ele faz. Há algo de estranho no sabor sombrio do instante, e o garotinho se vê preso em uma névoa de pressentimento indistinto que é indistinguível de uma memória desbotada pela luz do dia, os detalhes desbotados como a estampa na toalha de mesa. Ele não passara por essa tarde escura antes? Esse momento com Thursa fazendo aqueles barulhos específicos no berço, com Sadraque e as pragas do Egito à luz do fogo, depois um gato chiando, depois um vulcão... Pouco antes que ela as pronuncie, John sabe que as próximas palavras raivosas da bronca que a avó dá na mãe deles conterão a frase intrigante "não melhor do que você deveria ser", e fica inquieto ao perceber que o elemento mais estrondoso dessas circunstâncias sincronizadas com precisão e coaguladas com tanta rapidez ainda não se revelou. Aquele evento maravilhoso e terrível, ele pensa, desenrola-se do complicado clique e do balanço da chave do pai, que ainda escuta no corredor, começando seu tilintar insidioso no mecanismo da porta da frente como um prelúdio para a sinfonia que se aproxima, o desbloqueio irrevogável de um mundo novo e cataclísmico. A mãe deixa o confronto na cozinha para descobrir o que está acontecendo e a avalanche da ocasião atinge sua casa na East Street; reduz toda a ordem de suas vidas à chama indiferente do pânico. Há uma comoção na passagem, com a voz da mãe subindo de um murmúrio confuso e incompreensível para um lamento ofegante e devastado. O alvoroço irrompe na sala de estar, acompanhado pela pálida mãe de John e dois homens que a criança nunca viu antes, um dos quais é seu pai. Não é apenas o cabelo de farinha derramada onde antes havia molas de cobre que fez do pai um estranho, e sim a mudança no que ele diz, e como se posiciona, e quem é. Há muitos gestos e círculos de desenho no ar. Há uma lista interminável de tópicos malucos que a criança silenciosa de alguma forma já conhece antes de serem falados, um discurso de chaminés, geometria e relâmpagos, frases preocupantes nas quais ninguém parece prestar atenção:

— A boca dele se mexia na tinta.

A avó de John emerge entre as panelas fumegantes, gritando com raiva para o careca rotundo e corado que devolveu o filho para ela naquele estado desmantelado, como se a indignação ainda pudesse de alguma forma fazer a cria voltar ao jeito que era; como se insistir em uma explicação pudesse forçar tal coisa a existir. Nas brasas, John percebe uma esfinge em chamas, um martírio, um banquete de papoulas. Todos, exceto por ele, choram. De forma hesitante e incompleta, começa a perceber que ninguém, a não ser por ele mesmo e talvez a irmãzinha, esperava que isso acontecesse. A ideia é tão inconcebível quanto se John fosse a única pessoa em toda Londres que pudesse ouvir, a única pessoa que já tivesse notado as nuvens ou percebido que a noite vem depois do dia. As pessoas, os móveis e as vozes na sala de estar de papel descascado em Lambeth são como um furacão interior de lágrimas e acenos de mãos, com o epicentro do novo pai de John, de cabelos brancos, de pé, atordoado e repetindo a palavra "toro", a forma das coisas por vir. Voltando sua atenção para o fogo, tem a impressão fugidia de luz vermelha e um rastro de escuridão, em um caramanchão do pôr do sol seguindo o mundo, e as coxas desgastadas e quase onduladas de Snowy são manchadas por elipses rosas alongadas e deslizantes, uma radiância elegíaca filtrada por vazios esculpidos nas folhas de prata encerado do dossel acima dele. Com sua preciosa carga, ele caminha para um Criptozoico reprisado, com toda a história nas bolhas dos pés. Por um período, viajam no meio de uma companhia curiosa e apressada: as sombras amáveis de caranguejos-mesa, que parecem fazer um esforço para se comunicar batendo uma garra dianteira adaptada nas tábuas cobertas de musgo do bulevar imortal, um Morse crustáceo inarticulado. Montada no avô como se estivesse em cima de um palanquim, a prodigiosa criança de dezoito meses cita Wittgenstein, no sentido de que, mesmo que um leão pudesse falar, a humanidade não seria capaz de entendê-lo. Como se em reconhecimento mudo dessa observação persuasiva, a comitiva de artrópodes do tamanho de móveis abandona suas tentativas de conversa, perdendo o interesse, saindo em massa entre os casulos monstruosos daquele pomar terminal. A fatalidade universal está cheia de beleza. Mais tarde, há outras baleias-cabra e uma enorme variedade de polvos que imitam árvores, os quais não haviam encontrado antes, com olhos de granada tranquilos quase invisíveis na coluna circundante de pele com padrão de casca de árvore e ventosas cor de fígado que primeiro dão a impressão de serem galhos pendentes. May propõe que chamem a espécie de Yggdrasil, em homenagem à árvore do mundo nórdica, já que a própria taxonomia certamente estará extinta agora e que a esplêndida criatura, portanto, permaneceria sem nome na eternidade de outro modo. A moção, após debate e votação, é aprovada por unanimidade, e com isso a bebê e seu corcel enrugado seguem na sua excursão pela folhagem final, entre monstros impassíveis. Depois de vadear no magma de quatro mil amanheceres em série, Snowy e May decidem fazer suas camas temporárias em meio às dormideiras trêmulas de um quilômetro crepuscular em algum lugar no século seguinte, se é que ainda existem séculos. Como observa o velho enquanto monta um abrigo com a vegetação rasteira, o sistema de contagem com base no dez e toda a matemática devem ter desaparecido dos territórios inferiores do andar de baixo agora. Deste ponto em diante, onde a ciência, a fé, a arte e até mesmo o amor são apenas memórias fósseis, ele e a neta devem se aventurar além do fim da própria possibilidade de medição, talvez até além da inevitável morte do significado. O par improvável considera este novo e insuspeito registro inferior de desolação enquanto devora as últimas das Bedlam Jennies rainhas da neve, com a prudência de cuspir os globos oculares cor-de-rosa na vegetação vacilante e fastidiosa que estremece *ao redor. No fundo da bolsa de pele de lobo há agora apenas alguns membros quebrados de coristas, muito parecidos com pedaços de boneca anêmicas e bem torneadas, com restos de asas de libélula cintilantes. Acima, cortada em fatias e trapezoedros pelos galhos recortados, uma constelação desdobrada que pode ser hiper-Órion – Snowy percebe três repetições deslocadas do famoso cinturão – se estende sobre o índigo que se assenta, um tesserato malformado de luzes antigas. Satisfeitos numa confortável leseira depois de se fartarem na refeição fúngica, com o pegajoso suco de mulheres minúsculas ainda escorrendo em seus queixos, eles deslizam de mãos dadas para as murmurantes flutuações hipnagógicas do sono-fantasma. Ao redor do esconderijo há triturações quebradiças, chiados, estalidos audíveis à distância além das periferias borradas de suas consciências, provavelmente das contrações dos arbustos encolhidos dentro dos quais estão aninhados, tudo logo filtrado por uma consciência em processo de retirada. Empanturrados com trufas árticas visionárias, tanto a bebê quanto seu ancestral são carregados em uma onda eidética de imagens de fadas, dioramas de hospício que se desenrolam com uma complexidade miniaturista que é insondável e às vezes beira o aterrorizante: nas alucinantes feiras de inverno elisabetanas, mulheres de seios nus se posicionam em crinolinas de aros absurdamente grandes com motivos decorativos de flocos de neve feitos de renda nas bainhas. Cada uma tem a palma da mão estendida e levantada ao nível do rosto para inspeção, sorrindo de alegria com a reprodução em escala de si mesma que parece se equilibrar ali, completa em todos os detalhes, sorrindo com aprovação para o homúnculo quase infinitesimal empoleirado em sua própria mão, olhando para uma regressão vertiginosa de pulcritude excruciante e requintada, um vórtice hipnotizante de feminilidade pálida. Esses são os sonhos que os mortos têm quando estão embriagados de puck. Depois de um intervalo incalculável, eles afastam sua sonolência incrustada de pedras preciosas, revigorados apesar dos álcalis da Noite de Verão que percorreram seus sistemas etéreos adormecidos. Acordando, sem surpresa, para a mesma sombra do crepúsculo em que se deitaram, só quando Snowy levanta a bolsa de pele de lobo é que percebem, perplexos, que o saco que deixaram quase vazio antes de cochilar agora estava cheio até a borda de Polegarzinhas unidas. Ainda mais inexplicavelmente, não são da linhagem albina responsável por suas fantasias noturnas, mas sim do tipo de pele mais avermelhada comum do remoto século de origem dos viajantes. Como não tem o hábito de examinar a odontologia de cavalos dados de presente, o ossudo veterano amarra a bolsa de duende nos ombros, agachando-se enquanto May sobe a bordo. Isso traz à lembrança* ele e a irmãzinha Thursa atravessando o frio de Lambeth para ver o pai, trancado em Bedlam, o hálito quente dos irmãos cristalizando em vírgulas cinzentas atrás deles. Com dez anos de idade, o mais velho dos dois, John, está no comando, rebocando a irmã mais nova, que vai distraída e cantarolante pelas ruas envoltas em neblina com uma mão escorregadia de suor. Eles contornam os revivalistas do Movimento pela Temperança e os desocupados, as conferências de esquina agrupadas sobre o kaiser ou a Alsácia-Lorena, evitando aquelas insanidades que não parecem ter qualquer relação com eles. Novembro queima os seios da face e Thursa se arrasta irritantemente, enrolando sua triste meia-canção em uma meada úmida entre os durões e os lampiões a gás.

— Cala a boca, ou não te levo para ver o pai.

A menina de oito anos demonstra uma indiferença arrogante, torce o nariz numa pequena concertina de desgosto:

— Não ligo. Não quero ver ele. Hoje é quando ele fala tudo pra gente sobre as chaminés e os números.

John não responde, apenas a arrasta com mais força pelas calçadas com seus arquipélagos ocres de merda, entre as carroças barulhentas, de miasma em miasma. Embora não tenha pensado a respeito do assunto antes de Thursa dizer aquelas palavras exatas, elas caem sobre ele com o peso do martelo de uma sentença implacável, há muito esperada, indiscutível. Sabe que ela está certa sobre essa ser a ocasião em que seu pai compartilha algum tipo de segredo com eles, quase consegue se lembrar das inúmeras vezes anteriores em que ela lhe disse isso, naquela mesma noite e no meio daquele mesmo caminho, evitando o trecho de contornos precisos de esterco de cavalo, a caminho do hospício. Franzindo o cenho congelado e dolorido, John faz um esforço para se lembrar de todas as coisas cataclísmicas que o pai vai contar a eles. Algo a ver com boias salva-vidas e as flores especiais feitas de mulheres nuas que todos os mortos podem comer. Esses tópicos absurdos soam assustadoramente familiares, embora não entenda como pode ser, não no mesmo mundo onde as pedras lisas da Hercules Road são tão imediatas e concretas sob suas solas gastas. Eles continuam passando por pátios frontais desfolhados de outono, com muros na altura da cintura, através de uma escuridão verde que as raras lâmpadas apenas acentuam, em direção às margens envoltas em névoa de Kennington. Mais adiante, os passos futuros deles estão dispostos como chinelos invisíveis correndo ao longo do pavimento envolto em vapor, esperando pacientemente para serem experimentados, ainda que só por um instante; esperando por eles ali naquela rua lateral desde antes do mundo começar, em sua procissão inevitável e ordenada para os portões do manicômio. A mão da irmã está quente e desagradável, como sempre naquela noite, grudenta por causa de uma cobertura de açúcar de cevada. Um táxi cujo painel anuncia chá Lipton chega no momento em que as pegadas incipientes os conduzem a uma esquina, subindo um pouco pelo caminho e, de repente, as barras de ferro forjado e os postes laterais de pedra roída pela chuva estão a apenas alguns momentos, a alguns metros de distância. O hospital e a hora iminente contida nele se arrastam através do espaço e do tempo intermediários, aproximando-se pela escuridão revolvida como um barco que traz a peste ou a robustez de um presídio, esmagando as crianças em partículas com proporções brutas, com mijo e remédios em seu hálito. O vigia que monta guarda ao lado da entrada os reconhece de outras noites e destranca o portão com uma atitude relutante. John tem a impressão de que o problema não é tanto o porteiro não gostar deles, e sim de não gostar que estejam lá onde os adultos agem como crianças assustadoras. Cada vez que aparecem ali, ele diz que seria melhor não virem e então os deixa entrar, escoltando-os com rispidez pelo terreno murado, para o caso de haver estranguladores ou sodomitas errantes por perto. Uma vez dentro do prédio, engolido pelo severo silêncio administrativo de uma área de recepção com tetos altos e austeros perdidos de vista num anêmico brilho de lampião a gás, o reticente pastor de John e Thursa os entrega a outro guarda, um homem de rosto impassível e um pouco mais velho, cuja cabeça é toda de cerdas grisalhas.

— Vieram ver Vernall. Não é certo vocês estarem no meio de tudo isso, mas aqui estão, e não há nada que se possa fazer.

As palavras têm um eco fraco, soam como se tivessem sido ditas antes. Ainda de mãos dadas, mais para se tranquilizarem que por compulsão, eles seguem o cicerone mudo por corredores rangentes onde rastejam sussurros e rastros de incontinência. Montes espectrais de infelizes restos empoeirados de impérios quiméricos e desconcertantes se acumulam nos rodapés, onde as sombras de pernas de pau se inclinam de maneira precária, oscilando lado a lado com eles naquele passeio silencioso e estranhamente formal. Portas trancadas deslizam e, ao contrário da opinião popular, em nenhum lugar há risos. Conduzidos a um corredor mal iluminado de escala intimidadora reservado para os visitantes, os pequenos são confrontados por um lago escuro no qual talvez uma dúzia de mesas-ilhas flutuam suspensas, hemisférios trêmulos de luz de velas onde os internos sentam-se como pedras, outros miram extasiados para o ar vazio enquanto parentes olham com melancolia para os próprios sapatos. Abandonado em uma dessas ilhotas está o pai deles, com o cabelo branco crescido como se a cabeça estivesse cheia de gaivotas. Pergunta se sabem sobre aquela noite, e John diz "sim", enquanto Thursa começa a chorar. Começa uma estranha litania reminiscente, raios e chaminés, geometria e ângulos, comida-espectro e a topologia do tempo estrelado; o buraco cada vez maior em tudo. Conta a eles sobre a avenida sem fim acima de suas vidas, onde estão personagens que chamam

May e Snowy em um eterno tropeço, exibindo descaradamente a bunda de fora a cada nova extinção, enquanto passam entre signos e sinais. Logo não há polvos silvestres ou hiperlulas trêmulas, nem caranguejos fazendo sessões espíritas ou marcas de cascos do tamanho de lagoas deixadas por baleias encalhadas. Acima, os diagramas de nuvem em papel amassado parecem mais escassos e, quando visíveis, menos complexos, com menos dobras e facetas. O velho supõe que o mundo lá embaixo está secando, morrendo, e os dois seguem adiante por entre árvores gigantescas que rareiam, em grande maioria mortas, algumas já petrificadas. Num galope devorador de décadas, inventam um meio de comer sem parar: a encantadora criança pesca de tempos em tempos um dos enigmáticos chapéus-de-puck à moda antiga do saco de lobo inexplicavelmente cheio sobre o qual está sentada, entregando-o com grande cerimônia para o avô, que o ingere enquanto corre, cuspindo ruidosamente olhos e bolas de pelos púbicos na cobertura morta da floresta sob a batida de seus pés. Quando não estão com a boca cheia, discutem o enigma do reabastecimento de suas rações sem nunca chegarem perto de uma conclusão confiável. Snowy arrisca a hipótese de que os crustáceos amáveis lá atrás no tempo são responsáveis por essa demonstração de benevolência clandestina, e May responde com uma teoria de que na verdade foram seus próprios eus de alguma conjuntura do futuro os verdadeiros benfeitores. Ambas as propostas naufragam na questão da proveniência flagrantemente anacrônica dos fungos e, enquanto isso, há menos e menos vegetação para ser vista a cada novo trecho. Ao longe, de ambos os lados, as paredes da via prolongada estão mais uma vez à vista, com o verniz onírico em movimento caído ou atrofiado pela falta de qualquer coisa ainda capaz de sonhar nos territórios mais abaixo. Sem que sua substância astral seja constantemente renovada e revigorada por um influxo de novas imaginações, os limites distantes não podem mais lembrar as formas ou cores que antes eram suas, os contornos que se suavizam e diminuem aos poucos em incoerência cerosa, tons de uma caixa de tinta que escorrem, marmorizados com o brilho febril gorduroso da gasolina manchada de chuva, a arquitetura sagrada caindo em uma baba prismática. Além dessas margens vacilantes, existem apenas as profundezas confusas de um firmamento expandido, percebido em mais de três dimensões, insinuando que, para além dos Sótãos do Alento, as partes mais distantes da própria Almumana estão devastadas. Como uma quimera híbrida de velhice e juventude, um centauro geracional, May e Snowy galopam pelo que parece ser uma cortina final caindo sobre a biologia. Passando preguiçosamente os dedos de lagarta rosa pelas mechas de seu carregador gerôntico como se catasse piolhos, o querubim sombrio reflete sobre a natureza existencial frágil de um mundo nunca observado, enquanto, ao seu redor, os últimos carvalhos e eucaliptos caem despercebidos para a história. Em intervalos de durações mais longas do que impérios, a dupla faz uma pausa na maratona apocalíptica, para cochilar à sua maneira sob abrigos feitos de cascas de árvore soltas ou para jantar o suprimento cada vez menor de Bedlam Jennies. É depois de levantar acampamento em uma dessas ocasiões e fazer uma caminhada relativamente curta até a manhã seguinte, quando há muito desistiram da ideia de vida senciente na vizinhança terrestre abaixo, que se deparam com o primeiro dos peculiares cactos minerais geométricos. Uma pirâmide de três lados tão alta quanto Snowy, um elaborado pino bege emergindo do musgo murcho e da serapilheira que cobre o grande empório, com cada faceta fabricada com uma protuberância em forma de pirâmide de tamanho menor. Estas, por sua vez, geram reproduções igualmente reduzidas da forma central, e assim por diante até os limites da percepção. A impressão que transmite é a de uma árvore de Natal cubista esculpida em areia ou algum outro grão fino, pontiaguda e bela a seu modo. A criança e seu cavalo indomado ancestral descrevem um lento círculo para orbitar e investigar a assombrosa e elaborada extrusão, mas mantendo uma distância prudente enquanto especulam a respeito da natureza daquilo. Depois de algumas voltas, Snowy se ajoelha para que May possa desmontar e inspecionar o estranho artefato de perto. Cambaleando descalça sobre um tapete de farpas ressecadas, a criança morta aborda o suspeito fenômeno com a curiosidade intrépida característica da idade em que a morte interrompeu seu desenvolvimento. Abre um pequeno orifício exploratório no exterior inesperadamente maleável e permeável daquela esquisitice e tenta uma análise preliminar de sua matéria pelo expediente direto de colocar um pouco na boca. Após um período apreensivo de reflexão silenciosa, a enervante sibila pediátrica volta-se maravilhada para o avô intrigado e anuncia:

– É um formigueiro.

Aproximando-se do poliédrico sólido e enigmático, o patriarca magro vê por si mesmo as obreiras já despachadas pela colônia deslizando como gotas de tinta enquanto consertam com eficiência os danos causados pelo dedo intrusivo de May. Não tendo nenhum desejo de incomodar ainda mais a presença de insetos registrada pela primeira vez naquele nível de existência no andar de cima, a bebê monta de novo em seu famoso parente perturbado de crista prateada e eles seguem adiante com seu fim de mundo picaresco. Ainda há evidências de que a vida prevaleça. Snowy pensa em quando

a carroça da febre executa um rufar abafado de tambores, mais próximo de um sussurro de címbalo que diminui com as esperanças da família, escorrendo pela Fort Street. Sentado no trono frio de sua porta desde as horas cinzentas daquela manhã, esperando com seu assento reservado para o próximo drama, o velho encrenqueiro assiste em silêncio enquanto a terrível cena se desenrola. Todos os seus floreios horrendos estão distantes de seu coração, comoventes apenas no sentido evidenciado pelas gravuras muito manuseadas de uma história de ficção barata, que perderam o frisson de choque bruto que acompanha a primeira leitura. Em algum lugar entre os vapores de repolho com ovo frito no corredor atrás de si, pode ouvir Louisa advertindo os outros filhos que ainda estão em casa, sua Cora e seu Johnny, dizendo-lhes que não devem meter o nariz lá fora. No silêncio sufocante do domingo, o cenário sombrio prossegue através de seus estágios tradicionais; os metros inevitáveis de sua métrica exata. Big May, a filha mais velha de Snowy Vernall, está no meio da rua rudimentar e estremece nos braços de seu camarada Tom, como se tentasse arrancar a própria vida pelos canais lacrimais, desamparada e encurralada por esse momento brutal, dilacerante e indiferente. Gemendo em um esperanto universal de luto mamífero, a jovem mãe de cabelo ruivo reluzente estende os braços sardentos para a carroça que se afasta enquanto o marido fecha os olhos diante daquela terrível derrota e diz "Ah não, ah não", protegendo a esposa do abismo surgido em plena luz do dia que levou a filha. Agachado em seu poleiro arejado na primeira fila, Snowy olha para o comprimento do túnel de continuidade até seu primeiro vislumbre da mulher adulta cuja vida se desintegra diante dele, com o rosto vermelho e chorando em uma sarjeta, na época como agora. Mais de vinte anos antes, ele cambaleia na curva de um telhado de Lambeth, procurando nos bolsos da jaqueta os arco-íris que pretende derramar sobre a primogênita, os espectros de confete que serão as boas-vindas a ela a esses campos de luz e perda, sua estreia memorável e fedorenta nos vitrais. Condensada no olho enrugado de Snowy, a criança em prantos torna-se a mãe despedaçada gritando sua dor ao longo da fileira de casas silenciosas como uma igreja, com a encenação operística ressaltada quando de repente uma voz orquestral solitária fora do palco, vinda dos bastidores, reprisa nota por nota a ária triste de May Warren, mas uma oitava abaixo. Agachado em sua varanda como uma gárgula presidindo a catedral, o pai muda o olhar triste e sua atenção de público da primeira noite da ambulância puxada por cavalos que desaparece, do bonde de tração animal da difteria, de volta ao final mais próximo da rua lateral movimentada e à fonte mais que previsível desse acompanhamento indelicado e impróprio, esse contraponto zombeteiro. Sua irmã de olhos de coruja, Thursa, apareceu do nada na virada da rua, onde a curva segue para um contorno das fortificações anteriores quase desaparecido do castelo. Com o acordeom pendurado no pescoço de tendões aparentes como se fosse uma variedade portátil de metralhadora Maxim e o cabelo de um boneco de pano negro senil, sua entrada em cena é eletrizante. Com os dedos translúcidos descansando nas fileiras de dentes falsos de gatilhos de marfim, Thursa domina o anfiteatro de tijolos com toda sua tragédia clássica e seu esplendor. O irmão mais velho entende pelo sorriso transportado que brinca nos lábios rachados e dissociados da irmã que ela está ouvindo os ecos multiplicados do grito de May e sua resposta de acordeom sendo propagadas em um auditório com profundidade e volume ocultos, com os sons ricocheteando em um espaço suplementar. Ele sabe que ela está tentando incorporar seu tributo à bebê moribunda de May como um sólido sônico no material vítreo do tempo, como uma lápide auricular requintada, para que os Demônios e Construtores apreciem em seu considerável tempo livre. A filha angustiada dele, por outro lado, só consegue ver o sorriso demente de Thursa, com um fio prateado de saliva pendendo em um canto entre os molares marrons. Assim, provida de um receptáculo oportuno para seu tremendo sentimento de injustiça inaceitável, a filha mais velha de Snowy vai até a tia para vomitar barulho, uma descarga de emoções indescritíveis de um lugar onde a linguagem não tem jurisdição. O tomate manchado de lágrimas do rosto de May amadurece a ponto de estourar. Sua alma atingida a machadadas é audível, com as frequências mais altas coagulando o ar sujo enquanto Thursa, radiante e encantada com a ideia de um dueto, ajusta a colocação nas teclas e ordenha uma nova repetição das declarações da mãe desolada de seu instrumento asmático, mais uma vez em tom abaixo do original. Diante dessa nova afronta, a personalidade de May desmorona sobre si. Ela cai no abraço de Tom, choramingando, e as mãos de garra de pássaro de Thursa dançam no teclado, imitando cada voo ou queda vocal desesperadora. Snowy se lembra que essa é sua deixa para se levantar da cadeira de teatro de pedra gasta e participar do baile de máscaras eternamente encenado. Com delicadeza, conduz a irmã pela manga de lã penteada e a leva para o lado, onde a informa, como num ritual, que sua performance improvisada está incomodando a todos; que a pequena May adoeceu e provavelmente irá embora em breve. Nesse ponto da admoestação, Thursa dá sua risada desconcertante, lembrando a criança de oito anos, em grande parte imperturbável, de quase três dúzias de longos invernos atrás. Com os olhos brilhando de excitação, a mulher confidencia que, muito acima da mortalidade e naquele exato momento, a pequena

> *May cavalga os ombros do avô, como a face agradável do totem ambulante formado pela dupla, ao longo das avenidas estreitas do que equivale a uma cidade estendida dos formigueiros piramidais e modernistas que a dupla encontrou, isolados e dispersos, durante as últimas décadas da debandada pelo declínio da biosfera. As formas matematicamente autorreferenciais, repetindo a própria estrutura pontiaguda em escalas cada vez mais reduzidas, cercam os viajantes em todos os lados, em fileiras de tabuleiro de xadrez hipnoticamente exatas e ordenadas e com cada edifício geométrico equidistante de seus companheiros em uma grade vertiginosa que atinge os limites erosivos do vasto empório. A concavidade azul ininterrupta do céu que agora coroa esse desafio ótico estendido contém apenas o lingote dourado descompactado de um sol envelhecido que murcha os restos de tecido amassado de hipernuvem até que virem nada. Escolhendo o caminho delicadamente, como um Gulliver de duas cabeças através da metrópole espinhosa de uma Lilliput de insetos, a dupla arrisca suas hipóteses sobre aqueles montes obviamente*

muito adaptados e seu significado. Como o membro mais antigo da família, Snowy diz com firmeza que as formigas são, com toda a probabilidade, criaturas ainda vivas que ao acaso chegaram fisicamente até este aprimorado domínio espacial, assim como os pombos e, às vezes, os gatos fazem, naquelas paragens agora distantes do viaduto temporal onde ainda existem gatos e pombos. Por outro lado, como a pessoa morta há mais tempo entre os dois turistas do Armagedom, May afirma sua própria crença de que o mais provável é que as saliências estranhamente regulares refletem uma extensão póstuma da consciência combinatória e hierárquica correspondente a cada construção individual. Além disso, sugere que a consciência coletiva de cada formigueiro parece ter evoluído para uma condição em que pode imaginar uma continuação após sua destruição ou eventual desmantelamento. Essa evolução está implícita, raciocina a bebê, nas sofisticadas alterações aritméticas do desenho básico das colônias. Seu avô, que compartilha a inclinação pelos números, é forçado a admitir que esse ponto de vista de fato faz mais sentido. A contragosto, corrobora que a propriedade marcada de autorreplicação exibida por essas figuras cativantes indica um sistema de cálculo de considerável sofisticação e complexidade, que por sua vez pode denotar um nível de pensamento capaz de conceber uma vida futura, como afirma a passageira infantil. As reproduções cada vez menores da configuração geral ao menos parecem demonstrar uma compreensão de algoritmos, postula Snowy, e dessa maneira o debate vai e vem à medida que avançam entre os castelos de areia alienígenas do tamanho de um homem. A lente azul da tarde inunda em sangue enquanto o veículo humano avança por uma descida de um violeta forte e purpúreo, escuro como alcatrão, e assim avança para outra das noites do planeta subordinado. O par desce na ponta dos pés um bulevar com fragrância de ácido fórmico sob a lua nascente expandida, um composto de oito esferas lunares fundidas em um único aglomerado brilhante, cuja luz é uma suspensão coloidal banhando em prata as fileiras silenciosas de picos poliédricos que se estendem em todas as direções. Eles passam diante do tesouro de outro amanhecer e pela fuligem de uma escuridão adicional, e não há redução nas fileiras bem-organizadas de zigurates espinhosos distribuídos de modo a ocupar o espaço da calçada cronológica com mais eficiência. Snowy fica cada vez mais apreensivo:

— Não gosto muito de dormir aqui entre esses insetos idiotas, mas acho que vamos precisar fazer isso. É provável que isso siga assim por séculos, enquanto for o tempo deles lá no Andar de Baixo com essas fileiras que parecem lápides de cemitério e nenhum lugar para se esticar e ficar confortável.

Depois de um silêncio pensativo, a neta balança os cachos de amentilho em desacordo.

– Acho que já acabou o tempo deles lá embaixo. Avancemos por mais um dia e vamos ver.

Ainda que não convencido, o antigo transporte obedece à instrução. Os dois continuam pelo paraíso das formigas enquanto acima a estratosfera sem nuvens ajusta sua paleta, com a escuridão cromada pela lua brilhando no amanhecer salmão e daí o lápis-lazúli monótono e opressivo de um mundo que morre por falta de mau tempo. Caminhando por uma área correspondente mais ou menos ao meio da tarde, May faz seu relatório de reconhecimento a partir de sua posição elevada: à frente, a treliça densamente compactada agora é quadriculada, com cada segundo monumento de formiga removido para deixar um quadrado de espaço vazio. Esse despovoamento gradual é persistente e, quando enfim atingem as extensões violetas do crepúsculo, não há mais conjuntos ocres à vista. A criança teoriza que uma espécie avançada de formiga pode ter existido por um milênio ou mais sem se manifestar visivelmente nessas altitudes do ser, uma vez que os organismos-colônia na prática são imortais, a menos que sejam eliminados por alguma força externa. A aparente cidade recém-atravessada, acredita May, pode ser um indicador de uma extinção em massa, concluída em apenas um dia ou mais. Eles contemplam isso enquanto acampam, devoram seus últimos chapéus-de-puck e se retiram. Ao se levantarem, descobrem que a bolsa de pele de lobo havia sido inexplicavelmente reabastecida mais uma vez e, enquanto marcham, Snowy pensa no modo como

a escuridão sobre Fort Street parece particulada até certo dia no qual seu neto Tommy o procura, pedindo ajuda com as contas. A fumaça escura acima do terraço é, segundo sua visão, tanto um produto de seu humor quanto da torre destruidora de lixo na Bath Street, embora os dois não estejam totalmente desconectados. O Destruidor não é mais do que o sinal mais óbvio de um processo voraz que mastiga o distrito na década que se passou desde o fim da Grande Guerra. As primeiras demolições deixaram ausências chocantes entre os caminhos em declive da área, espaços vazios de pó de cimento branco em seu mapa interno que se alinham de forma preocupante com os lapsos de memória que têm sido mais frequentes. Ele está na metade dos seus sessenta anos e, mesmo sem os poderes de cálculo nos quais confia seu descendente de doze anos, tem uma boa estimativa do resultado que a soma de tudo isso está começando a produzir. Está ficando intratável, esquecendo as coisas, imaginando coisas enquanto se aproxima do ponto final. Mais quatro ou cinco anos, se tiver sorte, embora possa não ter as faculdades para contar até aí. Sua morte, claro, não o desencoraja; é só mais uma estação conhecida em sua linha. Já viu tudo isso antes, o corredor sem fim e o velho em convulsão com — o quê, tinta? — tinta na barba, aqueles restos de cor? Enfim, algo do tipo. Isso não o incomoda. O que o incomoda é a lenta expansão do Destruidor e o significativo fim do mundo iniciado na Bath Street. Como beneficiário de uma rigorosa educação de hospício, Snowy sabe o que as chaminés significam, conhece o nada devorador potencialmente contido na circunferência de cada estrutura oca de terracota. A maior parte da catástrofe que teme não reside no aspecto material, no hálito marrom se enrolando na garganta de tijolos de quinze metros do incinerador de lixo, e sim nas imolações imateriais que ocorrem sem controle; invisíveis. Símbolos e princípios sobem na mesma nuvem negra ondulante como merda, casca de bacon e trapos de pano de prato. Por mais que se ressinta da tempestade obscena que agora ofusca sua vizinhança, sua família, seu povo miserável, sua maior preocupação com todas essas coisas surge quando contempla seu céu estripado ou seu futuro inabitável. É tão querido para ele, seu mundo. Com Louisa fora do palco, na cozinha com cheiro de gordura, cantarolando algo que poderia ser "Till All the Seas Run Dry" com os dois punhos fortes em volta do cabo da colher, mexendo a mistura irregular e indócil do bolo de frutas. Seu neto envergonhado está ficando mais vermelho que uma beterraba, tentando esconder o orgulho quando elogiado por sua aptidão para a matemática, sua compreensão astuta das simetrias subjacentes implícitas em dez dígitos simples. Snowy aprecia cada átomo do dia, cada mancha translúcida de gordura no papel estendido sobre toalha de mesa desgastada por cotovelos. Não suporta a ideia de todas essas consequências humanas se tornarem resíduos e serem entregues ao Destruidor, esvaziadas na fogueira aniquiladora da memória seletiva inglesa. Quase inconsciente do que está fazendo, direciona seu toco de lápis em trajetórias orbitais soltas, roçando a superfície do papel pardo desenrolado e descrevendo dois círculos concêntricos, um contorno toroidal visto do alto ou uma visão panorâmica do cano de uma chaminé. Preenchendo os algarismos de zero a nove ao redor do anel, com cada numeral lateralmente oposto ao gêmeo espelhado secreto, transforma a faixa redonda no perímetro de um estranho mostrador de relógio com os números desordenados, como se, de súbito, o próprio tempo se tornasse desconhecido. Começa a explicar tudo isso para o menino de onze anos ao seu lado, mas percebe que a carranca atenta da criança vai mudando gradualmente da concentração para a preocupação cautelosa, começando a ficar com medo do avô. Pelo rosto de Tommy, Snowy supõe que deve estar gritando, embora não se lembre de ter aumentado o volume e saiba que de qualquer forma é tarde demais para parar. Sob sua selva invernal de cabelos, as ideias correm, aceleram perigosamente em direção a uma fuga e derrapam em colisão. Em suas mãos, o desenho passa de um relógio torto para uma chaminé em corte transversal e, por fim, para o impiedoso glifo anulador de um zero distendido, tão gordo no vácuo que seus limites curvos lutam para contê-lo. Ele amassa o papel de açougueiro em uma bola raivosa e joga por cima da lareira acesa no momento em que Louisa, com sua presciente vigilância, deixa sua assadeira para anunciar que a aula de matemática acabou, dispensando o neto nervoso e de aparência apreensiva, mandando-o embora, para fora de perigo sob a imunda neve que cai sobre Fort Street. Os fascistas na Itália, o novo cara de bigode na Rússia e eles achando que tudo começou com uma grande explosão suja. Girando como um touro pela frágil sala de estar de caixa de fósforos, ele sabe que têm razão, mas que ainda não absorveram o que a descoberta implica em relação ao tempo. A detonação primordial ainda está acontecendo, é aqui, é agora, é todo mundo, é *isso*. Somos todos explosão, e todos os pensamentos e ações de nossas vidas são apenas balística. Não há pecados nem virtudes, apenas as contingências de estilhaços. Em seu andar giratório, Snowy é interrompido pelo reflexo em um espelho acima da lareira: um velho marinheiro, reclamando e olhando para trás de um espaço estranhamente extenso. Ele quebra o espelho com um peso de papel. É muito parecido com sua premonição recorrente, na qual

o pônei geriátrico bufa e saltita em uma passagem de enormidade de aeródromo, despido e montado por um querubim. Aquelas árvores desimpedidas que uma vez irromperam das muitas aberturas instaladas na base deste andar superior desapareceram sem deixar nem mesmo seus cascos petrificados, com o que a sombra é transformada em um recurso mais raro que a tanzanita. Acima, a extensão assustadora do céu agora não é mitigada pelo menor galho ou mastro intruso e parece infectada por um tom levemente esverdeado. May supõe que isso possa ser resultado da composição atmosférica planetária alterada na ausência de água e biologia, com os comprimentos de onda variados da luz solar espalhados de maneira diferente como consequência. O velho, com a boca babada cheia dos suculentos fungos fantasmas com os quais sua cavaleira pensativa o alimenta como se fossem torrões de açúcar enquanto continuam em seu safári absurdo, não pode discordar. As léguas do dia são uma sopa rala de peridoto, sem o menor alívio de nuvens ou croutons, enquanto as léguas da noite são mais claras que um pingente de gelo e repletas de estrelas esquemáticas, cometas desdobrados. Sob os pés, os detritos de serragem granular das florestas pulverizadas finalmente se esgotaram, e a dupla que caminha pelas eras fica surpresa ao descobrir que, sob esse tapete de lixo orgânico, as tábuas de pinho de Almumana não estão mais lá. Em algum ponto de demarcação despercebido dos milênios cobertos de gelo ou de vegetação já percorridos, as pranchas aplainadas foram substituídas por – ou de outra forma revertidas a – pedra grosseira e irregular, um promontório de mais de três quilômetros de largura de calcário amalgamado aleatoriamente, com o sílex e o giz duro estendendo-se para uma profundidade sem vida onde apenas a astrofísica e a geologia perduram. As paredes ao lado da galeria são agora uma suave queda ígnea de material onírico liquescente, embora ainda alta o bastante para mascarar quaisquer vestígios achatados do Segundo Borough que ainda existam além das extensas margens da faixa. Pisando como um flamingo mumificado, Snowy navega cautelosamente ao longo das inúmeras aberturas de contornos irregulares que perfuram o piso de mineral robusto da antiga passarela. Na ausência de criaturas sencientes para fornecer as formas sinuosas de joalheria que antes tipificavam o reino inferior visto desta elevação superior, agora os buracos se abrem de maneira uniforme para trechos irregulares de desolação desértica. Nada se move, nada respira, os sótãos no fim ultrapassam o alento. Continuam através de amanheceres acastanhados, dias verdes, pores do sol laranja-sangue e largas faixas ônix iluminadas por uma lua de foice expressa como oito crescentes interligados, uma bola de quebra-cabeça em prata. Avançando por séculos sem ocupação, atravessam a jornada com jogos de viagem inventados por eles mesmos, compilando listas de coisas que não existem mais, como consciência, dor ou água. Quando se cansam disso, tentam uma variação listando os fenômenos que ainda perduram, como a tabela periódica, certas espécies anaeróbias de bactérias e a gravidade. Esse segundo conjunto de itens, embora extenso, termina mais rápido do que o primeiro e, portanto, não os entretém por tanto tempo. Se eles se cansam do trânsito perpétuo ou da sensação incessante de finitude, cochilam na pedra sob um zodíaco hiperbólico, o homem nu esparramado como uma pilha de gravetos, um fogo apagado, ao lado da bolsa de lobo quase vazia na qual ele insiste que a bebê inteligente durma. Acordando, caminhando pelos resíduos da noite para o café da manhã na sépia ardente de uma aurora de cor em mutação, quase poderiam ser um par de bronzes cunhados para representar o ano velho trazendo o novo. Com a vegetação reduzida a não mais do que uma memória, e a própria memória esquecida, a visão de May e Snowy ao longo do corredor à frente não é mais limitada por obstáculos. Suas habilidades oculares, aprimoradas pela morte, deveriam oferecer uma perspectiva irrestrita da galeria eterna, sendo este trecho reto em sua construção e nem um pouco afetado pela curvatura do mundo terrestre mais abaixo. No entanto, conforme seguem pelo caminho que o margeia, ambos comentam a respeito da incapacidade de ver além de um certo ponto da grande estrada adiante. Isso, raciocinam, deve implicar uma curvatura contraditória na precisão do fio de prumo da geometria do corredor, ou então exemplificar a protuberância arredondada do próprio continuum, a presença no espaço-tempo intermediário de um menisco volumoso que restringe a linha de visão. Mais adiante no caminho, os céus que se estendem são estriados em faixas multicoloridas de escuridão ou dia, a largura de banda se comprime com a proximidade do horizonte irritantemente remoto. Obstinado, o Atlas encarquilhado persevera, erguendo seu fardo loiro através dos minutos estéreis e das horas evacuadas, reduzindo a reserva ainda inexplicável de Bedlam Jennies à medida que avançam. Quando May o avisa das duas manchas distintas ao longe, o avô a princípio está inclinado ao ceticismo, mas depois de caminhar mais algumas semanas ele é forçado a mudar de opinião: os pontos minúsculos se transformaram em um homem e uma mulher vestindo roupas da década de 1920, mais espantoso a seu modo do que qualquer uma das superformigas ou homens substitutos alimentados por luz solar encontrados até agora. O casal anacrônico permanece em seu terreno acidentado, observando pacientemente a extraordinária criança e o andarilho do tempo que ela monta em sua aproximação lenta, e Snowy observa que o par tão bem vestido está de mãos dadas. Das coisas extintas que ele e May listaram anteriormente, o romance e o sexo são as que mais lhe fazem falta. Ele pensa no modo como

o satélite veloz da Terra ultrapassa as nuvens em filetes acima do mercado de gado, acompanhando Snowy e a bela filha do proprietário do Anchor, um acompanhante celestial para a primeira noite de verdade deles. Ele ainda não conhece a cidade tão bem, exceto por um sentimento de premonição e nostalgia amalgamados, então não tem ideia de para onde está sendo levado. O suave buquê de esterco de vaca ao longo do Victoria Promenade é de alguma forma íntimo e, embora não tenha visto Louisa nos seis longos meses em que trabalhou em Lambeth, está firme em seu pressentimento de que, quando aquela noite terminar, ele terá baixado as calcinhas dela até aqueles tornozelos bem torneados e também terá pedido sua mão úmida de sexo em casamento. No alto, as estrelas de julho são pimentas-diamante moídas nos moinhos do espaço e, ao lado dele, amplificado pela noite, o toque de metrônomo dos saltos dela é a música à qual vai adaptar sua vida. Falando em voz baixa para não dissipar a atmosfera, deixa seu contrapeso cálido e exigente em seu braço direito conduzir os dois para a escuridão de Cow Meadow, aos risos e sem supervisão, onde a única jurisdição é a sombra diplomática. Presos em resina pela luz do gás perto dos banheiros, dois trabalhadores trocam um beijo eriçado e se atrapalham com os botões um do outro, enquanto as meninas arrulham dos arbustos farfalhantes como faisões noturnos ansiosos por seus batedores. Sussurrando, Louisa e o namorado entram na escuridão ofegante enquanto mais uma sexta-feira termina em alegria ao luar, jorros de sementes e manchas de grama; no luxo prateado inigualável e perene de cães ou indigente. Estendido por pastagens escuras em um tapete cinza como estanho batido, o caminho deles os leva a um passeio de cascalho ao lado do rio, que tremeluz enquanto rasteja para o leste entre altas árvores funerárias em direção à manhã seguinte. Rio acima, uma lua refletida infla as bochechas com marcas de varíola e prende a respiração sob a superfície dourada, mas aqui, sob a vista de coníferas, uma ponte de ferro se curva sobre torrentes obscuras feitas apenas de som, um jorro de sílabas de metal como pequenas moedas tilintando em um poço dos desejos. No meio da travessia rangente, uma brisa solta uma mecha do cabelo castanho-avermelhado dela e, no movimento delicado dele para prendê-la de volta, os lábios dos dois caem uns sobre os outros como se fossem anêmonas marinhas até que Louisa diz "aqui não" e o conduz, às cegas, para uma ilha pintada de luz das estrelas que bifurca as águas turbulentas. Desgastada por incontáveis pés até a protuberância de arenito, uma trilha circunda o perímetro da terra. Eles contornam a ilha até o outro lado, tentando ser casuais no começo, depois se apressando, então rindo enquanto abandonam todo fingimento e começam a correr. A barranca de turfa desgastada, moldada pelo amor ao longo de vários séculos de dedos malcheirosos, sobrepôs impressões de seios e nádegas de dez gerações visíveis à imaginação como um palimpsesto nos contornos da encosta. Um sicômoro acomodado espalha as raízes unidas para o jogo de três-marias que se aproxima, e a correnteza se agarra a juncos robustos, e o céu se prende nos topos dos galhos. De pé, ajoelhados, deitados, afundam-se por etapas no trevo espumoso, com as línguas em duelo e as mãos em guerra com os fechos, com os elásticos. Blusa descartada e a rudimentar camisola cor de pele deslocada, Louisa mostra os seios com orgulho necessário, leoas brancas deitadas magnificamente em seu cume acima do vale da caixa torácica. Um domador inovador e ambicioso, sem chicote ou cadeira, ele leva as cabeças delas à boca. Temperados com suor, os mamilos incham como se estivessem prestes a brotar fritilárias, e Snowy e Louisa são crianças emocionadas e ofegantes no circo perene. Sob o linho da marquise da saia dela, as coxas quentes se abrem como uma multidão apertada concedendo entrada a um espetáculo secundário secreto, onde os dedos calejados dele podem entrar dois de cada vez. Como clientes indecisos, eles pairam na entrada de veludo, aventurando-se para dentro antes de se retirarem apenas para entrar mais uma vez, incapazes de se decidir. A bainha sobe como cortinas, a calcinha desce feito luz e aí está o animal exótico nunca antes visto; lá está o palco escorregadio. Um gato agachado em seu pires, curvado ali entre as pernas, ele lambe e tenta saborear como um conhecedor, mas no final desiste para se empanturrar como um ambulante. Sob mordidas ferozes, ela goza e grita e então é vitrificada com choque aquiescente, uma gazela abatida e trêmula, e quando ele tira o pau da calça é como ferro, recém-fundido e pronto para ser submetido à têmpera por imersão, fazendo subir uma grande rajada de vapor. Ela se estica desajeitadamente para guiá-lo para casa com a mão, e ele se lança em um deslizar lento e perfeito para um pórtico oleado, afundando no calor até sua linha d'água encaracolada. O cheiro de boceta e rio curvando-se numa borda de mimosa prensada o incendeia, e ele entende o acoplamento furioso no sentido mecânico da coisa, ambos funcionando como uma parte móvel lubrificada arrebatadora, sibilando e avançando ruidosamente na maquinaria invisível do tempo. O mercúrio escorregadio transborda de seu bulbo e ele ejacula dentro dela, jorra a filha May em uma sarjeta de Lambeth e a neta de mesmo nome na carroça da febre. Ele esguicha mil nomes e histórias, enfia Jack em uma cova estrangeira e Mick em um pátio de recuperação de tambores de aço e Audrey em um manicômio. Ele goza luto e pinturas e música de acordeom, como sabe que deve, para garantir que a vários milhões de anos de distância nas ruínas abandonadas do paraíso

o berserker nu e sua consciência montada de cavalinho começam a diminuir aos poucos seu ritmo frenético quando estão a cerca de três dias geográficos dos dois estranhos bem-vestidos, chegando finalmente a uma parada, olho no olho na fornalha descolorida de outro amanhecer pós-orgânico. A mulher, baixa e bem torneada, usa um vestido verde cintilante até os joelhos, com meias cinza-pomba e sapatos cor de jade, cabelos ruivos caindo sobre os ombros descobertos e bonitos. Seu acompanhante tem a aparência de um dândi vitoriano, usando malvas recém--descobertas e tons melancólicos de violeta, o conjunto imaculado de sobrecasaca encimado por um chapéu-coco surrado que parece ter vindo de alguma loja de badulaques depois de ser roubado de um defunto já enterrado. Contra o esplendor tangerina de um nascer do sol composto, seus matizes contrastantes fazem uma harmonia lúgubre do tipo às vezes encontrado em sonhos. Ao lado da dupla, cobrindo uma toalha de mesa xadrez desdobrada no chão petrificado da galeria, há uma deliciosa pilha de chapéus-de-puck recém-colhidos.

– Meu nome é Marjorie Miranda Driscoll, e este é meu consorte, sr. Reginald J. Fowler, e devo dizer que é um privilégio conhecer os dois. Estão em um livro que estou escrevendo, espero que não se incomodem, e estamos cavando um túnel pela costura-fantasma para mantê-los abastecidos de comida. Mas acho que não podemos mais fazer isso. Não resta muito de Almumana além deste ponto. Infelizmente não haverá mais rações depois daqui, então pensei em aproveitar a oportunidade para nos apresentar e esclarecer de onde vêm as Bedlam Jennies.Sua voz e seu modo de expressão, embora adultos e desenvoltos, têm algo de uma criança brincando de se fantasiar ou de uma atriz que ainda está se adaptando ao papel, o que leva Snowy a supor que nem ela nem seu companheiro estavam vestidos com os trajes de seus atuais semblantes há muito tempo. O jovem parece especialmente desconcertado com suas roupas de luxo, passando um dedo censurador por dentro do colarinho alto e engomado e às vezes cuspindo um chumaço desdenhoso de ectocatarro, mais como uma declaração do que para qualquer propósito descongestionante. Aos pés deles, a pedra estéril está molhada de luz cítrica, onde as sombras dos gambitos estão esticadas para trás, como elásticos procurando o limite da lei de Hooke. Depois de apertar as mãos em uma apresentação formal, e com May desmontada, o quarteto incomum se acomoda em torno do quadrado de linho para um piquenique de fungos sob céus abandonados, exceto por um damasco ofuscante. Em um clima amistoso,

eles se interrogam uns aos outros. May pergunta sobre a dissolução aparentemente contínua do reino superior, além das paredes delimitadoras distantes e rebaixadas da ponte, e descobre que não há mais nada: até mesmo as Obras são uma casca deserta, com as portas-tortas restantes cada vez mais inacessíveis pelo contínuo colapso. Em seguida, a recatada srta. Driscoll pergunta se Snowy e sua neta, como protagonistas de seu segundo romance a ser publicado, esperam encontrar o Terceiro Borough em algum lugar entre ali e o fim dos tempos. Depois de uma pausa pensativa, o veterano de cabelos brancos responde que não, ele não prevê tal convergência.

— Apesar de que, se não tropeçarmos nele até lá, pelo menos teremos uma boa ideia de onde não está.

De uma bolsa de cetim que carrega, a jovem autora tira um volume fino com capa de tecido verde, gravada com uma ilustração dourada e o título do livro, que é "O Bando de Mortos de Morte". Aquele, como ela explica, é um exemplar autografado de apresentação de seu livro de estreia, que ficaria profundamente honrada se eles aceitassem. Virando o presente em suas mãos famélicas de caranguejo-aranha-gigante, Snowy admira a encadernação, perguntando-se em voz alta se o sr. Blake de Lambeth não havia sido, de alguma forma, um participante de sua fabricação. Ambos os convidados do fim do mundo concordam entusiasmados, assentindo com a cabeça, e o sr. Fowler relata ofegante, com a empolgação de um homem muito mais jovem, que ele e sua pretendida percorreram todo o caminho ao longo do Ultraduto, indo da igreja Doddridge até as regiões mais altas acima da Hercules Road, solicitando conselhos sobre a publicação àquele visionário combativo e inflamatório.

— Ele era-será um cara muito bacana. Gostei dele de verdade.

Também entusiasmada, May conta como ela e seu pangaré enlameado viram o rústico visionário e sua esposa quando eles mesmos experimentaram o deslumbrante viaduto ao longo da extensão da Chalk Lane à Jerusalém terrestre.

— Quando os encontramos, eles eram Eva e Adão, lendo os versos do sr. Milton um para o outro, nus. É por isso que pensamos em sair sem roupas nessa expedição mais longa. Parecia algo que os Blake fariam.

A srta. Driscoll rabisca algo em um caderno cor de ostra naquele momento, mas, quando questionada a respeito, fica vermelha e explica que está apenas anotando breves descrições tanto do timbre quanto da coloração da voz da bebê prodígio. "Água de degelo tentando ser séria", é tudo o que ela os deixa ler.

— Não está muito bom. Era-será mais provável que eu mude.

Eles trocam anedotas no âmbar inabalável do amanhecer do mundo morto e, em seguida, colocam todos os chapéus-de-puck restantes na mochila predatória de

May e Snowy, junto ao livro doado, antes de fazer suas últimas despedidas. Com trajes esplêndidos no fogo da destruição da Terra, o jovem casal caminha de mãos dadas em direção às margens distantes da avenida. Levando May mais uma vez nos ombros, Snowy relembra

como o mundo parece dançar com a juventude e se moldar às expectativas e exigências juvenis, pelo menos para os jovens. Aos dezessete anos, as árvores agitadas pelo vendaval que margeiam suas muitas estradas estão suplicando para ele, e Lambeth é seu ornamento, relevante apenas quando incluída em seu olhar, não está lá se ele não estiver. As mulheres do bairro tornam sua beleza visível apenas quando ele está por perto, com uma cor que emanam além daquele espectro discernível para outros homens, aparente apenas para o polinizador escolhido. Seios brotam milagrosamente nas sebes em sua passagem. Há lírios secretos em poças de maré se abrindo na vegetação rasteira ao longo de seu caminho, como se ele fosse a própria primavera, repleto de cantos de pássaros e sempre excitado com lindas bundas inesperadas por toda parte. Tem mais esperma do que sabe o que fazer com ele, e o planeta girando em torno de seu eixo parece compartilhar a mesma excitação promíscua, disparando lâmpadas, aparatos telefônicos e a anexação da África do Sul em riachos brilhantes no tecido mundano. As mãos da história estão afundadas em bolsos pegajosos, remexendo, e a Grã-Bretanha governa um momento que confundiu com o globo. Mesmo na ascensão de rainha Vitória como imperatriz da Índia, ele vê todos os componentes do declínio posterior, mesmo que o desfecho não aconteça durante o período de sua vida. Haverá ressentimento; massacres piores que o da Bulgária; protestos de Satsuma inúteis contra mudanças inevitáveis; aparições vestidas de jornal que esperam um pouco mais abaixo no tapete vermelho do império apenas em parte desenrolado. Esfregando-se ritmicamente no muro antigo do beco desinteressado, vestindo um peitoral feito de garota e um apertado cinturão de pernas, ele exulta no mecanismo, joga a cabeça para trás, latindo para as estrelas, e sabe que as pilhérias e injúrias do futuro já foram encenadas. Parado em meio a uma chuva torrencial no sul de Londres está o rufião John Vernall, segundo rumores, tocado, ciente de que todas as gotas individuais em queda vertical estão na verdade imóveis, são fios líquidos contínuos que se estendem da tempestade até a rua em longas parábolas através de tempo sólido. Cambaleando como um deus hindu ou uma fotografia estroboscópica em meio aos fios de cristal estático, apenas o movimento de sua mente na direção oculta faz chover. Nada, exceto o impulso involuntário de sua consciência de meio segundo para outro, transmuta a furiosa estatuária marcial de um pátio de pub em uma briga barulhenta com pontuações acertadas e narizes que desabrocham em flores de sangue. O processo de suas atenções gira o céu e, caso contrário, as nuvens e o zodíaco ficam parados. Meninos de Elephant durões, que não têm medo de ninguém, desviam em debandada para ficar fora de seu caminho, por medo de que sua condição possa ser contagiosa, com medo de acabarem como aranhas humanas mais satisfeitas com a vertical do que com a horizontal, em cima de um telhado resmungando sobre cus, boias salva-vidas e geometria. Ele caminha despreocupado entre os facões ensanguentados que arqueiam nos confrontos deles, um pombo presciente andando descuidado entre cascos que batem e as rodas de carruagem esmagadoras. Os atritos e as navalhas não podem matá-lo; não podem impedi-lo de seu encontro final com as tulipas e os espelhos, daqui a cinquenta anos e em outra cidade, outro século. Ele gostaria de conhecer o Spring-Heeled Jack, um membro do clã fantasma prolífico na cidade ao longo da década anterior, saltando como pulga sobre celeiros e monturos com a respiração de bola de fogo refletida nas lentes circulares de seus olhos. Mesmo que terminem se revelando gás do pântano ou então fantasmas de Pepper, espectros teatrais conjurados em uma vidraça angular, ainda acredita que encontraria um lugar mais fácil naquela trupe ultrajante do que com a companhia incapaz de voar nas avenidas e pontes, tolhidas pelos limites achatados de suas vidas como peças de um jogo de damas. Espinhas doloridas borbulham nas dobras de seu nariz, e feridas sujas na membrana entre seus dedos, um resíduo preto nascido da saliva e provocado pela autopoluição quase incessante. A cerveja é o cobertor marrom que puxa sobre a cabeça para abafar um mundo bajulador naquelas ocasiões em que sente sua tenra idade, quando entender que o apocalipse cru em todo, todo, todo instante é demais para ele. À noite, ouve os ângulos do arauto berrando imprecações ferozes em sua linguagem estranha e explosiva, e se aconchega com sua irmã pateta, que também consegue ouvi-los.

— Não chore, Thurse. Não é atrás de você que eles estão.

Embora isso não seja verdade, proporciona um alívio para a mente com ecos de catedral da menina de quinze anos magra como um pássaro, pelo menos até a próxima vez em que os construtores que derrubaram o sol dancem no telhado com botas de trovão e gritem seus terríveis imperativos. Eles estão atrás de todos, essa é a verdade, mas guardam suas energias para os que não são surdos a suas vozes perturbadoras, especialmente ele. Às vezes procura consolo nas colinas do prazer, em meio aos milhões de lâmpadas e coxas de cancã de Highbury, com todas as outras aberrações e acrobatas, e mesmo lá ouve os protestos de tufão deles, dizendo-lhe para dormir com esta mulher, mas não com aquela, dizendo-lhe para andar mancando quase cem quilômetros para noroeste ou ir nove metros para cima. Sem que solicite, mostram a ele quadros de um pouco além em seu túnel carnudo individual, à medida que se abre caminho para o futuro. Há um casamento em um belo salão com um construtor observando do topo do telhado. Há uma neta que nasce e depois é levada, e mesmo quando está morto, quando todos e tudo estão mortos, ele sabe que

o velho cavalo de batalha avança nu em uma estrada final, montado por uma bebê sob galáxias que migram pouco a pouco. Os caminhantes do dia do juízo final param com menos frequência ao longo da fita rochosa inexpressiva para acampar e se deliciar com suas rações fúngicas minguantes, cuspindo as sementes óticas na esperança de fazer prosperar colônias de chapéu-de-puck como esconderijos de comida para seu eventual retorno ao lar. Quando se aproximam do sono, Snowy se acomoda em uma cama de pedra e enrola a espinha nodosa em torno da bebê resmungando em sua bolsa de pele de lobo, enquanto o espaço e o tempo são constantemente desvendados mais acima. Durante os quilômetros diurnos, é nítido que a Terra tem nuvens mais uma vez, um celofane ocre enrolado que May supõe ser cloro misturado com metano. Durante o anoitecer, a meia-lua se multiplica em uma art déco abstrata envolta em vapor, com sua luz como uma mancha de halo espectrográfica no filtro de papel da noite. Todas essas mudanças e distâncias, Snowy pensa, e não deixaram os Boroughs. A Little Cross Street e a Bath Passage ainda estão abaixo deles em algum lugar, embora em estado de deterioração química e geológica. Eles seguem adiante. Quando o saco de maçãs malucas está vazio de vez, experimentam o que a princípio parece ser uma miragem nascida da fome, um peculiar acaso espelhado da atmosfera do grande beco: correndo pela faixa árida em direção a eles, vindos da extremidade adiante, vem um velho com um bebê nos ombros. Tão exato é o reflexo que os via-

jantes meio que esperam uma colisão iminente com algum painel monstruoso até aqui invisível, ambos inconscientes, deixando um daguerreótipo de seu impacto de águia aberta impresso no vidro em resíduos de penas. Ficam surpresos, portanto, quando seus duplos se tornam tão substanciais quanto eles; e acabam se revelando eles mesmos na etapa de volta de sua jornada lendária. As duas Mays desmontam e se abraçam, enquanto os velhos apenas se cumprimentam com um aperto de mão bruto.

– Ora, bem. Como esse negócio aconteceu?

– É difícil dizer. Tenho a impressão de que o fim dos tempos é como o último dia do ano escolar, quando as regras não essenciais podem ser bastante relaxadas e pequenas infrações paradoxais são às vezes permitidas.

– Então vocês chegaram ao fim dos tempos?

– Ah, certamente, mas você vai entender que seria inapropriado se revelássemos algo além de detalhes desimportantes.

– Não quer abusar da sorte com o paradoxo e tudo mais?

– É isso. Mas posso dizer que vocês não vão ter problemas com os chapéus-de-puck. Apenas algumas semanas a oeste daqui, passamos há pouco pelo lugar onde você logo cuspirá suas últimas sementes, e há um belo canteiro de flores de fada já estabelecido. Um pouco mais adiante vai encontrar outro, provavelmente resultante dos globos oculares cuspidos da colônia que acabamos de mencionar, e assim por diante, até chegar ao ponto em que estou agora e se pegar explicando toda essa bobagem para um sujeito um pouco mais jovem. Suspeito que tivemos nosso comportamento controlado por Bedlam Jennies para que possam propagar suas espécies até os limites da duração do espaço-tempo.

– Dizendo assim, soa como uma ideia bizarra, mas, pensando bem, admito que fornece um motivo mais forte para nossa visita ao fim dos tempos, que até agora foi apenas para descobrir se isso está lá ou não, e como é sua aparência, se estiver.

– Ah, é uma visão e tanto, pode ter certeza. A essa altura, é claro, a massa das coisas se foi e levou consigo toda a gravidade. Da mesma forma, as forças nucleares já estão aposentadas e colocadas na cama, mas ainda assim, apesar de haver pouquíssima substância, é um espetáculo muito substancial. Ah, bem. Já nos divertimos bastante e não me lembro de nossa conversa ter sido muito mais do que isso. Devo sugerir que peguemos nossas respectivas bebês, tomando muito cuidado para não confundi-las e assim causar uma controvérsia insolúvel, e depois ambos seguiremos caminhos separados, conforme me lembro desse incidente intrigante, mas não indesejável.

As duas Mays, que conversavam baixinho enquanto isso, são colocadas de volta em seus respectivos corcéis. Depois de uma despedida emotiva, as duas duplas continuam suas jornadas, com os pés descalços batendo na pedra acidentada do calçamento, seguindo em direções opostas em sua corda bamba ao longo do tempo até que, em apenas algumas horas de distância, deixam de se ver. Em seu progresso inexorável rumo ao fim de tudo, o fim até dos fins, a encarnação nominalmente anterior de Snowy pergunta a sua passageira o que aconteceu entre ela e a outra May durante o encontro inesperado.

— Tratei de me lembrar de tudo o que ela me disse, para poder dizer de novo direitinho quando eu for ela. A coisa mais importante que ela disse foi: "Voltamos de Jerusalém, onde não encontramos o que procurávamos". Perguntei o que isso significava, mas ela só balançou a cabeça e não quis me dizer.

Percorrendo os difíceis quilômetros até o fim, Snowy pensa a respeito. Além de uma vaga suspeita de que o comentário pode ter alguma conexão com o mesmo professor Jung que não conseguiu entender Lucia Joyce, não está mais perto de uma resolução no momento em que ele e sua cavaleira alcançam a extensão paradoxal dos chapéus-de-puck que seus futuros eus lhes disseram que podiam esperar. Comem a última de suas rações, cuspindo os lindos olhos antes de irem coletar um saco cheio de flores maduras que crescerão ou já cresceram dessas sementes. Alimentando-se de impossibilidades, o velho ainda lembra vividamente que

seu primeiro encontro com a comida dos fantasmas ocorre quando tem doze anos e bebe cerveja pela primeira vez, um jarro cheio que roubou de casa e rapidamente esvaziou nos becos com cheiro de fornicação de Lambeth. Cambaleando cheio de bravura e veneno pelas paredes da velha Belém, seu tropeço é interrompido pela visão de cores tremeluzentes dançando logo acima das lajes de pavimentação escuras que tem diante de si. Da mesma forma que as formas flutuantes atrás das pálpebras muitas vezes se cristalizam em imagens coerentes quando à beira do sono, o brilho prismático também se resolve em um círculo insubstancial de mulheres minúsculas sem roupas. Através das dobras intermediárias de cerveja e escuridão, ele se maravilha com os peitos e as xoxotas delas, sendo a primeira vez que vê essas partes femininas, e não consegue acreditar na sua sorte. As mulheres vacilam e emitem um som que inicialmente soava como vozes individuais rindo, mas que depois de um tempo pareciam se fundir em um gemido agudo na periferia da audição do jovem bêbado. Ele, confuso, fica encostado com a palma da mão contra a pedra musgosa do portão do hospício, imaginando se isso significa que está prestes a morrer, e não fica tranquilo quando os passantes parecem apenas rir ou expressar sua desaprovação por sua óbvia embriaguez enquanto, inadvertidamente, pisam e atravessam a névoa de manequins nus saltitando a seus pés. Com uma pontada de apreensão, percebe que essas fantasias manifestadas são visíveis ou audíveis apenas para ele, talvez como um presságio de sua própria internação na instituição em que está apoiado, feito um aprendiz de louco de seu próprio pai encarcerado, ambos malucos. Engolindo saliva quente, pensa no interno que viu em sua última visita com a irmã; um homem idoso e com a cara cheia de cicatrizes pelas repetidas batidas autoinfligidas da cabeça numa porta. A bebida roubada e a bílis escaldante irrompem na garganta de John Vernall, e ele vomita copiosa e blasfemamente nas pequenas pessoas de asas finas girando despreocupadas em seus tornozelos. Ondulando como ervas daninhas na água, as ninfas translúcidas ignoram as lascas de carne de peixe de seu jantar, meio digeridos e fumegantes, e continuam com seu balanço preguiçoso, como se fossem movidas por uma brisa ou corrente, e não pela própria vontade. O suor escorre pela testa dele. Fios de baba de um palmo de comprimento balançam trêmulos da boca ofegante, o queixo flácido, e a calçada úmida arde com as garotas. Os rostos rosa-esbranquiçados perfeitos delas são idênticos e o fazem pensar em camundongos açucarados, as feições vazias e imóveis sem mais sentimento humano do que se examinasse alguma engenhosa variedade camuflada de inseto, pensamentos horríveis de besouros escondidos atrás da cobertura pintada dos olhos delas. Essa mera ideia precipita uma segunda onda de vômito, e as minúsculas fêmeas despreocupadas, paradas em seus respingos imundos como se estivessem tomando banho em alguma cachoeira de cristal, provocam ainda uma terceira. À distância, ele percebe que outros transeuntes se aproximam e se prepara para mais zombarias, e se surpreende quando isso não acontece. Mesmo através do filtro de seus sentidos cambaleantes, imediatamente nota que há algo errado com os espectadores que se aproximam. Caminhando sem pressa na direção dele pela rua com iluminação fraca a gás, vêm dois homens e uma mulher, malvestidos e sem cor alguma, figuras esculpidas em fumaça. Parecem estar em uma conversa animada, mas o barulho é abafado, como se viesse de muito longe, ou então como se seus ouvidos estivessem tapados com cera. O trio faz uma pausa quando chegam a ele e o observam, embora com um olhar menos crítico do que os retardatários noturnos que passaram antes. Um dos homens diz algo para a velha vestida de maneira estranha, a respeito do menino embriagado, com certeza, mas muito baixo para que ele ouça. Agora tremendo e encharcado de suor gelado, ele fica decepcionado ao descobrir que esses recém-chegados discretos não são mais capazes de perceber as piruetas dos duendes em seu vômito do que seus predecessores barulhentos. Outra coisa, no entanto, parece ter atraído a atenção deles: prateada e cinza como um daguerreótipo, a velha de saias e gorro antiquados agora aponta para a parte superior do pilar contra o qual o menino está caído. Seus lábios estão se movendo como se estivessem atrás de uma vidraça, com suas declarações audíveis apenas para seus dois companheiros masculinos e monocromáticos, um dos quais dá um passo à frente agora e estende a mão para tatear sob a borda erodida e saliente do cume do poste. Ao fazer isso, um de seus braços cobertos de fuligem desliza pelo membro estendido e trêmulo de John, como se não estivesse ali. O homem alto e magro parece estar arrancando algo borrado e indistinto dos portões do hospício o que faz as lindas miniaturas lampejarem ao mesmo tempo como efêmeras chamas de velas. O zumbido agudo que ele inicialmente confundiu com as vozes delas se eleva a um assobio enlouquecedor e então desaparece. Nesse momento, as dançarinas pigmeias desvanecem na poeira cintilante, e ele se pega olhando apenas para uma poça de seu próprio conteúdo estomacal recente, sobre a qual varejeiras iridescentes já estão se acomodando. O espectro sublime está levantando algo, algum polvo ou hidra sombrio e contorcido, arrancando seus membros e compartilhando-os entre seus colegas fantasmas enquanto os três vão desaparecendo. Rendido, o jovem rebelde fecha os olhos. As formas líquidas desabrochadas daquela escuridão privada são estrelas vadias sobre um pergaminho de caminho incessantemente desenrolado no qual

o implacável saco de ossos continua, encurvado pelo peso da inocência. A avenida árida que desaparece abaixo dele é inexpressiva, exceto pelos aglomerados bem-vindos de Bedlam Jennies que desafiam a cronologia, tanto que esses oásis, florescendo da rocha em intervalos de milênios, tornam-se o único relógio ou calendário dos viajantes. Mesmo as aberturas que outrora davam para o Primeiro Borough terrestre agora quase desapareceram, cicatrizadas com o que parecem ser sedimentos vulcânicos e, além dos dramas celestiais representados nas copas da noite ou da luz do dia, a expedição segue sem acontecimentos. Em suas raras paradas para descanso, eles leem capítulos do livro da senhorita Driscoll um para o outro e tentam calcular, a partir das configurações do céu, quantos bilhões de anos estão distantes de casa. Snowy acha que são dois, mas May parece certa de que são três. Nos trechos noturnos da jornada deles para o além, o firmamento suspenso parece abarrotado de hiperestrelas, muito mais do que de costume. A criança erudita especula que essa profusão estelar resultou do início da colisão da Via Láctea com outra matriz astronômica, muito provavelmente Andrômeda. Sua teoria é corroborada após passarem por setenta ou oitenta plantações adicionais de chapéu-de-puck, ponto em que a imensurável escuridão acima deles é um caos de sóis em colisão, um balé catastrófico encenado em dimensões matemáticas adicionais. A terrível peça central dessa performance é uma luta até a morte entre dois campos de nada, imensidões famintas que May informa ao avô que se escondem invisíveis no coração de cada sistema estelar, com sua massa assustadora responsável por transformar as nebulosas lantejouladas. As esferas de escuridão tornam-se visíveis, irradiando halos prateados do que a criança de dezoito meses acredita serem raios-X desdobrados, que se espalham para preencher os céus, com as auras gêmeas se sobrepondo em um moiré aterrorizante de aniquilação. Um exame mais minucioso revela que ambas as monstruosidades usam cinturões de poeira acumulados dos corpos interestelares indefesos que elas giraram em velocidades inconcebíveis e esmagaram juntos, pulverizados no impacto. Inexoravelmente, os gigantes das trevas fazem sua aproximação mútua, imperadores canibais inabaláveis em sua determinação de devorar uns aos outros na arena de um cosmos em ruínas. Tentando não olhar para o espetáculo perturbador acima deles, Snowy e a neta seguem adiante. Anos são pisoteados aos milhares. As ausências guerreiras da meia-noite que presidem aquela faixa nua da pista parecem tentar uma tremenda fusão num colosso engolidor de luz, até que o tumulto das estrelas próximas se organiza aos poucos em uma nova galáxia fundida que Snowy chama de Lactandrômeda, mas à qual May se refere como o Via Andy. Os viajantes perseveram, divertindo-se ao inventar nomes para as constelações irreconhecivelmente colididas, signos de nascimento para uma era sem nascimentos: o Grande Crisântemo, a Bicicleta, o Pequeno Vagabundo. Eles continuam avançando, e durante as paragens diurnas da passagem observam que a bola de fogo descompactada em torno da qual o planeta gira está bem maior, um efeito que não pode mais ser atribuído aos caprichos atmosféricos. O inchaço do orbe de ouro branco se agrava e, quando avançam mais ou menos um milhão de anos, não há nada acima deles além do inferno de horizonte a horizonte, com Mercúrio e Vênus já engolfados no inchaço solar sangrento. Pelo que parece uma distância interminável, o intrépido par viaja em chamas e se acomoda para dormir em brasas que pulsam vermelhas e translúcidas até mesmo através do ectoplasma de suas pálpebras. Ambos concordam que dormir em uma cama em chamas contraria todo e qualquer instinto humano e, portanto, oferece pouco descanso, embora não fiquem mais desconcertados com o calor aparente do que ficavam com as tábuas congeladas ao que agora parece uma eternidade atrás. Para alívio considerável dos dois, o fungo-fada que os sustenta parece também imune às alterações percebidas na temperatura e, na parada seguinte, descobrem uma extensa colônia de requintadas formas radiantes de bonecas prosperando naquele terreno brilhante como uma fornalha. Seguindo adiante, quando May e Snowy enfim se acostumaram com a conflagração incessante, fazendo com que as vistas pirotécnicas não sejam mais motivo de comentários, leva incontáveis séculos antes que percebam que o sol velho e inchado está diminuindo em ritmo constante no rescaldo longo e envergonhado de sua farra infanticida. Depois de uma distância quase incalculável, está reduzido a uma ponta de cigarro descartada, piscando até desaparecer da sarjeta sem luz do universo. Com a consciência solene de que testemunham a morte do dia, o velho e a criança prosseguem com sua excursão na noite imortal e inclemente. À medida que avançam, a escuridão mais acima perde suas últimas iluminações, até mesmo a luz das estrelas se extingue, com Arcturus e Algol apagadas como velas ou então realocadas por um universo em constante expansão em algum lugar além da curvatura do espaço-tempo; além do horizonte do continuum e muito longe até mesmo para que seu brilho viaje. Navegando com sua visão morta, eles se movem por uma paisagem com contornos bordados em ouropel. Aturdido por sua própria longevidade, Snowy se pergunta se toda aquela aventura é mais uma de suas fabulosas ilusões, piscando em sua mente desordenada enquanto

 ele sai vagando de sua casa na Fort Street, sem saber que ano é ou onde mora. Arrastando os pés pela Moat Street, ele se lembra de que a rua ficou cheia d'água uma vez e se pergunta quando a drenaram. Os peixes deviam ter sido uma visão horrível, debatendo-se e asfixiando nas sarjetas. Tudo muda em um piscar de olhos hoje em dia, tudo desaparece ou se transforma em algo diferente. Seguindo um caminho de menor resistência, uma dobra bem trilhada no mapa de ruas, sobe a Bristol Street e desce a Chalk Lane, onde há papoulas esguichando-se de fendas marrom-douradas na parede de calcário do velho cemitério. Do outro

lado, a tinta turquesa na placa do Blue Anchor descasca e se enrola de
forma sedutora sob o sol forte da manhã de quarta-feira, com cada detalhe de sua superfície escamosa delineado pelo fogo. Ele sabe que tem
uma garota linda atrás do balcão lá no Anchor, a bela Louisa, com quem
andou no Beckett's Park um tempo atrás. Só espera que a patroa nunca
saiba disso. Sob uma nuvem fugaz de culpa confusa, segue cambaleando
durante o verão, indo para Black Lion Hill e a Marefair pela rua manchada de sombra. Cavalos das carroças acenam um para o outro nas
pedras ofuscantes, e ele serpenteia cautelosamente para passar e chegar
até a calçada do santuário diante da igreja de St. Peter, enquanto todos
os monstros em ruínas esculpidos em pedra olham para ele com indignação. Quando caminha por um beco estreito até os fundos da construção,
a capela saxônica parece arder com momento e significado, como se ele a
olhasse pela primeira ou última vez, e na Narrow Toe Lane descobre que
não consegue enxergar por causa das lágrimas, embora não saiba o que
as causaram e se esqueça delas em uma dúzia de passos. Cúmulos brancos deslizam pelo céu como saliva espumosa sobre a Green Street. Sob
os pés, as lajes de pedra de York carregam as cicatrizes de rios antigos,
impressões digitais fósseis que supõe terem sido feitas várias centenas
de milhões de anos antes, quando apenas trilobitas e amonites viviam
naquela pequena fileira de casas geminadas, deslizando para sentar e
conversar em seus degraus da entrada nas noites quentes pré-cambria-
nas. As construções ancestrais, envergadas, cansadas e apoiadas umas
nas outras, têm uma aura de familiaridade, como se o piolho-de-cobra
de sua forma verdadeira expressa através do tempo tivesse dobrado para
frente e para trás em inúmeras ocasiões sobre essas lajes desgastadas pelo
tempo, e lhe ocorre que tem família ali. Não tem uma filha morando
por aqui, uma menina chamada May? Ou foi May que morreu de difteria
quando era bebê? Snowy passa por uma sequência de portas de madeira
mal ajustadas, com números acima de oitenta, e finalmente encontra
uma que pensa reconhecer bem no outro extremo, a Elephant Lane,
naquela direção, ao lado da loja de materiais de construção, com o portão pintado. Sem polimento e, portanto, escurecendo, a velha maçaneta
de latão se contorce relutante contra sua palma suada e depois cede.
A tábua pesada com manchas pretas de piche se abre com um relin-
cho das dobradiças para revelar uma passagem, com iluminação fraca
e obscuridade marrom-chá, confundida nos sentidos do velho com seu

cheiro de caldo de umidade crescente e de carne flácida. Ele vê os odores humanos, sente o cheiro da luz e não consegue se lembrar de ter feito as coisas de outra forma. Fechando a porta atrás de si sem olhar, ele se move pelo corredor apertado, gritando uma saudação especulativa para a escuridão agachada no meio da escada, mas a escuridão se cansou dele, como todo mundo, e não responde. Ninguém está por ali, o que sua entrada na silenciosa sala de estar confirma, exceto por um gato que acredita se chamar Jim, dormindo diante de uma lareira apagada, e três varejeiras brilhantes cujos nomes não sabe. Uma janela voltada para o sul despeja raios pela sala em medidas estritamente racionadas, espalhando mel amarelo na protuberância vidrada de um vaso de flores ou ao longo da curva envernizada da tampa do piano, e de súbito ele se dá conta de que já sabia de tudo isso antes, do gato, das flores, do ângulo do sol, das mesmas três moscas sem nome. Soube desse momento a vida toda, até os detalhes mais excruciantes. Parte dele sempre esteve ali naquele cubículo penumbroso, enquanto estava ocupado balançando nas telhas da prefeitura e caminhando em transe para Lambeth, visitando o pai no manicômio, copulando na margem do rio ou vomitando sobre fadas. Da mesma forma, sabe que ainda está lá em todos aqueles outros lugares agora, fazendo todas aquelas outras coisas, ainda oscilando à beira daquele telhado alto; daquela mulher pequena. Agora está cambaleando sobre o tapete salpicado da lareira, dominado pela vertigem com a queda absoluta de sua própria continuidade. Exausto com tudo isso, afunda em uma poltrona surrada, e o brilho da janela atrás dele transforma seu cabelo ralo em fósforo. O cachorro acorrentado no estômago rosna com reprovação, e ele não se lembra da última vez que comeu, assim como de todos os outros detalhes vitais. É aqui que ele morre, entende isso. As paredes que o cercam são suas últimas, e o mundo além do quadrado do tapete é um mundo em que nunca mais pisará. Sente-se distante de seu próprio corpo rangedor, faminto e dolorido na poltrona, como se suas circunstâncias fossem algo acontecendo em uma peça, um conhecido ato final repetido linha por linha, noite após noite; a vida como um sonho recorrente que os mortos têm. O velho inconveniente não pode dizer se está ali de verdade, com as moscas sem nome antecipando impacientemente sua morte, ou se

está correndo pela última noite sem amanhecer com a neta morta puxando suas orelhas para fazê-lo seguir adiante. Mais acima, o vazio se desorganiza.

O calor desaparece, exceto por aqueles vestígios nos núcleos reativos dos objetos do halo cósmico, acumulações vastas de matéria escura brevemente tornadas visíveis por um pulso decrescente de infravermelho até que isso também cesse. O metrônomo abafado dos pés pisando na pedra é seu acompanhamento nas dificuldades onde a escuridão universal e a frigidez se tornam inseparáveis; onde o preto é apenas a cor do frio. Obstinados, eles seguem, os últimos espectros do espaço-tempo correndo às cegas em direção a um limite que só sabem que existe porque se encontraram voltando de lá. Essa é a única certeza a que se apegam através das distâncias infinitas, sem luz, e somente quando estão começando a duvidar é que, do alto de sua gávea humana, May relata uma mancha de brilho no ponto de fuga da estrada quase desaparecida. No momento em que se aproximam alguns milênios, aquela escassa faísca havia inchado para conter os céus vazios acima em sua totalidade, uma coroa de borboleta brilhante de horizonte a horizonte, uma exibição de tons marmorizados de cujos nomes os dois peregrinos quase se esqueceram. Contra esse deslumbramento onde o caminho parece terminar de forma abrupta em um nada iridescente está o que parece ser uma única figura, uma silhueta de altura e circunferência incomuns, posicionada como se, cheia de paciência, esperasse que Snowy e a neta chegassem até ela. Os dois aventureiros sentem os cabelos da nuca se arrepiarem ao mesmo tempo em que chegam à mesma conclusão a respeito da provável identidade da silhueta obscura. Até agora, cada um deles havia reagido com ironia e desdém à ideia de que suas peregrinações pudessem acarretar esse encontro, mas, com a realidade quase sobre eles, o velho e a menina se sentem inseguros e, pela primeira vez, com medo. A voz de May ao lado de sua orelha é um sussurro preocupado.

— Acha que é ele?

Sua própria resposta é rouca e sufocada, um som áspero que nunca ouviu antes.

— Sim, acho que é. Tinha um monte de coisas para dizer a ele, mas estou com tanto medo que não consigo lembrar o que era.

O confronto pelo qual ansiaram e principalmente temeram, embora seja uma perspectiva aterrorizante, é bem menos intolerável do que a alternativa de dar meia-volta e correr por onde vieram. Eles continuam em sua aproximação da forma incontornável que aparece na conclusão de seu caminho, nus diante daquela presença, e John Vernall fica cada vez mais confuso sobre qual segmento de sua continuidade de lagarta está experimentando. Todos os seus momentos recaem sobre ele de uma vez, coincidentes, uma fuga musical tão complexa e desorientadora quanto as composições da irmã Thursa, trazendo uma sensação inédita, mas de alguma forma familiar, como se estivesse

prestes a conhecer seu criador. Catapultado da poltrona pelo medo de que a morte o encontre sentado, fica cambaleando na sala desordenada à qual seu universo foi reduzido. Acordado com esse alvoroço súbito, o gato observa a situação e decide sair pela janela, aberta em seu caixilho, saltando da saliência para a parede do jardim, para a calha de chuva e descendo aos poucos para o pátio rebaixado do lado de fora. As moscas tentam segui-lo, mas acabam lançadas em um estado de confusão irremediável pelas frustrantes vidraças. Cambaleando com uma das mãos agarrada ao braço da poltrona para se apoiar, Snowy avalia muito bem o ímpeto por trás do êxodo do animal e dos insetos: o aposento úmido e apertado, com arranhões de pista de gelo no verniz do aparador e frutas douradas amolecendo na tigela; é o fim dos tempos. Quem poderia imaginar que seria tão diminuto? Seu olhar dispara em torno de sua visão final enquanto tenta encher os olhos com seus detalhes e fazer uma última deglutição de seu significado, finalmente pousando na lareira, onde algo brilha de modo intrigante. O único passo hesitante que dá em direção à lareira para uma inspeção mais detalhada é tão nervoso quanto qualquer outro que deu nos telhados escorregadios de sua juventude. O item que chamou sua atenção acabou se revelando um medalhão, um São Cristóvão que acredita ser aquele que usou em todas as maratonas de Lambeth-aos-Boroughs há tanto tempo. Ele o pega com uma mão vibrante e com manchas castanhas, apenas para esquecer instantaneamente que fez isso quando sua consciência errante é apreendida pelo sujeito decrépito olhando para ele do vidro acima da lareira. Há algo naquelas feições abatidas que ele reconhece, e se dá conta de que é Harry Marriot, da casa ao lado. Parece muito mais velho do que era, mas isso já faz um tempo. Levantando a mão que contém o talismã religioso, Snowy gesticula em saudação ao outro homem, um pouco mais tranquilizado quando o mesmo gesto é imediatamente retribuído. Fica feliz que Harry, pelo menos, ainda pareça feliz em vê-lo. Olhando para o que considera ser a casa vizinha, mobiliada de maneira semelhante, repara no que parece ser uma outra janela na parede oposta. A visão que oferece é de outro domicílio da Green Street, com outro garoto — talvez Stan Warner, que mora um pouco adiante na rua —, voltado para o outro lado e acenando através de um portal seguinte para quem pode muito bem ser Arthur Lovett, que também mora ali perto. Virando-se para olhar para trás, Snowy vê a abertura do outro lado de seu cômodo, que dá para uma procissão semelhante de veteranos de cabelos grisalhos em salas que se afastam infinitamente. Parece estar preso em meio a uma série de velhos fazendo fila para a morte, todos acenando cordialmente uns para os outros, com seus espaços domésticos individuais se reconfigurando em um único túnel. A sensação é de que

está num canal relativamente estreito de extensão quase infinita, enfim próximo o bastante do vulto imponente que bloqueia o caminho e vê que na verdade se trata de um par de gigantes de três metros ombro a ombro. Ambos estão descalços, vestidos com aventais de linho branco simples, e cada um segura um taco de sinuca proporcional ao seu tamanho tremendo. A figura à esquerda tem o cabelo tão incolor quanto o de Snowy, e é logo identificado como o campeão de trilhar de Almumana, Poderoso Mike. Sua contraparte de cabelos cacheados e barba avermelhada tem olhos diferentes, um vermelho e o outro verde. E se diverte com a aproximação trêmula da dupla humana.

— Olhe para a cara deles! Ora, é de pensar que esperavam o Terceiro Borough.

Empoleirada em cima de seu avô, a testa lisa de May se enruga em uma carranca cheia de suspeita.

— Talvez sim. Mas o senhor não é Asmoday, o trigésimo segundo espírito? Por que está vestido como Mestre de Obras?

O ex-demônio ergue as sobrancelhas eriçadas em falsa surpresa.

— Porque é o que sou. Cumpri minha sentença e recuperei meu antigo emprego. Neste ponto no tempo — ele aponta para o pano de fundo espectrográfico que abrange o cosmos —, *todas as contas estão acertadas e as quedas estão há muito superadas. Podemos deixar o passado para trás, com certeza, aqui onde tudo é passado?*

Enquanto a criança matuta sobre aquilo, o avô por fim recupera a voz

— Por que Deus não está aqui, e o que são essas luzes e cores?

Ele grita para a sala vazia, incapaz de entender as próprias palavras. Os aposentados em todos os outros compartimentos mal iluminados parecem tão agitados quanto ele, todos acenando com seus São Cristóvãos e berrando as mesmas perguntas insondáveis em um revezamento enlouquecedor. Seu mundo se reduz a formas desconexas de quebra-cabeças, à medida que nomes e significados se desvanecem com a maré vazante de sua respiração irregular. Quase inconsciente de seu próprio corpo ou de sua identidade, apenas um aperto distante em seu estômago o lembra de que está com fome. Poderia comer um pouco, se ao menos pudesse se lembrar o que é comida. O local gira, os artigos de mobiliário todos circulando em torno dele como cavalos em um carrossel, e ele se dá conta de que, quando correu pela longa estrada através do tempo com a neta morta nos ombros, eles sobreviveram comendo flores que de alguma forma eram feitas de mulheres encolhidas. Snowy nota um vaso de deliciosas tulipas sobre a mesa quando desliza por sua vagarosa órbita de parque de diversões, e tem a impressão de que frutas de fada e flores são tão parecidas que não faz diferença. Com a mão livre, com a medalha já esquecida, ele começa a encher avidamente a boca podre com pétalas, enquanto os patriarcas vizinhos em seus quartos adjacentes seguem sem prudência seu exemplo. Engasgado com a glória, ele está em outro lugar, e um demônio vestido de branco está dizendo

– *Ah, ele está aqui, sim. Ou, pelo menos, aqui está ele. Os fogos de artifício são o que resta depois que a gravidade e as forças nucleares passam. Apenas o eletromagnetismo resiste.*

Snowy geme.

– *Isso é tudo o que vamos ver, então? Mas viemos de tão longe.*

O demônio reabilitado sorri e sacode a cabeça.

– *Na verdade, não. Vocês não botaram o pé para fora dos Boroughs. Só ficaram correndo no mesmo lugar por vários bilhões de anos.*

Para além dos dois colossos, está o precipício que marca o fim do caminho em véus de brilho. Erguida acima daquela terrível borda do penhasco, como um marcador, está a cruz de pedra bruta que se lembra de ter visto pela última vez na parede da igreja de Saint Gregory. Crescendo ao redor e sobre ela, há uma colônia de chapéus-de-puck maduros e suculentos. Sua boca se inunda com ectoplasma salivar, mas ele descobre que

não consegue engolir, está a garganta pegajosa obstruída por incríveis cores pascais. Em sua fila interminável de aposentos paralelos, observa que todos os outros ocupantes idosos da Green Street estão mal como ele, andando em círculos com os globos oculares esbugalhados e pedaços brilhantes de carne de tulipa mastigada que transformam suas barbas desgrenhadas em aventais de pintor. É um golpe de azar que estejam todos em apuros ao mesmo tempo, quando em circunstâncias normais veriam o que estava acontecendo e apareceriam na porta ao lado para dar tapas nas costas uns dos outros. Ele está respirando um buquê, uma coroa de flores, com o pânico nos pulmões caindo em cascata ao coração. Sente algo preso na mão esquerda, mas não consegue lembrar o que é, e o tempo todo

espera que o arquiconstrutor lhe diga algo vital e conclusivo. Por fim, Poderoso Mike se vira para perguntar:
— *Vernalq, limt sbus?*
Vernall, que limites busca? Despreparado, Snowy pensa e responde:
— *O limite de meu ser.*
Neste ponto, o titã lança um olhar empático para ele.
— *Entencto.*
Então encontrou. O andarilho dos tempos assente. Ele percebe que

este lugar é o fim dele. Se houver significado, deve encontrá-lo por si mesmo. Seu campo de visão, evaporando com rapidez nas bordas, encolhe para enquadrar sua mão, que se abre lentamente. Um disco de metal repousa em sua palma e, em relevo em sua superfície, está a imagem de um velho com uma bebê gloriosa em seus ombros. Isso significa alguma coisa, ele tem certeza, e a pergunta final que atravessa sua mente falha é

— *Para onde vamos depois disso?*
A voz de May soa quase petulante. O demônio reformado e o Mestre de Obras encolhem os ombros ao mesmo tempo, como se para apontar que a resposta é óbvia. Aos poucos,

Snowy compreende. Ele não está respirando. Isso porque todo o oxigênio de que precisa vem da placenta. Contorcendo-se no canal de parto espasmódico da mãe, Anne, esquecendo-se de tudo,

ele segue pelo canal sem luz levando a criança com ele e sabe que, invevitavelmente,

está voltando para onde começou.

ENCURRALADO

Para julgar, é isso que fica dando voltas e mais voltas comigo enfim suponho que se poderia dizer que acredito que todos deveriam ter o benefício de, esqueci o termo, às vezes me preocupo quando não consigo me lembrar das coisas, benefício da dúvida, é isso, todo mundo deveria ter, ainda que nem todo mundo, óbvio, não alguns por aqui, o que eles inspiram, na minha opinião, são dúvidas a respeito de seus benefícios, é só ver aquela de cabelo de duas cores da Bath Street na St. Peter's House, acho que ela mora ali, a gente vê ela por Crane Hill vindo do Super Sausage, garota negra bem não negra mestiça, pelo que ouvi ela está por lá, os benefícios o crack a parte da prostituição da vida na lagoa a vida no Monk's Pond, eu devia dizer quer dizer não é culpa dela até certo ponto e se a pessoa vem de um lugar miserável então estatisticamente é meio predestinado como a pessoa acaba, mas eu ainda acho e talvez eu seja só antiquado mas ainda acho que todo mundo tem que se responsabilizar pelo próprio comportamento, às vezes existem circunstâncias atenuantes claro todos nós fizemos coisas que não queríamos quando não havia outra escolha mas algumas pessoas, eu não estou dizendo que é culpa delas mas não tentam se ajudar só se biodegradam até ficar como chiclete velho que está na calçada ano após ano no final você mal percebe é mais um resíduo social parte de um processo natural, gente assim e não estou falando de gente comum trabalhadora e decente, gente como a garota da Super Sausage são bactérias inevitáveis e por assim dizer a rua é um intestino ela se limpa sozinha, o estilo de vida, ela no fim se livra delas acho que esqueci o que eu estava falando

ah o benefício da dúvida sim lembrei deveria ser estendido, eu acho, para aqueles de uma certa não quero dizer classe não é do meu feitio e de qualquer forma isso virou um termo tão carregado, mas de uma certa posição na cidade digamos um tipo de figura pública acho que dá para chamar fazendo as coisas por quase quarenta anos e sempre sempre do lado do povo isso vem da minha origem trabalhista e nunca fui um socialista de champanhe um socialista Mateus Rosé talvez em algum momento, isso admito, apesar de sempre ter me comunicado bem com as pessoas pelo menos é o que a esposa diz não estou só brincando o que estou dizendo é que faço parte desta comunidade morando aqui todos esses anos um pouco como um patrimônio local pode-se dizer perto de suas raízes e acho que a maioria das pessoas respeita isso quando sou visto por aí como agora elas sorriem e acenam e me reconhecem do jornal e acho que em geral sou admirado, mas é claro que sempre existem um ou dois

está uma noite muito agradável não é o que se chamaria de verão mas melhor do que vinha sendo Mandy está em patrulha com os amigos policiais com uma coisa e outra não é tão frequente hoje em dia estarmos em casa ao mesmo tempo costumo dizer que somos como aqueles casais que das casinhas do tempo, aqueles barômetros antigos que minha família tinha na Escócia quando eu era um molequinho descabelado mas sem dúvida existem aqueles na parte decente da oposição ou no meu próprio partido que diriam que ainda é o caso, não com ela fora eu não queria ficar andando pelo lugar como uma ervilha seca numa lata de achocolatado e desde que me afastei da prefeitura o que foi há três anos para como eu disse passar mais tempo em casa com Mandy não tenho muito o que fazer pensei em dar uma volta no quarteirão talvez entrar e tomar um copo de cerveja rápido em algum lugar antes de pegar o caminho de volta já faz alguns anos desde que fiz isso numa noite de sexta-feira mas teve uma época que era toda semana nós mudamos conforme envelhecemos em termos do que conseguimos aguentar e claro que uma noite de sexta-feira na cidade hoje em dia é procurar sarna para se coçar do jeito que as coisas andam com esses idiotas de dezesseis anos, meia dúzia de pubs temáticos em cada rua é igual aquele discurso do Enoch Powell[34] apenas rios cheios de vômito e não sangue mas dá para ver uma boa quantidade disso no pronto-socorro é sem dúvida uma decadência eu culpo o mau governo e sim até certo ponto as próprias pessoas elas precisam assumir a responsabilidade pelo que fizeram mas é muito fácil eu acho dizer que tudo é culpa da prefeitura o que as pessoas não entendem é que muitas vezes estamos de mãos atadas mas enfim em Chalk Lane sopra uma brisa razoável, mas não a ponto de fazer você concentrar sua atenção nisso esquerda ou direita aqui se eu subir ou descer à esquerda vou para os Boroughs e isso pode ser ah não perigoso mas em uma noite de sexta-feira com todos os pubs que sobraram ou mortos ou cheios de gente com quem você não gostaria de passar muito tempo, certo é então em Marefair, descendo a ladeira, seguindo o caminho mais fácil

ali do outro lado da rua o Black Lion parece estar mal das pernas eu me lembro de quando era cheio de motoqueiros não o que se chamaria de ameaçadores mas as coisas podiam ficar desagradáveis na hora de fechar com o barulho e tudo mais não é justo com os moradores um bando de bêbados idiotas acelerando e fazendo a maior gritaria mas de qualquer forma eles foram embora agora faz tempo e nos livramos de mais um obstáculo no caminho da Castle Ward para conseguir o novo empreendimento e acho que dá para dizer novas pessoas e precisa ser um lugar diferente um bairro digno para ter um lugar no mundo não que a gente fosse vender não é essa a questão existe um apego ao distrito, não por ser como é mas como poderia ser viver aqui todos esses anos é claro que não é nossa única propriedade, mas é aquela com que mais nos identificamos parte de nossa marca se preferir quer dizer é a parte mais antiga e histórica da cidade moramos anos aqui antes que eu conhecesse um pouco mais que uma mera fração da história para ser sincero nunca tive muito interesse nisso mas quando se descobre certas coisas ora é fascinante por exemplo a igreja de St. Peter do outro lado da rua foi construída pelo rei Ofa como uma capela para os filhos no salão baronial em Marefair e depois reconstruída pelos normandos em mil cento e alguma coisa e espera o que

um adolescente ao que parece de cabelo castanho bagunçado, jeans e tênis com uma camisa FCUK que é grande demais para ele um magrelo ele está na porta da St. Peter embaixo do pórtico e enfiando algo em seus braços como se estivesse com pressa é um saco de dormir, está passando a noite na igreja o filho da puta sarnento vou falar com Mandy quando a encontrar mais tarde ah ei lá vem ele tropeçando pelo caminho entre os canteiros para sair pelo portão da igreja com o saco feito um bebê enorme e sem ossos apertado junto ao peito esquelético e correndo pela rua ele está com pressa né mas não consigo nem imaginar para onde ele precisa ir

— Boa noite.

nem uma palavra passou direto por mim e subiu a Pike Lane, ou, como dizem, Pikey Lane, e francamente se percebe o motivo com todos esses ciganos *pikeys* gente assim apesar de eu nunca ter gostado do termo enfim é depreciativo né, dá para perceber alguma coisa no jeito como ele passou correndo por mim em Marefair enfim me deu uma sensação estranha por um instante não bem um déjà vu mas me trouxe uma vaga lembrança só que não sei o que pode ter sido alguém correu na minha direção assim vindo do outro lado da rua antes ou ah espera já sei foi um sonho que eu tive e achei que foi por causa de uns frutos do mar suspeitos na época quando foi um ano e meio, dois anos atrás, eu também estava em Marefair no sonho mas era noite não consegui encontrar a camisa ou a calça e tinha saído de cueca e camiseta para procurá-las não consigo me lembrar mas sei que a rua parecia diferente no luar tinha alguma lua a luz do sonho enfim os prédios do presente estavam todos misturados com lugares demolidos anos atrás e tinha aquela atmosfera úmida e assustadora que os Boroughs pareciam ter quando fomos morar lá e no sonho eu estava começando a me sentir um pouco preocupado e constrangido por estar apenas de cueca quando vi alguém do outro lado da rua um velho com um chapéu de feltro cobrindo a cabeça careca e ele correu, ele correu na minha direção vindo do outro lado da rua como aquele menino agora mas ele tinha foi horrível ele tinha dezenas de braços e onde estava o rosto era só um monte de olhos e bocas gritando comigo gritando como se ele me odiasse eu não sei o que fiz para ele me odiar daquele jeito mas acordei suando e com o coração disparado e não tinha ninguém lá é só um lugar com pesadelos entranhados no madeiramento como peidos velhos presos embaixo dos lençóis no fundo ainda sou um marxista por dentro não acredito em fantasmas

e de qualquer forma esse é o tipo de susto que você leva no meio da noite mas olhando para o lugar agora em uma bela noite de primavera e vê o que poderia ser, lá está a St. Peter com a luz comprida em seu calcário e depois bem aqui na rua a Hazelrigg House, onde o Cromwell dormiu antes de seu dia difícil em Naseby quando você pensa nisso é uma maravilha, a igreja Doddridge logo acima da Pike Lane ali atrás ao longo dos anos as pessoas disseram que deve ser horrível viver em um bairro minúsculo mas sinceramente não é isso nos deixa um pouco mais espertos dava para sermos felizes aqui e se o distrito é pequeno ora e daí eu não sou um cara grande no quesito altura então é grande o bastante para mim é como o Bardo disse eu poderia ser preso numa casca de noz e ainda assim me considerar o rei do espaço infinito se não fosse

alguma coisa assim aliás não está uma noite linda estou feliz por ter saído para um passeio estou feliz por não estar de camiseta e cueca não dá para negar que mudou, o bairro, mudou desde que viemos para cá foi em sessenta e oito naquela época quer dizer o lado sul de Marefair bem lá continua quase a mesma coisa pelo menos nas sobrelojas mas com um outro comércio embaixo restaurantes de kebab comida para viagem e tudo mais e os telhados são em grande parte como sempre foram do outro lado da rua mas no lado norte é outra história, tem o ibis claro o Sol Central todo aquele complexo quando construíram parecia uma coisa saída do primeiro filme do Batman mas agora eu não sei em um sábado ou sexta à noite você tende a ver muitos casais entrando que não parecem se conhecer há muito tempo caras bêbados com mulheres mais jovens de cara fechada ou às vezes com moleques espinhentos é claro que não é da minha conta acho que todo mundo deveria ter o velho benefício da dúvida, mas pensar nos vagabundos fornicando bem onde ficava um salão baronial saxão e depois a sede do Barclaycard ainda não parece certo quase sacrílego, aqui estamos nós, a encruzilhada no alto da ladeira em frente fica a Gold Street e já dá para ver onde mais para o centro da cidade estão os idiotas de sempre vagando no meio da rua garotas com o rego aparecendo e ainda são sete

por outro lado quase não há ninguém na Horseshoe Street descendo uma daquelas calmarias aleatórias no tráfego de pedestres ou veículos em que de repente tudo fica silencioso como uma rua principal de um faroeste pouco antes de um tiroteio tinha uma época em que podia descer por ali e ter uma noite agradável, os pubs de lá eram o Shakespeare aqui no alto e o Harbor Lights outro ponto de encontro de motoqueiros nos anos setenta eu sempre me perguntei por que deram esse nome se estamos no ponto mais distante da costa mas imagino que seja só mais uma evocação melancólica do mar como Terry Wogan chamando a torre do Express Lift de farol de Northampton enfim o Harbour Lights o prédio ainda está lá mas eles mudaram o nome para Jolly Wanker, quer dizer, tem uma letra W e uma âncora mas é óbvio o que está dizendo bem eu sou totalmente a favor da liberdade de expressão mas não concordo com isso não vejo necessidade, você não me pegaria bebendo lá aliás eu me dou ao respeito e além do mais parece que a rua está se desfazendo eu me pergunto quanto tempo mais a tubulação de gás vitoriana vai continuar lá isso foi falado algumas vezes quando eu ainda estava na prefeitura, líder do conselho municipal por muitos anos e no fim você tem que equilibrar praticidade e nostalgia bem é nostalgia e nada mais quando se trata de um lugar ou coisa que ninguém nunca deu a mínima para começo de conversa mas como eles cresceram em tal e tal rua não querem que nada mude o que para mim é inviável nada fica igual para sempre tudo está indo ladeira abaixo lugares pessoas todos nós precisamos nos adaptar todos nós começamos como idealistas ou pelo menos com algo parecido com idealismo mas esse não é o mundo real no mundo real tudo e todos acabam como um Jolly Wanker e isso é culpa deles né espere um minuto tem alguém que eu conheço alguém parado no meio da descida deste lado da via de duas mãos tenho certeza de que vi o rosto dele parado ali e olhando para o salão de bilhar do outro lado da rua jaqueta de couro preta ele parece um vilão de ah ele virou a cabeça está olhando ladeira acima em minha direção é melhor desviar o olhar

talvez se eu subisse a Horsemarket podia parar no Bird in Hand seja qual for o nome agora aquele lugar na Regent Square subindo a Sheep Street só para dizer que bebi uma só para dizer que tenho uma vida social apesar de estar sozinho em casa aquele homem porém não vou virar porque ele pode estar olhando conheço ele de algum lugar tenho certeza uma cara dessas você não esquece tão cedo com aquele nariz grande e adunco os olhos em níveis e ângulos irregulares sinceramente o rosto dele, parecia uma colagem parecia o rosto daquele velho fantasma quando atravessa a rua na minha direção em meu pesadelo a cada duas semanas talvez ele viva por aqui em um dos zoológicos como aquele cara que você vê passeando com os furões mas agora estou achando que foi na televisão que eu vi em um filme um anúncio alguma coisa assim uma história de terror deve ser pela aparência dele mas por outro lado qual a probabilidade de alguém da televisão estar nos Boroughs é mais provável que eu conheça o rosto dele do trabalho de Mandy com a polícia você sabe como é o sol da tarde, a Horsemarket nessas partes mais baixas, parece muito bom

um restaurante italiano do outro lado da rua não gosto do letreiro

movimento escuro na calçada não um ataque do coração a sombra de um pássaro que é um alívio

uma mocinha nova ela bem bonita olhos lindos e um véu é somali é frustrante mesmo dois anos depois a guerra do Iraque eu fui contra óbvio dei umas declarações ao jornal e sim imagino que deixar o conselho municipal naquele mesmo ano para alguns pode ter parecido que eu tinha tomado uma posição por princípio apesar de nunca ter dito isso explicitamente para ser sincero era mais uma questão burocrática para poder manter meus interesses comerciais sem infringir os regulamentos e não vejo nenhuma contradição em um opositor ferrenho da guerra planejar uma viagem para Basra a Anglicom como nós batizamos a empresa que aliás não está nem aqui nem lá, como eu disse na época isso é história o que está feito está feito sim eu fui contra a guerra mas quando acontece essa é a realidade com que você tem que trabalhar e acho que fazer acordos para ajudar na reconstrução do Iraque faz parte de um esforço humanitário se você pensar bem e não entendo, não entendo mesmo quando existe um bolo tão grande para ser dividido por que deveria ser só a Halliburton ficando com todos os contratos onde está o mal em defender empresas britânicas eu e Colin ele é meu parceiro é parceiro de negócios devo dizer que você tem que ter muito cuidado com a língua hoje em dia não quero que ninguém fique com a impressão errada eu e Colin estávamos prontos para voar para Basra, 2004, quero dizer, eles disseram que a pista de pouso estava protegida estava tudo resolvido ou pelo menos no norte, tinha aquele cara, a fonte de todos os relatórios de armas de destruição em massa, qual era o nome dele e eles iam jogar ele de paraquedas no governo tudo resolvido e caminho livre eles disseram, nós reservamos os voos anunciamos no *Chronicle & Echo* e então começou empreiteiros feitos reféns dia sim dia não um carro-bomba imagens de decapitação postadas na internet cancelamos bem anunciamos que tinha sido adiado pensando sei lá que ia ter uma trégua na violência algo assim mas nunca vai acontecer olha só o Oriente Médio é impossível está tudo fodido é

puta merda tô morrendo para subir essa ladeira eu devia entrar na academia mas

a Mary's Street atrás dos pátios de entrega atrás do ibis o fogo desceu ali uma vez

o pôr do sol nas janelas dos apartamentos nosso negócio no Iraque não era para ser

às vezes, às vezes me pergunto se as coisas da vida não estão todas planejadas desde o começo como o planejamento de uma cidade, aí está um bom exemplo, se existe apenas uma maneira de as coisas acontecerem digamos para um distrito ou um bairro se já está tudo decidido mas as pessoas que vivem lá não têm a menor ideia do que vai acontecer no seu futuro houve consulta pública só que nenhum deles ouviu falar todos pensam que têm algo a dizer sobre como a vida vai ser para eles pensam que suas decisões importam mas não está tudo resolvido desde o início se têm um emprego ou não e onde vão acabar morando onde seus filhos vão para a escola e como isso deve afetar sua criação quer dizer estou falando agora sobre os que estão em pior situação claro mas e se isso valesse para tudo que foi planejado desde o início e apesar de todos pensarmos que somos donos de nossas vidas e livres para tomar nossas próprias decisões isso é apenas uma ilusão na realidade nós apenas fazemos as escolhas que podemos fazer e que já foram definidas para nós nas atas de planejamento não existe um processo de consulta eficaz que possibilite a escolha que algum de nós realmente tem é como se eu tivesse feito uma escolha consciente de não ir para a esquerda e subir a Chalk Lane e não a Gold Street até o centro da cidade mas às vezes parece que cheguei à minha decisão só depois de já ter começado o que vou fazer, como se só fizesse a escolha sempre depois do fato é tudo justificativa para coisas que iriam acontecer de qualquer modo quando você olha para trás e analisa sua vida

algumas coisas que você fez que bem não exatamente se arrepende digamos os erros que você cometeu os erros de julgamento em que de verdade tentou fazer a coisa certa, mas quando olha para trás é como se as circunstâncias conspirassem contra você as tentações eram tão enormes que ninguém teria chance só sendo um santo um anjo parece que tem algo empurrando e direcionando você de acordo com o que ele quer e quando você vê a coisa dessa maneira então quem é o culpado pelo que quer que seja

mas

mas existem pedófilos claro assassinos em série criminosos de guerra existem exceções você pode acabar levando esse negócio de predestinação longe demais e se nada é culpa de ninguém se todo mundo está só fazendo o que o mundo nos força a fazer apenas obedecendo ordens então o que devemos pensar da moralidade quer dizer você teria que dizer que Myra Hindley Adolf Hitler Fred West e os homens-bomba do 7/7 são todos inocentes e teriam de ficar livres você teria que descartar toda a ideia de castigo pelos pecados não é que eu seja religioso não especialmente mas na prática você estaria dizendo que não existe certo ou errado e isso é errado é lógico caso contrário não haveria base para a lei todo o trabalho de Mandy com a polícia seria baseado em nada como você poderia julgar alguém não teria ninguém para condenar por nada e, e, e existe o outro lado

se ninguém é ruim como alguém pode ser bom como existe uma virtude ou um ato virtuoso se tudo o que fazemos é predeterminado assim como não daria para julgar o culpado, não teria como reconhecer um santo como uma pessoa decente de jeito nenhum poderíamos recompensar alguém por um trabalho notável dando uma medalha, digamos, ou elegendo vereador estou apenas usando isso como exemplo mas o que estou dizendo é que você teria que rebaixar Madre Teresa Jesus Gandhi Lady Di não que eu achasse que ela fosse grande coisa para ser bem sincero, tinha quem achasse, não existiriam heróis heroínas nem vilões e que tipo de história isso nos deixaria não teríamos como moldar uma sociedade não consigo imaginar uma como poderíamos impor qualquer tipo de padrão qualquer tipo de significado em nossas vidas como poderíamos dizer a nós mesmos que éramos boas pessoas não, não é ridículo tem que ser por livre-arbítrio ou tudo isso é só uma história apenas uma pantomima com o mundo todo sendo um palco e todos os homens e mulheres apenas atores é livre-arbítrio ou livre improvisação teatral isso é muito bom talvez eu me lembre e escreva na coluna não é como eu sempre digo, que todo mundo é responsável pelo que faz e como age mas em certas circunstâncias, não estou dizendo as minhas, podem existir fortes razões atenuantes para as pessoas sentirem que devem fazer uma coisa em vez de outra livre-arbítrio é uma questão complicada

Katherine's Gardens ali do outro lado da via de mão dupla Garden of Rest como chamavam quando o Mitre ainda estava de pé na King Street, do outro lado da rua do Criterion tinha aquela estátua lá a Dama e o Peixe ela tinha uns peitos de pedra dura era como um ídolo erótico parado na entrada do jardim acho que mais tarde alguém decepou a cabeça dela então a mudaram para Delapré e todas as garotas, as prostitutas, ou usavam o serviço de táxi ao lado do Mitre para levá-las aos apartamentos delas na Bath Street ou faziam um rala-e-rola ligeiro nos arbustos a polícia faria vista grossa para uma punheta veja bem todo o comércio mudou para a St. Andrew's Road esses dias entre a estação e o Super Sausage a Quorn Way lá no final onde eu vi a garota de cabelo de duas cores daquela vez de outro modo os Boroughs são exatamente como sempre foram quer dizer colocamos os cabeços de concreto bloqueando as ruas de Marefair por todo o caminho até a Semilong pensamos que poderia desencorajar a solicitação de prostitutas mas não fez nenhuma diferença só dificultou a entrada de ambulâncias ou dos bombeiros se houver um incêndio digamos na St. Katherine's House onde a escória todos esses meninos que acabaram de sair da custódia são colocados no prédio enfim os bombeiros disseram que está condenado e ainda há pessoas sendo colocadas lá então Deus ajude quem quer que seja o líder do conselho municipal se tudo pegar fogo sabe que sinto falta às vezes mas estou bem longe de todo o estresse que isso coloca em você saber coisas assim é preocupante caso alguém descubra, tudo isso na sua cabeça e obviamente as pessoas nos apartamentos você também se preocupa com elas e seria uma coisa terrível se isso acontecesse bem ali onde o Grande Incêndio começou na década de 1670 ou sei lá quando mas por outro lado muitas das mudanças planejadas para a área podem acontecer então toda tragédia tem um lado positivo, apesar de ninguém querer que isso aconteça claro só estou falando que se acontecer

é claro que essa coisa de não existir livre-arbítrio só porque podemos não gostar ou ter que abrir mão de coisas que consideramos certezas morais isso não significa que não seja verdade

os jardins na parte de trás da Peter's House na Bath Street à minha esquerda agora tudo parece cinza e gasto tudo lixo o de sempre é deprimente e do outro lado da rua você tem o Saxon o hotel a Moat House se projetando para os baixos da Silver Street com todos os babados recortados e os tons pastéis me lembra um enfeite que se coloca em aquário embora eu não saiba por que, pelo menos é mais bonito do que a St. Peter's House acho que me lembro de quando ergueram o Saxon em 1970 acho que foi enquanto os apartamentos da Bath Street são dos anos 1920 e 1930 e mostram sua idade na alvenaria sofisticada com rachaduras e fissuras de onde brotam tufos de grama amarela é claro que quando eles foram feitos assim como no caso de vários apartamentos ao redor dos Boroughs não era para durar tanto tempo foram planejados como uma solução temporária mas sem nenhum outro lugar para colocar as pessoas imagino que vão ficar lá até morrer ou até que as casas desmoronem em pó ao redor deles o que havia aqui na Horsemarket antes dos apartamentos eu me pergunto suponho que a pista mais provável está no nome mercado de cavalos né ou será que ouvi dizer que eram açougueiros de cavalos isso existiu no quintal de um abatedor acho que perto de Foot Meadow então talvez ah Deus isso me lembrou do meu sonho meu outro sonho que eu tive ontem à noite ah Deus

eu estava onde estava, de camiseta e cueca de novo e eu estava eu sei onde estava era um porão um porão de Northampton no sonho por algum motivo penso nisso como a Watkin Terrace Colwyn Road uma daquelas lá em cima perto do Hipódromo mas a atmosfera parecia a de algum lugar dos Boroughs um lugar muito antigo e eu me lembro agora, antes disso no sonho estava apenas andando naqueles terrenos baldios grandes com a terraplenagem inundada pontes ferroviárias abandonadas e prédios de tijolos vermelhos se erguendo, no meio do nada sob um céu pesado um pouco como aquela casa ainda de pé no final de Scarletwell Street só que mais estranho é um lugar com que tenho certeza que já sonhei antes talvez desde que era pequeno mas é difícil saber de alguma forma eu tinha entrado nessa casa no começo poderia haver alguém comigo mas eu os perdi e a única maneira de chegar aonde pensei que eles poderiam estar era através de um tipo de bloco de banheiros de granito onde as luzes estavam apagadas e tinha várias privadas sem cubículos adequados em volta e todos tinham os assentos faltando ou transbordando por todo o chão e eu subi e desci umas escadas, escadas de pedra e então fui para o lado errado e acabei nesse lugar que era como uns porões e estavam todos iluminados como que por uma luz elétrica embora eu não me lembre de ter visto lâmpadas ou lustre e no chão o piso de pedra áspera era como palha e serragem misturados de um jeito horrível tinha muito sangue e merda não sabia se eram excreções animais ou humanas e pareciam vísceras de peixe e peles e cordões de carne tudo podre nos cantos e eu devo ter ido de uma parte do porão para outra tentando encontrar a saída e de repente lá estava o poeta maluco aquele que sempre irritou Benedict Perrit ele morou nos Boroughs por anos todo mundo conhece apesar de eu mesmo nunca ter tido muito interesse nele está esperando por mim nesse porão com cheiro de animais assustados como em um matadouro estou ficando nervoso explico que estou perdido e pergunto a ele como posso sair e ele dá uma risada esganiçada e peculiar e diz que está tentando ir além e eu acordo com o coração disparado sei que não parece muita coisa mas a atmosfera era aquela atmosfera que paira pelos Boroughs e sempre me irrita é sei lá é antigo, fede, não é civilizado é mais velho do que isso com seus prédios em ruínas pessoas seu passado em colapso é como uma criatura no estilo Frankenstein costurada com pedaços mortos de engenharia social é um monstro de outro século ressentido em seu silêncio sinistro e reprovador posso dizer que fiz algo para ofendê-lo que ele não gosta de mim mas não sei por que de vez em quando acordo suando aqui estamos a Mayorhold Merruld os velhos aqui falam assim, parecem tontos

olhando para a Bath Street e para o outro lado do vale de trilhos de trem conforme a luz se vai

do outro lado, uma Silver Street alargada irreconhecível, o estacionamento violento de vários andares que tem a Bearward Street e a Bullhead Lane Deus sabe o que mais embaixo em algum lugar olhando para a extensão sombria do cruzamento com suas luzes e cores mais brilhantes no crepúsculo que cai quase mágico é engraçado pensar que foi aqui que começou todo o processo cívico em Northampton quando os Boroughs eram toda a cidade e esta era a praça da cidade assim me disseram com a primeira prefeitura a Gilhalda não era no alto da Tower Street aqui costumava ser o alto da Scarletwell antes de Beaumont e Claremont Courts serem erguidos no final dos anos sessenta e ali ali estão eles

os prédios de apartamentos altos os dois enormes dedos do meio levantados

para quem porém se deles para nós ou de nós para eles não sei nem o que quero dizer com isso

uma janela iluminada aqui e ali luz através de cortinas baratas quadrados coloridos nos blocos escuros mais escuros contra os últimos restos do dia sobre os pátios da ferrovia o escurecimento do poente o alto dos edifícios mais altos ficam mais tempo refletindo o sol e ainda se pode ver o N de metal do NOVAVIDA com as letras descendo pela parede lateral achei que aquilo era elegante, não, o que aconteceu foi que quando eu era o líder do conselho municipal alguém percebeu que eram horríveis duas monstruosidades que não deveriam ter sido construídas em primeiro lugar e propôs a demolição mas eu disse que não esse não é o caminho a seguir para a habitação social nos Boroughs as pessoas não têm ideia de como aquelas torres são precárias elas abrigam um monte de gente e não pense que quando forem demolidas vai ter lugar para colocar os inquilinos ou novas moradias podem sonhar não é assim que funciona essas torres são tudo que vamos ter e quando elas acabarem acabaram, não, o que eu disse, precisamos recuperá-las recondicioná-las para ficarem prontas para morar e tudo bem você pode perguntar de onde vai vir o dinheiro mas o que eu sugeri foi que vendêssemos os apartamentos por quase nada uma associação habitacional que eu conhecia estava interessada pelo menos assim a prefeitura economizou os custos de demolição sem falar em toda a dor de cabeça da realocação então a coisa foi adiante e a Bedford Housing os assumiu por cinquenta centavos cada eu sei que teve gente na época e desde então que questionou isso mas não entendem o quanto as pessoas daqui se beneficiaram considerando a alternativa se beneficiaram de verdade e tudo bem isso foi em 2003 quando eu renunciei ao mandato depois de falar contra a situação no Iraque não que as duas coisas tivessem relacionadas era mais que estar no conselho municipal me impediu de participar de outros empreendimentos digamos quer dizer quantas empresas existem em que eu sou secretário ou diretor dez algo assim então era apropriado que eu saísse caso contrário poderia parecer que tinha um conflito de interesses e você sabe como é cínica hoje em dia a visão que o público tem de qualquer um que esteja na política, não, eu renunciei para poder cuidar da Anglicom em Basra eu e Colin apesar de não ter dado certo obviamente mas também depois de deixar o cargo isso me deixou livre para assumir minha posição no conselho diretor da Bedford Housing ora se alguém vai lucrar com isso então você me diga por que não deveria ser um morador dos Boroughs isso com certeza é melhor do que aparecer alguém de fora da área e de qualquer forma já está feito, é passado, as outras opções eram muito piores conversei com Mandy e não vejo por que eu tenho que me justificar

ao longo do calçamento no lado oeste da Mayorhold indo para os cruzamentos que me levarão até a Roadmender em dois ou três saltos quando os sinais abrirem é como um jogo de Frogger e abaixo à esquerda tem a Tower Street e os edifícios NOVAVIDA e além disso ainda dá para avistar a Escola Spring Lane naqueles anos em que eu fui professor lá quando não dava para viver com o que ganhava como vereador quer dizer alguns dos alunos algumas das famílias era impossível ajudar alguns deles era horrível às vezes francamente e suponho que foi de fato onde eu pude ver o jeito que a vida dessas pessoas funciona se é que funciona e pensando bem foi talvez quando comecei a pegar horror só um arrepio de vez em quando ao pensar na área e o que estava acontecendo por trás de todas as cortinas de renda sinceramente você precisava ter ouvido algumas das histórias mas em geral as crianças eram legais eu gostava delas elas me respeitavam acho que tinha uma reputação de um bom sujeito um bom professor era isso que eu era assim que eu me via e era mais feliz na época acho não sei, será que dá para dizer isso, existem muitos benefícios em ser quem sou hoje mas mesmo assim talvez dê para dizer que estava mais feliz comigo mesmo acho que pensava mais em mim e tudo era mais preto no branco tudo era mais simples e não esse labirinto moral acho que foi um programa na televisão ou no rádio eles perguntaram para Cat Stevens Yusuf Islam ou sei lá como que ele chama agora se ele executaria pessoalmente a fatwa contra Salman Rushdie e acho que ele disse que não mas que ia telefonar para o aiatolá qual é o nome dele Khomeini de qualquer maneira quando você é um professor existe uma satisfação quando você sente que fez a diferença como posso descrever é quando você se sente como se fosse uma boa pessoa no fundo por trás de tudo, não é como a política é o contrário é bem o contrário disso ninguém confia em você eles estão preparados para pensar o pior de você eles te odeiam todos te odeiam e as ofensas as ofensas pessoais que você ouve é uma coisa impressionante se isso afeta sua autoestima não me refiro apenas a figuras públicas, políticos em geral ora é doloroso e faz seu sangue ferver você se pega resmungando para si mesmo acertando as contas imaginárias isso te desgasta e

cruzar a St. Andrew's Street para poder atravessar a Broad Street me faz pensar em Roman Thompson que acho que morava por aqui até uns tempos eu o via ainda mais nos dias dele de sindicato quando estávamos no mesmo lado bem pelo menos nominalmente e ainda mais quando eu estava no conselho municipal e ele naquela besteira de Associação de Inquilinos ele me chamou de babaca uma vez bem na minha cara disse que eu sempre fui um babaca e isso não me deixou muito satisfeito vou dizer para você esses militantes de merda maldita tendência de cabo de picareta com esse papo de mais-socialista-do-que-você eles não percebem que o tipo de socialismo em que acreditam é anacrônico tudo isso está morto isso foi nos anos 70 e Margaret Thatcher e destruir a National Front e ficamos sem cargos por quase vinte anos foi desmoralizante todas aquelas cisões e cismas no partido eram idiotas como os radicais de Thompson os culpados por tudo isso presos nos anos 60 e se recusando a aceitar que os tempos mudam e o Partido Trabalhista se quiser ser elegível muda junto ora eu não sou o maior fã de Tony Blair acho que posso dizer isso com segurança agora mas o que ele fez de qualquer ângulo que se olhe ele nos trouxe de volta ao governo ele modernizou o partido ele aprendeu lições com o que Thatcher fez e isso era necessário redefinir os valores trabalhistas e os conservadores tinham uma fórmula vencedora você tem que lidar com a realidade não adianta ficar em alguma terra do nunca idealista depois da revolução não você precisa trabalhar com o que tem se ajustar a diferentes maneiras de pensar diferentes maneiras de fazer as coisas e Roman Thompson me chamando de babaca Roman Thompson, pessoas assim, marxistas retrógrados eles não entendem a política real os acordos e as negociações que você tem que fazer eles não estão preparados para conceder isso, o benefício da dúvida, estão prontos para acreditar no pior de você babaca ele é o maldito babaca e é as ofensas que você recebe eu não deveria pensar nisso, mais estresse para o coração, que diferença ele faz aliás ele é

cambaleando pela Broad Street com o sinal verde e vejo o Roadmender ali na esquina branco na escuridão com suas grandes janelas fumê três ou quatro metros acima da rua é como uma proa é como um navio um transatlântico que encalhou aqui no ponto mais distante do litoral atraído pelo falso feixe de luz da torre Express Lifts e pela promessa vazia do Harbour Lights eles tiveram grandes esperanças para o lugar já que todos os tipos cristãos bem-intencionados que o fundaram como um centro juvenil disseram que o objetivo era "corrigir o caminho" o caminho da vida que os jovens carentes enfrentaram quer dizer como ideia é uma bem intencionada como eu disse mas não envelheceu bem hoje em dia você não vai corrigir caminho nenhum existe pouquíssima chance até de encontrar um caminho e enquanto isso bem isso nos deixou com um prédio para manter e de jeito nenhum o espaço vai dar lucro nós tentamos de tudo eles colocaram algumas bandas grandes nomes alguns comediantes mas com esse tipo de público eles são estudantes não vão gastar muito mesmo se você lotar o lugar todas as noites não vai dar certo pelo que eu ouvi faltam seis meses talvez um ano ah caralho outra subida

nessa idade você não sabe nunca sabe nunca escuta aquele que te dá porrada era aqui talvez onde ficava a Bullhead Lane, na ladeira da Sheep Street

do outro lado da rua todos esses prédios com cavidades mortas olhando pelos pilares existe um pedaço de vegetação para atenuar aqui e ali beiradas indiferentes como um descanso inadequado de todo aquele concreto mas é tudo meio morto não cobre nada e só faz o resto parecer pior um fio dental de diamantes em uma stripper feia

quando você está mais perto lá do alto avista a estação de ônibus o prédio mais horroroso do país é o que pensam com os espaços superiores vazios olhando de um jeito ameaçador para a massa brutal do estacionamento pelo gramado onde o forte do Exército de Salvação ficava como se fosse um rival em algum concurso de cara de bosta mas quando você pensa a respeito com os apartamentos o estacionamento a estação de ônibus e o resto dos trambolhos feios que parecem se reunir aqui não é de admirar que as pessoas se sintam tão perseguidas você precisa se perguntar se Roman Thompson e o esquadrão de esquisitos não podem estar certos pelo menos nisso, nessa única questão claro e não em tudo não depois do que ele me xingou o que ele disse para mim e a Lady's Lane ela segue em direção aos Mounts com os fundos da estação de ônibus de um lado e os tribunais do outro tem aquele tipo de formato de forca que ecoa na arquitetura e você tem a sensação de que o lugar inteiro está condenado não importa para onde você olhe as faixas de grama vazias aqui nessa ponta se você me perguntar não são as casas velhas assustadoras são os trechos de terra nua que parecem mais assombrados

virar à esquerda na Sheep Street e não é dar de cara com um lugar assombrado como a gente vê nos filmes ou lê numa história de fantasmas em muitos aspectos é como o oposto disso a questão não são as presenças misteriosas e sim as ausências não a permanência o passado e sim o desaparecimento

na escola de Spring Lane às vezes no Natal eu me lembro de que lia um ou dois contos de fantasmas sabe como é uma coisa tradicional eles adoravam nada realmente assustador eu lia *Um Conto de Natal* não *O Sinaleiro*, *Fantasma de Canterville* talvez mas não *Corações Perdidos*, as histórias de fantasmas inglesas são uma das coisas maravilhosas que podem tornar o ensino de inglês um prazer somente como os mestres da forma conseguem definir a cena e estruturar as coisas eles parecem levar muito tempo estabelecendo uma situação que seja realista e muitos deles como M.R. James baseiam as histórias em um local real para ter mais qual é a palavra eu odeio quando não consigo me lembrar das coisas isso me preocupa verossimilhança e tem o aspecto moral de uma história de fantasmas que é bem interessante o jeito que às vezes como no caso do Scrooge os fantasmas são na verdade uma força moral e ele fez algo para merecer uma visita deles sendo que na minha opinião o outro tipo de história é mais assustador, aquelas em que os fantasmas descem sobre alguém porque estão no lugar errado na hora errada e a vítima é alguém inocente alguém que não sabe o que fez para merecer isso acho que o medo que existe em todas essas histórias é que o mundo em que vivemos confortável e previsível pode de repente mudar e deixar entrar coisas que não podemos entender nem lidar esse é o terror encoberto, que as coisas podem não ser do jeito que pensamos está quase escuro agora todos os postes de luz se acenderam

as ausências tendem a se acumular deste lado, a Sheep Street, lá está o quintal em que a faia ficou por oitocentos anos acho que foi o que disseram antes de morrer de causas naturais isso é um eufemismo todos nós sabemos muito bem quem a envenenou alguém de um cargo alto em uma das empresas nos arredores que queria ampliar a área de estacionamento mas obviamente não existe nada a ser feito, seria difícil provar isso para começo de conversa e considerando todo o transtorno que isso causaria quer dizer não traria a árvore de volta né o que está feito está feito é melhor aceitar e seguir adiante essa é a abordagem mais prática e madura isso é política goste ou não goste não adianta chorar sobre o leite derramado quando o cavalo saiu correndo do outro lado da rua o restaurante chinês fui há anos mudou de dono e claro o nome acho que eu e Mandy fomos lá uma ou duas vezes antes de podermos ir mais longe e comer melhor não a comida era muito boa pelo que me lembro lagosta acho que comi

e ali está o Santo Sepulcro a igreja redonda que se projeta no crepúsculo prenha de segredos culposos repleta de memórias eu não deveria me admirar

os cavaleiros templários faziam lá seus rituais de culto não dizem que tínhamos muitos deles por aqui depois das cruzadas alguém deveria escrever um romance um *Código Da Vinci* ou algo assim acho Northampton viu um bocado de agitações religiosas ao longo dos anos extremismo é preciso dizer havia um monte de grupos esquisitos na época de Cromwell os levellers e os ranters e todo o resto a cidade é um ímã para eles Phillip Doddridge é outro Thomas à Becket correndo no meio da noite é como eu disse existe muita história religiosa mas nada disso é bem o que se pode chamar de normal é fanatismo ou então visões e coisas que não estão lá eles queimaram as bruxas um pouco mais ali acima, na Regent Square, certo acho que me lembro de alguém me dizer

atravessar até o lado da igreja da rua não tem nada vindo no momento mas no final lá na própria praça o trânsito está aglomerado nos semáforos como sempre

e é engraçado

você olha da igreja redonda para o cruzamento e tem uma espécie de totalidade uma simplicidade sobre o passado e então na Regent Square o presente todos os carros os sinais abrindo e fechando é mais como um quebra-cabeça que foi jogado pela sala

e incendiado

o presente destruído e em chamas penso no Iraque estou muito feliz por termos cancelado aquela viagem quer dizer o Iraque é um exemplo óbvio mas está em toda parte a fragmentação e o tecido, se desfazendo diante dos nossos olhos, está em todo lugar ah Deus imagine isso imagine ser obrigado a se ajoelhar e ter sua cabeça cortada diante da câmera espere aqui é onde o portão norte ficava no fim da Sheep Street aqui é onde colocamos cabeças em estacas os invasores dinamarqueses que capturamos lá não existiam câmeras então as cabeças empaladas são a mesma coisa é o equivalente da idade das trevas é uma exibição para a dissuadir o inimigo não que se eu tivesse ido para Basra eu teria sido um inimigo eu disse que era uma oportunidade de ajudar uma nação destruída pela guerra e seu povo e se a Anglicom ganhasse algo com isso bem onde está o problema eu não sou um inimigo mas então você poderia dizer que é ingenuidade que não é assim que funciona é como eles nos veem não é como nós nos vemos quer dizer eles dizem que você deve ter cuidado ao escolher seus inimigos mas você não opina sobre como os seus inimigos escolhem você como o maldito Roman Thompson me chamando de babaca fingindo que sou o vilão quando não sou eu sou um dos últimos heróis que se levantam contra os vilões e é claro que às vezes há concessões mas existem pessoas piores que eu muito piores eu mereço algum crédito algum respeito e se existir alguma dúvida então deveria ser usada em meu benefício e a Sheep Street se abre na caixa de tinta suja da praça e aqui estamos no Bird in Hand na Regent Square o brilho a atmosfera de sexta-feira como se esperasse por algum sei lá algum negócio feio para começar talvez seja eu, minha idade, você ouve tantas histórias é de se admirar que o centro da cidade à noite enfim é o suficiente para deixar alguém nervoso bem não nervoso digamos cauteloso e eu não sou um homem grande mas você tem que fazer isso tem que sair de vez em quando e depois talvez parar no pub e tomar uma bebida provar a si mesmo que ainda pode que não está com medo, quando você começa a pensar assim é que está derrotado, que não existe essa sensação de que está ficando para trás a porta é de latão e vidro, cortinas de renda do outro lado tenho a sensação de que poderia ter sido bem assim na década de 1950 as dobradiças fazem um rangido antigo e aconchegante, um chiado convidativo

calor humano um paredão o cheiro de cigarros e hálito de cerveja não o cheiro de cerveja morna de que me lembro tem um som de fundo confuso um acarpetado de tilintares murmúrios garotas risonhas glissandos da máquina de frutas *BUOIP BUOIP BUOIP BUOIP* o teto baixo mantendo todos os aromas e sons pressionados lá embaixo não tem tanta gente é só uma impressão depois de vir de uma rua vazia mas a noite ainda é uma criança acho que não tem ninguém aqui que eu conheça uma bebida rápida, então, uma caneca da *bitter* em pé no balcão e tentando chamar a atenção do barman ah porra eu coloquei o cotovelo no molhado não importa vou enxugar quando chegar em casa ele está me ignorando deliberadamente está mesmo, não, não está só servindo alguém do lado mais distante no balcão e espere um minuto aquele cara sentado na mesa ali no canto eu tenho certeza de que conheço o rosto dele de algum lugar é ah merda ele me viu olhando falou olá ele óbvio me conhece eu sou mais ou menos forçado, obrigado, a abrir um grande sorriso em resposta ainda não consigo lembrar quem é eu o vi e não faz tempo tenho certeza mas se for alguém em quem devo prestar atenção alguém que conheça Mandy mas considerando como ele está vestido não consigo imaginar que seria isso ele ah ele está segurando o copo vazio ele quer uma bebida e antes que eu possa me conter estou balançando a cabeça mas isso significa que vou precisar me sentar com ele fingir que me lembro de quem ele é e ah Deus é Benedict Perrit mas isso é não é muito estranho é

é uma coincidência nada estranha não se você entende matemática direito não é como

BUOIP BUOIP BUOIP BUOIP
não é como se fosse muito notável que sonhamos com todos os tipos de pessoas e depois as vemos mas quer dizer estou mais irritado do que qualquer outra coisa sou mais ou menos obrigado a tomar uma bebida com ele se eu não tivesse olhado para ele como se fosse um amigo de longa data, é apenas um hábito do trabalho ao longo de todos esses anos, se eu o tivesse reconhecido antes, mas oh, aqui está o barman

— Me vê duas canecas de bitter, chapa?

por que chamei ele de chapa ele não é meu chapa ah bem é só uma cerveja vou beber em vinte minutos no máximo então dizer a ele que tenho compromisso em outro lugar vinte minutos o quanto isso pode ser mas espera aí o que ele está fazendo parece algum tipo de pantomima ele está apontando para mim e então se virando para o banquinho vazio ao lado dele e então levantando a mão para proteger a boca como se estivesse dizendo algo agora ele está rindo qual é o problema com ele é como se estivesse encenando algum tipo de piada ou algo que ele pensa que estou entendendo dá para ouvi-lo rindo do outro lado do salão ele parece um cavalo *BUOIP BUOIP* "Hahahaha!" *BUOIP BUOIP* ele está tirando sarro o que está acontecendo ah aqui está o barman com as cervejas

— Valeu, chapa.

arrrrh meu Deus me faça parar de falar isso pague a ele, cinco, fique com o troco não tem muito e depois navegando uma caneca em cada mão eu não aguento mais isso me deixa tenso você não consegue ver os próprios pés ou onde você vai colocá-los e todas essas pessoas são como obstáculos em uma mesa de pinball e você sabe que vai acabar derramando tudo em si mesmo ou pior em outra pessoa e então te apagam no soco é como tentar direcionar um navio para o atracadouro ou ora para mim é mais um rebocador bisbilhotando entre um monte de navios de carga enormes e é só olhar para ele escute só fazendo careta e rindo e fingindo que está sussurrando sobre mim como um aparte para uma plateia que não está lá ele é assim com todo mundo pelo amor de Deus no que eu me meti agora ah bem é tarde demais

— Oi, Benedict. Como tem passado? Eu te comprei uma caneca de *bitter*, espero que tudo bem.

claro que está tudo bem não existe necessidade de parecer que pede desculpas ele é que te pediu bebida é ele quem deve se desculpar se é que alguém precisa você não é obrigado a sempre causar uma boa impressão bem não com qualquer um não com alguém como ele ele é

— Vereador, o senhor deve ser vidente. Hahaha. Leu a minha mente.

ah inferno espero que não se eu ler sua mente aposto que seria muito pior que M.R. James eu ia ficar sem dormir por semanas não ia nem

— Ah, não. Não, não sou nenhum vidente. Não sou nem vereador há três anos. Saí em 2003. Foi quando o desgraçado do Tony Blair enfiou a gente no Iraque.

ora tecnicamente isso é verdade eu não disse que os dois fatos tinham relação entre si então na verdade eu não

— Hahahaha! É siiim, você é, você é um vidente! Freddy fingiu que você não tinha o dom, mas eu tinha fé nas suas habilidades psíquicas. Eu acredito, vereador. Hahahaha. Saúde!

— Mas eu não sou...

caralho, olha essa cerveja descendo, aquele pomo de Adão funcionando como se tivesse um braço de pistão lá quem é Freddy e aquele jeito de falar "siiim" que se costumava ouvir o tempo todo aqui, senhoras, principalmente o sotaque forte de Northampton eu tinha me esquecido quando nos mudamos nós ríamos disso eu e Mandy imitávamos então você nem percebe e quando se dá conta quase desapareceu quando foi a última vez que eu

— Então, você saiu daquele porão no fim? Hahaha.

que porão do que ele está falando

— Que porão é esse? Desculpe, mas não estou entendendo.

pronto, de novo, pedindo desculpas por que deveria se desculpar é ele que está falando bobagem ele

— O porão no sonho. Hahahaha! Você não gostou muito de lá.

o

mas

o que ele está falando ah não ah não Deus não isso não isso *BUOIP BUOIP BUOIP BUOIP* não

— Do que está f... como sabe que...

é um sonho, isso agora, é o mesmo sonho eu ainda não acordei ou

— Hahaha! Era igual à loja do nosso avô na Horsemarket. Era...siiim. Siiim, é isso. O Xerife. Hahaha. Sentado no carrinho dele na Merruld.

mas como ele pode saber que espera estou deixando passar alguma coisa aqui na última metade dessa frase ele virou a cabeça e desviou o olhar ele está me esnobando ou eu não sei mas o que ele disse o sonho como ele pode saber sobre o meu sonho ou como posso saber o dele de qualquer forma não é assim que funciona isso está errado deve ser algum eu não sei algum acaso de probabilidade, matemática, uma coincidência é o que quero dizer duas pessoas tendo o mesmo sonho na mesma noite e então se encontrando no dia seguinte eu admito que deve ser muito improvável mas não é impossível não significa espera ele está se virando para mim

— Freddy estava falando que cê precisa trocar a cueca. Falei pra ele antes o que cê tá usando e ele me falou que cê estava usando a mesma coisa da última vez que ele te viu. Hahaha.

ele está

ele está ah porra ele está falando com o assento vazio do outro lado alguém me disse eu me lembro agora alguém disse que o viu fazendo isso, em algum outro bar, o Fish acho deve ser toda a bebida que deixou ele assim mas tem a poesia também não era ele sempre falando sobre John Clare e todo mundo sabe onde John Clare foi parar como ele sabia do meu sonho a cueca e eu não estou gostando disso como eu acabei entrando nessa eu não mereço e

— Quem é o Freddy? Não estou...

rindo e jogando a cabeça para trás dá para ver cada poro no nariz grande dele não tem nada de engraçado nisso é aquela coisa a atmosfera ao redor dos Boroughs *BUOIP BUOIP BUOIP BUOIP* eles são todos loucos eles são essas pessoas eles são todos consanguíneos e loucos ou

— Freddy Allen! O velho Freddy Allen! Ele tá falan'o que te viu andan'o na Marefair no meio da noite só de cueca e camisa. Hahaha. Ele disse que atravessou a rua correndo pra ver se conseguia te deixar nervoso. Pelo que ele tá me falando cê deu a impressão de ter cagado na cueca. É por isso que precisa trocar. Hahahahaha!

engolindo minha cerveja agora tentando calar a boca dele isso não está acontecendo estou ouvindo mal tudo isso com o barulho de fundo ele não está dizendo o que acho que está dizendo preciso apenas levantar e ir embora falar que não estou me sentindo bem é verdade ah Cristo quero sair correndo mas estou preso no canto do pub aqui com ele tem tantos bancos e mesas entre mim e a porta e todas essas pessoas a sexta à noite está lotando eu não sei o que fazer não sei o que dizer tem muita coisa acontecendo *BUOIP BUOIP BUOIP BUOIP* e pelo canto do olho ah Deus o que é isso não é nada fumaça de cigarro pendurada em um tapete voador vacilante feito de lã cinza logo acima do trilho de quadros pensei que era não sei que uma onda de alguma coisa bolas de poeira grandes como ovelhas correndo na nossa mesa mas é só fumaça eu estou tão irritado oh por favor façam ele parar de rir é

— Hahahaha! Viu isso? Ele ficou de pé como se tivesse hemorroidas. Ficou puto porque um bando de pivetes acabou de entrar.

o que agora, ah, Jesus, me tire daqui ele me encurralou aqui neste canto e ele o que está fazendo agora ele não está olhando para o banquinho ao lado dele e ele não está olhando para mim ele está rindo na fumaça ah, porra quantos não estão por aí que não sei não

— Vocês não podem entrar! Vocês não têm idade! E se o gerente pedir para ver seus certificados de óbito? Hahahaha!

rindo alto gritando para o ar denso ninguém prestando a mínima atenção nele não conseguem ouvir o que está acontecendo devem estar acostumados com ele um freguês regular ou não conseguem ouvir acima do *BUOIP BUOIP BUOIP BUOIP* eu mesmo não sei o que está acontecendo por um momento olho na direção que ele olha mas não tem nada tem só a bunda de um cara e toda a fumaça e eu olho de volta para ele e tudo sobre os Boroughs que pode fazer sua pele se arrepiar está lá na voz dele a risada os olhos você não sabe se ele está triste ou feliz eu só estou boquiaberto para ele eu só estou

— Eu não entendo. Não entendo vocês.

escute o que está dizendo "vocês" não tem ninguém aqui além dele você parece tão maluco quanto ele ah Deus quando ele disse essa parte, correndo pela Marefair para me assustar ele não pode ter dito isso não é só papo-furado não as pessoas não têm os sonhos umas das outras eu não eu não posso eu simplesmente não consigo pensar nisso agora Benedict Perrit veja só ele esticando o pescoço e rindo segurando uma mão na orelha como se estivesse fingindo que está espionando alguém ou talvez ele

— Não consigo ouvir eles. Mesmo quando estão bem do seu lado, parece que estão longe, percebeu? Hahaha.

é

é só neste momento me ocorre que isso é exatamente como seria é como são as histórias de fantasma na vida real *BUOIP BUOIP BUOIP BUOIP* na vida real não existem fantasmas e é apenas alguém que está louco, quer dizer isso é perturbador por si só, é alguém que está louco e fora isso não tem nada nem ninguém lá e não existem fantasmas não tem ninguém não tem nada além de uma

ausência

uma ausência acusatória, como se

me deixa sair ah Jesus me deixa sair daqui desse pub dessa esquina de perto desse lunático bêbado dessa noite como deu tudo tão errado ficou tão horrível tão rápido estou engolindo minha cerveja bebendo e ao meu lado ele está rindo a ponto de estourar a garganta é elevador subindo e descendo preso entre dois andares por que vim aqui é como se eu não tivesse escolha não tive chance e ao meu lado, o que foi agora, ele está apontando através da fumaça pendurada em direção à porta ele

— Lá vão eles! Hahahaha! Todos saíram pela porta feito fumaça subindo pela chaminé.

mas a porta não se mexeu a porta não abriu o que ele está vendo o que ele está vendo em seu surto esquizofrênico que eu não vejo termino minha cerveja e bato o copo vazio na mesa

— Benedict, eu...

— Hahaha! Eu sei! Tá procurando um jeito de sair, mas não tem. Tamo tudo preso aqui, sem data pra sair. Sangue na serragem e tripa de peixe na esquina. Ainda tô tentando seguir adiante. Hahahaha!

levanto eu não consigo dizer nada não consigo nem dizer tchau o que dizer, uma situação como essa, como se existisse uma coisa dessas como se houvesse uma situação como essa pelejando ao redor da mesa com a borda dura trepidando contra as minhas coxas não tem espaço para me mover não tem espaço de manobra e todas essas pessoas apinhando o lugar eu não percebi que entraram "Com licença... posso passar, sim, obrigado... com licença... desculpe chapa" pare de dizer isso pare de chamar as pessoas de chapa eles não são seus chapas não tem ninguém aqui que seja seu chapa e *BUOIP BUOIP BUOIP BUOIP* e atrás de mim posso ouvi-lo rindo relinchando como um cavalo de carroça com o celeiro pegando fogo tropeço nos pés de alguém e ouço a palavra boceta borbulhando no borrão acústico mas então finalmente estou perto da porta e empurrando o vidro duro através da pequena saia de renda inútil e então o ar lá fora está frio e limpo e grande o ar lá fora na Regent Square a noite me atinge e aqui estou eu livre eu me afastei dele eu me afastei disso eu o que

o que era, aquela

coisa, aquela atmosfera se foi não está aqui agora e é assim que eu sei que estava aqui como um barulho que você não percebe até que pare o silêncio súbito o que acabou de acontecer o que acabou de acontecer comigo nada nada aconteceu você é só doença mental você acabou de se deparar com isso é perturbador claro mas não tinha necessidade de entrar em pânico de sair correndo do pub assim devo ter parecido um idiota nada aconteceu acalme-se nada aconteceu tudo bem tudo normal por um minuto o velho coração estava batendo como uma tampa de lata de lixo mas agora vejo eu estava sendo idiota deixando tudo aquilo me abalar daquele jeito não sei não sei o que estava pensando, que o mundo, a realidade, tinha simplesmente não sei simplesmente se desfeito e tive a impressão de estar caindo pelas rachaduras mas veja só isso quer dizer está tudo bem é a Regent Square é sexta-feira está tudo bem tem

semáforos como pastilhas de frutas recém-chupadas

um mosquito de gelo picando meu pescoço ameaça de chuva com

casais rostos jovens deslizando e não cambaleando ainda está cedo estou

caminhando atordoado em direção ao cruzamento que vai dar no alto da Grafton Street a comporta escura descendo para o vale é isso que quer dizer não é como se eu tivesse tomado uma decisão ou pelo menos não conscientemente e no entanto aqui estou cambaleando pela rua o sinal apita apressando com sua piscadela esmeralda como se eu tivesse escolhido ir para casa por aqui e não pela Sheep Street por onde vim não me lembro de ter escolhido nada são meus pés estou do outro lado agora e eles estão me levando pelo que sobrou da Broad Street um sapato marrom e depois o outro e não é meu ah caralho qual é a palavra vontade não é minha vontade é como se cada passo já estivesse inscrito em pedra e não houvesse nada que eu pudesse fazer a respeito como se estivesse tudo predestinado mas então não haveria algo como ah cuidado eu quase perdi o rumo e caí na rua as luzes do cassino acendem à minha direita estou andando como se estivesse bêbado mas como pode ser se eu só bebi um copo um copo no Bird in Hand lá com

Benedict Perrit

foda-se eu devo eu ainda devo estar em choque mas é ridículo não é como se ele chovendo um pouco mais forte agora e não estou vestido para isso sabe o tempo estava tão bom quando saí vou ficar ensopado se não tomar cuidado vou ficar ensopado mas se ficar, outro maldito idiota dizendo todo aquele negócio no pub não, não é melhor não ficar pensando nisso um sapato marrom e depois o outro batendo na calçada brilhante molhada agora poças se acumulando onde os reflexos das lâmpadas de sódio provocam um tremor amarelo um sapato marrom e depois o outro não pela minha vontade mas então não existiria algo como o livre-arbítrio existiria espera o que eu pensei antes que era muito engraçado eu ia colocar na coluna era ah sim eu lembro que é livre-arbítrio ou livre improvisação teatral não pensando bem não parece tão engraçado agora muito difícil explicar mas o argumento ainda permanece se tudo isso foi roteirizado com antecedência e pelo que eu sei que poderia ser então todos seríamos atores ninguém seria inocente ou culpado e ora acho que se fosse assim que as coisas no fim se revelassem todos nós nos acostumaríamos a isso de muitas maneiras poderia ser um mundo muito melhor sem ninguém questionando sua ética o tempo todo sem razão para se sentir mal por qualquer coisa que você possa ter feito algumas decisões ruins que possa ter tomado há algum tempo há muito tempo eu sou não estou falando de mim agora, óbvio, mas existem pessoas sensíveis que ficam atormentadas por coisas que fizeram e se não existir livre-arbítrio ora você pode ver como alguns de nós, pessoas assim, seria como a lousa apagada e sem pesadelos sem noites sem dormir do outro lado da Broad Street a via de mão dupla há apenas o pedaço de cima do antigo forte do Exército de Salvação o outro aquele que ainda não foi derrubado na verdade acho que é tombado apenas na parte superior você pode ver onde ele aparece acima da cerca janelas superiores como se estivesse olhando para suas árvores e vegetação rasteira em volta olhando para você do outro lado da cerca como se fosse um cachorro velho encurralado e deixado para morrer não entende não sabe o que está acontecendo aqui está a Mayorhold chegando está

caindo o mundo ricocheteando na rua nas pedras da calçada em mim "vou pegar minha morte" é o que costumavam dizer por aqui com o sotaque como o de

Benedict Perrit

falando para o ar rindo do nada o nada é a última coisa de que você quer rir o nada é a coisa mais temida de todas depois que você morre estou na casa dos sessenta agora não acredito no inferno ou em todo o resto quer dizer é simplesmente o fim a morte não é assim que um adulto vê a coisa mas por outro lado Benedict Perrit no Bird in Hand a gargalhada e seus olhos doloridos e todas as pessoas que estavam lá apenas para ele e no entanto

e no entanto quer dizer os fantasmas mesmo que só ele pudesse vê-los de alguma maneira eles ainda estão lá né mesmo se ele estiver louco então são fantasmas que estão na cabeça dele todas as suas memórias das pessoas mortas da vizinhança todas fantasmas que correm pela cabeça dele e se você está sentado lá no canto do pub ao lado dele é quase impossível não ver o que ele está vendo bem não fantasmas mas como ele vê o mundo de um modo que quase é real para você também só por um momento acho que é a casa dele abaixo de mim à direita dessas da Tower Street não sei qual é quase real para você também, os fantasmas e tudo mais, dá a impressão de que é você de que sou eu que estou sendo assombrado e não ele como se o distrito e os mortos estivessem falando comigo através dele passando uma mensagem por que continuo tendo a sensação de que esse lugar me odeia depois de tudo o que fiz como ele sabia dos meus sonhos aquele porão horrível e sem saída lá em cima à esquerda as entranhas nodosas da Mayorhold roncam com o tráfego noturno com peidos de monóxido estrangulados à minha frente na Horsemarket há um barulho daquelas conversas de macacos bugios jovens que não sabem não se importam com o quanto estão falando alto como usassem fones de ouvido fones de ouvido de cerveja acho que vou virar à direita na Bath Street cortando pelos prédios de apartamentos e aquele caminho parece bem tranquilo ninguém por ali como ele sabia dos meus sonhos

e isso é outra coisa não é questão de livre-arbítrio então por que esse lugar me dá pesadelos me dá Benedict Perrit pelo amor de Deus eu não fiz nada de errado você me diga uma coisa que fiz de errado e se não existe livre-arbítrio então não existe errado nem certo nem pecado nem virtude nada todo mundo está fora de perigo e à direita aquele lugar era o salão de atividades da Brigada de Rapazes eu me pergunto se a Bath Street está morta hoje eu me pergunto se ainda existe a Brigada de Rapazes não mas o negócio do livre-arbítrio se ninguém fez nada de errado então por que alguém deveria se sentir culpado quando ninguém teve escolha e se não existe livre-arbítrio então somos todos realmente livres e o que quero dizer com isso é livre de se sentir mal e livre de sonhos e de bêbados e de loucos dava para sentir o cheiro de fantasmas no hálito dele nenhum de nós fez nada de errado e isso é um fato objetivo um fato científico objetivo só que

para ser um fato objetivo precisaria ter algum tipo de validação externa algum tipo de observador e não tem um tem apenas nós só nós vendo tudo de modo subjetivo e

então

para nós

para nós existe algo errado pensamos que temos livre-arbítrio pensamos que estamos agindo errado então a moralidade quer dizer é a mesma coisa livre arbítrio ou não pensamos que estamos agindo errado e não podemos fugir disso mas isso é pior né é o pior dos dois mundos sem livre-arbítrio mas ainda existindo pecado existe pecado para nós e somos os únicos a quem importa o que os muçulmanos dizem é algo como "um santo pode matar um milhão de inimigos e ficar sem pecado desde que se arrependa de apenas um" que é o arrependimento do livre--arbítrio né o que persiste estamos presos então né todos nós presos em nossas vidas presos em tudo isso na Bath Street no mundo nos Boroughs tudo isso não é justo é

alguém liga o motor e dá a partida com um guincho no escuro à minha frente parece que está com pressa e a chuva não para do outro lado da rua na Simons Walk alguém tocando bem eu não diria que era música tocando mas era alguma coisa enfim como ele sabia dos meus sonhos e então tem o pequeno parque ali solitário e deserto à noite e sobre ele as torres e como eu disse pelo menos é um espaço para habitação social que eu fui capaz de preservar e se alguém está lucrando é porque são negócios é assim que os negócios funcionam dã, o que, seria melhor se ninguém tivesse lucro e tudo fosse demolido e tivéssemos mais um monte de sem-teto nas ruas ah eu acho que não, gostaria de ver Roman Thompson justificar esse argumento quem seria o babaca então é como no Iraque alguém tem que estar preparado para ignorar todo o balido liberal e fazer algo profícuo prático para ajudar todas esses coitados alguém tem que estar preparado para começar alguém que não vê problemas em ficar com as mãos

sujas

virar à esquerda na calçada da St. Peter's House os apartamentos da Bath Street não tem ninguém esta noite mas às vezes bem é melhor tem que se cuidar está iluminado com as luzes sob as varandas para que você possa ver o que é o que me disseram é que a garotada a rapaziada do rap vem aqui fazer hip-hop tudo isso para dizer a verdade isso não me incomoda muito aliás quer dizer toda a escória que ficou presa aqui ao longo dos anos não vejo como alguns moleques de merda que falam rápido demais e não dá nem para entender vão fazer muita diferença francamente drogados débeis mentais prostitutas aquela com o cabelo de duas cores tenho certeza de que ela mora aqui qual delas não que eu fosse querer algum dia como será que ia ser aposto que fazem qualquer coisa ia ser como fazer com alguém como, enfim, a chuva parece que está diminuindo um pouco agora que estou quase em casa você não ia querer saber e o caminho de cascalho está todo brilhante como seixos à beira--mar e o que é isso é urgh é merda de cachorro as pessoas não deveriam ter cachorros se não puderem limpar o que fazem olha que nojeira do caralho parece que alguém pisou já estou feliz por não ter sido eu olha tem a marca em formato de grade da sola do tênis de alguém pressionada é como uma pequena miniatura de Nova York feita de bosta e na chuva e na luz elétrica está molhado e brilhando parece fresco ah Deus isso revira meu estômago merda eu odeio isso acho que tenho um problema com isso se eu não tivesse percebido a tempo se apenas enfiasse meu pé você deixa um rastro por onde vai e ela fica com você, onde quer que vá você está pensando que cheiro é esse e tem suas pegadas de merda em tudo você traz para casa leva para todos os lugares em tudo eu

subindo a rampa para Castle Street iluminada por lâmpadas há sirenes em algum lugar imagino que o centro da cidade esteja começando a ferver provavelmente alguém aprontou alguma cheguei em casa cedo antes que qualquer problema começasse mas o que foi isso então no Bird in Hand se não era problema não sei não sei o que pode ter sido foi um acaso um acaso sem sentido esqueça isso tire isso da cabeça pense em outra coisa olhe para essas paredes de alvenaria eles construíram esses apartamentos quase oitenta anos atrás disseram que eram moradias temporárias quando as ergueram quer dizer tecnicamente uma palavra como temporária significa apenas "por um período de tempo" mas acho oitenta anos um exagero quer dizer considerando o tempo de vida do universo o sol é temporário tudo é temporário a St. Katherine's House do outro lado da rua isso é temporário pra caralho um incêndio na cozinha um Benson & Hedges aceso derrubado no fundo do sofá os bombeiros condenaram mas nós, eles, eles ainda colocam as pessoas lá e se acontecer um incêndio quer dizer construíram torres como essa por todo o país nos anos 60 e se houver um incêndio na escadaria central todos esses apartamentos esse tipo de apartamento é como uma chaminé com gente tentando descer enquanto a fumaça e as chamas sobem eu não deveria dizer isso mas espero que os trabalhistas estejam sem mandato se bem que quando houver um incêndio as pessoas que enfiam aqui quer dizer elas estão em situação de risco mesmo que o lugar onde moram não esteja pegando fogo adolescentes recém-saídos do confinamento transtornos mentais tudo o que você imaginar lá estavam aquelas duas velhas queridas que eu vi uma semana ou duas atrás, bem, acho que moram lá estavam paradas no pátio da St. Katherine's só olhando esfregando as mãos e gargalhando provavelmente eram cuidadas na comunidade você coloca aqui todos os anormais e pelo que ouvi sempre foi assim Benedict Perrit e todos eles como esse distrito produz gente assim deve ser alguma coisa na água algo no solo e descendo para Chalk Lane a chuva parou

  na esquina a pequena creche algo na janela um pôster de algum tipo ah eu me lembro Alma Warren alguém disse que ela ia fazer uma exposição aqui por um dia um sábado acho que disseram que pensei que seria daqui a uma ou duas semanas mas quem sabe pode até ser amanhã Alma Warren aí está outra outra aberração dos Boroughs ela não era da mesma classe que ele na escola Benedict Perrit eu já dei abertura tentei ser simpático mas em troca recebo só frieza acho que ela não gosta de mim age como se a lei para ela fosse outra como se não estivesse no mesmo mundo que todos os outros acho que é vaidosa se considera superior moralmente superior a todos os outros ela tem algum tipo de complexo dá para ver nos olhos dela e quando está falando fica sorrindo e dizendo coisas engraçadas e sendo simpática é tudo fingimento ela está sorrindo e aqueles olhos de aranha brilham mas é como se estivesse tentando disfarçar que ela quer te devorar é uma encenação é uma performance se ela gosta tanto dos Boroughs ora então por que não mora aqui como eu odeio gente assim que finge ser transparente quando você sabe que todo mundo tem segredos todo mundo está fingindo é uma farsa não é que nem comigo eu sou o que você vê me desculpe mas é assim que eu sou por que essas pessoas não gostam de mim por que não por que diabos você deveria se importar por que diabos você deveria se importar se um monte de maloqueiros e gente sem futuro gosta de você ou não você é o vereador tem suas realizações tem seu currículo por que sempre volta para essas mesmas coisas esses mesmos pensamentos você é como um hamster em uma roda girando e girando pelo amor de Deus simplesmente supere isso o que todo mundo pensa não importa mas

mesmo assim é maldoso isso de sempre pensarem o pior de alguém ou pelo menos parecerem pensar o pior de mim é doloroso às vezes e do outro lado da igreja Doddridge sempre me perguntei para que serve aquela portinha no meio da parede eu aposto que costumavam espalhar boatos desagradáveis sobre Phillip Doddridge chamando-o de babaca chamando-o de cuzão quando ele era quase um santo um homem que realmente se importava com a vizinhança não que eu esteja tentando fazer comparações mas quer dizer dá para ver as semelhanças eu me sinto bem eu me sinto bem comigo mesmo e se existem pessoas que só querem pensar o pior que não vão dar a ninguém o velho benefício da dúvida então isso é problema delas indo ladeira abaixo agora quase em casa estacionamento à direita acho que colocaram vítimas da peste lá e à esquerda outro estacionamento o antigo cemitério Doddridge pessoas mortas em todos os lugares somos temporários não somos para sempre acho uma bênção isso de certa forma livre-arbítrio ou não o que quer que fizemos de errado o que quer que imaginem que fizemos de errado o tempo apaga tudo por fim e ninguém se lembra e as pequenas coisas não importam tudo é perdoado quando acaba as dívidas são canceladas e não há registro permanente porque nada é permanente o mundo inteiro é temporário e isso é nosso isso é o que chamamos de estatuto de limitações nosso cartão de saída da prisão ah agora aqui estamos Black Lion logo do outro lado da Marefair no fundo parece morta terei sorte se ainda estiver aqui ano que vem quando nos mudamos tinha uma pequena revistaria no fim da Chalk Lane lá embaixo bem em frente tinha um cara careca que era gerente Pete Pete alguma coisa e vira à direita na esquina em nossa pequena calçada, dá para

ver o fundo do vale a estação e o entroncamento na encruzilhada todas as luzes eu

não tive escolha em ser quem eu sou em Far Cotton Jimmy's End não existem

fantasmas nada lá e nada é assombrado três portas abaixo encontro minha chave e enfim um santuário a segurança do lar e nada mais os Boroughs não podem te pegar agora acendo a luz no corredor e tiro minha jaqueta está colando molhada está brilhando parece uma foca morta pendurada pingando do cabide sabe estou exausto de repente estou muito exausto acho que acabei de dar uma volta completa no distrito e geralmente não sou muito de caminhadas claro que teve aquele negócio no Bird in Hand não acredito agora aqui em casa não acredito que saí correndo do pub literalmente corri e tudo mais, toda a adrenalina, essa é talvez outra razão pela qual você se sente exausto na sala de estar eu me jogo na poltrona e ugh foda essa calça fria e encharcada contra minhas pernas minha bunda onde molhou na chuva porra isso é horrível não passa muito das nove mas sei lá é melhor ir para a cama isso tudo me deixou com um estado de humor esquisito esta noite é melhor ir para a cama e dormir até me sentir melhor de manhã tenho a certeza de uma coisa se não tiro esta calça é pneumonia na certa e acho que estou me sentindo um pouco sozinho queria que Mandy estivesse em casa mas mesmo assim

até me levantar é um esforço apagar as luzes e subir para a cama o banheiro está um pouco ofuscante tiro minha camisa e calça meus sapatos e meias a camisa está encharcada ficou toda transparente tem um oval molhado e tingido de rosa onde está grudando na minha barriga por um instante pensei que estivesse sangrando deixar as coisas molhadas penduradas na borda da banheira até de manhã acho que minha cueca e minha camiseta estão um pouco úmidas mas vão secar naturalmente tomo meus comprimidos três deles todas as noites é uma chatice você nem imagina isso quando é jovem encaro em meio à condensação no espelho enquanto escovo os dentes olhe para o meu estado eu sou como um gnomo de jardim um David Bellamy pisado um hobbit raivoso preso em quarentena com espuma de menta pingando do queixo estou cansado de me ver vou até a privada com os pés descalços nos ladrilhos frios levanto o assento para não ficar respingado e depois de alguns momentos de espera enquanto meu pinto decide o que fazer aparece uma corda dourada pálida de mijo se desenrolando na bacia tilintante é engraçado ficar de pé olhando para baixo temos dois rolos de papel higiênico em pé na tampa da caixa acoplada e olhando para baixo embaixo dele está o assento levantado e a tampa e depois a privada aberta parece um sapo branco de desenho animado como o Caco dos Muppets só que albino olhando para mim com os olhos arregalados com um olhar indignado e traído enquanto eu fico aqui mijando na garganta dele até o banheiro me culpando por alguma coisa tem uma coisa que você precisa fazer você tem que apertar a alavanca duas ou três vezes antes de dar descarga enquanto está gargarejando eu puxo a corda para apagar a luz do banheiro e estou no patamar da escada e na cama antes que o barulho do reservatório de água pare e se transforme em sibilos pingos e mijos é uma espécie de superstição pessoal acredito que nem sei o que acho que aconteceria se eu não fosse para a cama antes de os ruídos pararem é mais uma espécie de jogo uma espécie de hábito não tenho ideia de por que faço ah isso é

bom o colchão estala e sinto toda a dor e tensão saindo de mim esfrego os pés um no outro e eles estão secos e frios mas se aquecendo com o atrito e isso é bom espero que eu durma esta noite sem sonhos sem porões sem nada correndo para cima de mim com o rosto se desdobrando seguro agora seguro aqui em nossa casinha nosso cantinho dos Boroughs em frente à estação dez anos e espero que este lugar esteja irreconhecível um grande empreendimento se erguendo como a explosão de onde fica a estação e a maior parte disso, deste lugar, a maior parte limpa remover os retardatários sociais a maior parte varrida se o dinheiro durar o boom o dinheiro que eles precisam para fazer isso não o terreno aqui a propriedade poderia ser muito bom poderia ser realmente valiosa, não que fôssemos vender parte do bairro que somos nós parte dos móveis viro de lado e arrasto um edredom até entre meus joelhos para impedi-los de bater uns contra os outros ahh isso é bom isso é

acredito que as pessoas aqui em geral não sejam tão ruins é mesmo nos pubs você as vê no seu pior e deixe que tirem sarro de mim se quiserem eu ainda estarei no topo quando todos eles se forem então deixe que se divirtam um pouco não é culpa deles se são desesperados vivendo em um lugar sem esperança, eles são e eu estou falando como um marxista agora um marxista modificado eles são apenas vítimas são o resultado final inevitável de processos históricos e econômicos mas então quer dizer você olha para eles bêbados o dia todo são as crianças que carregam o peso disso muitas delas os pais eles não querem empregos não estão preparados para trabalhar não é

é como uma terraplenagem inundada eu vim aqui quando era menino o que o que onde eu estava

não estão preparados para trabalhar isso mesmo culpam todo mundo por seus próprios problemas culpam a prefeitura culpam o sistema me culpam estamos todos fazendo o que temos que fazer e alguns deles aqui embaixo quer dizer eles batem nas esposas dizem que é a frustração que é a pobreza mas então por que têm tantos filhos com filhos para te impedir como você vai conseguir chegar aonde quer na vida veja Mandy e eu filhos teriam atrapalhado nossas carreiras e olhe para nós estamos felizes muito felizes mas algumas pessoas são apenas lixo humano são apenas

    falésias arredondadas de lama muito longe através da grama e arcos ferroviários de tijolos vermelhos distantes já estive aqui antes veja tem um brinquedo um elefante de plástico caiu em uma poça é tenho certeza de que já me pertenceu da última vez que estive aqui e não fica perto de uma casa uma velha o que o que eu fiz

    todos os brutos os desmazelados os durões e o estrondo deles todos os filhos todos violentos usando drogas eu costumava ler histórias de fantasmas para eles no Natal mães vestindo saias curtas meias-arrastão ofendendo e cegando você deveria ouvir eles não foram criados eles são arrastados é uma merda de lugar cheio de merdas tem pedófilos aqui embaixo tem criminosos sexuais ora precisam botar eles em algum lugar drogados e é tudo culpa deles não é nossa não é minha eles deviam se esforçar mas então

    tem aquela velha casa do poço escarlate que se ergue do terreno baldio por conta própria o céu cinza acima e eu de cueca minha cueca cinza e camiseta eu ando em direção a ela através das ervas daninhas eu preciso do banheiro não havia banheiros no porão daquele prédio se eu me lembrar de como encontrá-los se não estiverem todos rachados e entupidos

    mas então quem sou eu

O CRUZEIRO NA PAREDE

Seu rosto é como um primeiro esboço de rosto, depois de ser amassado com raiva e frustração. É uma cara de detetive particular, a fachada de Studs Goodman, maltratada por bandidos e uísques, coroando a espuma suja e ondas bravias de outra cidade morta, um mundo queimado tão decaído quanto seus arcos. É assim que funciona, a vida de detetive particular, a espera interminável entre um caso e outro, sentado ante uma persiana que fatia a luz. Esses momentos vazios, sem homicídios, eles são de matar.

Studs dá uma tragada profunda e prazerosa em sua esferográfica. Franzindo aqueles lábios cruéis e tortos em um esfíncter, exala um gênio contorcido de fumaça imaginária nos retilíneos raios solares e reflete a respeito do fato de que os períodos de seca na profissão que escolheu devem ser como aqueles suportados por pessoas com tendências para as artes cênicas. Studs, um heterossexual que tenta reduzir o hábito de foder quarenta bocetas por dia[35], não tem tempo para atores e tipos teatrais porque eles são em sua maioria maricas, florzinhas e assim por diante. É um fato bem conhecido. Ainda assim, Studs consegue compreender como deve ser quando estão desempregados e "descansando entre papéis". A inatividade, ele sabe, pode enlouquecer um cara. Ora, até Studs consegue se ver sem nada o que fazer, imaginando algum caso hipotético e complicado para resolver em sua mente, e ele é um cara esperto, durão e antiquado do Brooklyn que pensa com os punhos e nocauteia as pessoas com a cabeça. Não sonha em preto e branco, sonha em ondas de rádio. Como deve ser para um ator neurótico quando o estúdio não liga? O detetive castigado pelo tempo apostaria seu último centavo que essas flores preciosas gastam seu tempo ensaiando para algum teste de elenco que nunca acontece, um caubói ou um grande caçador, algo assim masculino. Talvez um detetive particular, quem sabe? Ele ri ironicamente com o pensamento e apaga a esferográfica em uma xícara de café ali a postos. O papel de Studs exigiria muito tempo na maquiagem.

Ele não é um rostinho bonito, claro. Gosta de pensar que tem uma aparência vivida, mas vivida por três gerações de lituanos alcoólatras caóticos que enfim são colocados para correr na base da bala, e depois disso o que resta daquela aparência permanece sem uso por décadas, a não ser como um mictório de sem-teto. Então tudo queima em um incêndio para acionar o seguro. Ele se senta diante do espelho da penteadeira em seu escritório sórdido e examina a cena do crime em seu semblante: circulando, não tem nada para ver aqui. Ele nota as ondulações aparentemente aleatórias da testa, uma face de rocha vulcânica que se eleva da linha irregular das árvores de suas sobrancelhas até o pináculo penteado, de onde começa a descida através da grama alta preta e escorregadia até a nuca. Os olhos estão cheios de pessimismo e do que parece ser algum tipo de transtorno não especificado; olhos que viram demais de suas elevações um pouco diferentes e seus ângulos conflitantes, quase equidistantes do nariz de machado de gelo, quebrado com mais frequência do que o coração de uma prostituta. Então, acima de tudo, uma pitada esparsa, mas perceptível, de verrugas do tamanho de um Sugar Puff, para garantir que ninguém deixe de notar a assimetria, uma redundante sugestão de trilha de riso espalhada em seu rosto para qualquer um que de alguma forma ainda não tenha entendido a piada. Há quem diga que seu rosto com certeza não é nenhuma pintura, mas quem diz isso é gente que não conhece os cubistas.

Em outro lugar do prédio, talvez na recepção, há um telefone exigindo a atenção de todos como uma criança mimada. Ele chama a secretária desorientada:

— Mãe! Mãe, telefone! — mas ela evidentemente está em uma de suas pausas misteriosas, talvez conectada com a já mencionada tontura.

Sempre que ele vem de Londres para cá e passa alguns dias, fala com a mãe sobre a necessidade de alterar a medicação, mas ela não escuta. Mulheres. Impossível viver com elas, impossível lembrar onde colocamos as meias. Dez toques e vai para a secretária eletrônica, com a mensagem que ele teve o cuidado de gravar por cima da dela quando chegou, no dia anterior. Ela não recebe muitos telefonemas, enquanto um cliente ou seu agente pode ligar para ele, em teoria, a qualquer hora do dia ou da noite. Aquela desmiolada poderia simplesmente regravar seus próprios murmúrios de desculpas depois que for embora e, enquanto isso, ficaria honrada em ter seu tom de voz poderoso desconcertando os membros do grupo de amigas dela que ainda se lembravam de como usar um telefone.

— Oi. Aqui é Robert Goodman. Não estou no momento, mas por favor deixe um recado que entro em contato. Obrigado. Tchau.

Studs fingiu seu mais impecável sotaque inglês. Em sua linha de trabalho, um cara nunca sabe quando pode precisar de um, possivelmente disfarçado e se passando por algum tipo de duque ou vendedor ambulante cockney, possivelmente como parte de uma trama louca que envolve as joias da coroa e uma loira de pernas quilométricas. O que ele gostaria mesmo agora é de um caso suculento, de preferência um drama de incesto complexo com Faye Dunaway, mas se contentaria também com um caso de chantagem ou divórcio. Mesmo assim, Studs resiste ao impulso de pegar o instrumento agora silencioso e interromper quem liga. Melhor não. Depois checará se é o caso de uma disputa familiar por causa de uma herança que evoluiu para um sequestro ou invasão de domicílio. A última coisa que quer é que os clientes em potencial pensem que está desesperado por causa de seu tom de voz, quando podem perceber isso sozinhos, como todo mundo que o conhece tem que fazer, pelos móveis roídos e o refugo de raspadinhas descartadas, com resultados decepcionantes, por seu apartamento.

Sentado à penteadeira, pintado de zebra com a sombra projetada pelas venezianas, reflete sobre a sórdida carreira no crime que empreendeu antes de se tornar um investigador obstinado. Traficou tudo quanto é tipo de drogas em Albert Square e foi um informante com a cara cheia de cicatrizes na cadeia de Sun Hill. Perambulou perto de um Lexus com jaqueta de couro para aumentar as vendas de alarmes de carro, rosnou de cara feia com motoqueiros de Gotham City, usou um chapéu do dr. Seuss para fins de iniciação em uma gangue de rua irlandesa de Nova York e estuprou a irmã mais velha de Joana D'Arc na França do século XV. Studs é assim. Ele é um espírito livre, um rebelde que se recusa a dançar conforme a música. Está em uma cidade grande onde as ruas nem sempre são implacáveis, mas podem ser bem ignorantes. Ele está de volta, está em Northampton, e desta vez é pessoal, o que significa que não é profissional. Quem dera.

Na verdade, apesar de ser contra a natureza grosseira e movida a testosterona de Studs, ele faria pantomimas, seria uma das irmãs feias da Cinderela ou ficaria de joelhos para ser um anão da Branca de Neve se tivesse a chance. Isso o recorda de seu companheiro já falecido, Little John Ghavam. Studs não é um sentimental, mas nenhuma noite cruel de rebaixamento moral se passa sem que ele sinta falta do amigo anão criador de sapos e das escapadas bêbadas com ele e Todd Browning quando eram incansáveis, relativamente jovens e, do ponto de vista de um observador neutro, um tanto desconcertantes. John, assim como Studs, tinha experiências variadas em termos de carreira, passando algum tempo como um coletor de sucata entre os jawas, o povo da areia, antes de se juntar a uma gangue de ladrões de tamanho semelhante que viajavam no tempo e logo depois transou com um monte de ex-modelos de roupa de tricô para o mercado especializado. Studs acha que uma dessas empreitadas se chamava *Bandidos de Buceta*, mas pode ter inventado ou sonhado, como quando insistiu que o falecido artista local Henry Bird era o marido de Vampira em *Plano 9 do Espaço Sideral*, quando na verdade a esposa de Bird era Freda Jackson, que atuou com Karloff em *Morte para um Monstro*. Foi um erro idiota de novato que qualquer um poderia ter cometido, mas Studs é um detetive particular que se orgulha de sua reputação de confiabilidade e provavelmente levará seu erro para o túmulo. Ele se considera esse tipo de cara.

O que Studs acha difícil viver sem é a extrema improbabilidade de Little John. Quando uma pessoa improvável morre, isso apenas torna a aparição de outras pessoas improváveis muito mais improvável. Figuras como Little John ou, aliás, o próprio Studs são como exceções estatísticas da realidade. Distorcem os números. Quando desaparecem da imagem, o gráfico se distensiona em direção a um meio-termo suave e confortável, enquanto com Little John, dava a impressão de que o mundo era capaz de qualquer coisa. As leis da física fugiam apavoradas toda vez que o pequeno filho da puta bebia, empoleirado em sua banqueta, oito, nove canecas; você nunca o via ir ao banheiro. Studs teorizava que seu amigo era completamente oco, talvez algum tipo de caneca moldada no formato de um personagem que desenvolveu consciência humana de forma espontânea. Uma caneca mais resistente do que poderia se imaginar: no cassino perto da Regent Square, ele arremessava sua massa compacta na mesa de roleta, gritando "todos a bordo" em seus tons de hélio habituais. Ele estava entre a multidão de pesadelo da Crown & Cushion, proporcionando uma plateia para o compositor cativo Malcolm Arnold. Perto de Stoke Bruerne no Boat, o pub à beira do canal, onde todos os marinheiros de domingo costumavam se reunir com bonés de navegador e camisas polo, com as esposas mais jovens em shorts de aparência esportiva, o desenfreado Little John enfiava o rosto na virilha de brim mais próxima.

— É ótimo. Os maridos só dão risada e falam "Segura a onda aí, camaradinha. Tomou umas a mais, foi?", e coisas assim. Ninguém quer bater num anão.

Studs imagina John no jardim da casa dele na York Road com a placa "Salão dos Sapos" do lado de fora da porta, parado ao lado do relógio de sol de pedra, cacarejando de alegria com sapos enormes em cima dele, dos canteiros de flores, do relógio de sol, de tudo.

A coisa mais improvável sobre seu amigo falecido, claro, é que Little John era na verdade neto do xá da Pérsia. Studs balança a cabeça nada atraente e ri com tristeza, como se houvesse alguém observando. Neto do xá. Para Studs, isso é muito parecido com teoria quântica, mulheres ou jazz contemporâneo: não faz qualquer sentido.

Ele pega outra esferográfica, mas cancela o gesto reflexivo no meio do caminho. O médico diz que ele deve reduzir o vício a talvez apenas uma caneta-tinteiro de vez em quando, nos fins de semana ou em comemorações especiais. Ah, dane-se. Ele empurra a cadeira para trás e se levanta da penteadeira na esperança de que alguma atividade possa afastar tais desejos de seu cérebro arguto de detetive particular. Studs vai até a recepção de seu escritório. Para despistar credores e gângsteres rivais, tudo está camuflado como se fosse um simples patamar acarpetado, uma escada e uma sala de estar suburbana inglesa. Verifica a mensagem na secretária eletrônica.

— Bob, puta que pariu, que voz é essa? Parece um velho molestador de crianças de Eton. É a Alma, óbvio. Desculpe por ligar para a casa da sua mãe, mas, se vier à exposição amanhã, não se esqueça de trazer as coisas do Blake que pedi para você desencavar, imaginando que tenha descoberto alguma coisa. Caso contrário, tudo bem. É só nunca mais falar comigo. E por que Robert Goodman não está no momento? Está jogando polo? "Robert Goodman". Bob, ninguém te chama de Robert.

Pra ser sincera, a maioria das pessoas não é educada o suficiente para te chamar de Bob. A maioria das pessoas geme e faz uma espécie de gesto com as mãos. Então sentam e choram. Choram como bebês, Bob, ao pensar na sua existência. Enfim, espero ver o material do Blake na exposição, com você segurando, se for absolutamente necessário. Se cuida, Bobby. Nunca mude. Falo contigo em breve.

Seu sangue, ele percebe, não é imediatamente transformado em gelo nas veias. Isso é coisa de detetive ficcional, e na vida real o melhor que consegue é neve derretida rosa, mas, ainda assim, não é uma sensação nada boa. Studs reconhece o nome, a voz, a avalanche de insultos imerecidos, claro. Ele conhece a dama: um drinque de ácido de bateria em copo alto que atende pelo nome de Alma Warren. Pense naqueles enormes bolos de cabelo que você às vezes tira do ralo entupido de uma banheira e, em seguida, imagine um com olhos e muita autoconfiança: está aí uma descrição com a qual um desenhista da polícia poderia trabalhar. É o tipo de mulher de ferro fundido que você não esquece sem hipnose e, ainda assim, de alguma forma, todo o caso Warren havia escapado da mente confusa e cheia de tiros de raspão de Studs até aquele momento.

Qual é a de Warren? Ela aplica um tipo de golpe usando arte moderna que faz os otários pagarem uma boa grana para ver seus rabiscos esquizofrênicos. Meses atrás, Studs visitou o lixão boêmio dela na East Park Parade, na mesma rua onde costumava dormir quando morava aqui na cidade, talvez em algum momento depois de sua infância difícil no distrito de Bowery em Nova York, ou no Brooklyn, ou onde quer que Studs tenha crescido. Isso é só história. Vai pensar a respeito mais tarde. De qualquer forma, ele apareceu na espelunca esquálida da artista e a encontrou trabalhando freneticamente em meio a cúmulos ondulantes de contrabando, imagens desconcertantes em diferentes meios espalhadas por toda a sala, até Studs ficar com a impressão de estar preso dentro de algum tipo de caleidoscópio quebrado do Grateful Dead. Entre tragos em um baseado grande o suficiente para se qualificar como inveja do pênis e manchas erráticas em sua tela insondável, ela explicou que estava preparando umas três dúzias de obras para uma nova exposição que ia fazer no bairro degradado onde cresceu. Studs duvida que tenha sido tão difícil e desesperador quanto sua própria criação nas ruas cruéis do Bronx — ou talvez da Cozinha do Inferno, do Bidê de Satã, em algum lugar pitoresco como aquele — embora, segundo todos os relatos, os Boroughs ainda estejam de mal a pior. O antigo distrito de Warren não está apenas do lado errado dos trilhos, está nos próprios trilhos, despedaçado e achatado por quase oitocentos anos de estrondosa locomoção social.

Ele se lembra de um encontro desagradável com aquele lugar na infância, quando seus pais insistiram que fizesse aulas de dança na Escola Marjorie Pitt-Draffen, na Phoenix Street, atrás da igreja Doddridge. Ou tinha sido ele que insistiu na ideia da aula de dança? Studs, com a memória abarrotada de cadáveres, bares e morenas que deixou escapar entre os dedos, não consegue se lembrar. Não importa. O importante é que precisava usar um kilt. Um menino de nove anos de kilt, levado para aulas de dança em um zoológico de bandidos que era o antigo bairro de Alma Warren. Studs acha que isso deveria contar como abuso infantil. Mencionou isso para Warren, e o único comentário dela foi que, se o tivesse encontrado naquela época, teria sido mais ou menos obrigada a espancá-lo: "Crianças ricas de kilt, é uma das leis não escritas". Pensando bem, Studs foi espancado com mais frequência como um jovem colegial meigo do que como um detetive particular obstinado e, na grande maioria dessas ocasiões da infância, usava calças comuns. Ele desconfia que o negócio com o kilt seja só uma parte da equação.

A grande questão é que a exposição da artista desgrenhada está marcada para amanhã e, além disso, será na creche da Phoenix Street, que costumava ser a Escola Marjorie Pitt-Draffen. Inclusive tem relação com o caso que ela queria que Studs pegasse quando ele ligou para vê-la naquele dia no East Park Parade. Como Warren havia explicado nesse dia, tinha vinte ou trinta peças prontas, mas o tema não estava se delineando da maneira que esperava. Do ponto de vista de Studs, era como se ela tivesse carregado uma escopeta de cano serrado com um projétil de significado e depois atirando contra uma parede esperando que o padrão do disparo fizesse sentido. Havia imagens inspiradas em hinos religiosos, um arranjo de azulejos baseado na vida do santo local Joe Phil Doddridge e alguns absurdos relacionados a uma cruz de pedra trazida de Jerusalém para cá. Uma pintura parecia ser uma imagem de Ben Perrit, um poeta esquisitão que Studs conhece de longa data, e uma coisa em técnica mista destinada a representar o determinismo e a ausência de livre-arbítrio, ou pelo menos foi isso que a pintora com a cabeça cheia de maconha havia afirmado. Na opinião de Studs, a exposição de Warren é um engarrafamento aleatório de quatro pistas de ideias sem nada para uni-las e, para piorar as coisas, ela parece pensar que toda aquela confusão deveria de alguma forma se conectar com William Blake.

— Quer dizer, tenho muitas referências de que minha família veio de Lambeth, mas acho que precisa ser algo mais substancial, alguma coisa que junte os quatro temas. Então, Bob, o que eu quero que faça é o seguinte. Descubra o que liga Blake aos Boroughs e prometo que pinto você, Bob. Vou imortalizá-lo, e juntos vamos infligir seu rosto a um futuro sem culpa. Que tal?

A opinião de Stud, que ele não se arriscou a emitir na hora, é que se trata de um contrato padrão de Alma Warren, já que não envolve nenhum dinheiro. Colocando mais £1,50 na conta, a imortalidade garante para Studs mais um pacote de esferográficas. Ainda assim, é trabalho, e ele aceitou. A bruxa manchada de tinta colocou Studs numa situação difícil e, se ele não conseguir resolver o caso, sabe que está acabado nesta cidade. Warren vai se encarregar disso. Ela sabe muito a seu respeito, todas as histórias enterradas em seu passado violento que ele prefere manter assim. Faz uma careta ao se lembrar da vez em que esbarrou com Alma Warren na Kettering Road e ela perguntou, sem dúvida com uma preocupação fingida, por que ele estava mancando.

— Ora, eu estava, hã... eu estava em Abington Park ontem à noite, perto do coreto. Como você sabe, eu gosto de mergulhar de cabeça na atuação. Então o que faço é ensaiar papéis para estar pronto se eles me forem oferecidos. Era uma espécie de papel de agente secreto em que a cena começava comigo de pé no coreto e então, a um sinal, o que eu fazia era pular o corrimão e aterrissar na grama para ficar em uma pose de gato. Eu olho em volta, examinando a escuridão, então corro para as sombras.

Warren apenas o encarou, piscando os olhos esquisitos e incrédulos.

— E foi assim que machucou a perna?

— Não, não, eu fiz tudo isso perfeitamente, mas então eles pediram mais uma tomada. Na segunda tentativa, um dos meus pés prendeu no corrimão quando pulei.

A expressão dela era como uma luta de facas entre a pena e o desprezo enquanto a incredulidade se mantinha de lado, sem mover um dedo.

— *Eles*? — ela o olhou como se ele fosse algo inesperado em uma placa de Petri. — *Eles* queriam mais uma tomada? A equipe de filmagem dentro da sua mente, Bob, queria mais uma tomada. É isso que está me dizendo?

Sim, era isso que Studs estava dizendo e, olhando para trás, gostaria de não ter feito isso. A informação, nas mãos de uma artista instável, é uma arma. Provavelmente uma arma como uma lixa de unha, já que não é muito masculina, mas ainda pode causar muito estrago, digamos, por exemplo, se alguém enfiar uma em seu olho. O resultado é que Warren tem Studs na palma da mão e, se ele não conseguir resolver o caso Blake, sua reputação pagará o preço. É chantagem, pura e simples. Só não tão pura. Nem simples.

Exausto, ele pega a jaqueta de couro que, segundo racionaliza, talvez substitua seu sobretudo habitual que no momento está na lavanderia para ser despojado de todo sangue e bebida, além de receber os remendos invisíveis nos profusos buracos de bala.

— Traças — Essa seria sua provável piada quando a equipe da lavanderia perguntasse o que havia feito aqueles buracos. — Traças de calibre 38.

Deixando um breve bilhete para sua secretária informando sua preferência de jantar, Studs carrega sua carcaça moralmente ferida para a luz implacável e se dirige a seu carro, ou um ianque diria automóvel?

Vinte minutos depois, direcionando o veículo frustrado por outra rampa para um nível mais alto do estacionamento lotado de vários andares do Grosvenor Center, ele se lembra de onde conseguiu aquele mapa das linhas de metrô estampado com rugas na testa. Quem diria que haveria tanta gente numa sexta-feira? Por fim, consegue uma vaga olhando ameaçadoramente para uma senhora de cabelos grisalhos em um Citroen e, depois de pagar e pôr o recibo no painel, desce de elevador para o zumbido e o chiado do andar inferior do shopping. Studs abre caminho através da onda humana de aparência sedada, entre as mães com elástico no cabelo que conduzem seus filhos em carrinhos de bebê em um ritmo majestoso e cerimonial sobre os ladrilhos de um brilho elétrico; entre os adolescentes fantasmagóricos cuja rebeldia se limita a um sorriso irônico, um suéter de lã e a ocupação incontestável de um banco diante da Body Shop. Studs curva os lábios para um lado no que deveria expressar desdém até que percebe as pessoas olhando para ele com preocupação, como se estivesse tendo ou se recuperando de um derrame. Fazendo uma curva à direita na esquina da galeria murmurante em um trecho que já foi a Wood Street, Studs segue com sua tenacidade para a luz do dia além das portas de vidro no final da passagem.

A via rosada da Abington Street parece desolada, apesar das florzinhas do sol da primavera que caem ao acaso através de nuvens frágeis. Essa antiga rua principal da cidade, o lugar do corre-corre, parece oprimida pela percepção de que não tem mais propósito. Mantém a cabeça baixa, tenta não ser notada e sinceramente espera que seja esquecida na próxima onda de demissões. Parece se encolher com o brilho duro que está nos olhos de Studs como se estivesse envergonhada, como quando você reconhece uma prostituta drogada e desgastada como sua professora do primeiro ano, não que ele já tenha tido um encontro tão improvável. Certamente não com a srta. Wiggins, de qualquer forma. Ah, Cristo. Ele gostaria de não ter conjurado aquela imagem específica. Um detetive particular de verdade, ele diz a si mesmo, conseguiria inventar metáforas cruéis que não revirassem seu próprio estômago. Um crânio esmagado que é como um pote de mostarda integral quebrado, por exemplo, é uma comparação ilustrativa sem ser indelicada. A srta. Wiggins se arrastando para cima e para baixo junto a um cruzamento movimentado com seu aparelho auditivo, uma minissaia e sintomas de abstinência de heroína é outra muito diferente, uma coisa indelevelmente gravada no prosencéfalo de Studs a ponto de ele não conseguir mais se lembrar o que essas imagens monstruosas pretendiam representar. Ah, sim — a Abington Street. Como ele foi de lá para todo aquela história com... não importa. Esqueça. Concentre-se no caso em questão.

Ele sobe a ladeira passando pela Woolworth, então decide apertar o passo e, por fim, tenta deslizar com aquela velocidade de Chaplin mas abandona o movimento impraticável antes mesmo de chegar à galeria da Co-Op. Está indo para uma espelunca que conhece aqui neste burgo miserável, onde pode obter informações de fontes confiáveis. É o tipo de lugar do qual as pessoas comuns tendem a manter distância, um antro suspeito onde é possível identificar a atividade criminosa apenas pela maneira como todos falam em sussurros, e onde qualquer palhaço que não segue as regras da casa está pedindo para sofrer alguma retaliação séria, possivelmente uma multa. Studs não visita a biblioteca de Northampton há anos, mas ainda é capaz de apostar seu último centavo vermelho que ela tem as respostas que procura, e, afinal, que diabos é um centavo vermelho? É um rublo? Ou um copeque? Existe tanta coisa sobre essa linha de trabalho, sobre essa expressão idiomática, que ele não sabe. Para surpresa de Studs, a porta inferior da biblioteca sob o belo pórtico não oferece mais acesso ao prédio, o que exige uma curta caminhada pela grande fachada da estrutura até a entrada superior. Caminhando sob o olhar um tanto condescendente de Andrew Washington, tio de George, o Washington mais famoso, está quase alcançando a segurança das portas de vaivém quando percebe que algo não parece certo. Confiando nos instintos aprimorados no Vietnã, na Coreia ou talvez na Primeira Guerra Mundial, Studs olha para cima e detém o passo de repente. No final da rua, uma frente meteorológica negra e ameaçadora se aproxima, descendo a ladeira em um turbilhão de pedestres deslocados e lixo espalhado. Alma Warren.

Com as terminações nervosas gritando como um incêndio de grandes proporções, rezando para que ela ainda não o tenha visto, Studs se lança pela entrada e para a área de recepção coberta de anúncios da biblioteca. Achatando-se em uma mancha feia de couro contra os cartazes de néon na parede leste, ele inspira e prende a respiração, com os olhos fixos na porta de vidro enquanto espera que a megera intimidadora passe na rua lá fora. Ele nem sabe ao certo por que a está evitando, mas a furtividade automática em qualquer situação sempre parece uma boa ideia do ponto de vista de um detetive particular. É o que Studs faria. Além disso, não tem a informação que sua cliente pesadélica está contando que consiga sobre Blake, e as coisas podem ficar feias.

No triste recinto além do vidro, uma grande avalanche desarrumada de batom passa da direita para a esquerda, e Studs solta o ar dos pulmões. Descolando seu traseiro dos pôsteres laminados, recua até a porta e a abre, enfiando a cabeça de saco de pancadas arrebatado pela fresta para olhar inquisitivamente para a desavisada artista beatnik enquanto ela se agita e se pavoneia pela Abington Street, indo para longe dele, como uma tempestade recuando. Enquanto ele desfruta da prerrogativa do detetive particular de observar alguém sem ser observado, outro elemento de intriga se incorpora na imagem já curiosa: subindo a rua em rota de colisão com a pintora descendente está a figura vestida de colete e chapéu de palha do bardo bêbado dos Boroughs, Benedict Perrit, anômalo em quase todos os sentidos.

À medida que esses dois produtos distintos do bairro mais antigo de Northampton se aproximam um do outro, Studs testemunha um ritual misterioso. Ao avistar Warren, o poeta embriagado gira e volta por onde veio por vários passos antes de se virar mais uma vez e cambalear na direção da artista, dessa vez dobrado de tanto rir. Mirando os olhos desalinhados, Studs se pergunta se o comportamento estranho de Ben Perrit poderia ser algum tipo de código ou sinal. Talvez esse encontro aparentemente casual entre a pintora desgrenhada e um de seus retratados não seja tão aleatório quanto parece. Aprofundando a sensação de surpresa, ele vê Warren plantar um beijo incomum na bochecha de Perrit — certamente não é assim que ela cumprimenta Studs — e então, após um ou dois momentos de conversa, há uma transferência furtiva do que pode ser dinheiro ou talvez uma mensagem mudando de mãos. O decrépito par formaria uma dupla de conspiradores, ou um casal de namorados grotescos, ou Warren teria atingido a idade em que precisa pagar bêbados para que a deixem beijá-los? Esgueirando-se de volta para a entrada da biblioteca quando os dois finalmente se despedem e seguem com suas respectivas jornadas para cima ou para baixo na rua inclinada, Studs chega à conclusão que, seja como for, agora tem quase certeza de que Ben Perrit está envolvido no caso Blake até os globos oculares turvos e de aparência ferida. Só o que Studs precisa fazer é descobrir como.

Para esse fim, avança pela biblioteca alterada e apenas intermitentemente familiar. Ele se orienta pelas altas janelas da parede norte, voltadas para a Abington Street, de onde a luz do dia se derrama sobre estandes que agora ocupam uma área que costumava servir como sala de leitura de jornais. Ele se lembra do rol de vagabundos locais que antes ocuparam as poltronas há muito desaparecidas. Estavam sempre por lá, principalmente se estivesse chovendo... Bill Louco, Charlie Louco, Frank Louco, George Louco e Joe Louco, e até talvez Walter Assovio que, veterano sequelado da Primeira Guerra Mundial, era o único membro do grupo que sofria de uma doença mental perceptível. Todos os demais eram apenas mendigos e bêbados, embora o folclore local tivesse atribuído a cada um deles a condição de proprietários de prédios de apartamentos em cidades próximas. É concebível que esse status de milionários excêntricos tenha sido inventado como justificativa para que ninguém precisasse dar algum trocado aos desocupados, ou pelo menos é por isso que o próprio Studs teria inventado esse tipo de história. Seguindo pelo saguão principal da venerável instituição, ele se lembra de um acréscimo de última hora à sua lista de vagabundos, sendo W.H. Davies, que havia rabiscado sua *Autobiography of a Supertramp* ali, sob aquelas janelas altas, no meio da multidão murmurante e provavelmente infestada. E, por falar nisso, Davies não passou a colaborar com um dos heróis de Warren, o ocultista e artista cockney Austin Spare, em sua publicação de artes *Form*? Spare era um esquisitão eduardiano que a certa altura afirmou ter sido William Blake em uma encarnação anterior, mas Studs considera essa conexão tênue demais para ser o tipo de coisa que sua contratante está procurando. Não lhe resta escolha. Mesmo vacilando, ele aceita o fato de que terá que cavar mais fundo.

O melhor lugar para começar, ele raciocina, é o próprio Blake, a figura enigmática no centro desse caso há muito arquivado. Caçando rapidamente uma edição enorme do trabalho do visionário de Lambeth, Studs encontra uma mesa e uma cadeira onde pode chegar às notícias de sua suposta vítima. Folheando a introdução do volume, confirma que Blake está morto, muito morto, desde 1827. As principais suspeitas parecem recair sobre complicações provocadas por um problema intestinal, embora algum tempo antes de sua morte o próprio poeta tivesse apontado o dedo para o inverno inglês como um provável culpado. É uma teoria tentadora, mas Studs logo exclui a vilipendiada estação do quadro por falta de motivo aparente. Sem sequer um fragmento de evidência para fornecer qualquer pista, o caso não vai a lugar nenhum. Inferno, nem o corpo foi encontrado: Blake e a mulher foram jogados em um túmulo comunitário de indigentes em Bunhill Fields, com a lápide dando apenas uma localização aproximada dos restos mortais do casal. Os outros conhecidíssimos ocupantes literários do mesmo cemitério, Bunyan e Defoe, ganharam ali um sarcófago e um obelisco, respectivamente, e é sabido que ambos visitaram a cidade de Northampton com frequência e chegaram a escrever sobre suas passagens por aqui. Por que Warren não poderia ser obcecada por um deles?

Com o mau humor se avolumando, ele folheia o restante da introdução, ansioso pelo consolo das gravuras, talvez um toque de *Dia Alegre* para levantar o ânimo. O que descobre que se esqueceu é da grande predominância de imagens sombrias ou absolutamente perturbadoras que caracterizam a notável obra do encantador de anjos. Aqui está *Nabucodonosor* rastejando nu e horrorizado por um inframundo subterrâneo, e aqui está o corpulento *Fantasma de uma Pulga* embarcando em seu palco crepuscular, uma tigela de sangue orgulhosamente erguida diante dele. Mesmo nas páginas em que as assombrações e os monstros não estão presentes, como a imagem decorada com santos e serafins e ainda assim esmagadoramente fúnebre de *Epítome das Meditações de James Hervey entre as Tumbas*, uma umidade de cemitério está por toda parte. Tarde demais, Studs percebe por que aquela última exposição de Blake na Tate Britain algum tempo atrás, na companhia de seus contemporâneos Gilray e Fuseli, tinha o subtítulo *Pesadelos góticos*. Ele reflete que, se Blake não tiver uma conexão com Northamptonshire, então deveria ter, com uma postura sombria como essa. Northampton foi o local de nascimento, na estimativa de Studs, do movimento gótico moderno, e a óbvia preocupação do pintor, poeta e gravador com a mortalidade teria sido imensamente popular em qualquer um daqueles primeiros shows do Bauhaus.

Ele descobre que está murmurando o refrão de "Bela Lugosi's Dead" sob o hálito de café matinal e deixa seus pensamentos vagarem do trabalho de volta para aquelas noites negras e prateadas de vinte, trinta anos atrás. Studs fazia parte da trupe *grand guignol* que se reunia como a névoa transilvânica em torno da Bauhaus 1919, como era então conhecido aquele conjunto de belos ossos faciais. Havia o próprio Studs e o uber-roadie Reasonable Ray. Havia o Gary Ash – irmão sobrenatural de Danny, guitarrista principal – e, é claro, Little John. Pelo que Studs consegue se lembrar sobre a gênese do gótico do século XX, nunca houve um plano mórbido ou um manifesto de estilo por trás de todas as referências a vampiros e às estações ferroviárias assombradas de Delvaux nas fotos das capas. Todas essas coisas surgiram de membros individuais da banda e, por extensão, da cidade onde cresceram; de suas assustadoras igrejas de mil anos, de seus poetas internados em manicômios, bruxas imoladas, cabeças em estacas, rainhas mortas e reis capturados, todo esse mofo e essa loucura destilados em Pete Murphy canalizando Iggy Pop sobre uma trama de riffs de Ash de imagens mentais de um filme de motoqueiros e a cozinha pulsante dos irmãos David J e Kevin Haskins. E a partir dessas origens absurdamente divertidas surgiu uma inundação de estilo necrotério chique, palidez esculpida e trilhas sonoras cadavéricas para envolver o mundo ocidental em melancolia e maquiagem, mais uma febre puramente local se transformando em uma pandemia.

Nas periferias suaves do campo de visão ressacada de Studs, um septuagenário de jaqueta rosa dirige-se como um míssil para a seção de História Militar. Ele se senta cercado por uma sibilância de câmara de nuvens, deixando seu olhar pousar no livro aberto sem concentrar a atenção.

A imagem ondula, e seus pretos predominantes giram em um miasma, um vórtice de mausoléus, um redemoinho escuro abrindo-se diante dele como se algum capanga contratado tivesse acabado de separá-lo de seus sentidos com um porrete. *Meditações entre as Tumbas.* Ele se lembra da noite do funeral de Little John, dos frequentadores do Racehorse, maravilhados, caminhando cercados até a cintura pelos pequenos enlutados que estavam na cidade para o evento, cinquenta ou sessenta deles em um passeio liliputiano pelos pubs da Wellingborough Road, e como deve ter sido quando eles começaram a cantar? Ninguém ali era da família real persa, ao que tudo indica.

A questão era uma potencial mancha na linhagem, pelo que Studs entendeu. Considerando todos os inimigos que o avô tirano de Little John, apoiado pelos Estados Unidos, tinha na Pérsia naquela época, nos anos 50, apenas alguns anos depois de ter sido lançado de paraquedas ao poder, a conclusão foi que a filha do xá dar à luz uma criança malformada seria simplesmente dar munição aos opositores. Melhor mandar a criança para o outro lado do nada, para algum lugar tão obscuro que ninguém jamais ouviria seu nome outra vez ou sequer saberia de sua existência. Como Northampton. Era mesmo de se admirar que ele e John tivessem acabado no entourage do Bauhaus, surfando no veludo roxo e no glitter? Eles eram dois dos muitos floreios góticos da cidade.

A biblioteca entra e sai de foco ao seu redor e, por algum motivo, ele se lembra de uma perambulação totalmente indefinida na companhia do anão beberrão, com o semblante de John açoitado pelo álcool até que no final havia mais mancha do que rosto. Onde estiveram naquele dia, os dois, e por que pensar nisso agora? Studs tem uma memória fantasmagórica de Jazz Butcher de alguma forma fazendo parte do evento, embora não ache que o cantor e compositor tão reverenciado estivesse de fato presente na ocasião banal que o está deixando inexplicavelmente obcecado. O mais provável era que ele e Little John estivessem a caminho de visitar o músico ou estivessem voltando de um interlúdio desse tipo, caminhando penosamente pelas fileiras mal-humoradas de ruas secundárias entre a casa de Butcher, perto do Hipódromo, e a ventosa rampa da Clare Street, mais perto do centro da cidade. Onde exatamente tinha sido tirado o instantâneo imaginário que parece grampeado no cérebro de Studs, com o homenzinho seguindo à sua frente através de finas poças cinzentas diante de uma fileira silenciosa de casas? Era a Colwyn Road ou a Hood Street? A Hervey Street ou o Watkin Terrace? Tudo de que se lembra é da pintura com crostas e a gaze acinzentada das cortinas de renda sobre...

A Hervey Street. Claro. Arregalando os olhos, ele faz uma cena de "percepção repentina", então os estreita novamente para espiar o pequeno tipo abaixo da gravura sombria de Blake. Talvez, se pensar nisso como sendo *noir* em vez de preto, Studs goste mais, porém abaixo das imagens tristes está toda a confirmação de que precisa por enquanto: *Meditações de James Hervey...* é o mesmo nome, o mesmo sobrenome, embora isso não prove que seja o mesmo homem ou que ele fosse associado a Northampton. Afinal, a cidade tem uma Chaucer Street, uma Milton Street, uma Shakespeare Road e algumas dezenas de outros nomes homenageando pessoas sem a menor relação com o local, mas mesmo assim Studs tem uma intuição sobre esse Hervey, e seu instinto afiado de detetive particular nunca falha.

A não ser quando isso acontece, é claro. Ele estremece ao se lembrar de uma das idas com Little John ao cassino, ao Rubicon, nos Boroughs, perto da Regent Square. Pode ter sido na mesma noite em que seu pequeno companheiro se lançou na mesa de roleta como uma bola extra, mas o que a define na memória de Studs é seu próprio comportamento idiota. Ele era uma pessoa diferente na época. Para ser mais específico, era James Bond em um hipotético remake de *Casino Royale*. Ah, ele tinha o smoking, a gravata-borboleta preta, tudo. Quando estava ficando tarde, jogou sua última ficha na mesa e então, sem nem mesmo se preocupar em ver onde havia caído, virou-se e afastou-se da roleta com a atitude de um homem que fez e perdeu mais fortunas em uma tarde do que outros conseguiram durante toda a vida; alguém despreocupado e seguro em sua relação com o acaso e o destino. No entanto, com o aluguel de uma semana dependendo do que parecia ser um gesto extravagante que passou batido, ele obviamente esperava ser interrompido em seu afastamento casual da mesa e chamado de volta por um crupiê atônito para receber seus ganhos inesperados, mas substanciais. Como isso não aconteceu, ficou arrasado. Studs gosta de acreditar, apesar das evidências esmagadoras contradizerem sua teoria, que as forças que governam a existência têm uma abordagem dramática para a narrativa humana. Gosta de pensar que tais entidades apreciam perdões de última hora no corredor da morte, apostas com probabilidade de um milhão para um ou escapadas por um triz e, como consequência dessa crença, levou uma vida de decepções em série.

Mas não desta vez. Em algum lugar lá no fundo de seu ser, sob a placa de aço que está em seu crânio desde que, com todo seu altruísmo, se expôs à explosão daquela mina terrestre bem no rosto em Okinawa, tem agora a certeza de que finalmente um de seus palpites dará resultado. Esse idiota do Hervey está escondendo alguma coisa, Studs tem certeza, e talvez, se ficar em seu cangote com insistência suficiente, ele acabe cedendo. Estalando as juntas dos dedos de forma ameaçadora, ele se levanta e, levando o livro de Blake, dirige-se para o que parece ser um ponto de conexão de internet desocupado, ou sala de interrogatório, como prefere pensar. Pretende usar todas as técnicas secretas que conhece para soltar a língua do suspeito, tudo mesmo, desde a tática do policial bom/mau até um saco de dois quilos de laranjas que danificam os órgãos internos, mas não deixam marcas na pele. Ou, na falta disso, vai pesquisar a seu respeito no Google.

De fato, Hervey cede diante da força bruta do mecanismo de busca e, em pouco tempo, Studs o faz cantar como uma espécie de canário calvinista devoto. Há uma série de sites, em grande parte cristãos, com referências ao homem e, embora a linguagem seja tão floreada que Studs precisa de anti-histamínico, encontra um veio de ouro na primeira página que abre. Parece que James Hervey era um clérigo e escritor da Igreja da Inglaterra, nascido em 1714 em Hardingstone, Northampton, e seu pai William foi reitor de Collingtree e Weston Favell. Educado desde os sete anos de idade na escola primária gratuita da cidade, blá blá blá, passa para o Lincoln College, em Oxford, onde encontra John Wesley, blá blá blá, enterrado na igreja paroquial de Weston Favell... Studs luta para manter a carranca que é sua marca registrada, desafiando a onda de júbilo que experimenta no momento. Essa, ele tem certeza, é a pista que está procurando. Certo, não há conexão direta com os Boroughs, mas pelo menos esse novo material coloca Hervey em cena.

Suprimindo um desejo compulsivo de chamar a atendente prestativa da biblioteca de benzinho, pergunta se ela pode imprimir todos os boatos a respeito de Hervey que já encontrou, e a página de Hervey na Wikipédia e talvez, enquanto ela estiver lá, a do Liceu de Northampton. Studs acha que Ben Perrit pode ter sido um aluno lá na Billing Road em algum momento e, embora isso pareça um vínculo tênue entre James Hervey e os Boroughs, no momento é o único que tem. Ele tenta uma piscadela maliciosa para a bibliotecária no final de seu pedido, mas ela finge que não percebeu, provavelmente pensando que é um sintoma de paralisia facial. Ao pagar pelas folhas impressas, ele mexe um olho a intervalos aleatórios para reforçar essa suposição, depois de avaliar que é mais suportável o olhar piedoso da bibliotecária do que um processo judicial por assédio. Suspeita que o argumento de ser um "espírito livre que não segue as regras" teria pouca influência sobre os jurados se fosse empregada por um suposto estuprador.

Seguindo o procedimento, pega o maço fino de papéis, abre a sacola e armazena as provas, para que possa lê-las mais tarde. Ao sair da biblioteca, refaz seus passos pela Abington Street, evitando cuidadosamente as bolinhas brancas de argamassa de hortelã que cercam as ilhas de assentos de plástico rígido do local, sem nenhum desejo de levar muito ao pé da letra essa coisa de sola macia de detetive. O Grosvenor Center, com seu capacete gigante de cabeça redonda pairando acima da entrada em uma homenagem ao *Castelo de Otranto*, é um borrão sinestésico em que a música ambiente tem um deslumbramento de ouropel, enquanto a iluminação colorida ressoa e ecoa ao longo do shopping cintilante. Ele sobe de elevador até o andar do estacionamento na companhia de um casal de idosos que faz sons de reprovação e mexe no zíper de um carrinho de compras xadrez como se fosse o filho lento e malvestido deles.

Quando encontra seu carro, provavelmente um Pontiac ou um Buick, ou talvez um Chevrolet surrado, entra e faz o possível para trazer uma perigosa qualidade de imprevisibilidade ao gesto de apertar o cinto de segurança. Com o motor ganha vida e começa a rugir como um predador elegante, embora esteja nos estágios finais de tuberculose, Studs sorri para si mesmo, caso seja necessário um plano fechado de dentro do carro. Esta é uma faceta de seu trabalho com a qual está familiarizado, uma função em que se sente muito à vontade. Está queimando borracha para cumprir um compromisso em um local de culto, e não porque está ansioso para confessar seus pecados. Está fazendo o que, para um detetive particular, é tão natural quanto noites de amor nunca repetidas ou respirar: Studs segue para os arredores sombrios desta cidade impiedosa, na esperança de descobrir um cadáver.

Weston Favell e seu cemitério paroquial não ficam a mais de três ou quatro quilômetros de Northampton, e não faria mal a ele pegar a Billing Road, passando pelo Liceu — ou pela Escola para Meninos de Northampton, como o estabelecimento havia sido renomeado mais recentemente —, só para dar uma olhada no local; dar uma sacada no lugar. Preferiria sair da cidade acompanhado de pneus cantando e tiros, mas os caprichos de um sistema de tráfego notoriamente sinuoso o obrigam a virar à esquerda na Abington Square ao sair dos Mounts, circundar a igreja Unitária para seguir para o outro lado, então virar de novo à esquerda na York Road antes de chegar à Billing Road. Esperando o semáforo abrir, nos baixos da York Road, ele pensa outra vez em Little John, depois de notar que a placa de latão que identificava o Salão dos Sapos há muito foi removida. É uma pena. Deveriam ter mantido o lugar como uma área tombada, um santuário para a população ameaçada e cada vez menor dos cronicamente feios, os que eram muito atarracados e de aparência medieval ou aqueles com muitas verrugas.

O sinal abre, e ele vira na Billing Road, com a massa esbranquiçada do sitiado Hospital Geral do outro lado da via pública movimentada e à direita de Studs. Pelo que sabe da história local, o que é muito, considerando que foi criado nas ruas implacáveis de Flatbush ou similares, o hospital foi originalmente estabelecido como o primeiro fora de Londres em seu local anterior, na George Row, por uma improvável união entre o pregador Phillip Doddridge e o libertino reformado dr. John Stonhouse. Studs aprendeu uma ou duas coisas sobre a indústria cinematográfica ao longo dos anos, e acha que a história tem tudo para dar um ótimo filme sobre amigos improváveis. Pensa em uma cena: século XVIII, um esquadrão de prostitutas rebocadas de maquiagem que se oferecem como voluntárias por lealdade a Stonhouse e só assim é possível concluir a nova enfermaria dentro do orçamento e do prazo. É quando Studs passa pelas altas cercas vivas do Cemitério Billing Road, à esquerda. Não é bem o que está procurando, mas ainda é um excelente exemplo desse tipo de cemitério, e o único marco local que a Luftwaffe parecia capaz de atacar na Segunda Guerra Mundial, talvez em uma tentativa de derrubar o moral dos cadáveres britânicos. Ele imagina isso acontecendo, o clarão da meia-noite entre as lápides adormecidas, a chuva de terra, ossos e flores, os estilhaços de mármore com o nome de alguém.

O panorama ensolarado que se estende pelo para-brisa é acampanhado pela história em quadrinhos que se desenrola em suas janelas laterais, com valetas de tijolos e jardim sem céu, os detalhes residenciais desfazendo-se atrás dele no rastro do Studebaker. Do outro lado da rua, no lado mais distante, o Hospital Saint Andrew's se espalha, com muros maciços e grades de ferro e, além delas, aquela barreira de sempre-vivas altas e inquietas, como uma parede corta-fogo natural para a chama incontrolável da ilusão contida ali dentro. Quando se considera todos os indivíduos mais talentosos, senão incandescentes, que foram confinados lá, Studs supõe que é possível ver a instituição como um anexo necessário ou uma ala de extensão da racionalidade, criada para abrigar uma informação para a qual a razão não tem medida. Ou alguma besteira do tipo, enfim.

Ao chegar ao final do friso sinuoso do hospício, diminui a velocidade e vê a fachada da Escola para Meninos de Northampton, um imponente edifício reabilitado no início do século XX, com as adições mais contemporâneas espalhando-se para o leste através das antigas quadras de tênis. À frente dele há um pátio trapezoidal e, delimitando tudo, um muro baixo. Um quarteto de rapazes, vestidos com os blazers azul-marinho obrigatórios, divertem-se zombando e empurrando uns aos outros junto ao portão da escola, talvez voltando da hora do almoço e, sem dúvida, categorizando seu universo subjetivo em componentes gays e não gays. Embora a antiga escola ginasial tenha falhado em produzir tantos notáveis quanto o vizinho hospital para doentes mentais, é preciso reconhecer seu esforço. Francis Crick já foi um aluno ali, assim como ao que parece foi Hervey, e talvez Ben Perrit. Studs acha que ouviu dizer que Tony Chater, um sensato comunista de carteirinha e por vinte anos editor do *The Morning Star*, também está nos registros escolares, assim como o jovem Tony Cotton, dos Jets, os puristas do rockabilly dos anos 1980 de St. James's End. O pobre Sir Malcolm Arnold, por sua vez, goza da singular distinção de ter frequentado a escola para meninos e a famosa casa de loucos ao lado. Em seu último dia de aula, o compositor juvenil teria economizado muito tempo e esforço se tivesse apenas se arrastado pela ciclovia e atravessado o portão, tirando o blazer, o boné e a gravata resignadamente antes de fazer uma curva aguda para adentrar a tranquilizadora esplanada verde do St. Andrew's. Pelo canto do entortado olho direito, Studs observa o augusto estabelecimento evaporar em seu turbilhão, uma névoa rosa e cinza se encolhendo para caber no espelho retrovisor enquanto ele dispara o Packard para seu destino sepulcral.

Mais abaixo, na parte inferior da Billing Road, com casas de família relativamente abastadas a bombordo e pouco mais que campos abertos a estibordo, Studs tem a sensação incômoda de que está deixando passar um detalhe importante, talvez em suas observações sobre a recém deixada para trás Escola para Meninos, embora não consiga pensar no quê. Teria algo a ver com a forma como a escola foi construída, sua arquitetura ou...? Não. Não, o pensamento lhe escapou. Um pouco antes de chegar ao Parque Aquático Billing, vira à esquerda para conduzir seu Plymouth De Soto por entre as pedras cor de mel da acomodação original da vila e os caminhos de cascalho de residências posteriores, para as pistas silenciosas e vigilantes da sonolenta Weston Favell.

Depois de vários minutos, localiza um lugar em que parece que alguém pode estacionar o carro sem ser queimado até a morte dentro de um homem de palha. Studs conhece essas comunidades gentrificadas, o dinheiro que representam, e não consegue se livrar da sensação de que está sendo monitorado por uma lente de longo alcance do Women's Institute desde que estacionou. Saindo de seu Nash Ambassador perfurado de balas, ele analisa o emaranhado intestinal de ruas ensolaradas, vielas feitas para outro século, e reconhece a contragosto que, nos dias de hoje, é em lugares como este que se pode ganhar dinheiro graúdo sério com assassinatos. Os detetives inteligentes, em vez de perseguir gângsteres de olhos frios por um beco coberto de seringas, estão se mudando para o fim do mundo, para sonolentos vilarejos ingleses onde senhoras vestindo *twinsets* e brigadeiros aposentados tentam envenenar uns aos outros semanalmente. Todos esses crimes de brancos contra brancos. Uma vergonha.

De onde estacionou, podia ver a igreja paroquial do século XII, com sua torre se erguendo acima das chaminés vizinhas e suas pedras irregulares um tanto tostadas. Mas, para dizer a verdade, num lugar do tamanho de Weston Favell é quase impossível encontrar um ponto de onde não se possa vê-la. Com a mochila pendurada em um ombro curvado em antecipação às tijoladas que o mundo irá enviar, Studs logo abre um portão de ferro forjado com um ruído pior do que o seu. Ele sobe os degraus até o solo consagrado ao redor da capela bonita. Sopra uma brisa fraca, mas fora isso, nota com alguma surpresa, é uma tarde de um raro sabor idílico. Não é seu meio habitual, com certeza. A luz do sol escorre como uma calda na grama bem cuidada, e não deve haver um sinal de néon com defeito em um raio de quilômetros, muito menos um jogo de dados.

Lamentavelmente, a igreja em si está fechada e, pior, o local de descanso final de James Hervey não está entre as poucas tumbas nas proximidades da construção. Suas lápides são simples, com nomes e informações quase perdidos em alguns séculos de musgo ou intempéries, e parecem ser para uso exclusivo de cadáveres jacobinos que penduraram seus chapéus emplumados durante o século XVI e muito antes de Hervey ver a luz do dia, em 1714. Studs encontra um losango azulado não muito maior que um raspador de botas, colonizado por líquens multicoloridos e aparentemente sem celebrar ninguém em particular, servindo como um *memento mori* generalizado. Com algum esforço, descobre quais eram os caracteres desaparecidos e decifra a inscrição original: *recorda/ oh, transeunte / que como tu és/ também eu fui/ anno 1656*. Claro, amigo. Obrigado. Mande um abraço pra peste negra.

Estes podem ou não ser os túmulos entre os quais Hervey meditava, mas é seguro apostar que são os que via todos os dias quando era pregador aqui, talvez contribuindo para seu famoso temperamento alegre.

Ao chegar a um beco sem saída, Studs decide extrair o máximo da visita. Depois de primeiro verificar se a relva está úmida, ele se deita de lado no gramado, apoia-se em um cotovelo, cruza os tornozelos, relaxado como um sensível cavalheiro eduardiano. Então abre apressado o zíper da mochila e recupera de suas profundezas tudo o que imprimiu sobre Hervey. Ainda que sem os ossos reais do distinto clérigo por perto, é um bom momento para roer a furtiva medula daquele caso. Considerando a escassez de monumentos e lajes circundantes, ele se pergunta se o cemitério seria um daqueles em que as sepulturas, escassas na época, não eram de forma alguma um lugar de descanso final. Havia uma breve imersão no solo, talvez uma ou duas semanas até que a carne e o fedor fossem embora, e então os gravetos limpos eram desenterrados e espalhados para dar lugar ao próximo ocupante, um pouco como os leitos de hospital no Sistema Nacional de Saúde. Ele se lembra de uma cena de *Tom Jones*, de Henry Fielding, na qual uma altercação em um casamento mostra os combatentes jogando crânios em decomposição uns nos outros, já que essa seria de fato a forma mais prática de munição disponível nos cemitérios da época. Se Hervey tivesse sido submetido a um enterro de curta duração dessa natureza, não restaria nada dele hoje, e o crânio que outrora continha todas as suas conjecturas sobre o pós-vida, há muito teria sido usado para causar uma concussão numa dama de honra. Na falta de restos mortais ou amostras de DNA da cena do crime para serem processados por meio de um aparato de investigação de alta tecnologia, Studs se resigna a reconstruir Hervey a partir da dúzia de folhas impressas já em suas mãos, enrugadas pela transpiração. Tirando com cuidado os óculos de leitura quase sem aro do bolso interno do casaco, equilibrando-os na ponta da lâmina de machadinha do nariz, ele mergulha no miasma cinza do texto.

Como suspeitava, há mais coisa a respeito do fanático religioso Hervey do que revelam as aparências. Nascido em uma família de pregadores em Hardingstone e à sombra da cruz sem cabeça, o primeiro monumento do rei Eduardo à sua falecida Eleanor, James Hervey foi enviado para o liceu em 1721, aos sete anos. Studs considera essa idade muito precoce, considerando que todo mundo que ele conhece foi para lá só depois de passar no exame para o ensino ginasial, mas imagina que a prática educativa em Northampton fosse diferente há quase trezentos anos. Ora, a educação na cidade sempre foi bem diferente inclusive da oferecida no restante do país. Lá atrás, nas décadas de 1970 e 1980, as crianças de Northampton foram submetidas a um experimento educacional envolvendo um sistema de três níveis e a introdução de uma "escola intermediária", frequentada por alguns anos entre o fim do ensino básico e os últimos anos do secundário e, portanto, duplicando a necessidade de deslocamento e a desorganização a que eram submetidos os alunos em busca de aprendizagem. Sem nenhuma surpresa, o esquema foi um fracasso notável e terminou discretamente descartado alguns anos atrás, com uma geração de alunos de Northampton sendo tratada como nada mais que um dano colateral. Ainda cismado com o negócio dos "sete anos", e a sensação de que há perguntas não respondidas pairando sobre a prestigiosa escola masculina, Studs continua lendo.

Uma década depois, aos dezessete anos, Hervey vai para Oxford, onde se depara com o grupo de protometodistas de John Wesley, um bando de jovens inúteis e devotos de olhos frios, conhecidos depreciativamente por seus colegas como "o Clube Santo". Studs balança a cabeça em um reconhecimento cansado. É assim que as coisas acontecem nas ruas impiedosas da religião da época, com crianças decentes forçadas a se juntar a uma facção ou a outra, não porque querem, mas porque acham que isso aumenta suas chances de sobrevivência espiritual. Mas então, uma vez que fazem o juramento, uma vez que deram uma joelhada em um batista como parte de sua iniciação, descobrem que sair não é tão fácil como entrar. É esse o caso de Hervey. Por muito tempo ele é o maior trunfo de Wesley como o escritor de maior sucesso no Clube Santo, mas logo fica ansioso para causar seu próprio barulho. Correm rumores de que está desenvolvendo uma simpatia pelos evangélicos e que se autodenomina um calvinista moderado, o que Wesley não gosta nem um pouco de ouvir. É evidente que há um confronto violento a caminho e, quando Hervey publica três volumes de seu *Theron and Aspasio*, em 1755, é como se não desse ao grande compositor de hinos nenhuma escolha a não ser resolver as coisas na rua. Wesley denuncia o trabalho de seu antigo braço direito como antinomianismo, uma heresia antiquada que sustenta que tudo é predeterminado, e antes que alguém possa rezar um pai-nosso o ar já está impregnado de chumbo quente teológico. Hervey dispõe de menos armas e usa a fé como uma, entrando no fogo cruzado com *Aspasio Vindicated* quando a tuberculose finalmente decide que ele está pronto para o sono final, aos quarenta e cinco anos. John Wesley, que vinha aumentando a pressão do alto de seu púlpito mesmo depois de ficar óbvio que seu alvo estava moribundo, enfim lê a refutação póstuma à sua diatribe e declara em um tom magoado que Hervey morreu "amaldiçoando seu pai espiritual". Wesley faz questão de ter a última palavra; enfia uma bala na posteridade de Hervey. Isso é ser metodista, Studs reflete. Eles são metódicos.

Estendido na grama entre as lápides dispersas, no pálido esplendor de maio, ele percebe que está gostando desse dia, livre da noite eterna e atroz que reina sobre sua cidade. É uma surpresa descobrir que a luz do sol nem sempre é listrada. Em algum lugar, um melro canta como um criminoso interrogado, e o detetive temporariamente não *noir* volta sua atenção para a próxima das várias páginas de referência, que parece ser de um soldado raso da gangue de Wesley. Em um agressivo perfil de Hervey, ele pinta o autor de *Theron and Aspasio* como o desajeitado cujo estilo literário floreado contribuiu para um declínio do bom gosto nas letras inglesas, alguém cuja prosa pomposa teve uma influência degenerativa em quase todos os outros pregadores de sua época "exceto o robusto John Wesley". Como uma demonstração do argumento do autor em relação às afetações vulgares e ideias empobrecidas de Hervey, um pequeno trecho dos escritos do reitor de Weston Favell foi reproduzido. Compreendendo que quase certamente foi escolhido para melhor mostrar as falhas de Hervey, Studs empurra seus óculos escorregadios de volta ao topo de sua tromba de tobogã e começa a ler:

Dificilmente consigo entrar em uma cidade de tamanho razoável sem encontrar uma procissão fúnebre ou os enlutados andando pela rua. O brasão fúnebre suspenso na parede, ou o crepe flutuando no ar, são insinuações silenciosas de que ricos e pobres esvaziaram suas casas e reabasteceram seus sepulcros.

Reclinado sobre um cotovelo e, portanto, incapaz de submeter qualquer um dos ombros em qualquer tipo de encolhimento, Studs permite que suas sobrancelhas de terreno baldio e o lábio inferior de buldogue mastigador de vespas desempenhem essa função em seu lugar. Claro, o material de Hervey é sombrio de uma forma decorativa, mas isso não significa que seja de se jogar no lixo. O negócio do *crepe flutuando no ar* até que é bom e Studs gostaria de ter falas como essa. Gostaria de ter algumas falas, ponto final. Concentrando-se novamente nos papéis, ele prossegue com sua avaliação das habilidades retóricas do falecido clérigo:

Não há um jornal que chegue às minhas mãos sem que, entre todas as suas narrativas de entretenimentos, haja várias palestras sérias sobre a mortalidade. O que mais podem ser os relatos recorrentes – da idade avançada, abatida por doenças que consomem lentamente; da juventude, despedaçada por algum golpe do acaso; dos patriotas, trocando os assentos no senado por acomodações na tumba; dos avarentos, deixando de respirar, e (oh, destino implacável!) deixando suas próprias riquezas para outros! Até os veículos de nossa diversão são registros dos falecidos! E a voz da fama raramente ressoa, a não ser em conjunto com o sino!
Ah, sim, ora, é preciso admitir que isso é bem mórbido. E as últimas frases, em que Hervey enlouqueceu com os pontos de exclamação, são lidas como se ele estivesse batendo com o punho no púlpito, ou talvez na tampa de um caixão, para enfatizar o que dizia. Studs entende que um

material como esse pode ser um tanto depressivo. Com um bom sentido dramático de cena, o sol desliza atrás de uma nuvem e tudo é coberto por uma tela de pontos de meio-tom cinza. As duas linhas finais podem ter sido planejadas com o próprio Studs em mente. Os veículos das nossas diversões, em muitos dos quais apareceu, são mesmo os registros dos defuntos, são créditos cinzelados de cemitérios que se desenrolam para sempre, míseros livros-razão de estrelas apagadas. Quanto à voz da fama, ele duvida que a reconhecerá mesmo que chegue a ouvi-la, o que definitivamente não acontecerá se Hervey estiver certo e ela soar em concerto com o dobrar dos sinos. Na verdade, está tudo certo, pensando bem. A maioria das pessoas só tem os dobrar de sinos.

Após o breve momento de mau humor, o sol voltou a aparecer. A folha seguinte em sua pilha esbelta apresenta a letra daquele que talvez seja o único hino existente de Hervey, *Since All the Downward Tracts of Time*: "Desde todos os trechos descendentes do tempo/ Os olhos atentos de Deus examinam/ Oh quem tão sábio para escolher nosso destino / Ou para apontar nossos caminhos?". Studs gosta daquele fatalismo, acha que cairia bem em uma jornada de Phillip Marlowe ou de um agente da Continental, a ideia de que todas as nossas desgraças e decepções futuras já estão escritas e apenas esperando por nós pacientemente mais adiante no caminho, nos trechos descendentes do tempo. É preciso admitir que ele e Hervey concordam pelo menos sobre a direção da viagem, e supõe que isso deva ser toda essa conversa enrolada de predestinação antinomiana que levou as coisas a um ponto crítico entre John Wesley e seu ex-comparsa. Perto dali, abelhas zumbem suas ameaças para as primeiras flores do ano, enquanto Studs continua trabalhando em sua pilha de dados.

Nunca havia lhe ocorrido que todos os principais hinos religiosos ingleses e seus compositores parecem florescer dos séculos XVII e XVIII, em meio ao barro fértil da Restauração enriquecido pelos importantes nutrientes fornecidos pela guerra civil: fertilizantes de matéria equestre e humana com nitratos de catedral queimada. Bunyan, o Cabeça Redonda, tocando "Ser um Peregrino" enquanto as feridas nas encostas verdes de Naseby ainda estavam frescas, e então Wesley, Cowper, Newton, Hervey, Doddridge, Blake, os suspeitos de sempre, presos no fogo cruzado de seus diferentes tempos e diferentes conflitos, tentando substituir as balas de mosquete sibilantes por canções. Studs percebe agora que o ataque contratado por Oliver "Bugsy" Cromwell contra Carlos I mudou muitas coisas na Inglaterra. Foi além da repentina saraivada de hinos. Como se sabe, o bilhar só se popularizou a partir do período pós-guerra, a balística complexa, mas previsível do passatempo, fornecendo a Isaac Newton um paradigma para apoiar suas leis de movimento. E onde estariam detetives *noir* como Studs sem o salão de bilhar moralmente insalubre, com suas sombras ressentidas e sua luz espessa e impiedosa? Há algo sobre falas aqui, pautas e versos, trajetórias de bola e bala, coisas que um ator tem que aprender, os vetores da monarquia e os fios da trama da história. A ideia é confusa e evasiva, carece da peça vital de evidência que amarre tudo em um laço. Ciente de que sua atenção está divagando, ele a direciona para os papéis cada vez mais úmidos e murchos em sua garra nodosa.

A página que está olhando não é muito encorajadora, mas pelo menos explica por que Studs até agora não obteve resultados em suas tentativas de rastrear o corpo de Hervey. Parece que o cadáver em questão reside atualmente sob o chão da igreja, ao sul da mesa da eucaristia na capela-mor. Studs sorri, com ar cúmplice, diante daquela jogada. O último lugar que alguém pensaria em procurá-lo. Sim, faz sentido. Há uma espécie de placa perto do local que fala de Hervey como "aquele homem muito devoto e autor muito admirado! que se foi em 25 de dezembro de 1758, aos 45 anos de idade". Ele morreu no dia de Natal e até colocou um ponto de exclamação em seu epitáfio, observa Studs com admiração. Abaixo de todos os detalhes forenses há um verso em que o autor da obra, provavelmente Hervey, explica a falta de um memorial mais visível:

> Leitor, não espere mais; para torná-lo conhecido
> São vãs as belas elegias e a pedra esculpida;
> seus escritos lhe darão nome mais permanente;
> Ali à mostra sua alma celestial e ardente[36].

Mais uma vez, os lábios e as sobrancelhas se franzem. Parece uma proposição razoável. Hervey, a julgar pelo texto à sua frente, não queria nenhum monumento, exceto para "deixar um memorial no peito de seus semelhantes". Isso combina com a filosofia pessoal de Studs; basicamente mate todo mundo e deixe que Deus ou a posteridade cuide deles. Não sabe ao certo se deixou memoriais no peito de muitas outras criaturas, a menos que balas de .48 possam ser consideradas um deles, mas, no geral, descobre que sua admiração por esse Hervey está crescendo como musgo em um mausoléu.

A anormal perfeição da tarde avança vestida com seus pompons de dente-de-leão e, nas casas que cercam seu poleiro elevado no cemitério, o único movimento é o do sol sobre a pedra clara. Studs está deitado ali há uma hora e até agora nenhum dos nativos de Weston Favell achou por bem se aventurar por suas ruas sinuosas e sonolentas. Pode ser que todos estejam mortos em alguma onda de assassinatos em Midsomer[37] que saiu do controle, em alguma convergência estatisticamente improvável de homicídios completamente separados e desconectados, em que o último major-general ou ex-enfermeira distrital sobrevivente cai por causa de um veneno de ação lenta administrado em segredo por alguém que ele ou ela esfaqueou com uma tesoura de picotar padrões de ziguezague durante a cena de abertura. Ele acha uma ideia de enredo mais atraente do que a de *Assassinato no Expresso do Oriente*, até porque em sua narrativa não apenas todos são os assassinos, mas também são as vítimas. É uma reviravolta engenhosa, o tipo de final que ninguém espera. Ele se entrega a alguns momentos de reflexão sobre os atores que, além de si mesmo, escalou para uma versão cinematográfica, mas desiste ao perceber que, fora ele, as pessoas em sua lista de desejos estão todas mortas, um registro de falecidos, o que o traz de volta para Hervey.

O item seguinte em seu arquivo de provas, que é como ele no momento prefere chamar sua mão, é um pouco mais intrigante. Studs precisa apenas ver o nome Philip Doddridge no meio da página para perceber que o inicial rastro frio que vinha seguindo começou a esquentar e, quando leu um ou dois parágrafos, fervilha como um texano negro com deficiência de aprendizado na cadeira elétrica. Segundo o material que está lendo, Doddridge e James Hervey eram muito mais próximos que Hervey e Wesley, com Doddridge parecendo ter tido mais influência na carreira espiritual de Hervey do que Wesley conseguira exercer. De acordo com a história, depois que Hervey assumiu as funções do pai como pároco de Collingtree e Weston Favell, estava caminhando nos campos quando se deparou com um lavrador tentando cultivar o solo. Pois bem, Hervey se consultava com um cirurgião, provavelmente do tipo que arranca projéteis de uma alma crivada de balas, mas não faz perguntas, e esse tal cirurgião recomendou que Hervey tomasse o ar saudável do campo saindo com trabalhadores rurais honestos enquanto eles vão cuidar de seus assuntos. Assim, o pregador caminha ao lado do trabalhador e, como membro remunerado do Clube Santo, decide dar a esse lavrador uma amostra gratuita de seu devoto produto. Hervey pede a opinião do campônio sobre o que há de mais difícil na religião. Quando o Homem Comum previsivelmente responde que, como lavrador, é menos qualificado para responder a essa pergunta do que um pároco estudado, Hervey faz alegremente seu sermão pré-pronto. Sugere que negar o próprio eu pecaminoso é a conquista mais difícil do cristianismo e prossegue ensinando ao lavrador encurralado sobre a grande importância de aderir a um caminho de retidão moral, justamente quando o homem está tentando se concentrar em realizar o equivalente físico disso.

Quando finalmente o sacerdote fica sem munição, o homem humilde arma a velha virada de mesa quando afirma que certamente uma luta muito mais difícil vem da negação do próprio eu virtuoso; superando todas as besteiras farisaicas e hipócritas na qual se regozija o grupo de Wesley. Vendo que acuou Hervey nas cordas da moral, o matuto aproveita sua vantagem:

— O senhor sabe que não venho ouvi-lo pregar, mas vou todos os sábados, com minha família, até Northampton para ouvir o dr. Doddridge. Acordamos de manhã cedo e fazemos nossas orações antes de sair, e nisso encontro prazer. Na caminhada para lá e de volta para cá, encontro prazer; no sermão, encontro prazer; quando na Mesa do Senhor, encontro prazer. Lemos um trecho das Escrituras e vamos às orações à tarde, e encontramos prazer; e até onde temos ido, acho que o mais difícil é negar o eu virtuoso. Refiro-me ao exemplo de renunciar à nossa própria força e à nossa própria justiça, de não nos apoiarmos nisso para a santidade, de não confiarmos nisso para nos justificarmos.

Hervey mais tarde cita esse momento como um raio de compreensão repentina caindo do céu azul claro de Weston Favell. Em pouco tempo, decide seguir o exemplo do lavrador e finalmente se encontra com Philip Doddridge. Os dois se tornam bons amigos e, com a ajuda do dr. Stonhouse, "o libertino mais dissoluto e um deísta audacioso" convertido por Doddridge, fundaram a primeira enfermaria fora de Londres. No fim, a proximidade de Hervey com os cristãos evangélicos dissidentes do bando de Doddridge é o que garante sua expulsão da Gangue

Santa de John Wesley. O cotovelo em que Studs está apoiado se foi, está completamente dormente, mas ele está muito envolvido no caso para relaxar agora. Os pontos todos se conectam, e as peças do quebra-cabeça se encaixam. O jogo está em pleno andamento. Ele vasculha as últimas folhas em sua pilha, com uma ansiedade cada vez maior, e encontra um ensaio inesperado que liga Hervey ao nascimento da tradição gótica. Studs, que achava que suas reflexões anteriores sobre as credenciais góticas suntuosamente mórbidas de Hervey eram uma presunção cínica, fica atordoado. Em sua longa carreira, tinha visto mais palpites malucos do que um bilheteiro da loteria — houve um tempo em que tinha certeza de que Roman Polanski o escalaria como Fagin se simplesmente escrevesse ao diretor uma breve carta insistindo nisso com estridência —, mas ver uma de suas apostas enfim chegar aos trancos e barrancos na linha de chegada é uma novidade sem precedentes. Atordoado com a confiança recém-descoberta em suas habilidades, ele continua lendo, mal ousando acreditar na sua sorte.

Se Studs está entendendo tudo direito, a morbidez excessiva dos escritos de Hervey, que os wesleyanos tanto deploraram, acabou se tornando uma inspiração impregnada de larvas para seus contemporâneos literários. O persistente tema da transitoriedade humana em comparação com a eternidade de Deus foi retomado por outros teólogos, como Edward Young, e pelos poetas da então nascente Graveyard School, como Thomas Gray, tornando-se uma influência tão importante nos escritos da época que William Kenrick escreveu:

> Assim Young arrebatava-se;
> Assim o artificial Hervey cantava;
> Cuja musa variada, em tom presumido,
> Em meio às corujas, à lua se lastima[38]

Pelo que Studs pode deduzir, foi um comentário justo, ao menos no que diz respeito aos escritores posteriores da Graveyard School, que não se incomodaram muito com o lance de Deus, mas ficaram completamente impressionados com a atmosfera e os adereços, as corujas e os morcegos e as caveiras e as lápides em ruínas. Era um momento em que a sociedade aos poucos começava a limpar os cemitérios do país para fins de higiene física e mental, tirando os ossos apodrecidos e, ao mesmo tempo, expulsando o cheiro sempre presente e a ideia imediata de nossa mortalidade para além das margens dos padrões aceitos de discurso diário. Talvez sem surpresa, com a sombria realidade da morte deslocada da vida cotidiana, esse também foi o ponto em que nossa cultura começou a transformar o mortal e o fúnebre em fetiches excitantes. Partindo de onde os autores menos religiosos e mais genuinamente macabros da fase final da Graveyard School pararam, escritores como Horace Walpole e Matthew "Monge" Lewis pegariam a iconografia sombria de Hervey e a usariam para adornar seus castelos europeus em deterioração ou seus mosteiros moralmente decadentes. O romance gótico e, na verdade, toda a tradição gótica do final do século XVIII, parecem ter suas origens na preocupação espiritual tuberculosa de Hervey com o túmulo.

À medida que as sombras alongadas das lápides deslizam propositalmente pela grama cortada em sua direção, Studs tenta pesar todas as implicações dessa última evidência. Ele sabe que, se estiver certo, isso coloca Hervey no quadro como o elusivo Sr. Peixe Grande, que está por trás de muito mais do que somente o romance gótico. Até a chegada de Walpole, Lewis, Beckford e seus companheiros assustadores, a única forma de romance que existia era a comédia de costumes — Goldsmith, Sheridan e mais tarde Jane Austen —, e o advento do romance gótico foi também a primeira ficção de gênero. Quase todas as subcategorias subsequentes de escrita imaginativa são, portanto, derivadas da literatura gótica e, portanto, do mofo cultural dos primeiros textos de Hervey. Studs se dá conta de que tudo surgiu do musgo e do líquen daquelas primeiras narrativas sepulcrais. O conto clássico de fantasmas é um exemplo óbvio, sem dúvida, junto à ascensão do terror e de gêneros sobrenaturais que surgiram a partir dele, mas não é aí que a coisa termina. O campo da fantasia também tem de ser incluído, assim como a ficção científica, que tem sua origem no *Frankenstein* gótico de Mary Shelley. E então, claro, há os decadentes, apanhados nos sublimes delírios do herdeiro aparente do califado de Vathek e das riquezas de Otranto, Edgar Allan Poe. E Poe — a ideia atinge Studs com a força de um bourbon antes do café da manhã —, ele colocou seu *chevalier* August Dupin para resolver os assassinatos na rue Morgue ou o mistério da carta roubada e, ao fazê-lo, deu início ao gênero policial. Ele tenta absorver isso: a cabeça da qual brotou cada meia-noite cruel açoitada pela chuva, cada loira estonteante com uma história triste e cada letreiro gaguejante de neon repousa a cerca de quinze metros de distância, ao sul da mesa da eucaristia na capela-mor. Cada desfecho revelado em salas de jantar, cada traição. É um feito e tanto.

Esse lance gótico, porém, o fez pensar mais uma vez na banda Bauhaus e na reinvenção moderna do movimento quando na tela já passavam os créditos finais da década de 1970. Pelo que Studs se recorda, foi o eclético baixista David J quem primeiro sugeriu muitos dos estranhos temas que um dia se revelariam a salvação das indústrias de renda preta e rímel. Não há como negar que aquele intelectual boêmio semelhante a uma íbis era uma pessoa de muitas leituras, mas Studs duvida que um desmancha-prazeres cristão do século XVIII tenha entrado em seu programa de estudos, tão focado em outra direção. O baixista do Bauhaus, conclui, não sabia nada sobre Hervey quando usou sua intuição para traçar a planta baixa para o culto juvenil mais desconcertantemente duradouro da era moderna. A explosão de beladona, lírios e rosas compactadas que acompanhou o florescimento gótico de Northampton no século XX surgiu sem qualquer referência ou conhecimento da origem desse estilo por Hervey, mais de duzentos anos antes. A menos que seja apenas uma coincidência evocativa, a implicação parece ser que ambas as tradições e as sensibilidades que as moldaram surgiram dessas qualidades inerentes e singulares dentro da própria cidade; a visão gótica como uma propriedade emergente, como uma condição inerente de Northampton. Isso explicaria tudo sobre o lugar, suas igrejas, seus assassinatos, sua história e seus monges fantasmagóricos. Explicaria os escritos, a música e a natureza de seu povo, tudo – de Hervey a Ben Perrit, de John Clare a David J, com Studs e Little John e Alma Warren em algum lugar no espectro grotesco entre eles. Little John encarnou o movimento gótico em uma concisa miniatura: com o ano maléfico constituindo um elemento fundamental do gênero, e o passado de John fazendo-o parecer quase um fugitivo do *Vathek* de Beckford, trazido até ali dos terraços varridos por djins de Ishtakar na distante Persépolis, um torto neto do sultão-demônio Eblis. Studs está tão próximo da satisfação interior quanto um detetive particular imaginário, desgastado e cansado pode chegar. Tudo faz sentido. Ele folheia as páginas restantes com uma impaciência cada vez maior.

Há uma parte interessante de uma biografia de Hervey por um tal George M. Ella, que descreve *Theron and Aspasio*, do visionário de Weston Favell, em termos que o fazem parecer mais um texto modernista ou talvez pós-moderno do que um diálogo sobre a hipotética retidão de Cristo escrito em 1753. Longo demais para os padrões modernos, o trabalho de Hervey ao que parece muda em estilo e apresentação a cada novo capítulo, pulando de um modo ou gênero para outro e incluindo "descrição narrativa, registros científicos, monólogo interior, anedotas, autobiografia, relatos de testemunhas oculares, retratos escritos, contos, sermões, estudos linguísticos, retratos da natureza, diários, poesia e hinos. Há também muita coisa na obra que lembra um roteiro de filme moderno". Studs considera que talvez devesse acrescentar a vanguarda beatnik à já longa lista de formas literárias que parecem dever seu M.O., o acrônimo nos meios policiais para *modus operandi*, a James Hervey. Seu respeito pelo clérigo extravagantemente infeliz cresce a cada momento. Studs gostaria de ver um desses fracotes modernos tentar fazer uma obra tão grande e complexa quanto essa.

Ele está agora nos verbetes da Wikipédia sobre Hervey e a Escola para Meninos de Northampton, esparramando-se no gramado do cemitério entre as badaladas esparsas do início da tarde. Nenhum dos arquivos restantes parece ser muito promissor para Studs, e ainda assim, após a inspeção, ambos demonstram o quanto um cara pode estar errado. O primeiro, o currículo de Hervey na internet, embora no geral não ofereça nada que Studs já não tenha obtido de outras fontes, afirma claramente que Hervey não era apenas alguém de quem William Blake havia ouvido falar e a quem se referiu em uma única pintura, e sim uma das duas principais influências espirituais de Blake, sendo a outra Immanuel Swedenborg. Ou seja, de um lado o inventor do aerodeslizador e confidente de anjos que certa vez afirmou que tais criaturas não sabem nada sobre o tempo, cuja cabeça extraviada, segundo os rumores, foi parar entre as garrafas do Crown & Dolphin, e de outro lado com o mais célebre fatalista de Northampton, ambos misturados na genética ideológica do rapaz de Lambeth; assumindo o papel de seus pais paranormais. Studs pensa na gravura de Blake que viu na biblioteca, a figura humana solitária na parte inferior central da imagem, de costas para o observador, com o rosto escondido enquanto olha para os santos e anjos fúnebres reunidos acima dele, obviamente destinado a representar o próprio Hervey, mas com as feições não reveladas levando à interpretação do personagem como um homem comum, pausado à beira de um além marmóreo que torna a tuberculose, a carne e a brevidade humana irrelevantes, uma figura à beira da morte, refutando a perda e o tempo. Ou, talvez, Blake não soubesse como era a aparência de Hervey, e nesse caso a gravura anexa oferece a Studs uma ligeira vantagem sobre o brutamontes beatífico do sul de Londres.

Observando a imagem mal impressa, Hervey poderia ser tomado por um magistrado, a não ser pela falta de julgamento em seus olhos calmos e imóveis; a não ser pela levíssima contração de humor em um canto dos lábios cerrados. A hachura de contorno que define as feições agradáveis do reitor do vilarejo, linhas nítidas gravadas em aço por água-forte, se decompõe em uma partícula pontilhista na reprodução manchada, embora os detalhes finos da tez permaneçam visíveis. O que parece ser uma verruga está habilmente posicionada na borda externa do olho esquerdo, uma característica que Studs sente ser uma marca de uma certa distinção em um homem, enquanto na bochecha direita há uma pinta ou, a julgar por seu posicionamento perfeito à la Marilyn Monroe, algum tipo de mancha artificial cosmética. Dada a falta de vaidade quase orgulhosa exibida na escolha de Hervey para seu local de descanso, Studs sente que essa última possibilidade é uma chance remota, embora ainda haja uma certa feminilidade no rosto dele que torna a hipótese da marquinha de beleza quase plausível. É mais do que o chinó ou a peruca ou o que quer que seja que Hervey usa no retrato, é o ar de gentileza e receptividade que o homem exala.

Studs se lembra de uma passagem de suas leituras recentes sobre o tempo de Hervey em Oxford, onde o pregador incipiente se tornou amigo íntimo de outro membro do Clube Santo, Paul Orchard. Até o nome do cara era florzinha. Durante um dos surtos intermitentes de problemas de saúde de Hervey em seus vinte e poucos anos, ele foi morar com Orchard por dois anos em Stoke-Abbey, em Devonshire, onde os dois redigiram um contrato jurando zelar diligentemente pelo bem-estar espiritual um do outro. Embora isso não seja tão sugestivo quanto, digamos, a carta de amor de Jeremy Thorpe para Norman Scott, parece se tratar de uma amizade masculina que foi muito além de passar o tempo juntos no quintal dando tiros em latas de cerveja. Considerando a vida de solteiro de Hervey, morando com a mãe e a irmã até seu fim precoce e ofegante, Studs obtém a imagem de um homem com certas inclinações que nunca poderiam ter sido expressas fisicamente e, portanto, foram sublimadas em um amor um tanto emocionado por Cristo e pela fraternidade cristã. Parece seguro dizer que, de modo geral, assim como em seu estilo literário floreado, James Hervey era um pouco teatral.

Assim, resta apenas o boato da Escola para Meninos, o material casual para uma reflexão posterior, que é previsivelmente onde Studs enfim consegue seu momento transcendente na roleta do acaso. O atônito crupiê suspira "Incroyable!", e enquanto Studs se afasta daquela última ficha que jogou com desdém na mesa é chamado de volta para recolher seus ganhos inesperados. Está estudando sem entusiasmo um resumo pouco atraente do estabelecimento quando o detalhe que esteve bem debaixo de seu nariz o tempo todo estende a mão e bate na sua cara até ela deixar de ser tão feia. É o que o vem atormentando desde que reparou no prédio imperioso de tijolos na Billing Road, e está lá, na segunda linha da impressão, logo abaixo do lema presunçoso recém-adotado da escola prometendo *Uma Tradição de Excelência*, onde se diz fundada em 1541.

A Escola para Meninos de Northampton não ficava nem perto da Billing Road em seu início. Criada pelo prefeito Thomas Chipsey como um "liceu gratuito para meninos", ficava inicialmente um pouco mais a oeste, em uma rua que, Studs percebeu só agora, foi batizada de modo a remeter à instituição: a Freeschool Street, antigo endereço de Ben Perrit na extremidade dos Boroughs, onde a escola homônima ficou por dezesseis anos. Construída quando Henrique VIII estava no trono, foi transferida em 1557 para a igreja de St. Gregory, que na época se estendia até a Freeschool Street, o que sugere que a mudança não foi muito complicada. Situada no mesmo local até 1864, teria sido ali que Hervey estudou dos sete aos dezessete anos na década de 1720. Um comentário vago que Studs deve ter lido em algum lugar entre as outras evidências volta à mente, um pronunciamento casual de John Ryland, contemporâneo de Hervey e seu primeiro biógrafo, no sentido de que o local de educação de infância do clérigo tinha sido pouco mais do que uma escola de caridade desfavorecida. Studs assente com a cabeça, sério e perversamente fotogênico. Como ficava nos Boroughs, é improvável que pudesse ter sido outra coisa senão uma tentativa bem-intencionada de melhorar as perspectivas dos infelizes juvenis do distrito, mesmo no turbulento século XVI. Northampton, com o antigo bairro que antes era sua totalidade, estava havia algumas centenas de anos em um declínio em certo sentido proposital, punido e desprezado pelos Henriques anteriores. De sua parte, Studs suspeita que a presença da cidade na lista negra remonte a muito antes, possivelmente ao rebelde antinormando local Hereward, o Vigilante, uma figura não muito diferente de Guy Fawkes, outro que também tinha suas relações com o local, já que ambos tinham sido expulsos das aulas de história com a mesma firmeza com que a própria cidade foi excluída até dos mapas meteorológicos regionais da TV. Se o avô do movimento gótico teve que passar seus anos de formação em algum lugar, então os Boroughs eram sem dúvida o berço perfeito, cheio de piolhos e fatalismo.

Studs encontrou a prova cabal. Ele ergue a carcaça entorpecida da grama como alguém que abre um guarda-chuva de osso. Espanando com irritação os enfeites verde-fantasma presos à sua jaqueta de couro, ele refaz seus passos pelo cemitério esparsamente povoado e, ao passar, percebe o efeito *noir* rural das sombras listradas caindo na calçada iluminada pelo sol através de um portão do cemitério. Como uma mancha preta nas lentes da tarde, ele faz seu caminho de volta para o Coupe de Ville esturricado, com o ar brilhando sobre a capota rígida em uma camada de geleia quente. Ao entrar, baixa as janelas para esfriar o forno móvel antes de assar lá dentro e, mais uma vez, não consegue encontrar uma forma *hard-boiled* de afivelar o cinto de segurança. E se cuspisse com desdém no painel no meio da operação, ou talvez inventasse algum símile particularmente pungente de como muitas vezes é difícil encaixar o fecho de metal na fenda de plástico? Tipo "foi mais difícil do que uma drag queen samoana de 130 quilos fazendo cálculo chinês em... algum..." Ele vai pensar a respeito.

Lembrando que ainda está com os óculos de leitura, Studs os remove cuidadosamente e os devolve a um bolso interno antes de ligar o motor, quando o Duisenberg cinza-fumaça ruge para sair de Weston Favell, um torpedo terrestre indo para a fonte de calor distante que é o centro de Northampton. Vai pela rota mais curta disponível. As ruas ainda desertas do vilarejo são um conjunto abandonado, suas pedras ocre são apenas planos de fundo pintados agora dobrados e guardados no espaço compacto de um espelho retrovisor manchado. Trovejando ao longo da Billing Road, ele passa pela encarnação moderna da Escola para Meninos, inexistente antes de 1911, e sua autorrecriminação por não chegar a uma solução mais cedo tem o gosto amargo de um soco-inglês nos dentes da vitória. Para um detetive particular *noir* como Studs, esse é o resultado perfeito, claro. O triunfo imaculado é inconcebível quando a verdadeira satisfação da profissão que escolheu reside na derrota ética, emocional e física; na certeza, e é assim com Hervey, de que todos os casos encerrados ou glórias mortais se tornam insignificantes em sua comparação com o sono eterno.

Um sol da tarde deixado para engrossar por tempo demais cozinhou a luz, deixando-a com mais corpo e um leve sabor metálico ao se derramar, fora da fervura, no hospício e na desordenada vegetação de mármore do cemitério, no hospital que Hervey ajudou Philip Doddridge e John Stonhouse a fundar. Com uma curva à esquerda no semáforo lento ao lado do busto manchado de Eduardo VII com sua coroa de merda de pomba, Studs avança pela Cheyne Walk, passando pelas instalações da maternidade do hospital, tendo seu progresso interrompido por outro conjunto de luzes no pé da colina perto da fonte de Thomas Becket. Parto e martírio retorcendo-se juntos nas espinhas opacas de aço do monótono monumento a Francis Crick na Abington Street, com os super-heróis assexuados espiralando acima em aspiração genética sob clima indeciso, com um voo frustrado e seus calcanhares para sempre enraizados na rua dos macacos. Uma luz desce em etapas através do pousse-café do sinal, de granadino a crème-de-menthe, e Studs desliza pela Victoria Prom com o Beckett's Park e os pátios de supermercados genéricos substitutos de um maltratado mercado de gado, um borrão à sua esquerda. Depois de passar pelo Hotel Plough, na extremidade inferior da Bridge Street, imerso no sumidouro sanguinolento do final da tarde de sábado, encadeia uma série bizantina de curvas à direita antes de chegar ao estacionamento que dá para a galeria Peter's Place, na Gold Street. Mais uma vez, paga, põe o recibo em um lugar visível e deixa o Corvette, talvez já pichado por gangues locais, estacionado na encosta asfaltada, sob a grande tigela cheia de céu formada pelo vale. Sai do estacionamento pela saída inferior, sobrevive por pouco a travessia da pista dupla nos pés da Horsemarket, e a todo aquele fedor de monóxido de carbono, então se esgueira pela curva lenta da St. Peter's Way em direção ao trecho de grama elevado e descuidado que um dia havia sido a extensão oeste da Green Street. Dali sobe meio metro de calçada lisa até um gramado irregular e de lá chega aos Boroughs por trás.

O antigo parque verde ressequido e desbotado ergue-se da parte de trás da igreja de St. Peter, com suas rugas de calcário e manchas de idade descoloridas, todas agora apagadas pelo lisonjeiro ouro solar. Erguida pela primeira vez em madeira pelo rei Ofa como uma capela privativa para seus filhos no século IX, reconstruída no melhor estilo gótico por Simon de Senlis, ciente de seu legado, durante os séculos XII ou XI, a estrutura de quase mil anos drena todos os marcadores do presente da inclinação gramada que se arrasta atrás de si. Demônios careteiros em beirais erodidos o observam enquanto ele se esforça para subir pelas ervas daninhas, com os olhos de pedra esbugalhados e os lábios de sapo distendidos por nervosismo com sua chegada, paralisados e apreensivos com a concorrência gargulesca que a cara de Studs representa. De sua parte, a ascensão através de um deserto atemporal e enganosamente ensolarado até o antigo local de culto faz com que ele se sinta reduzido a algo como um malfadado acadêmico de alguma narrativa ruim e presunçosa de Montague Rhodes James. Roupa suja asmática, aranhas tomando esteroides, crianças ciganas com unhas afiadas — tudo espera por ele na construção quase abandonada ali à frente. Agora que pensa nisso, M.R. James e toda a tradição inglesa de histórias de fantasmas devem figurar como os bastardos mais ostensivos de Hervey, bisnetos ilegítimos na forma de versificadores de cemitério e histéricos de elite com móveis requintados. Depois, há os ocultistas modernos, os herdeiros do Karswell de James[39] e os primeiros adaptadores do modelo gótico em seus esforços literários e seu vestuário, com a doutrina de Hervey da justiça inata de Cristo tornando-se um guia de estilo para diabolistas. Studs duvida que Hervey teria se sentido muito confortável com isso, mas, depois da pavorosa imageria que se utilizou para transmitir sua mensagem, o criador do *noir* de Northampton não tem ninguém além de si mesmo para culpar. Não torne o papel de embrulho mais intrigante do que o presente — um decreto que Studs aceita com pesar e que poderia se aplicar também à sua própria beleza interior e à sua embalagem lamentavelmente chamativa.

Chegando ao topo do caminho, ele percorre os restos quase indiscerníveis da Peter's Street, ao longo da grade dos fundos da igreja e seguindo para o leste. Pela sombra de fios de alcaçuz desenrolados, estima que seja por volta das cinco horas e então lhe vem algo como aquela espécie de coceira em um membro amputado. No caso dele, vem a sensação fugaz de liberdade que as cinco horas anunciariam também para ele se tivesse uma profissão normal em vez da servidão à noite. Não que se sentisse constrangido por sua fisionomia cativante, mas Studs sempre preferiu o escuro. Seu entretenimento predileto, depois de ser levado para um passeio por uma beldade de partir o coração que no fim se revelava um homem, era vagar pelas entradas sombrias das extremidades mais recônditas da cidade antes que os becos fossem fechados por moradores amedrontados, antes que um comportamento como esse começasse a valer a inscrição no registro de criminosos sexuais. Certa vez, na fenda coberta de paralelepípedos entre a Birchfield e a Ashburnham, nas primeiras horas de uma manhã de domingo, foi surpreendido por uma enorme bola de granito rolando pela passagem escura em sua direção como na clássica cena de Indiana Jones, apenas para revelar-se, mais de perto, a alma performática em escala planetária de Northampton, o já falecido Tom Hall.

O gigante lírico, que ia passeando com um cachorro notívago, havia parado por um momento para dar umas risadas com o falso detetive particular enquanto fazia uma eloquente defesa daquelas passagens negligenciadas com suas portas de garagem decoradas com galos e franjas de trepadeira com babados. Vestindo um macacão que podia muito bem ser uma casa de bonecas reformada, Hall improvisou a tese de que a estreita costura urbana que habitavam atualmente era um dos canais terrestres da cidade, parte de sua rede seca de vias navegáveis imaginárias para pedestres. Explorando os leitos nus com seu monstro eduardiano aos pés, um supramarinheiro experiente pode observar de pronto os detritos submersos do submundo que se acumulam junto às pernas de bancos de aço galvanizado: coleções completas de revistas pornôs bizarras ferozmente descartadas ou esqueletos de bicicletas, à deriva contra as bordas do beco onde peixes preservativos em tons de néon se amontoam entre urtigas balançando serenamente, anêmonas de catarro. De tempos em tempos, um corpo. Eletrodomésticos obsoletos, vícios vergonhosos, ações intencionalmente esquecidas, atitudes ou compras repensadas e extirpadas para essas paragens, cenas rabiscadas da continuidade da luz do dia e escritas nessas passagens não atribuídas e *off-the-record* nesses Livros Apócrifos salpicados de mijo. O trovador rotundo expandiu prodigamente sua visão por todo tempo necessário para que sua incumbência canina se arqueasse na ponta dos pés como um arco de croquê trêmulo e com um movimento heroico expelisse algo mais comprido do que o próprio cão. Com isso, a dissertação foi concluída, e os dois homens continuaram em seus caminhos díspares, com Studs subindo o canal drenado contra o vento enquanto o músico descia rio abaixo como uma enorme boia de sinalização que escapou das amarras, flutuando na púrpura retiniana.

Studs agora chegou à Narrow Toe Lane, talvez a via pública com nome mais incomum dos Boroughs[40], na verdade apenas um caminho que escorre pela extensão de grama desgrenhada até o que sobrou da Green Street. Ele não tem ideia do motivo para o lugar ser batizado assim. Talvez alguém tenha confundido a palavra "tow", caminho de sirga, com "toe", mas, conhecendo a vizinhança, não se pode duvidar que seja uma referência a uma deficiência genética compartilhada que em algum momento afligiu a todos moradores da rua. À direita, ao longo da face leste da igreja para Marefair, estão os Jardins de St. Peter, anteriormente um beco abandonado, mas alargado há cerca de vinte anos em um passeio agora abandonado, desalojando a loja de uniformes escolares, a Orme's, que ficava em uma das extremidades. Studs lembra de ter ido lá, acompanhado da mãe, aos doze anos, para comprar um uniforme para o ensino ginasial. Ele não tem certeza, mas acha de que pode ter sido levado à mesma loja em uma ocasião anterior para fazer as medições para a confecção de seu humilhante kilt. Segundo suas lembranças, costumava haver um par de espelhos de corpo inteiro um na frente do outro no provador, onde cada momento excruciante dos processos da alfaiataria de uma criança se desenrolava assustadoramente em uma eternidade revestida de painéis de madeira. Aquela passagem apertada e curva, mais longa que o distrito, mais longa que a cidade, estendendo-se pelas paredes sólidas e pelas construções ao redor, ocupada por uma fila interminável de crianças de sete anos mortificadas e se contorcendo, para onde foi? Quando demoliram a alfaiataria Orme's, o que aconteceu com suas infinitudes interiores? Todos aqueles outros garotinhos feios, todas aquelas camadas meio prateadas de identidade foram dobradas juntas, como as seções pintadas de uma tela de laca, e guardadas em algum lugar, ou descartadas, o que é mais provável?

Espere. Essa não é a sua infância difícil. Não há por que ele chorar por lembranças desmanteladas que nem são suas. Studs está surpreso com o quanto essa breve incursão onírica no tempo arruinado de outra pessoa o afetou. Tinha pensado que Warren estava exagerando em seus monólogos de raiva assassina, tentando transformar sua paisagem de infância em uma Brigadoon triste e traída, mas isso é diferente. Studs fica genuinamente chocado com esse apagamento de um lugar, de um estrato do passado e de uma comunidade. Se a realidade habitada por várias gerações de cerca de mil pessoas pode ser apagada como um punguista barato no bar errado na noite errada, o que, ou onde, pode ser seguro? Que diabos, hoje em dia ainda existe um lado certo dos trilhos para alguém nascer? Ele veio até ali para farejar os vestígios restantes de um ontem desaparecido, mas tudo o que vê nessas ruas deletadas são os embriões defeituosos de um futuro emergente. E quando esse futuro enfim nascer e não pudermos olhar para ele; quando tivermos vergonha de ser sua linhagem, a cultura-progenitora que gerou esse grotesco desagradável, para onde devemos expulsá-lo para que não precisemos mais vê-lo? Não podemos fazer como o xá e mandá-lo para Northampton. Já está aqui, enraizado, uma condição que aos poucos se torna universal.

Embora a St. Peter's Street continue entre os prédios de escritório relativamente novos e em sua maioria vazios até a própria Freeschool Street, Studs acha que talvez prefira seguir pelo caminho mais longo, descendo a Narrow Toe Lane até a carcaça destruída da antiga Green Street e então subindo dali. Pode haver pistas: uma pegada ou talvez uma testemunha intimidada demais para se apresentar, alguma estrutura de pedra sobrevivente sob os tijolos que possa virar uma informante se receber o incentivo correto. Com as mãos nos bolsos altos do casaco e os cotovelos esticados como asas de dodô, ele desce a pista vestigial, colorindo mentalmente sua imagem esboçada de James Hervey enquanto avança.

Na imaginação de Studs, o cenário mais provável é Hervey, aos sete anos, caminhando de Hardingstone para a escola todas as manhãs, quase certamente desacompanhado e fazendo a jornada na escuridão total por pelo menos metade do ano. Teria começado em seu vilarejo natal, que dois séculos depois adquiriria outras credenciais góticas na pessoa do assassino do "Carro Flamejante", Alf Rouse[41]. O garotinho, talvez com a mesma aparência delicada, os mesmos lábios cerrados e uma tendência à tosse já naquela época, arrastando-se por caminhos rurais totalmente sem luz, sem ninguém por companhia além de súbitas corujas, para a velha London Road. Ali, a cada dia da semana de sua juventude, veria a enorme cruz sem cabeça, um dos memoriais de pedra erguidos por

Eduardo I em todos os pontos em que o corpo da rainha Eleanor tocou a terra em seu longo caminho de volta para Charing pelo Tâmisa. Aquela cruz pairando imóvel e negra contra o cinza de antes do amanhecer. Todo dia, após deixar para trás a porta fechada de sua casa, o pequeno Jimmy Hervey, uma criança doente e de inclinações religiosas, teria imergido de imediato na mitologia da cidade antiga, e o monumento decapitado é o pilar que sustenta a entrada de seu romantismo fúnebre.

Depois de uma longa e difícil descida em direção à massa urbana escura mais abaixo, ainda sem luz de gás, o frágil menino entra pelas sombras fedidas do St. James's End, onde os comerciantes, arrancados de suas camas quentes cedo demais, xingam e carregam carroças e barris, falando um com o outro em um dialeto pouco familiar na escuridão. Rostos adultos esmagados com manchas estranhas, semicerrados, meio virados para ele à luz das velas, e de um pátio fechado vem o bufar fumegante e trêmulo de cavalos. Com os dedos rosados entorpecidos pelo frio, sabe-se lá quantos livros sob um braço infantil magro, o futuro fatalista seria obrigado a subir a curva da West Bridge com a escuridão do dia ainda não nascido pela frente diluída quase imperceptivelmente a cada passo relutante, com o rio atemporal ouvido em vez de visto em algum lugar abaixo dele. No topo, no ponto médio do espaço, as ruínas do castelo teriam se tornado aparentes para a criança naqueles antípodas do crepúsculo antes que um sol nascente pudesse queimar a névoa, uma extensa área crepuscular de pedras caídas com manchas estridentes e esvoaçantes sobre os muros que caíam, cotocos de torres amputadas. A fortaleza desmoronada de Northampton, atualmente seu centro de prostituição e estação ferroviária, teria sido a forma larval de cada Otranto que veio depois, cada Gormenghast?

A partir daí, com um ímpeto determinista acelerando seu passo, o devoto jovem enfermiço teria se arrastado da ponte escoliótica até a outra margem, avançando pelos Boroughs e pelo emaranhado de ruas, com suas torres malucas usando chapéus de bruxa de ardósia salpicadas por pombos. Em seguida, a Marefair e a igreja de St. Peter, os contrafortes desgastados com relevos de diabinhos saxões, figurantes entediados encontrados por Hieronymus Bosch em algum Juízo Final do passado distante. Alguns passos depois, a Hazelrigg House, onde Cromwell sonhou um futuro inviolável para a Inglaterra na véspera da batalha de Naseby. Uma última curva à direita na Freeschool Street traria o pálido visionário em ascensão para seu local de estudos, assim como uma curva à esquerda agora leva Studs para a outra extremidade da mesma rua.

O distrito, do qual Studs ainda se lembra de seus passeios noturnos insones de vinte anos atrás, está irreconhecível, o rosto de um ente querido na primeira visita ao pronto-socorro após o acidente. O naufrágio da Green Street que o trouxe dos baixos da Narrow Toe Lane até sua esquina atual não tem mais prédios, nenhum aterro costeiro no sul protege a terra em desintegração da maré turbulenta e erosiva de tráfego na Peter's Way. Quanto à subida da Freeschool Street diante dele agora, é uma impostura óbvia e ofensivamente imprecisa, alguém que não se parece em nada com sua mãe, mas aparece uma semana após a cremação alegando ser ela. O flanco oeste da estrada íngreme, antes dominado pelo depósito de madeira de Jem Perrit, no número quatorze, agora tem, em sua maior parte, instalações comerciais desocupadas até a Marefair. Apesar da cara beligerante, o investigador hesita enquanto sobe e tenta localizar a casa da família desaparecida-e-possivelmente-morta de Ben Perrit. Tenta, sem sucesso, sobrepor a casa oscilante de dois ou três andares na encosta com seus estábulos, sótãos, cabras, cães e galinhas no pátio quase livre de veículos, na estrutura moderna resistente à memória que a sucede. Algumas características isoladas estão presas em sua memória como farrapos de um cartaz de espetáculo teimosamente colados a uma cerca de metal ondulado – os três degraus até uma porta pintada de preto, relíquias de família e arreios de cavalo exibidos na sala da frente –, mas esses fragmentos simplesmente pairam no espaço vazio rememorado sem tecido conjuntivo, cartazes de cinema e *teasers* para um clássico mudo irrecuperável.

Do outro lado da ausência conspícua da casa dos Perrit, na margem desordenada feita à mão livre que é o lado leste da Freeschool Street, Studs se aproxima da boca cariada da Gregory Street, com a alvenaria em colapso em uma esquina delimitando uma selva eruptiva de budleias, antes a entrada dos fundos para a igreja de St. Gregory e a escola gratuita que ela incorporava quando James Hervey foi aluno ali. Em algum momento depois disso, uma fileira de casas geminadas ocupou o terreno anteriormente santificado, com todos os números ímpares indo de sete a dezessete na esquina da Gregory Street, se a memória de Studs não falha, coincidentemente as idades entre as quais o jovem James Hervey estaria visitando essa ladeira humilde todas as manhãs. Studs acha que se lembra de sua cliente Alma Warren dizendo que tinha parentes que moravam em uma das propriedades agora abandonadas e sem telhado, uma tia ou prima de segundo grau que enlouqueceu e trancou os pais do lado de fora e passou a noite inteira tocando piano. Alguma coisa do tipo, de qualquer maneira, um dos inúmeros dramas sórdidos desde então suplantados por um arbusto sufocando os escombros intocados de vinte anos.

Studs está na metade do capilar fino, olhando costa acima por reflexo para ver se há alguma coisa vindo, embora ache que carros não são permitidos nesse caminho atualmente. É quando percebe um homem e uma mulher parados no fim da rua, aparentemente absortos em uma conversa. Algo sobre o borrão laranja extravagante do colete que o homem usa chama sua atenção e faz com que Studs remexa em um bolso interno em busca dos óculos. Chegando ao outro lado da rua, ele os engancha em seu bico quebra-gelo e espia por trás da casa de esquina desconstruída, se encolhendo junto ao muro curvo para o caso de um dos membros do casal olhar para a rua e avistá-lo, com o hábito dissimulado adquirido ao longo de toda de uma vida.

É Ben Perrit.

É Ben Perrit, conversando com uma mulher que não tem metade da idade dele, com o cabelo em tranças e um sobretudo vermelho provocativamente curto que parece feito de PVC. Ao que tudo indica, está à procura de coito. Embora o bardo cheirando a cerveja claramente tivesse estabelecido metas mais audaciosas desde o abraço com Alma Warren, Studs ainda não consegue deixar de sentir que Ben poderia ter ido mais longe e se saído melhor. As perspectivas românticas do poeta local, no entanto, não são a preocupação mais imediata de Stud no momento. O que Perrit está fazendo ali, ainda mais à luz daquele avistamento ao que parecia casual de antes na Abington Street? Precisa ser mais do que coincidência, pelo menos na *mise en scène* atual de Studs. Ele considera por alguns segundos a possibilidade de que Perrit possa ser um espião improvável e inexperiente, talvez empregado por Warren para manter o controle sub-reptício de seu detetive particular de estimação, mas logo descarta a ideia. Ben Perrit, desde que Studs o conhece, não tem condições de perseguir sua própria vocação literária, muito menos de perseguir outra pessoa, mesmo uma muito fraca das pernas.

Ele arrisca outra espiada pela esquina de canto de página dobrado. No final da Freeschool Street, a mulher agora se afasta cautelosamente de Benedict, que ri e gesticula de maneira enigmática enquanto ela caminha. Não, ele não é um espião. Não com aquele colete berrante de restos de tapete e não com aquela risada audível daqui de baixo, é o oposto polar da discrição. Mesmo assim, devem contribuir para alguma coisa, esses quase-encontros sugestivos. Agachando-se atrás do muro inclinado, ele tenta identificar a sensação que está experimentando, a sensação de que está deixando de notar algo aqui, alguma parte do quadro geral que passa despercebida. Studs entende que, na vida real, cruzar com alguém sem querer duas vezes no mesmo dia não é nada especial, mas está tentando manter o personagem. Da sua perspectiva, as múltiplas aparições de Perrit só podem ser algum tipo de artifício narrativo, um mecanismo ou dispositivo essencial da história que sinaliza a iminente resolução do mistério, um delineamento inesperado de todos os seus fios sujos: Ben Perrit e a garota de casaco plástico vermelho, Doddridge e Lambeth e determinismo. William Blake. James Hervey.

Quando espia a rua outra vez, Perrit e seu rabo de saia sumiram. Studs guarda os óculos e se encosta nos tijolos psoriáticos. E agora? Chegou ao lugar que estava procurando e, a não ser por uma escalada provavelmente suicida do muro contra o qual está encostado para o refeitório de abelhas coberto de mato mais além, não pode seguir adiante. Não pode ocupar os espaços pelos quais o calor do corpo de James Hervey passou; não sabe o que esperava obter com essa peregrinação através do desaparecimento, para começo de conversa. Refazendo as pegadas de um cara morto como uma criança seguindo o pai pela neve, com nada além de uma fé cega no local, como se andar nas mesmas ruas pelas quais outra pessoa caminhou forjasse algum tipo de conexão, como ele pode ter sido tão estúpido, um *schlemiel* desses, talvez um bode expiatório? Os lugares não ficam onde você os deixou. Você volta lá, seja onde for, e mesmo que pareça exatamente como antes, o lugar já é outro.

Ele se recorda de Little John, durante uma das conversas relativamente ponderadas e menos barulhentas que tiveram. Seu folclórico amigo estava com um humor mais tristonho que o normal, melancólico até, falando sobre uma infância da qual não conseguia se lembrar direito, Mil e Uma Noites que nunca teve.

— Sabe, gostaria de voltar para lá um dia, a Pérsia, o velho país. Ver como era.

Não, John, meu chapa. Você não pode fazer isso. A Pérsia acabou. Em 79, estourou uma revolução depois que Jimmy Carter fez a CIA parar de pagar os aiatolás para que deixassem seu avô em paz. Eles o expulsaram e deixaram o câncer acabar com ele, e pode apostar que o novo regime não é um grande admirador de sua família. O país chama-se Irã agora. Você não é bem-vindo lá. Nunca foi.

Não podia dizer isso, claro. Só podia murmurar alguma coisa que não o comprometesse e desejar boa sorte, pedir para ele trazer um cavalo alado ou um tapete voador, livre de impostos, seguro por saber que, na próxima vez que John ficasse sóbrio, o passeio nostálgico a Mordor seria esquecido. É uma pena que Studs tenha ignorado seus próprios conselhos não ditos, porque só se deu conta naquele momento que o que vale para Teerã também vale para a Freeschool Street. Esse terreno desalinhado viu suas revoluções, tiranias substituídas por outras tiranias, com seu caráter redefinido por diferentes matizes de fundamentalismo, sociopolítico ou econômico: rei Carlos, Cromwell, rei Carlos Júnior, Margaret Thatcher, Tony Blair. Agora que Studs pensa nisso, o terreno sob seus pés até compartilha o status de Little John como realeza deposta: o áspero trapézio de terra delimitado pela Freeschool Street de um lado e pela Narrow Toe Lane e o Jardim de St. Peter do outro teria sido o do palácio saxão de Ofa, com St. Peter e St. Gregory como as duas igrejas flanqueando a construção a oeste e leste, respectivamente. A entrada escancarada para o depósito de madeira enterrado de Jem Perrit poderia se abrir para estábulos reais um dia e, se ele tivesse tido a presciência de nascer mil e duzentos anos antes, então o filho de Jem, Benedict, poderia ter sido o poeta laureado de Ofa, ou possivelmente o bobo da corte. *O pobre Tom está com frio e com uma bexiga de ovelha num graveto*[42]. Ben faria muito sucesso no papel.

A brisa parece mais fresca em sua barba rala, e Studs balança a cabeça com rapidez para afastar as memórias, o devaneio que o domina como resíduos de um tiro. Já nem sabe há quanto tempo está parado na esquina da Gregory Street, deliberando inutilmente sobre anos mortos e sobre o destino de territórios que costumam sair perdendo em uma guerra por território. Ele detecta pequenas mudanças no ambiente, o que indica que está segurando esse muro há algum tempo. O céu do oeste está mais claro, com a luz diluída e mais palatável, tons discretos em sua diluição à medida que o afresco azul do dia atinge suas bordas. Carros e caminhões distantes pareciam ter esgotado o que dizer, com suas conversas enfraquecendo e tornando-se mais intermitentes, diminuindo para grunhidos no silêncio pós-horário de pico. Os pássaros descendo para a sarjeta ignoram seus problemas e assumem o ar despreocupado de passageiros quase em casa. A sexta-feira, 26 de maio, segue para o rubor rosa e envergonhado de sua conclusão.

Ele decide lançar seu olho mal posicionado de sr. Cabeça de Batata para a Horseshoe Street e verificar o que resta agora do outro lado da St. Gregory antes de voltar para casa e dar o dia por encerrado. Na ausência de um vento frio, vira a gola de couro para cima de modo a se sentir mais isolado e, com um último olhar para a concessionária ambígua que suplantou Ofa e Jem Perrit e todos os pontos intermediários, revira os ombros em uma ginga de bandido na direção da Gregory Street, com o sol poente atrás de si. À sua esquerda, a degradação da propriedade da esquina segue descontrolada, enquanto à direita simplesmente não há nada, apenas um declive agorafóbico de terra devastada descendo de forma ininterrupta até a Peter's Way e sobreposta com um estrato de plantas baixas niveladas como as ondulações quânticas ainda discerníveis na "pele" do horizonte de eventos dos buracos negros, nosso único registro sobrevivente dos corpos cósmicos já ingeridos.

Na curva da rua, onde ela faz um ângulo agudo para o sul, fica uma fábrica vitoriana de três andares, um grande cubo de pedra defumada que parece ter sido transformado em estúdio de gravação. Uma logomarca elegantemente minimalista está afixada no alto da fachada coberta de fuligem, em uma tentativa ingênua de impor uma identidade ao edifício amnésico, que agora faz que se chama Phoenix Studios, um esforço bem-intencionado para evocar as chamas do renascimento das cinzas do bairro, o que claramente não vai funcionar. Não foi esse tipo de fogo. No que parece ser um pátio abandonado em um dos lados da construção, há um amontoado de pneus, depositados ali há muito tempo como se por uma geleira de borracha preta na longa onda de frio que se seguiu à era das dinescavadeiras e dos tiranotratores, com seus pescoços articulados esticando e girando para dar uma mordida no quarto da frente de uma família desalojada, com ervas daninhas de papel de parede cinza saindo de mandíbulas de metal amarelo, uma deglutição indiscriminada. Ele vira à direita na continuação da Gregory Street apenas para descobrir que não há tal continuação. Além do estúdio, não há nada separando este final da rua das duas pistas da Horseshoe Street, que desce a colina paralelamente, a não ser aquelas barreiras tão baixas que até o Little John poderia ultrapassá-las sem perceber. Studs sente uma obrigação passageira de percorrer todo o caminho e contornar a borda onde deveriam estar as lojas e depósitos de materiais de construção e as casas, por respeito às propriedades mortas, mas isso lhe parece insano e muito problemático, então corta caminho pela terra vazia.

A rua larga está, para todos os efeitos, desprovida de carros ou pessoas desde seu sopé perto do esqueleto do gasômetro até seu cume distante lá no topo, onde segue para a Mayorhold. No hiato entre bater o ponto de saída e tomar umas, as vozes do distrito, tanto contemporâneas quanto ancestrais, se interrompem tão abruptamente quanto um loop de fita pré-gravada. Ele consegue ouvir os momentos vazios assentando como poeira na rua abandonada, abafando seus fantasmas, o silêncio descendo a colina para aquietar as mesas de jantar de Far Cotton. Mais tarde, quase certamente, vem uma cacofonia de sirenes, ânsia de vômito, intimidades berradas em telefones celulares e todos os outros lances cabeludos, mas por enquanto há essa pausa improvisada, a presença bem-vinda de interrupção de sinal.

Ele não se apressa ao subir a inclinação, sente que é uma obrigação profissional prestar atenção em tudo, para não deixar nenhuma nuance escapar da rede de arrasto de sua atenção afiada. Aqui num canto, uma pedra de pavimentação rachada em fiordes, ali uma visão traseira do horizonte de Marefair com suas complicações ocultas no quintal, bagunçando a arquitetura dos telhados, antenas e crescimentos de fungos de parabólicas brotando dos tijolos da chaminé ou das alturas dos canos de esgoto. Do outro lado do caminho, acima do baixo relevo de uma barreira de blocos de concreto que sobe a espinha da encosta, o outro lado da Horseshoe Street está em um estado de manutenção bem melhor do que a beirada esfarrapada que Studs patrulha, caindo dentro do relativamente bem-cuidado centro da cidade, e não na colcha de retalhos abandonada dos Boroughs. Embora o antigo paraíso dos piratas de motocicletas, o Harbour Lights, esteja atualmente sofrendo a indignidade de ser rebatizado como Jolly Wanchor, ou o que é que seja, a construção pelo menos ainda está de pé e pode um dia ver novamente sua clientela de armadura de couro. Um pouco mais acima, um pátio com portões de ferro anexo ao salão de bilhar dos anos 1930 parece incompleto sem um bando de pais do pós-guerra trôpegos e ainda em seus trajes de desmobilização e demorando muito para se despedir enquanto se dirigem sem pressa para a saída.

Logo depois do salão de sinuca está a esquina da Gold Street, onde um século atrás ficava o Vint's Palace of Varieties, um local onde o jovem Charlie Chaplin se apresentou em várias ocasiões. Studs não sabe ao certo se a representação da rua da amargura feita pelo grande vagabundo das telas funcionaria tão bem em um cenário de pobreza contemporânea, afinal é uma miséria diferente. Ele acha que não funcionaria, embora possa ser porque não está imaginando os Boroughs em preto e branco e em outra década, nem com suas misérias acompanhadas por uma trilha sonora de piano tilintante. A música de fundo muda tudo. Se eles tivessem colocado alguma coisa do Rick Astley ou talvez o tema de "Steptoe" por trás de sua cena de estupro de irmã em *Joana d'Arc* de Besson, teria sido hilário. Ou "Nessun Dorma" sobre suas aparições como Papa Burger.

Diante da casa de sinuca do outro lado da rua, ele volta sua atenção para a hipotenusa de concreto desgastada que sobe no momento, no lado sujo da rua, com sua estética de carcaça desenterrada e um pseudônimo raivoso em cada poste de luz. Calculando que deve ser aproximadamente o local onde ficava a extremidade leste da St. Gregory, interrompe a subida para fazer um inventário dos ferimentos do distrito vítima, para avaliar a extensão total do que parecem mutilações quase frenéticas em sua substância, até em seu mapa. A remoção cirúrgica dos órgãos vitais, poderia ser essa a assinatura do assassino? Alguns dos cortes mais rasos na alvenaria parecem feridas defensivas na opinião profissional de Studs, e ele investiu muito dinheiro na descoberta de vestígios de pele, como avisos de planejamento sob as placas lascadas das unhas da área. Atingido pela pungência inesperada de sua analogia *hard-boiled*, percebe que está começando a se encher. A vizinhança, ela foi... sabe como é. Estuprada e desfigurada, mas resistiu. Boa menina. Garota corajosa. Durma bem.

Encontrando um guardanapo de lanchonete no fundo do bolso do casaco, Studs limpa rapidamente as órbitas brilhantes, assoa o nariz e se recompõe antes de retomar sua pesquisa. Nada na colcha de retalhos de superfícies e sinais aleatórios diante dele indica nem mesmo a homeopática água-memória de uma igreja. O passado foi cauterizado. Há até uma mancha vermelha opaca no meio de um muro vira-lata que, sem o benefício de suas lentes corretivas, parece-lhe um selo de cera na escritura do território condenado, um acordo assinado várias gerações atrás, tudo preto no branco e limpo. No entanto, não foi isso que foi visto por James Hervey, o estudante gótico de calças curtas, arrastando sua mochila nas soleiras toscas do século XVIII. Não foi isso que o monge peregrino sem nome de Jerusalém experimentou mil anos antes, trazido por anjos ao centro de sua terra para colocar ali uma cruz maciça, pesada, talhada em pedra, uma mensagem do Gólgota, como um beijo petrificado em um cartão-postal. E, naquela época, não havia dúvidas sobre a proveniência da comunicação, não com a FedEx seráfica organizando a entrega. Ninguém teria se perguntado quem era o remetente, mesmo sem endereço de devolução. Os anjos mensageiros eram de um rigor científico reconhecido, e a pedra cruciforme deles, o equivalente a uma partícula do bóson de Higgs, chegou para validar o modelo teocrático padrão. Um grande negócio, em outras palavras. Um pacote mais que completo.

Não é de se admirar que tenham feito tanto barulho sobre o artefato, colocando-o na fachada da St. Gregory, na Horseshoe Street, onde permaneceu como um local de peregrinação por séculos, com todos aqueles dedos em uma última tentativa traçando os eixos lisos e desgastados até sua interseção e todos os pés coxos e cheios de bolhas que os trouxeram aqui. O centro do país, medido pelo próprio teodolito de Deus. Isso certamente deve ter tido algum peso para o rei Alfred quando nomeou Northampton como condado principal, a capital de fato em uma história alternativa na qual a chegada de Guilherme, o Conquistador, jamais aconteceu. Alfred, o grande queimador de bolos[43], apenas imprimiu seu selo nos planos definidos pelo Todo-Poderoso. Mais do que mera pastagem da realeza, era um solo sagrado, marcado por coisas com halos ardentes por ordem de uma autoridade suprema. Era assim que eles viam, como era: uma realidade violenta e miraculosa muito parecida com a de Studs, perfumada com bosta de cavalo por falta de cordite. Em uma idade das trevas, a perspectiva *noir* seria uma conclusão inevitável.

E, no entanto, mesmo com o abismo de um milênio separando as origens da relíquia dos tempos de escola de Hervey, a carga conceitual e a importância inspiradora do objeto teriam permanecido inalteradas aos olhos dos crentes, em especial os de um menino de sete anos cujo pai era um clérigo? Por dez anos, quase um quarto de sua vida prematuramente interrompida, a criança doente colocou as mãos ou os olhos sobre o talismã primitivo e sério, o X cinzelado de um mapa do tesouro interior, um cristal semeador da própria Jerusalém. A forma simples e fundamental estaria impressa em suas pálpebras na hora de dormir, com tons invertidos no protetor de tela flutuando antes do sono, um padrão de teste na hipnoTV. O suficiente, pensou Studs, para estampar aquele modelo minimalista na vida posterior de Hervey. Um fragmento trazido da eterna cidade santa para cá poderia fornecer o dínamo que levou o jovem eclesiástico a entrar por um lado da operação de John Wesley e depois sair amargamente pelo outro. Chamaram-no de O Cruzeiro na Parede, manifestando a convicção sólida de Hervey a alimentar seus escritos, *Theron and Aspasio* ou suas meditações sepulcrais, energias mais tardes aterradas em William Blake, que fecha o circuito metafísico quando escreve *Jerusalém*.

O lento desenrolar do crepúsculo se fecha em torno do Sherlock carrancudo enquanto ele contempla a montagem aleatória de uma dúzia de séculos, o espectro de estratégias sociais fracassadas e a mistura de materiais de construção incompatíveis representados pela bagunça de mural à sua frente. O cruzeiro tinha desaparecido havia muito e levado a parede consigo, deixando apenas uma ausência conspícua e desoladora. Ele não pode deixar de se perguntar para onde pode ter ido o ícone de corte bruto enviado para marcar o meio do território, o centro de sua investigação criminal. Teria sido levado embora por trabalhadores de demolição de olhos aguçados, mercenários ou possivelmente devotos? É mais provável que tenha passado despercebido, com sua aura desvanecida, seu significado então esvaído na terra sedenta, abandonado em uma vala de drenagem mais profunda do que aquela em que a lápide de são Ragener foi finalmente descoberta em algum momento do século XIX. Composto de matéria quase tão antiga e duradoura quanto o próprio mundo, um grande símbolo de adição para denotar a natureza positiva do local, Studs sabe que ainda deve existir em algum lugar, no mínimo como fragmentos espalhados. Quando o espaço e o tempo estiverem chegando ao fim, suas moléculas díspares ainda estarão lá para o grande encerramento, possivelmente intactas, um símbolo que sobreviveu por muito tempo à doutrina que simbolizava, com sua atribuída retidão resistindo às eras depois que Hervey, Doddridge, Blake e todos os outros seguiram o caminho de toda a carne nos confins de um universo predeterminado.

Um formigamento pineal atávico lhe avisa que está sendo observado, um reflexo de detetive particular fundamental para sua linha imaginária de trabalho. Girando seu perfil extraordinário, como o simulacro de penhasco de um chefe indígena na *Fortean Times*, olha ladeira acima para onde um homenzinho rotundo com cabelo branco encaracolado e barba combinando, possivelmente um dos ajudantes do Papai Noel, está parado apreensivo na esquina da Marefair. O rosto do imbecil, de olhos arregalados atras dos óculos e fixos em Studs com uma expressão de incompreensão assustada, faz soar uma leve campainha de recepção de hotel dos anos 40 em sua lembrança, faz com que ele remexa nas xícaras de café meio vazias e na pornografia empilhada de seu arquivo interno, buscando através das fotografias de suspeitos desatualizadas um nome para combinar com aqueles traços familiares e astutos.

Enquanto a figura se afasta apressada, como se fingisse que não estava seguindo o detetive, atravessando a Marefair para o outro lado e intencionalmente sem olhar para trás, a ficha cai. O intruso no telefilme de Studs é o ex-vereador James Cockie, com aquele mesmo semblante jovial afixado ao lado do cabeçalho de uma coluna semanal no *Chronicle & Echo* local, cujas edições ele leu enquanto estava na casa da mãe — ou melhor, seu escritório. Toda cautela é pouca.

Observando o antigo vereador bambolear laboriosamente sua bola de neve carnuda da Horsemarket para a Mayorhold, o descongelado caçador de homens de Piltdown reflete sobre a chegada tardia, mas talvez pertinente, de Cockie nesse último trecho da história. Embora tecnicamente o gênero costume exigir que o assassino seja um personagem a quem os leitores ou espectadores foram apresentados no início do jogo, sempre há os dissidentes, como o escritor Derek Raymond, com sua boina engordurada ainda atrás do balcão da French no Soho, rompendo com as convenções e imitando a vida real no sentido de que o culpado geralmente não é ninguém que já tenha sido visto antes. Em obras excêntricas como essa, Studs reflete com sobriedade, a história acaba sendo mais sobre os processos mentais labirínticos do protagonista do que sobre as reviravoltas do caso que tenta desesperadamente resolver.

Dito isso, não há nenhum imperativo literário convincente que exclua o ex-vereador do inquérito. Com a massa volumosa cada vez menor do ex-político trabalhista desaparecendo das vistas naquele fundo vermelho, Studs junta todas as peças.

É de se imaginar que o ex-vereador teve uma mão ou, ao menos, um dedo gordo na morte brutal do bairro enquanto ainda estava no cargo, mesmo que apenas de forma passiva, então, sim, Jim Cockie se encaixa no perfil. Havia aquela expressão em seus olhos esbugalhados de Tex Avery, furtivos e culpados, pouco antes de virar e sair correndo. Não dizem que, se esperar o suficiente, o assassino sempre volta para onde tudo aconteceu, para a cena do crime? Às vezes é para se vangloriar, ou em um ataque de pânico tentando esconder evidências incriminatórias. Ocasionalmente, segundo dizem, é para se masturbar, embora Studs duvide que esse seja o motivo nesse caso. De vez em quando, claro, a compulsão do criminoso em revisitar os contornos de giz de seu local de matança pode nascer de um remorso genuíno.

Subindo a ladeira, o novo suspeito principal está diminuindo até se tornar um nada, como um ponto de fósforo branco encolhendo na vastidão sem estrelas de uma televisão dos anos 1950 que esfria. Curvando o lábio inferior até temer que pudesse enrolar e descer pelo queixo, o detetive particular perplexo vira para o sul e volta pelo caminho por onde veio. Sabe que Cockie está protegido; sabe que nunca conseguiria emplacar seu caso. Esqueça, Studs. É Chinatown.

Os triângulos e losangos de um céu estampado de estêncil atrás do velho gasômetro que se ergue mais abaixo na encosta estão começando a declinar para o índigo, e ele pode sentir o jato absoluto da noite descendo sobre qualquer narrativa em que esteja, a grande obsidiana descendo sobre essa continuidade complicada com horas desesperadas pela frente antes da manhã seguinte e seu encontro com Warren na exposição. Ele volta para onde deixou o, ah, ele não sabe, De Lorean que viaja no tempo ou algo assim, com sua cabeça escarpada habitada por transeptos góticos e determinismo, o mecanismo esmagador de almas da trajetória banal de bola de bilhar do roteiro, esse arco de personagem passando por uma vida.

Pensa em cruzes, cruzes duplas e no sr. Peixe Grande nos bastidores, puxando os cordões para Hervey, Wesley, Swedenborg e todo o resto, o homem lá em cima que sempre tem o cuidado de manter a própria imagem fora das vistas, um chefão elusivo da noite e da intriga mortal, frequentemente dado como morto, mas sempre com alguma margem de manobra para uma sequência.

Ele localiza seu carro na lenta dissolução prolongada do crepúsculo, dirige para casa, verifica se alguma agência de atores deixou uma mensagem, come seu jantar aquecido e vai para a cama. Depois de um bom tempo e de uma caneca de Horlicks, tudo fica *noir*.

O JOLLY SMOKERS[44]

Den acorda só sob a varanda varrida pelo vento
Em pedra dura polida por pés dominicais
Onde cai a luz da tarde, chão gasto e desfeito
Ao qual ele não sente ter nenhum direito
Nem nada a fazer na rua de ares sepulcrais;
Ele tira da pedra fria cinzenta o rosto cinzento

Então se orienta no tempo e no espaço.
Do chão, o teto é uma espinha escura
Um decreto obsoleto numa parede remota
Destinado à comunidade cipriota
Uma porta com cravos de ferro na cercadura,
Uma capa de Bíblia fechada em sua face,

Ou a de um tomo que a academia embasa.
Ele se levanta sobre um joelho esfarrapado.
Movido pela noite, dorme então de dia
Sob a entrada coberta da St. Peter
Graças à vergonha da universidade
E a convicção de que não pode ir para casa,

Não pode encarar os pais, por mais falhas
Pedir perdão de quem tanto fez, abandonados
Ao aprimorar o veio literário de Den.
Parou de ir às aulas, para o aluguel não tem
Para viver nesta igreja quase desativada
Um suor de monstros gotejando nas calhas,

Essa guarita em vez de endereço em vigência.
Ansioso para escrever, aprendeu a ensinar com gente
Com alvos, objetivos que precisam ser seguidos,
Eles mesmos pesarosos pelo mister oferecido
Que deixou passar. Suas falhas saltam enquanto Den
Ainda remexe no trinco da consciência

Aqui, o último de seus endereços incertos.
Vinte na última semana e sem-teto, aí se tem,
Ambições mortas e sonhos há muito tomados à força,
Uma dívida estudantil na qual pensar não ousa
Aqui em sua cabana, os cantos que escondem
Seu solo e lâminas prateadas em veios abjetos.

Quando a poesia foi sua única ambição,
A chama que em Keats, Blake e Ginsburg ardia.
Ser, não ensinar. Fizeram-lhe muito mal,
Anos de desespero na sala comunal.
Nem a reprovação de mãe e pai em desvalia
Que por seu ensino sofreram privação.

Uma porta se fecha, enquanto outra se aferrolha
Onde os filhos de Ofa ergueram a taça da comunhão.
Abrigar-se em palácios e fortes saxões
Pode ter, acha, poesia em certas dimensões
Então, com um suspiro, ele se levanta e pega nas mãos
A bolsa, como se fossem suas tripas de fora,

Lembrando-se, porém, de que é sexta, noitada,
E por uma vez há um lugar em que deve estar:
Um careca com drogas no caminho da Tower Street,
Oferecendo um tempo de sonho e um lugar para ir.
Um impulso de urgência pouco ordinário
Impele Den a sair numa luz rosa cansada

O convento cheio onde se enrolou fundo,
Por bandeiras rotas que o tempo vândalo apaga

Onde somem nomes e números mortais,
Status, sentimento e ano já não há mais.
Abaixo dessas ruas há informação morta amuada
E Orfeu, tropeçando, procura seu submundo

Deixando uma alcova amarga de destino,
O espeto de papel do memorial de guerra,
Fugindo da capela antes que venha o anoitecer
Quando rostos de pesadelo começam a escorrer,
Passando canteiros tornados infernais pela primavera
Além da via, do portão de verdes dentes finos

Então para Marefair, observado com desdém
Por aquele baixote gordo que às vezes encontra;
De barba e cabelo branco, indiscreto pentelho.
Um anão de jardim sem o gorrinho vermelho,
"Boa noite", ele diz, num risinho de afronta
Enquanto Dennis sobe a Pike Lane

Para um novo ponto baixo e um barato de lei.
Por que veio aqui atrás do que lhe dá ganas?
Barracos precários onde o Grande Incêndio nasceu,
Ali numa cidade que fez de John Clare um sandeu
E mesmo assim John Bunyan a chamou Almumana.
São os quintais para onde os sonetos vêm morrer

Como o poeta local, lhe foi permitido ver,
O bêbado risonho em cujo olhar naufragado
Ele mirou seu futuro, e abandonou a rima.
Escapando daquele devaneio de fina
Den vira na Saint Catherine's House e pega o lado
Descendo a Castle Street, já tomada pelo anoitecer,

Até a metade da rampa final da avenida
Entre os apartamentos largados, seguindo
Para a Bath Street. Apesar do cheiro de queimado,
Ele precisa enfrentar o caminho esfumaçado

Que conjura demônios das cercas, indo
Para o vale escurecido de sálmica descida

Por um desânimo de dívida e benefício cancelado,
O cheiro acre piora conforme ele sobe o morro.
Ele corre, foge dessa atmosfera de destruição
Para dar um passo em falso em meio à escuridão
E pisar numa espiral de merda de cachorro
Deixando a pegada complexa do solado.

Ele se chama de algo horrendo e franco
Arrasta-se por cortiços Bauhaus sem pintura,
Indo para onde brilham as janelas lá em cima
De altitudes sombrias cor de violeta, e assim
A criança Dennis vai para as torres escuras,
Arrastando um pé como se fosse manco

E, tarde demais, de ansiedade ele sofre
Sobre o anfitrião calvo, que não conhece bem,
Embora alguém de nome Kenny Gordo
Não pareça a pessoa mais altruísta a bordo.
Ainda assim, por um mato escuro vai Den,
Para a Simons Walk, sem apóstrofe,

Olhando para trás, na grama que farfalha no vento
Por um tromp l'oeil enevoado, ele se desconcerta
Da breve ilusão, uma grande engrenagem de noite
Que solta fumaça e se revolve, e de repente já se foi.
Ele franze o cenho e, achando a casa certa,
Bate duas vezes, vidro sob os nós dos dedos,

Com o que, luz atravessando o painel de geleira,
Seu benfeitor toma forma em um palor.
"Oi... Cristo, que cheiro é esse? É carniça agora?
Ah, é? Bom, tire. Deixe aí do lado de fora."
Enquanto Den obedece, indo para o calor,
Seus sapatos, feito órfãos, ficam na soleira.

Desamarrados em desgraça. O corredor sem ar
Leva a uma sala mais fedida. "Quer um baseado?"
Den senta na poltrona, Kenny no sofá
Vários livros de psicofarmacologia lá
Estão jogados, o realce um ponto iluminado
Na cabeça raspada dele, como bola de bilhar

Ou uma pérola gorda. Olhos avermelhados
Kenny Gordo lambe, rasga e por fim consegue
Transformar tabaco, droga e papel fino
Num origami em formato de míssil
Então acende o pavio branco que segue
Até a cabeça de bomba de desenho animado

Que explode em riso, tosse e tête-à-tête.
O ânimo em trem-fantasma no baseado que roda
Para o tempo com basiliscos de fumaça
E Kenny pergunta, quase como se fosse graça,
Se em troca de abrigo, comida e droga
Dennis podia se preparar para um boquete.

"Ou então cai fora. Não sou casa de caridade.
Estou oferecendo pizza e um bagulho do balaco.
Uma puta queria um pouco. Disse que eu podia comer
O cu dela, mas não. Tinha prometido pra você."
Zonzo, Dennis pisca e numa luz em arco
Vê sua nova vida com extrema claridade,

Todas as barganhas implicadas então
Em ficar para dentro da porta da frente.
Ele assente. Kenny diz que pode poupar
Tempo enquanto esperam o forno esquentar
A pizza deles. Ali no chão da cozinha, Den
Se ajoelha, puxa a lesma distendida do anfitrião

E a coloca na boca, fixando a mente
Em Wilde ou Whitman, tentando ingerir

A poesia que puder entre o movimento
Rançoso de pistão na língua, gosmento,
Tentando fazer o interesse subsistir
Em *De Profundis* enquanto faz boquete

Mas sem conseguir lembrar de uma citação bela.
Den, sem panteras, come coisas porcinas
Cujas palavras arrítmicas não permitem rima
A não ser por coincidências de tempo acima:
Bem quando o forno apita e o fim vaticina
O sêmen de Kenny Gordo espirra na goela.

Eles comem em silêncio. Den percebe
Que ainda sente o gosto do aperitivo amargo
E por isso não gosta da iguaria. Depois do fim
O Buda de loja barata anuncia que sim
É hora de darem início, sem embargo,
À odisseia etnobotânica que segue

E mostra a Den a trombeta que cultiva,
As flores brancas como página sem nada,
Com a Salvia Divinorum, que é de Den.
Pelo tom de Kenny Gordo, fica evidente
Enquanto a sálvia do adivinho é partilhada
As Trombetas de Anjo são privativas

"Tenho mais tolerância, sabe. Então
Vou mastigar a sálvia aqui com você
E depois fumo a outra." Os dois mascam
As folhas. "Bota debaixo da língua e basta."
Então, deixando o maço sublingual umedecer,
Den engole e deglute com apreensão.

Ele empalidece, como se com a vinda iminente
De algum pandemônio feroz, subjacente.

‡

O tempo se contorce, sua medida ao largo
De modo que não sabe quanto tempo se foi.
A sala lúgubre não sofreu mudanças evidentes
A não ser pelos detalhes que parecem surpreendentes
E enquanto isso, debaixo da língua afoita
Fervilha a bola vegetal de gosto amargo

Entrando na saliva, o veneno verde se impele
Para sua barriga, além dos dentes e gengivas
E talha em seu sangue, ossos, intestino.
Den se contorce e tenta evitar um gemido
Enquanto o incremento sutil o deixa à deriva
Desconfortável dentro da própria pele

E pula do assento para uma caminhada
Pela sala e aliviar sua intranquilidade
E Kenny vira o corpo infantil inflado
No sofá, claramente emburrado
Com a demora, se vê que é verdade
Observando sua cara bem acolchoada

Ou as linhas de seu monólogo enjoativo.
"Foda-se. Se isso aqui nem barato dá
Vou fumar o outro lance." Den olha atento,
Circulando um tapete sem fim entre os assentos
Enquanto, mal sabendo quem é ou onde está
Entra em um nevoeiro dissociativo

Sozinho, as luzes acesas, mas não tem ninguém,
Olhando para baixo, percebe a questão flagrante
O fato de que usa o chapéu e as roupagens
De Charlie Chaplin ou algo nessa linhagem,
Algum vagabundo no celuloide crepitante
Caminhando num palco preto e branco de repente

Toda a cor sumiu. Kenny Gordo, vestido como Den
Em vestimentas antigas, agora anda pela escuridão
Ao lado dele, cara branca, roupa negra. Não falam,
Há algo de Lambeth Walk em como andam
Enquanto nos cantos de cima da sala estão
Homenzinhos que gesticulam impacientes

Homúnculos em similar indumentária
Xingam e cospem. Tábuas surgem para repor
O teto, e pelas fendas os rufiões entoavam
Seus insultos, onde uma luz cinza enodoada
Cai de algum espaço matemático superior
De eternidade proletária

De rancor infinito. A ressaca nauseabunda
Leva os dois. Perspectiva em inclinação,
Os diabretes aos berros agora aumentados
Conforme Den e o colega vão sendo elevados.
Ao atravessar, ele tem a nítida sensação
De se fundir por baixo do assoalho imundo,

Emergindo do lado deles em uma condição
Insana, até o peito no chão que entorta e o cobre
No pesadelo. Ele descobre que a pele assim,
Agora nua, é a de um manequim
Nascido desse sótão do ossuário de pobres
Com pinos em vez de juntas, poros tornados grãos,

Cujos gritos são rangidos, as lágrimas, visgo
Lentas no rosto de torno. Den abre a boca de espanto
Conforme o anfitrião, de madeira e como ele afundado
No chão, por uma fraternidade musical é tomado,
Assombrações ébrias que cantam enquanto
Kenny é lançado ao inebriado Elísio:

"Os fumantes alegres[45], um bando feliz sem truque
Aqui no nosso meio-mundo, meio-real e porre inteiro,

Curtindo a noitada boa sem a esposa na brida
Num pub aberto até tarde no além-vida
Precisando só de cabeça para bater em cheio
Nas Bedlam Jennies, para o ponche de chapéu-de-puck."

Chocado com a aparente happy hour no inferno puro
Den se agita, embutido, levanta os olhos e mira em dor
O tucano da Guiness rindo na placa de publicidade,
A excelência anunciada há muito fora de validade,
Então, com olhos de madeira arregalados de pavor
Observa a clientela em chiaroscuro

De depravados que giram e berram horrores
Em torno de Den, enquanto ele luta sob os atrozes
Joelhos deles. Um, de colete e chapéu-coco
Limpa da boca os restos de um rato oco
Enquanto os bolsos fervem com dentes ferozes,
Embora alguns de seus aliados sejam piores.

Há um cujos traços rastejam pela cara torta,
Boca acima do nariz, no lugar dos olhos, orelhas.
Outra, uma bruxa velha de dedos machucados
Sorriso ameaçador como o de qualquer barbado
Gira no ar que notavelmente se estatela
Naquele espaço de estranha acústica morta,

Menos música do que afinação. Den vira e tenta
Encontrar a fonte, logo avistando
Os músicos fantasmas, baixo, corneta, bateria,
Que giram botões do amplificador, em apatia
Dedilham desconsolados, mas se animando
Com a aparente chegada do líder corpulento

Sob grande apupo, um titã grande e gordo,
Barrigudo, de boina, barba e um olhar bronco
Rola em meio às aparições. Den o vê de relance,
Brevemente, notando que dois fantasmas-infantes

Se abrigam entre suas coxas de tronco,
Um deles muito loiro, embora sem cor

Enrolado num roupão xadrez. Den tenta gritar
Mas ganha a atenção da turba com o chamado
Calcam os saltos em sua cabeça de madeira,
Tentam afundá-lo enquanto falam besteira,
Seu ouvido lírico e cuidadoso afrontado
Pelas vozes odiosas em todo lugar.

"Ele é de madeira feito a perna do Elliott Pegajoso,
Ou espantalho, assustando passarinho num sítio."
Kenny Gordo, em sua pele de madeira nua,
É preso no chão pela fêmea lasciva e bruta
Que grava as iniciais em seu braço rígido
Apesar das tentativas de implorar choroso

Ou suplicar. Den, pisado pelos pés dos finados,
Escuta o grito severo e retumbante do menestrel
Enquanto Den é pisado no lascado atoleiro,
Ressurgindo para ouvir o bardo bisbilhoteiro
Perguntar se Freddy Allen está no bordel,
Ouvindo em resposta que está perto, do lado,

Com o que as crianças se vão. O bando destemperado
Renova agora seus modos bestiais e turbulentos.
Chutam Den mais forte quando a banda dá início,
Escavam a pele de marionete de Kenny em suplício
E quando toca uma música alegre, barulhenta
As sombras balbuciam sua canção de olho vidrado:

"Batizados por esta taverna, fumantes alegres, nós
Meninos e homens, aqui por quase cinquenta anos!
Pálidos em nosso grande além, além dos limites,
Então beba, salve, horrores, salve, tim-tim!
Deixe os mortos e vazios enquanto desfrutamos
Nossa posteridade paralisada de gorós!"

E enfiado em madeira movediça, Den vira de lado
Como peixe meio atolado preso entre dois planos,
Alvo de todo e qualquer brutamontes etéreo.
Esquecido de que tomou a droga a sério.
Nem a memória de seu nome segue sem danos
Nem vida anterior a esse delírio deturpado

De botas e ameaças. Perto, Kenny Gordo guincha mais
Competindo com a música em trama e lamento
Conforme se debatem no que parece um notório
Paraíso bêbado ou um purgatório
Onde barbarismos passados ainda têm seguimento
E os pobres perpetuamente presentes são reais,

Não metáforas. Passam-se longos éons desalmados
Antes que a distração, tendo a aparência
De um vagabundo-fantasma, passe entre os bandidos,
Arrastando ali diante dele conforme entra, rendido,
Um homem mutilado cujo semblante de bebê
Está encrustado de gemas de vidro quebrado;

Cujo peito é uma ruína côncava. Canecas retinem
E vozes se levantam. "Ele veio aqui por qual intento?"
O fantasma vagabundo agora vitupera aos brados
Os feitos do cativo e álibis choramingados
Embora Den, enfiado sob o chão no momento,
Não possa discernir a natureza do crime

No entanto, vê a punição. Pelo crime cometido
O prisioneiro, despido das vestes em trapos,
É obrigado a ajoelhar, sem saber o decreto,
Enquanto Kenny, o falo de madeira ereto,
Descobre que os farristas exigem aos brados
Um ato desnaturado em qualquer sentido.

Conforme os dois participantes gemem e urram
No coito abrasivo deles, cativando

Os espectadores espectrais, estes se põem a cantar:
"Somos alegres e fumamos, mas aí é que está.
Tem coisas com as quais nos preocupamos
E fazemos justiça dura acima da rua

Onde os cuzões das eras se encontram,
A queda de Milton assim democratizada
Com Satã derrubado e o rei é o populacho!"
Den acha que está voltando para baixo
Para um mundo real além do relembrado
Entre cuspe e serragem aos pés dos assombros

Para uma zona intermediária.
E de alguma festa no apartamento superior
Ouve o homem rosado uivar, padecente,
Forçado a fazer o que vai contra a corrente,
Então afunda no habitat de Kenny Gordo,
Na escuridão, a lâmpada apagada

E descobre, agora que acabou a experiência,
Seu anfitrião jogado no sofá; ele na poltrona.
Essa coisa de pular e andar, pelo visto,
Foi somente parte de seu sonho sinistro
Exausto, deixando questões virem à tona
Ele desce a um tipo de inconsciência,

Compreendendo, já que
Todo pensar faz-se sombra,
Que os mortos são uma classe
Sem qualquer pompa

‡

Da nulidade cinza à consciência espessa
Ele vai, relutante, um a um cada fato,

Consciente de si, onde está, quando e quem,
O corpo na poltrona. Olhos semiabertos, Den
Nota, depois do sublime árido, solarizado,
Que há cor, embora não em excesso

Nem bem distribuída. Discreto, o sol baço
Inclina-se pela cortina para um beijo pousar
Na pança de Kenny, que cochila. Sob a língua
Den encontra e cospe a rolha à míngua
De sálvia, então, precisando ir mijar,
Levanta-se instável, de pés descalços

Para navegar naquele lugar pouco conhecido,
No corredor, sua bolsa, o casaco de Kenny Gordo,
Então escadas nuas e barulhentas atrás da privada.
Agora totalmente desperto, ele dá uma olhada
Na porcelana manchada, privada em transbordo,
Suas exalações o rosto atingindo,

Memórias também se levantam, com claridade:
A soleira da igreja de Peter, o débito de estudante
Ah, ó Deus, ele chupou o pau de Kenny Gordo?
É tudo demais, rápido demais. Ele está tonto.
Den sente ânsia, e com um gemido rascante,
Vomita a vida em sua totalidade

Por alguns minutos, agachado lá,
Então dá descarga. Nos canos, o ar preso
Muge como um minotauro histérico.
Boca limpa, Den volta ao andar térreo
E o brilho malva de uma sala onde o obeso
Kenny Gordo dorme, de costas, no sofá,

Um cachimbo apagado na mão gorda se prende.
Embora queira partir, Den acha que é certo
Dizer tchau. "Tô indo, então." Nada de resposta.
Vê uma mosca chata, de barriga verde à mostra,

Orbitar o crânio raspado, imóvel, e voar reto.
Mas embora veja, não compreende

Por que o anfitrião não dá sinal de acordar.
"Falei que tô indo." Den começa a sentir-se
Desconfortável, e ao chegar perto ele espia
O peito imóvel e os olhos que não piscam.
Com a percepção vem um grande repique
De um som súbito, horrendo, que segue a soar,

Um rugido de banshee arrebatador em roda
Que estremece o vidro e faz latir a cachorrada
Mas parece não ter fonte a não ser ele. Den grita,
Uma obra improvisada de Kurt Schwitters
Que parece expressiva, embora inarticulada
E vai de volta em direção à porta

Que, destrancada, logo se escancara inteira
Raios brilhantes entram pelo vão claro
Para cegá-lo. Esquecendo o saco de dormir
E batendo a porta como um tiro a zunir,
Den sai correndo sem pensar em pegar os
Tênis cheios de merda na soleira

Ou olhar para trás. Na verdade, não tem colhão.
A grama está fria e molhada — Den não tem meias —
Enquanto corre pelas torres — não é um plano —
Mas na Crispin Street ele avista um humano
Com olhos azuis e cabelo loiro que já rareia
Estranhamente reminiscentes, de onde serão?

Sobre os lábios de Den queimam épicos sem vazão
E buscam liberdade, visões drogadas que podiam decerto
Ser as de Coleridge, Cocteau, Baudelaire.
Agora é alcançado por um cara qualquer
Que olha para a incerteza do rapaz boquiaberto
E pergunta "Você tá bem, chapa?", com preocupação

Clara. Den está bem? Sim, é a questão exata,
Ele pensa, unido a De Quincey e Rimbaud,
Preparando uma história de rica imagética
Para derramar, como se de fonte poética,
Mas tudo que ele diz é "Tô. Não Tô.
Merda. Merda, cara, era no pub que eu tava.

É onde passei a noite toda, no pub".
A boca não fecha. "Não deixavam a gente ir embora."
Ele não para. "Merda. Merda, cara, ajude a gente.
Era um pub", como se houvesse dúvida vigente,
Língua em que nenhum fluxo métrico vigora
Com palavras recorrentes, o ecoar de um dub.

Por gânglios queimados. O olhar do desconhecido
É perplexo. "Espere, você me deixou confuso, cara.
Foi por ter ficado depois do fechamento, então
Nesse pub que te prenderam a noite inteira?" Não,
Den mal dormiu, mas sabe que o homem repara
Em seu estado mental. "Qual foi? Por aqui?"

"Lá em cima do telhado. Quer dizer, o pub", Den
Balbucia, mas o homem loiro apenas assente.
"Em cima do telhado? É, já me aconteceu", diz.
Então menciona homenzinhos nos cantos acima.
Den se esforça com o que foi dito em sua mente,
Cérebro lavado, ou ao menos esfregaram bem.

"É. Nos cantos. Estavam se esticando para baixo."
Parecendo compreender, o homem tira do bolso
Alguns cigarros e oferece um a Den
Com uma aceitação calma quase Zen
Então acende os dois. Den aperta os olhos.
Nesta cidade inclemente, o que há neste pedaço

Que traz esse tipo de coisa? Seu salvador enuncia
Que não está louco, mas leva tempo para sair da treva;

Dá mais cigarros, uma dica de lugar de descanso,
Sugere um lugar com árvores e um gramado manso
Na ponta da Scarletwell Street, e observa
"Devem estar florescendo por esses dias".

Com as palavras transformadas em manjar adocicado
Den diz que seu benfeitor é um cara bondoso
E agradece, começando a descer a rua
Mas virando, vê que o estranho continua
A olhá-lo. Den, alvo de uma piada impiedosa,
 "Eu só subi lá no pub", grita desolado

E então continua a seguir na longa rua descendente,
Descalço, evitando gemas de vidro esfarelado
Até o cruzamento lá embaixo onde ainda
Há uma só casa de pé, perto da esquina
Entre uma grande amnésia de gramado,
A presença tornando a ausência evidente

Porém, sem saber de quem é a residência,
Com janelas fechadas pelas cortinas.
Debaixo das árvores mais além ele senta,
Com pátios de carga para completar a cena,
Onde, agachado na grama ele revira
Os destroços líricos da experiência

Em busca de rimas. A moradia sozinha
No fim da rua apagada, como pontuação
Fechando uma citação perdida a um mudo passado.
Acendendo um cigarro na bagana do outro fumado
Den vive e respira e busca compreensão
Do homem morto em casa ali quase vizinha,

Aquele olhar surpreso e leitoso. Ele titubeia
Com a ideia daquilo; não consegue começar
A analisar, nem mesmo definir
Como era abrupto aquele fim de linha.

O texto em expansão da vida não terá por limiar
Por quadra ou alexandrino de osso de baleia,

Mas em vez disso descobre sua trilha
E sensibilidade particulares. Na narrativa de Den
Até o momento, agora percebe, falta maturidade,
Uma consequência da inabilidade
De deitar versos forçados e viver apenas
Sua linguagem, embora siga sem ser lida

E sem reconhecimento. Sem mais autoengano.
Ele vai para casa, enfrentar a família, trabalhar
Numa loja, pagar suas dívidas e esperar uma vida
Sobre a qual terá o que escrever. Em seguida
Um Volkswagen azul arranhado para na
Sarjeta arredondada pouco acima no plano.

Uma mulher de dreadlocks sai para dar ajuda
À passageira, uma mocinha mestiça, delgada,
A mais jovem e porém mais frágil das duas,
Em vez de véu de noiva possui ataduras
Encimando a face bela, espancada,
E flores de casamento apertadas num punho

Para dar ênfase ao ar de esponsais
O carro deixado na esquina do lado,
Uma ajuda a outra a subir a ladeira devagar
Fora da visão de Den, embora ainda possa escutar
A conversa abafada delas, antes que batam
Na porta da casa erma que ali há, sem mais,

O chamado é respondido depois de uma longa pausa.
Há uma conversa muito abafada para ser ouvida
Antes que as mulheres, menos o buquê,
Voltem ao carro estacionado e deem no pé,
Uma vinheta marcante que deixa Den em dúvida
Quanto a seus efeitos, ainda mais sua causa,

Mas o mundo não se escande como poesia.
Traseiro frio de orvalho, a noite ele reconstrói,
As coisas que fez, o lugar horrível que visitou,
Coroada com o primeiro defunto que já presenciou:
Um relato de sótão despido, branco e imóvel,
Sem um traço de ambiguidade fria

Ou frufrus adjetivais, que não aludem a nada.
Den precisa encontrar uma voz moderna
Como Blake, Joyce, John Bunyan ou John Clare,
Palavras adequadas a essas novas ruínas em que
Podemos descrever os descampados que quisermos
Numa linguagem que foi destroçada e colada

A combinar com essas vidas, essas ruas. Acha que vai
Fumar um último cigarro, ligar para a mãe intempestivo.
Em algum lugar atrás dele, sirenes gemem
Diapasões do desastre, mas não conseguem
Estragar esse seu equilíbrio imprevisto,
O momento de globo de neve em colocação refinada

Na ação cravejada do tempo, em que passado e porvir
Finalmente haverão de se unir.

IDE VER
AQUELA MALDITA

Visto de baixo, o arcanjo de pedra gira a escuridão cintilante em seu taco de bilhar, com constelações lentas rodopiando na ponta, assim como a terra abaixo gira em torno de seu centro quebrado. Um universo de partículas e arquivos de seu movimento fere o olho lítico em sua órbita talhada, sobrescrevendo dados em uma fuligem centenária que serve de pupila, o boletim incessante de sexta-feira, 26 de maio de 2006. Nas sombras, bebês, cães e ex-presidiários com seus sonhos.

Vista de cima, a textura urbana isomórfica se achata em um mapa escuro repleto de fósforo de plâncton, uma agitação browniana noturna de caminhoneiros e casais de fim de semana, trabalhadores em trânsito, veículos de emergência com as sirenes piscando. A luz arterial se move em surtos através do diagrama circulatório, rastreando o progresso dos vetores de dinheiro e oportunidades de espalhar doenças. Distancie o foco ainda mais e as ações do mundo se comprimem em uma película de impasto.

A guerra e o colapso perseguem populações deslocadas em todo o planeta da mesma forma que os buscapés parecem seguir crianças em fuga. O presente sempre ajustado — uma rachadura fina entre as massas estupefatas do futuro e do passado, cozidas por fricção e pressão — é uma interface quente que brilha com a teoria das cordas e as queixas entranhadas de Hamurabi, fervilha com escravos de novos mecanismos financeiros e novos epítetos que descrevem os indigentes. Dos Estados Unidos, onde ainda é dia, o choque dos ex-executivos da Enron quando suas condenações são anunciadas e, em meio a ensurdecedora queda de suas mandíbulas, é negociada uma cascata de tragédias. Corte para ambiente interno, noite.

Mick Warren se move em câmera lenta, atento à mulher adormecida e tentando minimizar o rangido do colchão. A rolagem para o lado esquerdo é uma campanha feita em etapas, com seu objetivo, uma vez alcançado, não produzindo nada além de um desconforto alinhado de outra forma. Marinando em sua própria salmoura naqueles picos abafados do final de maio, com os ombros esmurrados pela semana de trabalho que acabou, a insônia reduz sua consciência bem trilhada à mansão esquemática de um tabuleiro de *Detetive*, pensamentos que se sucedem dentro de minúsculas estufas de cenas do crime, tentando estabelecer o onde, o como e o porquê. Na queda livre associativa, logo está à deriva em jogos de tabuleiro, entediado, com a mente insone avançando quadrado por quadrado de acordo com regras delirantes e autoinfligidas, uma coreografia de damas chinesas de meias ideias que saltam e se eliminam em sua luta para alcançar esquecimento impensado, o buraco central vazio do tabuleiro, que se transforma em um jogo de Ludo, com os salões de Poirot reconfigurados como os caminhos estilizados dos jardins do palácio onde dinastias de botões multicoloridos conduzem suas pacientes intrigas de corte. Ludo... Mick acha que se lembra da irmã mais velha dizendo que o termo tinha algum tipo de significado, mas no momento o termo lhe escapava. Palavras e jogos de palavras não são sua especialidade e, portanto, ele é avesso ao *Scrabble*, nome por si só faz lembrar seus frenéticos processos mentais de rato de labirinto ao tentar dar coerência a uma liquidação de móveis de consoantes ou de um lamento fúnebre ululante de vogais. Não é um jogo como o futebol, essa confusão de ortografia, palavras e tudo mais. Onde está a diversão nisso? Ele percebe que aqueles que professam uma predileção por tormentos linguísticos dessa natureza em geral estão apenas tentando parecer inteligentes, e se lembra das raras vezes em que ouviu alguém exaltando as delícias do "Scrabble sujo", mas ninguém pode ter jogado isso de fato, pode? Isso não pode existir, já que, para começo de conversa, há apenas um K na caixa. Tentando deslocar um pouco do calor capturado pelo edredom sob o qual cozinha, chuta uma perna para fora das cobertas e se deleita com a perda de calor. Sua mente sonolenta vagueia, irritada, em reflexões sobre jogos irritantes. Novo ângulo.

Deitando-se furtivamente de costas, ele imagina que, de cima, deve parecer um daqueles cavaleiros medievais de pedra. Adormecido em um velho sarcófago com cães petrificados aos seus pés. Deve ter existido um jogo de batalha da Idade Média em algum momento, imagina, fortalezas e castelos, justas e todo o resto, embora não consiga se recordar de um. Entre os vários passatempos fabricados por John Wadham em sua juventude[46], os entretenimentos com temas históricos eram escassos, com o foco em um mundo moderno que tentava se recompor a partir dos escombros de bombardeios na década de 1940. Ele se lembra de um chamado *Espião*, com bustos de cabeça e ombros de plástico de homens de sobretudos e chapéus de feltro avançando entre embaixadas estrangeiras, uma personificação precisa das maquinações da Guerra Fria em que as regras do jogo eram em geral impenetráveis e aparentemente sem sentido. Alma e Mick logo desistiram e colocaram a coisa em um calabouço sob o guarda-roupa, uma détente eficaz e possível. *Monopoly*, de seu ponto de vista, sempre se ocupou apenas de uma inflexível modernidade, um ritual compensatório para se adequar aos longos anos de austeridade do pós-guerra, carrinhos de mão imaginários da República de Weimar com pilhas de dinheiro multicolorido como confetes para perder de vista a caderneta de racionamento, ainda que por instantes. Em suas brincadeiras de infância, percebe, ficou quase sempre confinado no presente. Acha que se recorda dos estilos napoleônicos na embalagem de *Risk*, o jogo de estratégia global que fez a dominação mundial pela Austrália parecer inevitável, mas a megalomania, conclui, sempre foi mais atemporal do que histórica. É como uma jaqueta de couro, nunca sai de moda. Close fechado.

Pálpebras piscantes descem como persianas de longa exposição sobre as íris azuis cor de ardósia, com detritos de silicato varridos discretamente para os cantos. As pupilas se expandem, saturadas, borrando a tinta da meia-noite. Ele percebe que todo empreendimento humano é algum tipo de jogo ou, mais exatamente, um grande compêndio de jogos entrelaçados e conectados de uma maneira obscura, um complexo confuso de buscas com níveis de dificuldade pré-estabelecidos, nos quais a vantagem está sempre com a banca. Um jogo, pensa, é qualquer sistema com um conjunto arbitrário de regras impostas, seja uma disputa que resulta em muitos perdedores e um único vencedor ou algum arranjo não competitivo em que o prazer da participação é a própria recompensa. E, claro, a menos que as regras sejam as mesmas da física, são arbitrárias em um sentido ou outro, inventadas por alguém, em algum lugar, em algum momento. Capital e finanças sem dúvida são jogos, como pôquer ou roleta, pelo menos a julgar pelos executivos da Enron que apareceram no noticiário da noite, antes de Mick ir para a cama, negociando em mercados futuros que inventaram do nada e estavam tentando, sem sucesso, fazer com que existissem. Na verdade, esse tipo de jogo, com negociantes desonestos e tudo mais, não é tanto como o pôquer ou a roleta quanto como *Pinote*, vendo quantas picaretas e pás de prospecção de ouro se pode pendurar no burro de mola da credulidade do mercado antes que, inevitavelmente, tudo voe pelos ares e assuste a todos.

Posição social, reprodução e romance, manobras políticas ou a interação de polícia-e-ladrão entre crime e legislação, tudo isso é um jogo. A exposição da irmã pela manhã, que em parte teme, em parte deseja; todas as pinturas, toda a arte, é apenas um tipo diferente de jogo, que é jogado com referências, acenos e piscadelas para isso ou aquilo, a babaquice intelectual a que alude. Os vincos dos lençóis imprimem um delta de rio nas costas de Mick e, em sua inquietação, ele percebe que a civilização e a sua história são igualmente bagatelas, apesar da ilusão de pensar que seu progresso tem a lógica ordenada de um jogo de xadrez, quando é mais o pingar aleatório do *Jogo da Pulga*. É uma coisa ridícula, como se a espécie tivesse desenvolvido uma consciência superior para inventar uma forma mais elaborada de jogo da velha. Quando todo mundo vai falar sério? Mesmo quando as pessoas estão empenhadas em matar umas às outras, como no Iraque ou no Afeganistão, são apenas caubóis e índios desastrosamente fora de controle. A última vez que a Grã-Bretanha foi idiota o suficiente para interferir nos assuntos afegãos, com os impérios britânico e russo encenando sua poderosa queda de braço nos cem anos anteriores à Primeira Guerra Mundial, foram diretos e chamaram isso de Grande Jogo. Talvez os peões derrubados de volta às caixas cobertas por bandeiras para uma última excursão à cidade de brinquedo de Wootton Bassett possam ser vistos como fichas perdidas em um jogo[47], embora ele não perceba o que há de tão grandioso nisso. Cansado dessa peteca interna, desse vai e vem, ele opta por mais uma corrida para o gol, com a insensibilidade servindo como meta. Fechar os olhos é mera aspiração quando ele começa a manobra de comando para o lado direito. Para ser lançado a uma estratosfera uivante e contínua.

Mais abaixo, espécies invasoras se movem de continente em continente, de cadeira em cadeira, de acordo com a música de um clima alterado. Os abacates prosperam na Londres tropical. O choque percussivo de partículas é registrado em delicadas cartografias quânticas, samambaias de explosão e decadência, belas espirais de aniquilação mapeadas através do tempo concreto. Informações em todos os lugares, fervilhando à medida que se aproximam da ebulição. O presidente dos Estados Unidos, George W. Bush, e o primeiro-ministro Blair discutem seu vínculo fraterno profundo, admitindo erros na condução da Segunda Guerra do Golfo. O desacordo de Megiddo se se infiltra em todas as culturas e, na Palestina, o carro do líder da Jihad Islâmica, Mahmud al-Majzoud, irrompe em traçados letais de metal lançado em alta velocidade e estilhaços mortais de projéteis, desmembrando o insurgente junto ao irmão dele, Nidal. Pretas e vermelhas, assim são as flores predominantes nessa primavera, corações escarlates vívidos em pétalas de fumaça cor de óleo ou hematomas contrabalanceados por um corte aberto. Transição gradual para o interior do veículo.

O sinistro Ford Escort balança e geme na penumbra em uma odiosa paródia de Marla, ajoelhada no banco de trás com o sobretudo vermelho e a blusa levantados para mostrar as omoplatas afiadas pela desnutrição, a microssaia franzida na cintura usada como uma faixa preta de um caratê invertido, uma exigente disciplina marcial de vítima. Seu eu, a personalidade fragmentada e ensimesmada que pensava ser, está congelada nas proximidades do fim que se aproxima, fundida em gelo naquele momento implacável, seu último trecho miserável de aqui e agora antes que um bebê grande e terrível afunde seu crânio e acabe com ela, para o mundo inteiro e para sempre, eliminando aquele pequeno pedaço de trapo patético e dolorido que havia estupidamente presumido ser dela. Seu futuro sempre havia sido uma coisa tão miserável e atrofiada que pensou que ninguém iria se incomodar em tirá-lo dela, mas é isso que está acontecendo, o que vai acontecer: o toco de pau gorducho dele perfura seu buraco seco por trás em um staccato de filme mudo ridiculamente apressado, deixando-a com medo de começar uma espécie de gargalhada hedionda de um final inconclusivo. Marla havia visto o rosto de querubim de olhos mortos dele. Havia visto a placa do carro e sabe que este é o seu fim, com a testa ensanguentada batendo contra a porta traseira direita do Escort a cada estocada raivosa, cada golpe de baioneta ressentido. Isso é o pior-do-que-nada em que sua vida se transformou, a coisa que sempre temeu, sempre soube que aconteceria, e só tinha se aventurado naquela noite para comprar pedra. Nunca mais vai usar, e não se importa. Não é importante, nunca foi, e largaria sem pensar duas vezes, voltaria a morar com a mãe se isso significasse que sobreviveria e não seria morta neste estacionamento, choramingando e paralisada em sua chegada ao terminal universal. Nada do que sempre quis quando criança será seu; ninguém nunca dirá que ela é especial, será apenas mais uma história de merda no jornal local, mais uma puta inútil de quem ninguém vai sentir falta, estuprada e, o quê, estrangulada? Ah, não, por favor, não isso. Só um golpe. Um golpe na cabeça e tudo acaba. Nada de um último gole antes da forca, um último cigarro antes que o esquadrão comece a atirar. Sangue e ranho, ela entende, serão seu único bálsamo. Novo ponto de vista.

Dez Warner mira, com seus olhos de um cavalo quente e bufando, a captura da noite com sua magnífica ereção entrando e saindo da boceta cor de lama. Ele está fervendo como um deus ou uma máquina invencível, e a química toda-poderosa em sua cabeça reduz tudo a isso, ao banco traseiro de seu carro, a essa situação que ele criou. Quando entrou, ela ficou preocupada, né, e começou aquela coisa toda de tentar fazer com que ele a visse como pessoa. Dizer o nome foi o que o levou a começar a bater e socar e todo o resto. Se você não sabe o nome, poderia ser qualquer uma, né, aquela de *Countdown*, qualquer uma. Poderia ser Irene. Até na noite de núpcias, quando os dois estavam de porre, ela não o deixava foder seus peitos, não o chupava, não fazia nada como as coisas que se encontra em revistas ou DVDs, nada disso. Nada desse tipo. Toda a sua consciência se concentra naquele último centímetro formigante de sua poderosa vara, enfiando-se dentro de uma boceta assustada, com uma carga de eletricidade tão intensa que deve estar brilhando como aqueles bastões de festivais de música ou como um atiçador em brasa quando a ponta parece translúcida. Sente o cheiro do sexo, o medo, esse caldo picante e estimulante, ah, sim, ah, sim. Passou dos limites e não pode voltar atrás, sabe disso, mas essa coisa nova, isso é tudo o que sempre quis ser, não entrar em bancos com um capacete e uma caixa cofre algemada ao pulso, tentando parecer o Exterminador do Futuro para as garotas atrás do balcão, isso não é ele. *Isto*, este é ele, o rei da noite, o rei da foda, e é tão fácil, por que as pessoas não fazem isso o tempo todo? Ruído branco atrás dos globos oculares, há uma espécie de cintilação de luz defeituosa e ainda tem fantasmas saltando nos cantos da visão, mas não se importa. Ele é o dono da vida dessa criatura. Pode fazer o que quiser. É como uma boneca, uma mosca que você pegou, mas melhor porque chora, melhor porque está atemorizada. Está mais rígido que um parafuso, nunca esteve tão grande antes, e bombeando para cima e para baixo como um louco. Não consegue se lembrar do momento exato em que decidiu acabar com o sofrimento dela quando terminasse, ou mesmo se havia um. É mais um continuum, para ser mais exato; uma escala móvel em que não chegou a uma decisão em si, mas sabe que vai acontecer, com certeza. Só de pensar nisso se excita, e bate mais forte, mas seus nervos explodem como pipoca, e ele tenta se livrar da sensação de que há mais alguém no carro. O vidro da janela está acinzentado pelo hálito escaldante. Dissolver para perspectiva de satélite.

Sob seu vestido de noiva rasgado de nuvens, o globo nu transpira eletricidade, com gotas de luz rançosas mais concentradas nas cidades axilares, escorrendo finas nos vales do esterno. Delimitado com brilho, o mapa negro mais abaixo persiste em seu lento processo de evaporação, com fronteiras que sempre foram apenas conveniências topográficas tornadas irrelevantes pelos novos meios de comunicação, uma negação contínua da geografia com o nacionalismo ameaçado e beligerante agitando-se em seu refluxo. Vírus musculosos de academia fazem corridas mais longas para atingir a barreira das espécies. Taxonomias descuidadas diagnosticam novas e mais específicas loucuras, enquanto em Berlim a chanceler Merkel encerra a cerimônia de inauguração da Hauptbahnhof como a maior estação ferroviária da Europa, quando uma onda de esfaqueamentos é iniciada na multidão presente, mais de duas dúzias de pessoas feridas, seis delas em estado crítico. Descobriu-se que uma das primeiras vítimas carrega o vírus HIV, para complicar ainda mais a contagem de mortes por vir. Ilhas recém-acumuladas de matéria vulcânica sobem despercebidas. Inserir imagens, em preto e branco.

Uma mancha raivosa de giz e carvão, Freddy Allen desenha uma linha no plano da rua com sua passagem. Fluindo em uma fila de duplos em *stop-motion* cor de água suja, o vagabundo espectral indignado passa sem prestar atenção através de barricadas de tijolos e mourões, através do borrão gasoso de automóveis fugazes e apartamentos térreos de deficientes físicos, uma bala feita de névoa, em sua trajetória assassina em linha reta. Expulsos em seu rastro bruxuleante, os fantasmas desalojados das pulgas buscam novas acomodações, como feijões saltitantes vampiros em busca de outras aparições anti-higiênicas, abundantes por ali. Vai aos trambolhões, e mesmo no abafamento da costura-fantasma, seu rugido iracundo é como um trovão, seu uivo ininterrupto de xingamentos e maldições medonhas é o estrondo implacável de um trem de carga descarrilado jogando sujeira pelo distrito adormecido, arrastando um lenço fúnebre de fumaça e cuspindo centelhas quentes de insultos. Com um ritmo ofegante de locomotiva, Freddy amaldiçoa todos eles, estupradores e cobradores de aluguel, vereadores e clientes de putas, todos peixes ferozes encurralando o esfolado cardume do bairro. O antracito que mantém sua fúria alimentada, ele sabe, é extraído da bílis dirigida a si mesmo e à coisa terrível que quase fez uma vez, o peso da culpa que o mantém atolado nesse poço monocromático fantasmagórico, eternamente indigno dos empórios encharcados de cor do Andar de Cima. Ele fumega e fulmina em uma tempestade frontal de imprecações, reverberando entre as lajes residenciais mal-humoradas com nomes de santos e ruas atrofiadas e isoladas do tráfego para impedir o comércio sexual. Como uma corrente esfarrapada de bonecos de papel cortados de jornal dobrado, Freddy se multiplica nas salas de aula da escola, em corredores ao luar conspicuamente livres de ruídos, explodindo de paredes pré-fabricadas adornadas com rabiscos geniais de giz de cera, para descer a Scarletwell Street em uma avalanche de incontáveis membros que se debatem e rostos contorcidos de rancor.

 Ao atravessar a esquina inferior da Greyfriars House, ele é como outro varal de roupas sujas espalhadas pela quadra vazia, esvoaçantes e úmidas, e em sua corrida de projétil de bilhar enfim entende a razão pela qual recebeu aquele olhar tão intenso do mestre de obras no salão de sinuca etéreo: é ele, Freddy. Ele é a tacada difícil, o tiro de canhão do arcanjo, deslizando na baeta suja de merda de cachorro dos Boroughs, com toda a força daquela poderosa sugestão circunstancial a impulsioná-lo... E tudo para salvar essa garotinha magricela? Freddy não se lembra bem se ela é negra ou mestiça, mas percebe agora que deve ser crucial para o jogo. E por que não? Por que ela não poderia ser? Afinal, não é certo nem justo menosprezá-la por causa do que faz, porque não é filha de médico. Todo mundo já foi-será um bebê uma vez, inocente de todo o seu futuro. Um ectoplasma trêmulo, nascido da ira e da ternura, brota de suas enrugadas e sujas órbitas enquanto o indigente há muito cremado rodopia na Lower Bath Street, ondulando como fadiga ocular através da escuridão total, trinta centímetros acima do asfalto flácido e, como sempre, sem meios visíveis de apoio. Contas de prata esticadas passam por ele como neutrinos quando começa a chover. Retomar cor completa e inserir montagem.

Vistas dali, as características da paisagem natural se tornam uma abstração, na qual os rios em espiral são substituídos por canais ardentes de informações roteadas, fluindo da comporta de um servidor para outro e alheios à montanha, ignorando o mar. Os dados que antes garoavam se transformam em um evento climático extremo. O conhecimento aferido se eleva além da mal traçada linha de flutuação, e as populações se encontram desnorteadas, agarrando-se a destroços flutuantes de dogmas ou ilusórias novidades enquanto começam a espernear à beira de um enorme e-turbilhão. Vista de cima, a praça Pilsudski, em Varsóvia, é um cartão antiquado para diagnosticar daltonismo, nadando em pontos coloridos pálidos apesar da chuva forte. O novo papa Bento XVI faz sua primeira aparição importante na terra natal de seu predecessor, com caixas de som murmurando sob o aguaceiro enquanto faz referência à oração do papa João Paulo II de cerca de vinte e sete anos atrás, pedindo que o Espírito Santo desça e mude a face da Polônia, apelo considerado em geral mais decisivo para o desmantelamento da União Soviética do que as permutações da equação implacável do mundo. Espécies desaparecem e novas descobertas são introduzidas com a rotatividade vertiginosa de personagens de novelas. Os corvos de Terra Nova desenvolvem o uso de ferramentas secundárias, implementos para modificar implementos e, nas encostas do Kilimanjaro, incontáveis relâmpagos semeiam a preciosa tanzanita, ecos fulgurantes em um vidro de cobalto. Os conflitos se movem de um lugar para outro como andarilhos homicidas, mudando de nome e alterando as aparências, mas mantendo as brutalidades características. As teorias proliferam. Repetir ambiente interno, noite.

Girando lentamente em um espeto de vigília e coberto de suor, Mick Warren é um kebab hominídeo que o sono regurgitou nas calhas sem sonhos de uma interminável noite de sexta-feira. Ao virar o travesseiro em uma busca vã por seu lendário lado mais fresco, decide pensar em cartas de baralho. Antes dos jogos de tabuleiro, com o rangido gostoso de seu desdobramento ou a mística de suas fichas de cartola, as cartas eram a principal recreação de sua infância na St. Andrew's Road. Após algum sinal misterioso de adultos, passado entre a avó, os pais e as tias ou tios presentes, seria decidido que uma rodada de cartas era necessária. A toalha de mesa branca da hora do chá era substituída pela rosa-escuro, muito mais aconchegante e a favorita de Mick e Alma, e da gaveta do aparador que era seu local de descanso ritual o surrado e reverenciado baralho familiar era retirado em seguida. Ele realinha os joelhos problemáticos e tenta evocar uma memória tátil do pacote talismânico, a caixa encerada desgastada pelo manuseio de ao menos quatro gerações e rumando para a inexorável desintegração, assim como a então tradicional unidade familiar estendida, com suas dobras tornando-se perfurações. Como se fosse a versão oposta das envelhecidas cartas de seu interior, a embalagem frágil era quase toda roxa em um fundo de lilás crepuscular, na qual uma colegial em um longo vestido vitoriano girava seu aro de madeira entre papoulas do solstício de verão no crepúsculo violeta que se aproximava. Sob os sapatos saltitantes da criança, essa imagem se invertia, o que fez com que por alguns anos Mick tivesse a impressão de que era o reflexo da mocinha ingênua em uma poça a seus pés, antes de perceber que a garota de baixo estava correndo na direção oposta. Mesmo com um contorno bordô, parecia bonita e, em retrospectiva, Mick supõe que pode ter sido sua primeira paixão. Aos cinco anos de idade ficava um pouco preocupado com a segurança dela, relembra. O que ela estava fazendo tão tarde para voltar para casa sob o céu escuro, através do prado de verão? Sabe que, se ela tivesse se metido em alguma encrenca, se houvesse alguém esperando por ela ou por seu diadema trêmulo e saltitante na grama alta malva, gostaria de poder resgatá-la, sendo esse então o limite de sua imaginação amorosa. Tranquilo como um ninja em sua determinação de não prejudicar o merecido descanso de Cathy, ele se vira mais uma vez de costas, com o rosto para cima e uma nova mão de cartas. Novo ângulo.

De barriga para cima, com a postura com que as vítimas costumam ser delineadas a giz no *Detetive*, ele se lembra de Alma contando de Viv Stanshall, da Bonzo Dog Band, estirado no palco diante da plateia e falando para as vigas: "Olá, Deus. É assim que eu sou quando fico em pé". Ocorre a Mick que nos imaginarmos vistos de alguma elevação superior, algum ponto de vista projetado e onisciente, é algo talvez tão antigo quanto a literatura, antigo como a civilização. Os deuses gregos à la Harryhausen em seu tabuleiro de xadrez fatalista olhando para baixo através de cirros esfarrapados. Talvez o ceticismo moderno e o consequente desaparecimento de Deus e as outras divindades tenham tornado as câmeras de vigilância necessárias, para preservar a sensação de que nossas performances têm a atenção de espectadores invisíveis, para sustentar a noção de que nossos atos arbitrários são validados por autoridades invisíveis sentadas diante de suas telas ou em mesas de jogo sobrenaturais, observando a jogada.

Mick descansa um antebraço de penugem loira na testa e nota que, brilhando ali, entre o cardume de ruminações escorregadias de desova noturna em sua captura, vem a ideia de que tudo é achatado quando percebido de cima, da perspectiva do jogador. Ele se pergunta se esses jogadores celestiais hipotéticos veriam todos como seres bidimensionais, como hieróglifos sem mais profundidade ou substância do que a realeza inversamente impressa nas cartas da corte, mas o pensamento se confunde com a batida de trunfos em uma toalha de mesa vermelha. As coisas que jogavam na St. Andrew's Road — uíste, dominó de baralho, rouba-monte — eram exercícios de tédio regulados com precisão, embora os considerasse bastante divertidos na época. Assim como cada rádio, automóvel ou tomada parecia ter um rosto, também cada carta possuía seu próprio carisma distinto, desde a formação quase militar dos cincos até as pilhas em precário equilíbrio dos noves. Os ases, em sua grandeza abstrata, eram os quatro arcanjos, ou talvez o quarteto de forças fundamentais que constituem o espaço-tempo, com as espadas revestidas por uma impressionante filigrana gótica. Essa atribuição de personalidade a cada desenho o recorda das imagens de tarô que a irmã insiste que não só precedem como serviram de base para o baralho comum, a pilha de itens arquetípicos de brinde de chiclete que Alma arrasta para a casa de Mick todos os anos na ceia de Natal para ler a sorte de Cathy, ou pelo menos fingir; Pendurado, Carruagem e todo o resto da tripulação perturbadora, como se isso fosse algum tipo de tradição sazonal adequada. Segundo aquele espantalho que vem a ser sua irmã mais velha, rouba-monte é derivado da adivinhação, enquanto todos os passatempos baseados em tabuleiro são descendentes daqueles quadrados mágicos complicados onde todas as linhas e colunas somam o mesmo número, como se cada passatempo inocente e comum fosse apenas uma forma degenerada de feitiçaria. A cosmovisão de Alma é transilvânica, mas, de fato, os jogos podem muito bem ter tido alguma função humana metafísica ou mais importante em seu início, a julgar pela terminologia encontrada em toda parte na linguagem. Caçar algum animal e matá-lo, isso constitui um jogo[48]. Estar preparado para realizar algum ato é estar no jogo. Algo que oferece oportunidades fáceis de exploração é considerado um bom jogo e, claro, há a prostituição, como jogo sexual. Jogar um verde, esconder o jogo, jogar o jogo, virar o jogo, a vida é um jogo, fim de jogo, Einstein percebendo que Deus não joga dados com a matéria. Mick não está certo desta última coisa, suspeitando que não são só os poderes que governam o universo que chacoalham e arremessam, mas geralmente isso é feito para que o dado acabe atrás do sofá e você tenha que confiar neles que foi um duplo seis. Com um grunhido desdenhoso dirigido às certezas da física e da religião, ele opta por dar outro golpe no sono e começa a rolar os ossos para o lado esquerdo, de frente para as costas curvadas de Cathy. Vamos, vamos, só dessa vez tenha sorte. Inserir sequência de cortes rápidos.

Sobre um tapete oriental em fibra ótica estendido mais abaixo, há arabescos causais; há motivos de briga. Na Escócia, um prêmio que leva o nome do poeta Robert Burns é concedido a um jovem trabalhador humanitário em Bagdá, embora postumamente. No Peru, um confronto de partidários de diferentes lados nas vésperas das eleições termina com feridos e tiros, e em Hereford, a polícia de West Mercia apela por testemunhas depois que um homem é violentamente agredido por um grupo de adolescentes. Com a autossimilaridade de Mandelbrot, as estruturas se repetem em diferentes escalas em todo o sistema, e permanece a ambiguidade sobre se o dano propaga para cima ou decanta para baixo. A ira ferve e fumega, onde logo em seguida a condensação fria e implacável se precipita em um gotejar legislativo. A cultura resultante, movida a combustão interna, é um carro de palhaço avançando aos trancos para a frente apenas por força de uma série de explosões, sem qualquer progressão linear e sem valor cômico, a não ser na previsão do inevitável colapso do veículo. Um rastejamento de mídia neon adorna as ideologias da carcaça do planeta, metabolizando o caos incoerente em uma narrativa palatável, uma consciência editada do dilúvio experiencial. Em redações quase extintas, ainda perfumadas pela fumaça de cigarro, interceptam-se telefonemas de casos dignos dos noticiários, familiares da vítima ou celebridades adúlteras, enquanto no Congo disputas territoriais brutais são travadas pela mineração do tântalo exigido por cada celular estrilando e, como Tântalo, o mundo descobre que o futuro banquete esperado desapareceu. Predadores mais acostumados com os níveis mais altos da cadeia alimentar são compelidos a percorrer vários elos manchados de sangue em busca de restos em becos. Agora um zoom nas rotas de voo geladas e nos helicópteros da polícia sobre a Lower Bath Street.

Quando ele gozar, ela se vai, ou pelo menos essa é a avaliação entorpecida de Marla sobre seu provável cronograma. A penetração abrasiva e contínua atrás dela é remota, algo como o barulho persistente de um apartamento vizinho torna-se ignorável, inaudível por causa da monotonia da repetição. Ervilhas secas repicam no teto do veículo, e ela percebe vagamente que começou a chover. Não há qualquer intimidade ou envolvimento nessa surra frenética, é algo que vai além até dos padrões de sua clientela mais impessoal. É nítido que esse castigo é dirigido a alguém que não ela mesma, em um ritual privativo do qual ela é excluída. Penduradas ao redor de seu rosto danificado, as tranças balançam para a frente e para trás, uma cortina final, sacudida por cada impacto percussivo. Há algo na situação que é terrivelmente involuntário, como se nem ela nem seu agressor rosado estivessem participando por vontade própria, ambos fazendo barulho e estremecendo em um drama de marionetes que simplesmente está acontecendo porque está. Ela não tem escolha a não ser assistir a essa declamação sem brilho até seu final amargo, uma plateia cativa para o solilóquio mudo desse homem, essa declaração por meio de estupro. Com a cabeça longe dali, sem necessidade de falar, ela presta atenção à produção apenas de forma intermitente. Quase reconhece a artista de joelhos no papel coadjuvante, com as bochechas côncavas marcadas de rímel e o rostinho desapontado, os olhos fixos na escuridão do interior do Escort e cheios de aceitação resignada desse desenlace infeliz, dessa conclusão abrupta e sem sentido, mas nesse caso quem é que faz essas observações, e de onde? Alguém que não é Marla, claro. Alguém com um nome diferente, com pensamentos claros e livres dos clamores da ansiedade e da necessidade, alguém olhando apenas com um remorso surdo, como se de modo reflexivo, para um evento que já ocorreu. Esta noite sem precedentes já ocorreu antes ou está de alguma forma sempre acontecendo, esses momentos finais gigantescos que parecem muito maiores e mais absolutos do que pareciam de mais longe? O couro sintético sob suas palmas pegajosas, as cores berrantes e sensacionais dos mostradores do carro e seus instrumentos delineando o cenário, com cada elemento vívido tão ressonante e assustadoramente familiar quanto a srta. Havisham em chamas, como o paciente índio grandalhão quebrando a janela do hospício com um bebedouro, como aquelas imagens da literatura ou do cinema que brilham em tons de vitral fora do tempo mundano. Com reverência animal, ela avança em seu final sombrio, de quatro, com os joelhos doloridos e queimados pelo atrito do assento em direção ao precipício, à beira da morte. Não há túnel exceto a clareza e concentração de sua percepção, nenhuma luz branca, exceto por um ou outro sensor de movimento disparado em uma das garagens. A vida não passa diante de seus olhos e, no entanto, ela se vê preocupada com os detalhes mais insignificantes de seu drama terreno, o álbum de recortes de Diana e a biblioteca mórbida de memorabilia do Estripador. Sua fixação anterior nesses assuntos, com tanta especificidade, agora é incompreensível e parece mais um presságio inconsciente do que o passatempo aleatório que presumiu: está prestes a se juntar ao lamentável arquivo de meretrizes em suas anáguas e gorros, vítimas do mesmo homem ao longo dos tempos, sempre ele em essência, sempre Jack, e além disso sofrerá seu prolongado e doloroso término no banco traseiro de um carro. Este espaço mesquinho, com sua iluminação vacilante não é uma Pont de l'Alma, não é uma ponte de almas, embora a distinção quase desapareça na alvenaria confinante e nas explosões aleatórias de brilho de paparazzi. Todos os lugares são destilados para cá, assim como toda a história se reduz a esses últimos minutos preciosos e excruciantes. Todo relato humano, seja uma biografia, um romance louco e desconexo ou uma narrativa primal de tempos longínquos, se resume a ela e a isso, sua situação atual. Ciente de que cada respiração representa uma contagem regressiva, ela inspira com gratidão a atmosfera de choque azedo e cópula do banco traseiro, exultando no prazer da inalação, prestes a se esvair. Lacrimejando, seus olhos se recusam a piscar, a perder um único fóton neste último desfile de luz e visão, olhando para a maçaneta interna da porta do carro a apenas alguns centímetros de seu nariz escorrendo, mas, no processo de seu desligamento do mundo, é incapaz de se lembrar do que está olhando. Mudar o enquadre.

De modo mecânico, ele puxa metade para fora e empurra para dentro, uma ação em repetição, mas algo da pátina mágica se foi, tão sutil quanto uma troca de película ou uma mudança da TV digital de volta para a analógica. Do lado de fora do carro que balança, está caindo o mundo, mas ele não consegue se lembrar do início da chuva. Começa a se sentir mal-humorado do nada, o que afeta seus pensamentos e tudo mais, provavelmente relacionados aos pós que cheirou. Pensamentos como "Você será apartado das outras pessoas depois disso", e não por ser pego, porque isso não vai acontecer, mas por causa do que terá feito, algo que o separa de todos os demais. Pensamentos como "Depois disso não pode ser você mesmo com ninguém", porque após esta noite será uma pessoa diferente em um mundo diferente e ninguém pode conhecê-lo, saber quem ele realmente é. O verdadeiro Derek James Warner, de 42 anos, será excluído de todas as interações normais com seus amigos, seus filhos, com Irene, e só existirá de verdade em noites como esta. É o fim de quem ele era, mas não consegue parar. O que está fazendo agora, o que planeja fazer depois, mais cedo ou mais tarde isso iria acontecer, desde que aprendeu o conceito pela primeira vez na escola. Dez se inseriu em uma correnteza de eventos espumante e avassaladora, e não há nada que possa fazer exceto render-se, curvar-se ao inevitável. Toda a sua vida até agora o conduziu a este momento, assim como todo o seu futuro decorrerá deste mesmo ponto, indelével na memória, e assim, para todos os efeitos, sempre estará aqui, aqui e agora, pelo menos dentro de sua cabeça, e isso nunca vai mudar. Ele é como uma mosca em âmbar, com as pálpebras se comprimindo em um rabisco de lápis, o nariz se apertando em saliências como uma lanterna de papel desmoronada, e o toldo do lábio inferior abaixado. Ele enfia e enfia o pau para dentro e, na periferia de seu campo de visão, enxerga os reflexos do painel em verde e vermelho. Sabe que os produtos químicos estão causando a ilusão de olhos diferentes observando-o friamente através do borrão do ambiente, mas não consegue se livrar da sensação de uma terceira pessoa testemunhando tudo do banco do motorista, um passageiro imprevisto e indesejado que ele não consegue se lembrar de ter trazido. Derek nunca foi muito de usar drogas. Não está acostumado com tudo isso, com tudo mudando por toda parte e suas sensações das coisas mudando, se sentindo como um leão em um minuto e no seguinte ficando horrorizado, com a sensação insuportável de que algo terrível está prestes a acontecer ou, pior, já está acontecendo. Ele detém o pânico incipiente que borbulha, concentra-se no trabalho em mãos. Baixando os olhos, observa o que está fazendo, a adaga peluda mergulhando na ferida viscosa, seus polegares segurando as insignificantes nádegas abertas e separadas. Há um minúsculo ponto de merda agarrado ao exterior do esfíncter cerrado onde ela não se limpou direito, essa imunda do caralho. Ele a odeia, por ter ficado ali na esquina com seu casaco de PVC esperando por ele; por participar e deixá-lo passar por isso. O ódio o deixa mais duro, dá mais foco, e ele está apenas começando a pensar em como vai matá-la depois de terminar de foder quando, pelo vidro frisado do para-brisas dianteiro, percebe que parece haver um incêndio ou algo assim em uma das garagens próximas, com fumaça escapando por baixo dos... não. Não, não é bem isso que está acontecendo. Ele concentra os olhos e franze a testa, perplexo, interrompendo o movimento pélvico convulsivo enquanto luta para entender o que está vendo. A fumaça cinza — não exatamente fumaça, já que é lenta e viscosa — parece sair pelo metal corrugado da porta da garagem e sua alvenaria circundante como uma exalação, uma expressão da umidade e da miséria que encharca as paredes em bairros como este. Coagulando e fervilhando na escuridão manchada de óleo, o vapor lento parece se acumular em um ponto, girando languidamente uns três centímetros acima do asfalto e muito parecido com um daqueles redemoinhos de lixo que ele às vezes vê em estacionamentos, ciclones de tralhas descartadas. Que porra está acontecendo? Desencorajado das estocadas, ele amolece e desliza para fora, desliza para fora do ninho quase despercebido enquanto olha através do vidro gotejante para a tempestade que gradualmente se revolve e se resolve, com sua localização tão anormal. As ondulações mutáveis assumem arbitrariamente uma série de aparências momentâneas, como as nuvens brancas e branqueadas por sabão em pó que imagina se recordar da infância, só que mais sujas, mais apressadas e com menos espaço para extravagâncias ou interpretações. Há um cone de névoa imunda agora e em direção ao topo — "Porra! Porra, o que é isso?" — em direção ao topo, finos fios acinzentados e gavinhas se contorcem como bile na água de privada, curvando-se nos contornos do rosto de um velho agitado. Então, de repente, há muitos rostos, todos iguais e gritando sem fazer barulho, com os olhos se multiplicando em uma sequência de geleias hostis e brilhantes. Várias bocas identicamente deterioradas e desdentadas se abrem na pletora de cabeças fumegantes, e bandos de mãos sujas se erguem esvoaçantes como borboletas gigantes de fábrica. Ele se dá conta de que está fazendo um ruído involuntário de lamento no alto dos seios da face, e ao mesmo tempo percebe que o ar da noite espirrou uma rajada de água fria em sua bochecha sempre corada. O que é... porra, a puta abriu a porta, está escapando. Aquela ali estava com medo desde o início, fez o que ele mandou e ele não se preocupou em trancar. Porra. Porra! Ele desliza de barriga como uma foca entrando na água, caindo de cara no asfalto preto do lado de fora e, embora se lance atrás de um tornozelo fino, tudo o que consegue é um sapato de Cinderela.

— Volta aqui! Volta aqui, vagabunda!

Esquecendo-se na fuga e na fúria do instante da alucinação que tanto o distraiu, ele sai desajeitadamente do carro para a chuva, atrás de sua presa em disparada, com a braguilha aberta e seu desejo assassino. Corte para novo enquadre e agora em preto e branco.

Através de tijolo e metal com apenas cinquenta anos de espessura, o vagabundo incorpóreo fervilha bem do lado de fora, com seu grito de raiva subindo mesmo pela finada acústica da costura-fantasma. Seu cheiro leve de umidade e mofo está em todos os lugares, enquanto seus olhos cinzentos de cemitério bebem a escuridão e suas poças de chuva do lugar. Ele percebe o veículo movido a foda balançando no centro. Em sua visão fantasmagórica de bordas costuradas com fosforescência pálida, vê um homem corpulento, com suor escorrendo em suas bochechas de menino de coral enquanto se ajoelha ereto nos bancos traseiros, indo para a frente e para trás vez após vez, como um carrinho de bate-bate preso. Freddy não precisa ver a garota assustada agachada como um cachorro na frente dele para saber exatamente o que ele está fazendo, ah, o merdinha covarde, o safado sujo, e o pior é que tem dois, dois deles para uma mocinha magra. O amigo está lá com ele, sentado no banco do motorista com um grande sorriso e olhando de frente para o para-brisa, de modo que, se você não soubesse, poderia pensar que olha diretamente para Freddy com seus olhos de aparência diferente, um escuro e o outro... oh. Oh, puta merda. Não é outro homem. É algo muito pior, e as entranhas de Freddy se transformariam em água se já não fossem vapor. Tem um demônio no banco da frente, um dos maiores e mais assustadores, do tipo muito falado, mas raramente visto, e olhando fixamente para Freddy com olhos desiguais e um sorriso de sabedoria quase perdido entre os cachos do emaranhado de bigode e barba. É o mesmo olhar que o Mestre de Obras lançou para ele mais cedo no salão de sinuca: um olhar trocado, um reconhecimento mútuo de que é isso, esse é o acontecimento crucial com que toda a existência de Freddy, tanto em carne quanto em neblina, colaborou para que acontecesse. Tem uma convicção profunda de que o diabo sorridente não está aqui para ele esta noite, a menos que seja um espectador se divertindo. Não vai fazer mal a ele se tentar interromper o negócio vergonhoso que está acontecendo no banco de trás, sabe disso. É quase como se lhe concedesse uma dispensa especial para fazer, sem medo de represálias, todas as coisas que os espectros não deveriam fazer. Tem permissão para assombrar, para ser um terror funerário da variedade mais extravagante, e se este for realmente o grande momento de Freddy Allen ele não vai estragar tudo.

Olhando além da celebridade infernal para a traseira do Ford Escort preto, sente-se encorajado a observar que o perpetrador perpétuo cessou abruptamente seu impulso compulsivo, mas manteve-se ajoelhado e imóvel, os olhos perplexos e beligerantes vasculhando através do vidro embaçado, ao que parece vendo Freddy. É possível que o homem possa vê-lo de alguma forma, por meio da bebida, drogas ou doença psiquiátrica? A título de experiência, o andarilho fumegante balança a cabeça e agita os braços, fazendo com que sua folhagem de pós-imagens persistentes floresça em uma hidra de cinzas de cigarro, e as mãos pálidas em um ninho de reprodução rápida de aranhas brancas cegas e um coágulo de olhos aquosos de ovos de rã recompensados por um aprofundamento da carranca perplexa do estuprador, um afrouxamento adicional da mandíbula de manjar branco. Ah, sim. Oh, ele viu alguma coisa, com certeza. Ele tem a visão, o olho morto, e isso o tirou do prumo, esse grotesco cinza, essa incapacidade de entender o que está vendo. É como se ele tivesse visto um fantasma. Flexionando seu ectoplasma, Freddy sente a emoção biliosa de uma potência incomum difundindo-se através de seus vapores sombrios, uma aceitação da coisa terrível e irregular que é refletida nas pupilas encolhidas do homem rechonchudo. Ao reunir o terrível cúmulo-nimbo de seu semblante para um ataque, ele percebe que algo está ocorrendo no carro, acontecimentos aos quais sua presença pode ou não estar ligada. Ouve-se um clique fraco em meio ao abafamento auditivo, que o fantasma desalinhado identifica retroativamente como uma porta lateral traseira aberta por dentro. O atordoado agressor interrompe seu escrutínio fixo de Freddy para inspecionar a vítima e imediatamente solta um latido de raiva frustrada.

— Volta aqui! Volta aqui, vagabunda!

Isso não está certo. Essa não é uma palavra para se usar com uma mulher. Freddy avança como uma fumaça vincada de crematório para uma posição melhor, mas então se detém com o que vê. A garota, magra como varinha, desliza da fenda aberta de sua cela de condenada com o rosto em uma máscara pegajosa de sangue, recém-nascida na noite. Às costas de Freddy, flashes erráticos de uma luz de garagem danificada destacam a tentativa desesperada de fuga em uma série angustiante de instantâneos de câmera Brownie. A jovem se arrasta de barriga e, apesar da dor, tenta se apoiar sobre as mãos e os joelhos. Feridas escarlates mancham suas tranças cuidadosas. Ela rasteja em direção à saída do curral manchado de óleo que ela deve saber que não tem a menor chance de alcançar. Do carro, o vilão impetuoso avança, navegando pela luz aleatória e a escuridão de breu com um sapato feminino em uma das mãos como uma machadinha, e o pinto pendurado, como uma língua de cachorro superaquecida, na calça aberta. Surgindo em uma flâmula fuliginosa e viscosa através do quase silêncio do semimundo, Freddy Allen e seu grupo de sósias se arrastam para ocupar o espaço cada vez menor entre a mulher que rasteja e choraminga e seu perseguidor de rosto de bebê, com o cabelo escuro colado na testa pela brilhantina do aguaceiro, um valentão à moda antiga, colérico e indignado. Através de um reino silencioso e bruxuleante de preto e branco arranhado, o pequeno andarilho corre para salvar a heroína. De volta para o material de documentário, reintroduzindo a cor.

O planeta volteia em uma plataforma giratória de gravidade, pouco mais da metade da tão esperada faixa de abertura de dez anos do novo LP do milênio, com a crítica ainda dividida quanto aos méritos da introdução ruidosa de queda de avião ou da natureza estridente dos vocais; teístas e cosmógrafos em contrapontos furiosos. Jeová é corroído pelo alarmante crescimento exponencial da árvore do conhecimento, pelo escrutínio paleontológico, contra-ataca com uma negação criacionista rearmada: há notícias de que os centros de turistas que servem o Grand Canyon teriam ocultado referências à idade geológica ou às origens do abismo em favor de um cenário bíblico que evoca o dilúvio de Noé. Os legisladores da Carolina argumentam que o estupro autêntico não pode resultar em gravidez com base na teoria da concepção das duas sementes, que foi popular há dois mil anos. Séculos conceituais colidem, e no impacto ensurdecedor estão afirmações sionistas beligerantes, cruzadas fundamentalistas e coletes explosivos de mártires.

Encurralada, a reação secular é aguerrida, de um ateísmo loquazmente afirmado que, com seus dogmas e certezas, se aproxima do religioso, embora armado com nada mais substancial do que fatos científicos estabelecidos, por si só tão alteráveis quanto um terreno movediço. Os modelos clássico e quântico persistem em rejeitar todas as tentativas de reconciliação, e os fios que poderiam ligá-los mostram-se elusivos. A gravidade insuficientemente compreendida engendra múltiplas entidades para se sustentar, estados e substâncias exóticos, energia escura, matéria escura, monstros necessários surgidos da matemática, mas que escapam à observação. A fé e a política crescem, auxiliadas por um fermento de teoria e dispositivo que se propaga rapidamente, e toda a arquitetura das tradições do mundo parece erguida sobre uma planície de inundação de informações, vulnerável a cada nova chuva de dados ou margens arrebentadas de ideologias estreitas e lentas demais para acomodar a onda, a inundação de complexidade. Apesar de seu evidente cansaço, temerosa de perder algum desenvolvimento vital nesse espetáculo incessante e incendiário, a cultura não ousa fechar os olhos. De volta ao ambiente interno, noite.

Agora incapaz de deter o fluxo de pensamento e de se livrar das imagens de tarô estranhamente memoráveis da irmã, Mick as encontra espalhadas por todo o tapete cerebral. Apoiando-se nas costas de modo circunspecto, ele engancha o pé esquerdo sobre o joelho direito no que percebe ser uma imitação inconsciente do misterioso Pendurado do baralho, uma figura que significa uma iniciação desconfortável, se a memória de Mick estiver correta. Ele não entende o Pendurado ou os outros vinte e poucos "trunfos", nem um pouco, nem a Carruagem, a Volúpia ou a Alta Sacerdotisa, nada disso; não consegue imaginar nenhum jogo suficientemente elaborado ou com escala suficiente para utilizar todos e, portanto, os descarta. Quase todas as outras imagens de papelão, embora peculiares, são as que considera comuns, aquelas que têm uma correspondência óbvia com o baralho com o qual está mais familiarizado. Há quatro naipes com dez cartas numeradas em cada um, os naipes mais ou menos análogos ao quarteto existente, mas chamados por nomes diferentes, em que ouros se tornam discos e espadas agora gládios, copas transformadas em taças e paus tornados bastões, e sua irmã teimosamente insiste que os naipes do tarô vieram primeiro. As cartas da corte, da mesma forma, são quase idênticas ao arranjo monárquico mais regular, com as rainhas inalteradas, mas cavaleiros e príncipes substituídos por reis e valetes, respectivamente, esses três unidos de forma inexplicável por um quarto aristocrata plano, uma princesa sem equivalente entre a realeza convencional de olhos duros e olhar desconfiado. Mick não tem certeza de como essa última personagem deve se encaixar no jogo, não há como saber se ela bate um príncipe ou o quê. Como o Pendurado e seus amigos insondáveis, Mick descobre que ela funciona apenas como mais uma irritação em um ambiente já irritante. O tarô, para ser franco, o irrita. Com diferentes iconografias ocultas em cada carta, seria quase impossível até mesmo administrar uma mão rápida de rouba-monte e, portanto, para qualquer propósito adulto, o conceito é inútil. Sentindo-se repentinamente irritado com Alma, ainda que de forma obscura, ele negocia o movimento para o lado direito sem nenhum incidente auditivo. Novo enquadramento.

O problema da irmã, ele decide, é que ela julga seus sucessos por critérios tão desconcertantes que pode até reivindicar um desastre indescritível como uma espécie de vitória, e ninguém entende o que ela fala a ponto de contestar seus absurdos que soam como proclamações feitas com inegável autoridade. As objeções mais razoáveis serão derrubadas por uma saraivada intransponível de citações de fontes que ninguém mais leu e que muito possivelmente foram inventadas na hora. Qualquer debate é uma disputa manipulada realizada de acordo com um manual muito parecido com o Livro de Mórmon, ao qual Alma evidentemente tem acesso exclusivo. As regras do jogo mudam ao acaso, como se alguém estivesse discutindo com a Rainha Vermelha de *Alice Através do Espelho* ou talvez *Alice no País das Maravilhas*. Mick sempre confunde as duas. Na verdade, agora que pensa melhor, Lewis Carroll é quase tão irritante quanto sua irmã mais velha, com suas tentativas deliberadas de confundir o tempo todo os apostadores. Por que mais ter uma Rainha

Vermelha nos dois livros, ambas com a mesma personalidade abrasiva, quando são personagens claramente diferentes, uma derivada do jogo de cartas, e a outra, do xadrez? Inclusive, como tinha como público-alvo as crianças, por que envolver o xadrez, para começo de conversa, senão como uma forma de intimidar intelectualmente os pestinhas? É uma tática que funcionaria com Mick, que sempre achou a simples menção do assunto petrificante. Xadrez — está aí outra coisa que realmente o incomoda. Todas aquelas peças sofisticadas e presunçosas, com suas maneiras espalhafatosas e idiossincráticas de se mover, no fundo não passam de peças de damas com transtorno obsessivo-compulsivo, com os bispos se apegando supersticiosamente a casas brancas ou pretas e os cavalos o tempo todo virando esquinas que não estão lá. E há também a aristocracia neurótica do jogo, casais reais aparentemente disfuncionais que em geral são o centro das atenções; reis restritos em suas ações ao ponto da imobilidade constipada, com rainhas livres para ir aonde quiserem e fazer praticamente o que quiserem, embora seja em torno de seus maridos poderosos que giram as rodas da intriga. Apesar da visão classista de Mick de que os movimentos peculiares das peças de xadrez têm sua raiz na fraqueza mental resultante da endogamia, ele admite que aquelas figuras distintas têm uma mística própria, um carisma minimalista. Há uma sensação de que representam algo mais significativo do que apenas um cavaleiro, uma cabeça de cavalo ou uma peça de jogo com uma estranha trajetória de passos de valsa. É mais como se simbolizassem grandes qualidades abstratas que lutam e manobram em um tabuleiro superior, um campo de jogo que está muito além da camada ultravioleta da compreensão de Mick. No caso de reis, rainhas, príncipes e princesas, seja em cartas de jogo, peças de xadrez ou verdadeiros herdeiros de carne e osso, o que importa não é quem são ou o que fazem, e sim a coisa enorme e sem forma que sentem representar. É o que eles significam. É o que querem dizer.

Decidindo que uma estratégia supinada pode ser a resposta, no fim das contas, está no meio do reposicionamento necessário quando lhe ocorre que é por isso que todo mundo fez tanto barulho sobre a princesa Diana, com o Palácio de Kensington embrulhado em celofane, envolto em ursinhos de pelúcia. Não era ela. Era o que as pessoas viam em sua figura. Contra a janela do quarto, uma fuzilaria suave anuncia chuvas esparsas. Corte para perspectiva panóptica.

Igreja e Estado, na cama, compartilham um cigarro pós-coito, e agora a colcha das nações arde. Os perpétuos alertas estridentes da comunidade de inteligência começam a parecer os de um detector de fumaça quebrado, geralmente ignorados, mas não sem um acúmulo gradual de resíduos de nervosismo. Aterrorizadas em meio a uma guerra contra sua própria condição emocional, agarrando-se inquietas às sombras que elas próprias lançam, as potências ocidentais tentam codificar um pesadelo com cores. O clarão branco é dividido prismaticamente em um espectro de pavor ajustado dia após dia, um mapa de calor de ansiedade que nunca esfria abaixo do laranja Baía de Guantánamo, com o azul gelado da segurança se tornando uma tonalidade esquecida que está fora de moda e não vai voltar.

Sexta-feira, 26 de maio de 2006. Em Washington DC, os prédios governamentais que compõem o Capitólio estão fechados enquanto o Senado dos EUA está em sessão, votando para confirmar Michael V. Hayden como o novo diretor da CIA, depois que as autoridades recebem relatos de tiros ouvidos nas proximidades e de um homem armado avistado dentro da academia de um prédio de escritórios adjacente. A polícia descarta tais relatos e declara que os barulhos ouvidos são de martelos pneumáticos, e que o suposto atirador da sala de ginástica é um de seus agentes à paisana. Em todo o planeta, novas medidas de segurança não conseguem manter longe da mente os resolutos insurgentes. A cada explosão, a população fantasma também cresce, novas formas envoltas em lençóis surgem lamentando-se em meio às conversas fiadas e propagandas, ilusões óticas da mídia e enormes espectros de Brocken em nevoeiros entre manchetes de reuniões de cúpulas. Com turbantes e bandanas, os fantasmas de Pepper aparecem na destorcida lâmina de vidro da imaginação popular para encenar treinamentos militares de estudantes em imagens granuladas, míticos clérigos desfigurados balançando um dedo sobrevivente com ênfase sinistra. Conceitos de nação que surgiram inicialmente como parábolas religiosas, ou então devaneios de romances baratos em séculos menos nuançados, se desenvolvem na multiplataforma moderna como pantomimas sangrentas; reconstituições nostálgicas das matanças de um mundo mais simples. Inserir intercalações rápidas.

Pela superfície encharcada do lugar cheio de água, ela desliza, com as pernas unidas pelas meias-calças emaranhadas e as calcinhas em volta das coxas, uma sereia encalhada que se debate no raso. Cega de sangue, ouve seu captor tapeado berrando enquanto emerge da masmorra móvel atrás dela.

— Volta aqui! Volta aqui, vagabunda!

Em algum lugar em meio ao pânico de sua consciência, a parte anteriormente insuspeita dela analisa suas prioridades: se conseguir ficar de pé, pode puxar a roupa de baixo e fugir, uma manobra difícil e mais bem realizada sem pensar. Conseguindo levantar os dois joelhos ao mesmo tempo, descobre que está se movendo para a frente, em parte caindo e em parte correndo em pequenos e constrangidos passos de gueixa enquanto tenta puxar o cós da meia-arrastão de volta para cima dos quadris. Agora sem os dois sapatos de salto alto, ela corre e seus passos fazem espirrar as águas das poças recém-formadas. Os espasmos lumínicos do sensor de movimento local reduz a continuidade visual a flashes. Ela está preocupada demais em engolir grandes tragos de ar para pensar em gritar e incapaz de acreditar que ele ainda não a agarrou. Novo ponto de vista.

Ele já exagerou. Exagerou nas drogas, que são estranhas para caralho. Atravessa a luz convulsiva pelo pátio murado e tenta pegá-la, tenta colocá-la de volta no carro para que possa terminar o que começou, mas o lance que usou lhe causa horrores, coisas que não esperava. Está bem na frente dele, a apenas alguns passos de distância e lutando para ficar de pé, mas, quando ele dá um passo em sua direção, há um vento, bem, não um vento, mas uma rajada rançosa de algo que o atinge e o derruba para trás. O cheiro é de pensão barata, suor alcoólico e bafo de metanfetamina e calças úmidas, prédios abandonados com merda na esquina e tudo mais, um banco de névoa aromático quase palpável. Dedos de vapor cinza-escuro se enrolam em torno de seus tornozelos, escorrendo como albumina ao longo de seus braços e descendo por suas costas. Mesmo sabendo que tudo isso está apenas em sua cabeça e só está acontecendo porque está chapado, ele recua. A alucinação se espreme até que ele esteja lutando com uma nuvem de catarro, mas nas gavinhas mucosas escorregadias há pedaços de rosto, enxames de queixos e babados ornamentados de lábios brilhantes. Pior ainda, há um som fraco do qual ele capta fragmentos fugazes, como um rádio transistor sintonizado entre bandas, um discurso enfurecido ininteligível, como se viesse de muito longe ou de muito tempo atrás. Um pouco da coisa insubstancial e contorcida entra em sua boca e tem gosto de vômito, ou seria ele? Até onde sabe, pode muito bem ser uma hemorragia cerebral, uma overdose. Ele pode estar em apuros aqui. Novo ponto de vista, reintroduzindo a película em preto e branco.

Furioso em seu ressentimento, o homem morto esfarrapado reforça sua vantagem com uma rajada de ataques que utiliza todas as exibições espectrais de seu repertório pegajoso. Tenta o assustador alongamento de perna de pau, que resulta de levitar para cima com uma série de doppelgangers arrastados atrás de si, e executa uma terrível dança de aranha de membros multiplicados. Enfia as mãos dentro da própria cabeça para fazer com que os dedos contorcidos se projetem como patas de caranguejo de seu rosto inchado, com a boca se alargando impossivelmente em um grito de pólipos imundos. Faz seu truque de inflar o globo ocular ou, com um beijo horrível, realiza truques de língua nojentos; estende a mão para segurar os testículos expostos e pendurados do predador sexual cambaleante em uma palma mortuária; enfia um dedo de ectoplasma frio para além do esfíncter contraído para dentro do intestino. As noções humanas de lutar sujo — bem, elas não são nada para um fantasma. Concentrando os olhos e com o rosto de bebê parecendo um tomate amassado, seu oponente golpeia a noite, como se lutando contra um enxame de abelhas, e dá um passo solitário para trás em direção ao carro. Agora não há ninguém no banco do motorista, observa a assombração do gueto com algum alívio; seu ex-ocupante sulfuroso aparentemente seguiu para outros assuntos, negócios demoníacos sem dúvida abundantes em um mundo desacoplado da moral. Freddy vira a cabeça e isso forma um fugaz anel saturnino de orelhas. Ele se assegura de que a jovem agora está de pé e cambaleando para a saída do lugar antes de retomar seu ataque ao algoz dela. Latindo palavrões inarticulados, o estuprador sitiado retrocede mais um metro quando um soco fantasmagórico acerta-lhe o lobo frontal e alcança até suas amígdalas. Novo ponto de vista, revertendo para cores.

Na saída daquele matadouro, ela arrisca um olhar por cima do ombro só para ver o quanto está sendo seguida de perto, mas ele ainda está parado ao lado do carro, com as mãos batendo no ar, tendo um ataque ou algo assim, embora possa alcançá-la em um instante. Com uma dor ardente entre as coxas a cada passo, ela mergulha na escuridão da Lower Bath Street, impulsionada pela adrenalina ruim e temendo cair na paralisia e na comoção. Como é mais fácil cambalear ladeira abaixo do que subir, vira para a esquerda e entra na extremidade inferior da Scarletwell Street, o teatro de grama de seu sequestro, mergulhado na luz de sódio cor de urina. Um único sinal de vida é o limão diluído filtrado pelas cortinas fechadas da casa solitária perto da esquina, e ela manca pela rua naquela direção, com o cascalho raspando seus pés delicados e a respiração borbulhando em sua garganta. Por favor, por favor, que tenha alguém em casa, alguém saudável e sem medo de vir à porta em uma louca noite de sexta-feira, por mais que saiba que isso é muito improvável. À sua direita, a casa isolada limita a boca escancarada de um beco já desaparecido, a memória de sua faixa de paralelepípedos enrolando-se no escuro ao lado da cerca de alambrado que delimita a borda mais baixa da área de lazer da escola. Mais adiante, a St. Andrew's está vazia de qualquer tráfego, muito menos de carros de polícia, e o assassino em sua imaginação agora arfa como um animal e está perto o suficiente para esquentar seu pescoço. De súbito, suas pernas parecem se desconectar de sua vontade, sem energia e inertes como se fossem feitas de gelatina, e então as lajes de noventa anos sobem para socar seus joelhos e dar um tapa em suas mãos doloridas. Ela está caída, está caída e pingando sangue em uma sarjeta onde a chuva escorre para o esôfago de pedra. Abjeta e rastejante, uma cadela surrada, ela se arrasta ganindo sobre a calçada inundada, levantando-se meio ereta na soleira da porta para bater com os punhos exaustos naquela madeira molhada, mas são batidas tão fracas que não há como alguém ouvir . Os segundos se estendem de forma excruciante, farpados com a premonição de um aperto descendo sobre o seu ombro a qualquer momento, de dedos com cheiro de foda se enroscando em seu cabelo trançado e ensanguentado. Por favor por favor por favor. De algum lugar dentro de casa, passos lentos e abafados por chinelos se aproximam por um corredor invisível. Novo ponto de vista.

Ele não está assustado assim, não é esse tipo de cara, mas pode sentir que algo o ataca, um pastor alemão grandalhão de ferro-velho, mesmo não havendo ali nada que possa ver, que possa agredir. Isso é pior que um pastor alemão. Para matar um cão basta levantar com força suas pernas traseiras, ou algo assim, mas isso agora é como brigar com montanha de creme, e a sujeira entra em todo lugar, dentro da roupa, pelas narinas, pela bunda. Ele não aguenta mais. Não sabe se é apenas o que a metanfetamina faz normalmente ou se enlouqueceu ou foi pego por alienígenas ou o quê. Atravessando a luz intermitente, as gotas de chuva caem como lâminas de barbear. Do lado de dentro, uma voz chorosa que ele não reconhece, mais como uma mulher ou uma criança em pânico, está implorando para ele sair dali, entrar no carro, simplesmente ir embora. A pele solta em suas bolas está encolhendo, Jesus Cristo, sua braguilha ainda está aberta, e há uma avalanche sombria de chapéus, uma dúzia de orifícios de aspirador de pó cercados por dentes podres que ele quase pode ver. Imagens insondáveis persistem na escuridão desigual, filamentos elétricos queimando e chiando em sua retina, essas moscas alucinantes reluzindo nas bordas até formar um radiante granulado de larvas enroscadas. Está tudo errado. Atrás de si, fecha a porta traseira do Escort enquanto tenta encontrar a maçaneta da frente, golpeando com a mão livre o bando de cabeças voadoras horrendas que o atacam. Com mãos agitadas como cotos ósseos brotando das têmporas, estalando suas mandíbulas decadentes e fazendo caretas, como monstruosos beija-flores de cemitério, elas vêm, absurdas e terríveis. Seus dedos frenéticos finalmente localizam o que procuravam, o botão de metal frio sob seu polegar, e fazendo ruídos que deveriam ser um rosnado ele se joga no banco do motorista, fechando a porta atrás de si. Uma onda de espuma de roupa suja é lançada contra a janela aberta, deixando um resíduo cinza de traços faciais viscosos deslizando pelo vidro do lado de fora. Girando a chave na ignição, por algum motivo ele verifica meticulosamente o relógio do painel e registra que são quase vinte para as onze. Além do para-brisa raiado de chuva, algo pútrido que ele não entende tenta entrar. Novo ponto de vista, reprisando o branco e preto.

Em preto e branco de manchete, através de uma luz gaguejante e convulsiva, o sem-teto guinchante gira em torno do veículo, um ciclone rançoso. As paredes do carro nada mais são do que um tecido frágil com três ou quatro anos de espessura no máximo, e o rastro de vapor errante poderia facilmente entrar para continuar o ataque, mas a finalidade aqui é dissuasão, e não punição, por mais que desejasse que fosse de outra forma. Apenas assuste esse idiota gorducho e certifique-se de que a mulher está segura, essas são as coisas em que precisa manter o olho petrificante. Não importa o que pode merecer alguém que faz isso com uma jovem: é melhor deixar essa decisão em mãos mais capazes do que as suas, mas, com meia chance que fosse, que destruição ele não promoveria sobre esse animal, sobre essa miserável desgraça de masculinidade que ele próprio chegou tão perto de encarnar? Ele faria um Banquo, faria um pai de Hamlet, um Tam O'Shanter, com seus colegas medonhos dos Jolly Smokers convocados para ajudar, uma fumaça de locomotiva irregular de homens mortos violentos e impiedosos seguindo esse canalha nojento em todos os seus momentos de vigília e todos os seus sonhos pelo resto de sua vida inútil, e estariam apenas começando. Não há Inferno, nenhum Inferno retributivo e impiedoso, a não ser o Destruidor, mas o espírito bilioso está convencido de que, com a inspiração de uma vida e uma morte transcorridas nos Boroughs, seria possível arranjar um capaz de superar Dante e fazer o cego Milton desviar o olhar.

Puxando um trem de esboços de giz e carvão em uma progressão de peças de dominó caindo, ele rodeia o automóvel durante sua engasgada partida, com seu misterioso uivo Doppler perseguindo-o pela noite torrencial e pontuada por clarões, com o casaco flutuante como uma bandeira funerária a ondular em seu rastro. Um agregado de poeira e revide, nas peneiras de gabardine de seus bolsos todas as queixas da vizinhança indignada são carregadas, a afronta adiada ferozmente despejada como um jato fumegante de mijo de cavalo no intruso, um dilúvio maligno para limpá-lo dessas ruas feridas até que ele e os outros rasgadores de calcinhas aprendam a se manter longe dali. Novo ponto de vista, revertendo para cores.

Sob o peso do aguaceiro, largada à porta de alguém que não conhece, como uma boneca quebrada, descartada com as costuras rasgadas e todo o recheio psíquico desaparecido, um olho de botão obscurecido por um líquido pegajoso. Tudo nela dói. Ela não se importa se os passos no corredor que ouviu eram apenas imaginários, não se importa muito se seu perseguidor a alcançar para terminar o trabalho. Só quer que isso acabe, e a cada momento fica menos preocupada com a maneira como isso vai acontecer. É tomada por uma aconchegante e traiçoeira lassidão, seus últimos vestígio de determinação ou dinamismo escorrem junto ao conteúdo da bexiga que se esvazia. A consciência de si e a personalidade são uma maré vazante que se retira dos seixos da praia sinápticas, e ela mal compreende a luz que faz um tom de rosa atravessar pálpebras baixadas; não consegue se lembrar do fenômeno ou o que ele significa. Por fim, os cílios livres da cola de sangue se abrem e ela percebe as cores do quebra-cabeça, coágulos de brilho e sombra resolvidos como um ícone polido, certamente uma obra-prima da Renascença que ela conhece de algum lugar, emoldurada pela porta agora aberta. Contra um fundo de papel de parede estampado, delineada em sessenta watts de fogo pentecostal, está uma velha de ossos longos e nodosos, coroada com cabelos ígneos e fosforecentes, com uma mão magra apoiada na beira da porta. Recortados na escuridão por chamas incandescentes mais além, os contornos em cera de um rosto da Ilha de Páscoa pesam nos ossos e, ah, em seus olhos de coruja. Cinza claro com íris douradas, olham fixamente, reservatórios sem fim de fúria e compaixão, para a criança esmagada em sua soleira. Rosto magro marcada por salmoura raivosa, a ocupante se abaixa, rangendo, agachada sobre as pernas curtidas para segurar o queixo de Marla enquanto uma mão livre alisa com ternura as tranças ensanguentadas.

— Todos saúdam Kaphoozelum, a meretriz de Jerusalém — pronuncia Audrey Vernall, e sua voz se embarga com um orgulho que a tudo redime. De volta ao mosaico planetário, com cortes apressados.

Bulbos estouram e os dados efervescem. A polícia de Wigan divulga imagens do carro envolvido em um atropelamento fatal de ciclista. Arrecifes se desintegram silenciosamente. O fraudador da Enron condenado judicialmente, Kenneth Lay, diz acreditar que sua situação vai gerar coisas positivas. As estrelas das revistas de supermercado mudam de rosto, mudam de parceiros. O gelo do Ártico recua. Um jogador de rúgbi galês que ficou paralítico pede a proibição de *scrums*, e vermes tubulares surpreendentemente tenazes oferecem esperança de vida em outros mundos. Quânticos ou nacionais, os estados entram em colapso só de serem observados. Xadrez de petróleo, patinação artística fiscal e a tendência do *Homo sapiens* de se fundir com suas tecnologias. O alpinista australiano Lincoln Hall é dado como morto por um breve período. Um texugo assedia funcionários de um centro esportivo em Devon. Os ratos se tornam fluorescentes e em suas costas cresce algo como orelhas humanas. O racismo atormenta a preparação para a Copa do Mundo. Os orçamentos encolhem, e os reality shows colocam seu público-alvo dentro da televisão, fechando os ouroboros. Novas formas de carbono e novas escalas de produção. Um ferro-velho etéreo orbitando o mundo. A cultura popular, antes descartável, é arrastada para a sarjeta, para reciclagem, e a arte reside apenas no cume. Interregno interno. A dupla hélice vira informante. Intimidade de tela sensível ao toque. Algoritmos do desejo. Necessidade sob medida e mensagens de texto em pidgin-correio. Novo, novo, cada segundo maior que o anterior. A população torna-se obesa de tanta novidade, mas consome com cada vez mais entusiasmo, como se para dominar o futuro que se aproxima, devorando-o; para beber o maremoto. Corte para ambiente interno, noite.

Deitado de costas, Mick ouve a chuva contra o vidro e pensa em Diana Spencer. É uma extensão natural de seus pensamentos inquietos sobre xadrez ou mico ou jogo da pulga, com todo o fenômeno Lady Di sendo um jogo – ou um compêndio de jogos – que pelo jeito saiu do controle. A quase literal revelação nos jornais, um primeiro vislumbre da auxiliar de creche de pé com uma saia de morim com luz de fundo derramada, manchas lascivas de raios-X, ilusão de membros em silhueta cinza capturados por um fotógrafo oportunista, com certeza, mas quem estava jogando com quem? Apesar de todos os seus olhares tímidos de corça por baixo da franja, uma estratégia estabelecida mesmo naquele estágio inicial, aquela era uma descendente do Conde Vermelho cujo nome estava escrito em estradas, propriedades e tabernas na cara da classe trabalhadora de Northampton. Dinastias de espertalhões haviam chegado ao caldo concentrado de seu sangue, desde criadores de gado do século XV passando-se por parentes da Casa Le Despencer até cinco ou seis bastardos autênticos gerados pelos Stuart e, portanto, um canal genético para as linhagens dos Habsburgo, Bourbon, Wittelsbach e Hanover; de Sforza e Medici. Não se deve brincar com cromossomos, e isso antes que uma pitada de Churchill seja infundida na já potente mistura genealógica da família de Northamptonshire. Envenenadores, estrategistas, reis guerreiros sanguinários.

Nascido Althorp em 1730 e pouco e um de uma longa linhagem de Johns, o primeiro conde Spencer propriamente dito foi pai de Lady Georgiana, que mais tarde se tornaria duquesa de Devonshire e famosa sósia sedutora de sua parente posterior, instigadora de tabloides. O quinto conde Spencer, nascido cerca de um século depois, era o vermelho, se Mick conhece bem a história local, um companheiro de Gladstone que leva o nome da cor de sua barba ostensiva. Como vice-rei na

Irlanda, parece que fez sua parte para jogar limpo com os fenianos e até apoiou o governo autônomo, que o viu condenado ao ostracismo por todos de Vitória em diante. No entanto, no início da década de 1880, mandou enforcar pessoas pelo assassinato de seu secretário e sobrinho de Gladstone, e por isso todos os nacionalistas o odiavam também. Mick olha para a esquerda, para a topografia suave de Cathy sob o edredom, e conclui, não pela primeira vez, que não há como agradar aos irlandeses. Leves desconfortos começam a murmurar em seus quadris e ombros — nenhum de nós está ficando mais jovem —, e ele ensaia a manobra para bombordo, enrola-se sobre a espinha virada de sua esposa adormecida como dedos em volta de um aquecedor de mãos. Novo ângulo.

No século que acabou, o século de Mick, o rastejo genético da família Spencer havia se movido como o bosque de Birnam, despercebido, cada vez mais perto dos centros de poder e da história. Os Spencer-Churchill haviam entrado furtivamente em Downing Street com Winston e, logo depois, voltaram com a sobrinha dele, Clarissa, como mulher do primeiro-ministro Anthony Eden; ela parece ter se esforçado bastante para que a crise de Suez não fosse o maior conflito na vida do marido. Enquanto isso, em 1924, em Althorp, o oitavo conde Johnny havia chegado, e ainda assim a única imagem mental que Mick tem do homem é como um participante de inaugurações oficiais rubicundo e aparentemente lesado, com a fala arrastada de um de lutador de boxe, sentado o mais longe possível do microfone. Ele fisgou uma mulher de boa aparência, a primeira viscondessa de Althorp, Frances, mas seu dispensador de dinastias parecia decidido a apenas produzir bebês saudáveis de um gênero inconveniente. Primeiro veio Sarah, depois Jane e, por fim, o esperado nono conde, outro John, que morreu na infância, um ano antes do advento de mais uma decepcionante filha, batizada após uma semana de procrastinação como Diana Frances. Durante seus ocasionais momentos de lucidez, Johnny Spencer começa a ver a mulher como culpada da incapacidade de gerar um herdeiro, e a humilhada Lady Althorp é despachada para Harley Street a fim de determinar qual é seu problema, porque a dificuldade é claramente só dela. Mick imagina como isso pode ter prejudicado o casamento, mesmo após a chegada do irmão mais novo de Diana, Charlie Vida Boa Spencer, apenas alguns anos depois. Quando a futura princesa do povo tinha apenas oito anos, em 1969, seus pais se divorciaram em meio a alguma amargura, após o caso extraconjugal da mãe com Peter Shand Kydd, com quem se casou logo depois. Apesar da falta de confiabilidade da visão em retrospectiva, Mick supõe que parte da arquitetura fatídica da vida da filha mais nova dos Spencer pode ter sido vagamente esboçada por eventos dessa época, embora não possa deixar de pensar que, ao se casar depois com a filha de Barbara Cartland, Raine, o pai dela havia introduzido de forma imprudente um elemento de romance gótico um tanto fervoroso demais à mistura que acabaria causando ainda mais danos. Expectativas de contos de fadas sem o devido reconhecimento de todas as coisas que os contos de fadas trazem consigo: a maçã envenenada e a maldição do berço, o sapatinho de cristal cheio de sangue. Ele se sente desconfortável. Se Cathy é um porco-espinho assando, Mick a envolve como argila cigana cozida. Fugindo de seu inferno, mais uma vez ensaia virar de costas. Novo ângulo.

Ele não tem certeza de como tudo funcionou, o namoro e o casamento com a realeza. Presumivelmente, Diana havia sido convocada a servir como uma égua reprodutora, como a mãe, para produzir o sucessor masculino necessário, enquanto permitia que seu novo marido continuasse um namoro de longa data com sua amante casada. Ela sabia disso de saída ou descobriu mais tarde? Mick supõe que depende do quanto a aristocracia, como comunidade, pode ser informada sobre as vidas uns dos outros. Mesmo que ela tenha se casado em um estado de feliz ignorância, deve ter se dado conta desde o início. Na primeira coletiva de imprensa, com os dois parados naquele portão, diante do tom distante e lacônico que ele demonstrou quando disse "Seja lá o que for o amor", era possível ver que ela parecia desconfortável com aquele aviso bem óbvio. Mas, fosse como fosse, uma vez que todas as cartas estivessem na mesa, era garantido que o final do jogo seria tumultuado.

Quando as rachaduras na fachada começaram a aparecer, a princípio foi na forma de uma rebelião estudantil, aparecendo com Fergie em algum clube elegante e exclusivo disfarçadas de strippers de telegrama animado com uniformes de policial, mas, quando chegou a Martin Bashir, era possível ver que ela estava acionando a artilharia pesada, e que em sua campanha retroceder não era uma opção. Seria guerra de atrito o tempo todo. O componente tático ficou, literalmente, mais exposto. A imagem do aparelho da academia, ostensivamente intrusiva, mas muito bem composta. O maiô um pouco mais cavado no barco de Dodi Al Fayed, levando as longas lentes à ereção, no mesmo dia em que o ex-marido e Camilla Parker-Bowles deveriam se encontrar com a imprensa e o público. Ela era boa de jogo, é preciso reconhecer. E então, e então... naquela semana ou duas antes da ponte, antes de sua travessia, a estranha mistura britânica de luxúria pegajosa e lábios contorcidos de desdém abriu caminho para um clímax vituperativo: eles a desprezavam. Eles desprezavam a namoradeira que transava com um árabe e humilhava o futuro rei, e os pacientes de AIDS e as minas terrestres pareciam uma camuflagem pouco convincente para uma nova Catarina de Médici, uma nova Catarina Sforza; uma vampira renascentista sem elástico na calcinha e com um anel de cianureto. Detestavam-na ainda mais por quererem tanto amá-la, mas ela os decepcionara com todos os seus passeios pelo mundo e seus distúrbios alimentares, não era a pessoa que desejavam, de que precisavam. É tão difícil amar algo que está se movendo, mudando; algo que está vivo. A memória de mármore é mais confiável. Mick se pergunta, com os pensamentos finalmente começando a se confundir, se foi aquele peso enorme da expectativa frustrada que de repente desmoronou sobre ela como um deslizamento de terra pré-histórico, fossilizando-a para sempre como a trágica loira perfeita de Hitchcock, sugando a cor humana e congelando-a na imagem do monitor em preto e branco no Ritz, com o meio sorriso saindo pela porta giratória para a eternidade e, do lado de fora, o motorista Henri Paul chamado de volta ao serviço com urgência, talvez tentando catastroficamente compensar sua bebedeira após o expediente com um alguns tiros revigorantes da febre do pó branco. Luzes, brilhos e refrações em movimentos. Cintilações obscuras na escuridão parisiense além do vidro. Foco na torrente caleidoscópica de filmagens descobertas, intercalando cores de alta definição com imagens instáveis de filme mudo.

As estradas rurais podem ser mais mortais, sugere um relatório. Um santuário de tartarugas abandonado será aberto em um parque de vida marinha em Dorset. A Rússia disputa o controle de três oleodutos siberianos atualmente em mãos ocidentais, e Nur-Pashi Kulayev, o perpetrador sobrevivente do cerco da escola de Beslan, em 2004, é considerado culpado por acusações de terrorismo, sequestro e homicídio, mas escapa da pena de morte graças uma moratória de execuções do Kremlin. Golpes de sorte e tragédias aleatórias, as permutações encenadas da física newtoniana com seus golpes intermináveis e balas de canhões circunstanciais; pipoca estocástica para os jornais de amanhã. No Oceano Índico, cerca de vinte e cinco quilômetros ao sul-sudoeste de Yogyakarta, na costa sul de Java, e quase dez quilômetros abaixo do fundo do mar, as placas australiana e eurasiana, lutadores de sumô tectônicos, colocam pólvora nas palmas das mãos e se aproximam para sua sétima ou oitava luta do ano. Faltam quatorze minutos para as onze, horário de Greenwich.

Ela mal consegue sentir as mãos ossudas que a ajudam a se levantar e, por um instante, chega a pensar que pode estar ascendendo. Distante do momento, em um brilho de globo de neve de choque que se assenta, com todas as suas partes dolorosas a um quilômetro de distância, percebe um remoto sussurro sedoso da mulher frágil puxando-a na luz da soleira. Algo sobre santos, pensa, e calmamente se pergunta se está morta, se não conseguiu escapar do carro ou do estacionamento. Ali perto, na noite torrencial, um motor começa a ganhar vida raivosa antes de seu ronco se afastar dela, um rosnado decepcionado e distante que, como o dilúvio ou os murmúrios de sua velha libertadora, parece ganhar uma nova dimensão; uma catedral de ressonâncias sem precedentes tocando em seus ouvidos endurecidos pelo sangue seco. Através desse zumbido celestial, sua salvadora está falando agora com uma força e nitidez redobradas, e aos poucos começa a ficar claro que não se dirige a ela, por mais que na Scarletwell Street, além das duas, não haja ninguém.

— Despacha ele, Freddy. Despacha ele de vez.

Há um brilho ocular na chuva, e então surge algo que é o oposto do vento, uma rajada uivante sugada para o escuro dos Boroughs com uma pressa indecente, como se estivesse atrasada para um compromisso.

Derek transpira e derrapa e praguaja e não consegue sair. O bairro é um labirinto, e ele é como um touro no portão, com a coragem quimicamente assistida queimando com a borracha para deixar um resíduo preto de pânico acre. Fora do estacionamento, com aquela coisa terrivelmente proliferativa atrás dele, vira à direita e entra na Lower Bath

Street, mas não conhece o desenho do lugar, e no meio do caminho há mourões de concreto bloqueando a via, com os dentes pontiagudos e salientes do distrito, onde a curva obrigatória à esquerda, passando por um decadente pub local, o Shoemakers, o leva mais uma vez à Scarletwell Street. Porra, porra, porra. Uma direita, outra direita e a placa corroída fixada na parede informa que ele está na Upper Cross Street, com aqueles prédios feios pairando sobre ele como porteiros ovíparos. No fim, o que deveria fazer? Não pode seguir ladeira acima, como quer, está vendo mais mourões lá no alto, mas quando olha para baixo, à direita, percebe que suas alucinações ainda o acompanham: na esquina tem uma — ele nem consegue encontrar as palavras —, uma engrenagem monstruosa de névoa girando na margem de seu campo de visão, mas, se olhar bem para ela, desaparece. Ele sai cantando pneus para a Bath Street, tentando não ver a engrenagem fantasma rangendo, e quase imediatamente entra à esquerda na Little Cross Street. Por que tantas Cross Streets? Por que essa obsessão com cruzes por aqui? Atravessando um labirinto escuro, o Escort preto passa pela rotatória e entra na Chalk Lane. Virando à esquerda, contornando capela estranha com a porta no meio de uma parede, ele descobre que está na St. Mary's Street, com as luzes da Horsemarket em alegre conflagração no final, a saída iluminada do labirinto assombrado. Ele conseguiu. Escapou. Safou-se. Ele dirige para o fogo das lanternas traseiras.

Freddy vê em preto e branco, chiando em um pavio pálido sobre a área de lazer da escola, através de máquinas paradas e bancos vazios na fábrica e da Spring Lane.

"Despacha ele, Freddy. Despacha ele de vez", foi o que Audrey Vernall o instruiu a fazer. Ordens são ordens. A cadeia de comando é simples e direta: construtores, demônios, santos, Vernalls, defunteiras e *por último* os moradores de rua. Cada um tem sua tarefa a cumprir, e Freddy finalmente recebe a sua. Enfeitado com cinquenta repetições do mesmo velho casaco e liderando uma grande frota de chapéus, ele borra pelo complexo comercial deserto que já foi a Cleaver's Glass e, antes, a Compton Street, dirigindo-se por instinto de aproveitador para a esquina nordeste da área irregular, a caçapa do crânio, perto do pináculo da Grafton Street. Ali é onde vai acontecer o que for acontecer, ele sabe disso na lembrança de sua bexiga, em seus ossos ausentes. Ali imolavam as feiticeiras e hereges.

Era ali que empalavam as cabeças, como contas liquidadas. A saraivada de cartas de um jogador fatal, paus e espadas violentos, sua centopeia de eus se derrama sobre o que resta da Lower Harding Street e desliza em velocidade enervante para o espaço em branco monolítico de quadras vazias e janelas em chamas do outro lado. Saint Stephen's House, Saint Barnabas House, prédios com patamares sem luz, várias dezenas de portas de entrada e um só telhado que se erguem onde antes havia ruas inteiras. Ainda levam o nome de casas, arranha-céus canonizados em uma litania desprivilegiada, um ar de santidade nominativa para mascarar o cheiro de urina. Sujando o estupor televisual nos apartamentos do andar térreo com furiosos pensamentos homicidas surgidos do nada, a debandada sépia de Freddy Allen se espalha pela noite de sexta-feira de outras pessoas, deixando uma nuvem de argumentos infundados, conversas caducas e DVDs parados em seu rastro enfurecido.

Faltando sete para as onze, Mick ensaia uma virada furtiva para o lado direito e para uma posição que parece promissoramente soporífica, pensando naquela última noite de agosto, nove anos antes. O Mercedes preto grita através de seus crescentes níveis de serotonina na Rue Cambon em direção a seu encontro, à meia-noite e vinte e três. Atrás, nenhum cinto de segurança: são jovens, hormonais, sem saber que a associação entre o álcool e o remédio antipsicótico do motorista é contraindicada. Vaga-lumes vampiros no retrovisor, mas as pesadas pálpebras gaulesas se fecham e ele sabe que vai bater. Ao chegar perto de cento e dez por hora, desliza pela Cours la Reine ao longo da margem direita do rio, na passagem subterrânea da Pont de l'Alma.

E, mesmo em seu Círculo de Fogo sismológico, Java estremece. Em Galur, ornamentos de santuários começam a vibrar, produzindo pequenas e delicadas percussões como uma abertura para o cataclismo. Quase sete mil pessoas são despertadas pelo som, com expressões levemente interrogativas em seus rostos pela última vez, e os pássaros não sabem para onde voar neste rabo de lobo cinza, pouco antes do amanhecer. A 7.962° Sul e 110.458° Leste, um dos dois combatentes diastróficos cede só dois centímetros, e todos os cinco milhões de almas dentro de seu círculo de sumô de quase cem quilômetros de largura entram espontânea e repentinamente em oração.

Suspensa em uma aura de final evitado, ela se encontra na cozinha da mulher com cabelo de luz de magnésio. Uma abençoada flanela quente limpa o bordô coagulado de seu olho fechado, espremida em intervalos em uma tigela esmaltada cheia pela metade, com nuvens cor-de-rosa fugitivas se difundindo na água quente. Um chá de doçura perfeita é colocado ao lado dela em uma toalha de mesa lindamente puída, e em seu ouvido, a voz com sotaque antigo continua seu relato de santos, esquinas viradas e a impossibilidade da morte.

Ele voa pela Horsemarket e atravessa a Mayorhold até a Broad Street, com os horrores sumindo atrás de si, de frente, banhado em ouro nas luzes que se aproximam. Vibra com a adrenalina e a sorte, passando pelo Cassino Gala à esquerda; continua rindo para si mesmo com a alegria de tudo isso. Pouco antes da Regent Square, e sem diminuir a velocidade, faz a ligeira curva para a Grafton Street.

Num chiaroscuro de tabuleiro de xadrez, Freddy flui por instalações vazias, arrastando uma flâmula de fumaça de rostos pela Cromwell Street e pela Fitzroy Terrace, irrompendo pela alvenaria e entrando no caminho do tráfego que se aproxima. Apenas no brilho dos faróis percebe que parou de chover.

Mick esquece onde estão exatamente seus membros. Em sua mente vacilante, uma limusine hipnagógica desaparece na boca do túnel, balançando abruptamente para a esquerda da via dupla quando Henri Paul perde o controle.

Alcançando 6,2 na escala Richter, o terremoto estremece Java.

Por entre olhos descolados, ela nota o relógio da cozinha da mulher: seis minutos para as onze.

Alguma coisa horrenda corre na Grafton Street à sua frente. Ele grita ao desviar.

Da perspectiva monocromática de Freddy, o Escort preto monta na sarjeta quase em silêncio.

Mick imagina a Mercedes se espatifando na décima-terceira pilastra debaixo da Pont de l'Alma.

Casas caem, mais de cem mil, e cerca de um milhão e meio de desabrigados tropeçam em ruas obliteradas, vestindo roupas de dormir ensanguentadas, olhando em silêncio, gritando nomes de pessoas.

Na tigela esmaltada, a água agora é carmim, ela observa, com anéis concêntricos se dilatando de seu epicentro. A velha ligou para a ambulância e para a polícia; pergunta se há mais alguém que deva ser contatado e, com uma voz que não reconhece, ela recita sobriamente o número da mãe.

Subindo na calçada e direto no poste de luz em uma série de sacadas enfeitadas, ele bate na coluna de direção, com o esterno esfarelado em flocos de calcário, o coração e os pulmões esmagados em uma polpa indiferenciada. Com a cabeça perfurando o para-brisas, por um instante ele acredita que foi lançado milagrosamente para longe, até que percebe que está surdo e daltônico.

Indo em direção aos destroços do carro, agora sem pressa, olha do corpo do motorista semiemergido do capô amassado para a duplicata em meio a uma camada de vidro quebrado na calçada, olhando para as manchas de sangue preto encharcando a camisa branca, sem entender.
Freddy vê outra pessoa observando tudo, ali no final de Fitzroy Terrace. No primeiro momento, acredita que é um transeunte mortal. Mas então avista os olhos de cores diferentes.
— Acho que uma bebida faria bem a ele — diz o solidário Sam O'Day.

Mick projeta uma montagem contra as pálpebras trêmulas, começando com o veículo dobrado em repouso contra a parede do túnel, quase imediatamente perdido em uma dissolução de enxames de flashes que se resolve em imagens instantâneas destacando os eventos da próxima... havia sido mesmo só uma semana? O Palácio de Kensington sangrando flores e celofane, a corrida do Novo Trabalhismo para tecer a mortalha, editores de jornais exigindo respostas daqueles que ajudaram a enlutar, com todo o burburinho de atividade se encerrando com uma imagem imóvel da Abadia de Westminster, silenciosa na luz opaca de setembro.

Com a chegada do amanhecer, milhares entopem a rodovia Solo--Yogya, temendo uma reprise do tsunami de dois anos antes e fugindo para o interior, deixando casas destruídas para ladrões oportunistas que, em distritos acima do nível do mar, ainda assim espalham histórias de um maremoto iminente que nunca chega. Quase seis mil mortos, seis vezes essa quantidade de feridos e, ao longo da margem da rodovia em Prambanan, um antigo complexo de templos hindus em colapso derrama seus pináculos incrustados de deuses na poeira mais abaixo, divindades rachadas se tornam obstáculos imóveis, fazendo com que a onda de refugiados corra entre eles em redemoinhos ondulantes, com tanta gente de pijama que tudo parece um estranho sonho em massa.

Como se o tempo não estivesse passando, ela senta-se imóvel ao lado da mesa enquanto redemoinhos verdes de paramédicos e surtos amarelos fluorescentes de policiais orbitam ao seu redor em uma paleta berrante de preocupação, toques brilhantes de cores habilmente embutidos na grande bola de cristal do momento. Audrey — esse é o nome da mulher — Audrey está dizendo ao policial de plantão que é uma ex-paciente do Hospital St. Crispin, na esquina da Berry Wood, transferida para aquela casa de reinserção durante a iniciativa de prestação de cuidados na comunidade. Marla não está realmente ouvindo; já nem sequer é Marla. Os olhos capazes e destemidos através dos quais viu sua provação no banco de trás não desapareceram junto da ameaça de aniquilação iminente e, quem quer que ela seja agora, é alguém com bem mais de dezoito anos. Na vastidão da minúscula cozinha, os objetos são iluminados em tons de vitrais de igreja: o rótulo turquesa suave em uma lata de feijão, seus antebraços machucados num marrom de assento de cinema aveludado e as pantufas de Audrey, rosa como flamingos com cobertura de açúcar. Cada detalhe, cada som, cada pensamento que passa por sua mente é delineado com o glorioso sangue e ouro do fogo de mártir. A voz com que responde às perguntas da policial é forte, não fraca. Nem feia.

— Não, ele era meio gordinho, com bochechas rosadas e cabelo escuro ficando grisalho dos lados. Não vi os olhos dele.

E o tempo todo há uma parte dela ainda no Escort que balança; ainda na porta da casa olhando para Audrey, cuja cabeça é toda brilho e combustão, falando aquele nome peculiar da poesia ruim de J.K. Stephen e uma dúzia de brochuras baratas, como se soubesse que seria reconhecido. Uma pronúncia de sílabas de conhaque ou um espirro elaborado, um nome pelo qual ninguém jamais havia sido chamado, simplesmente dando sopa por aí, esperando pelo indivíduo peculiar o suficiente para usá-lo: Kaphoozelum. Novo ponto de vista, retomando o preto e branco.

O asfalto molhado brilha em um silêncio abrupto de teatro, como se algum drama estivesse prestes a começar. O porta-malas foi arrebentado com a colisão — porra, o que ele vai dizer para Irene, para a seguradora — e os brinquedos de praia e infláveis das crianças estão espalhados pela rua, pálidos e cinzentos como caranguejos crus. Exasperado e confuso, ele tenta chutar uma braçadeira furada para o meio-fio, mas ou está enxergando em dobro e erra ou seu pé passa por ela como se não estivesse ali. Dada sua provável concussão, decide que a primeira dessas alternativas é a mais provável, embora isso ainda o deixe com o problema daquele corpo mutilado esparramado pelo para-brisa ausente. Ele atropelou alguém? Ah, merda, agora está ferrado, mas então como a pessoa conseguiu atravessar vidro com os pés primeiro, isso não é possível, e finalmente ele vislumbra a ruína do rosto salpicado de vidro, mas ainda não consegue estabelecer de onde o conhece. É quando percebe os dois velhos olhando para ele mais adiante na rua, ambos usando chapéus, o que não é algo que se vê com muita frequência hoje em dia. O mais próximo dos dois se aproxima, pergunta se ele precisa de uma bebida, e Derek diz que sim, sem constrangimento, grato por ter alguém para contar o que acabou de acontecer. O velho andarilho lhe diz que há um lugar ali perto, o Jolly Alguma Coisa, onde ele pode voltar a se orientar, agora que seu GPS está todo fodido. Eles começam a caminhar juntos de volta para a Regent's Square e, na verdade, tudo ainda pode acabar bem. Ao se lembrar do companheiro do andarilho, ele pergunta:

— E o seu amigo?

Ambos param e olham para trás. O outro homem — com um olho que parece ter catarata ou algo assim — sorri e levanta o chapéu, e nesse momento Derek entende exatamente onde está. Ele começa a chorar. O andarilho perto dele silenciosamente pega seu braço e o conduz, sem resistência, para uma noite de sexta-feira cor de fuligem e prateada. Novo ponto de vista.

Na opinião de Freddy, quando a nova estatística chorosa foi levada pelas calçadas de daguerreótipo até os Jolly Smokers, seus serviços estão terminados, seus deveres e responsabilidades foram cumpridos. Curiosamente, no pub-fantasma há dois homens feitos de madeira que parecem ter vindo de algum lugar, um deles entalhado de cara para cima nas tábuas corroídas do piso, enquanto o outro, mais corpulento, mas igualmente nu, está ao lado do bar com lágrimas de verniz descendo pela face de grãos retorcidos de madeira e as iniciais de Mary Jane gravadas no braço. Enquanto dá uma justificativa qualquer e sai pela porta dos fundos, Freddy olha ao redor e vê o recém-chegado perturbado sendo apresentado ao igualmente desconsolado manequim gordo por Tommy Torce-o-Gato, com fragmentos de um sorriso brutal deslizando por sua fisionomia em malabarismos. Não há necessidade de ver mais nada; não há necessidade de saber a natureza exata da justiça que é administrada acima da rua. Ele fumega na escuridão manchada de sódio no topo da Tower Street, onde, acima de uma camada de nuvens que se desintegra rapidamente, estão estrelas que parecem as mesmas para mortos e vivos. Ele se sente diferente agora, não apenas em relação a si mesmo. Algumas das manchas desapareceram de seu brasão, borrões evaporaram de seu caderno. No que dizia respeito a isso, tinha feito a coisa certa. Tinha sido um homem melhor do que pensava, aquele que se resignou a uma eternidade de lavagem de tinta, sentindo-se culpado e empobrecido demais em seu caráter para subir as escadas para o Andar de Cima. Ele pagou de volta ao distrito todos os seus litros de leite, seus pães, suas soleiras vazias. Para sua surpresa, descobre que seus sapatos gastos o levam pela Scarletwell Street até a casa de sua amiga, a casa de Audrey lá embaixo, com sua porta-torta, com sua Escada de Jacó. Está correndo agora, passando pela área de lazer deserta. Acha que pode se lembrar do amarelo, acha que pode se lembrar do verde. Corte para ambiente interno, noite.

Com a respiração tão regular que se esqueceu dela, Mick vacila à beira do sonho, aquela tarde nublada de setembro, nove anos antes, repetindo-se em um cinema craniano vazio. Assistiram pela televisão, ele, Cathy e os meninos, e tudo parecia encenado e estranho, mais como uma Espetáculo de Variedades Real do que um funeral, por baixo do rótulo de *Cool Britannia*[49]. Precisando de algo tridimensional e mais autêntico do que uma tela poderia oferecer, todos entraram no carro, e Cathy os levou até a Weedon Road, onde puderam ver o cortejo a caminho de Althorp. Eram muitas as pessoas reunidas na beira da estrada, silenciosas como fantasmas, e ninguém sabia ao certo por que tinha vindo, a não ser pela sensação de que algo ancestral estava acontecendo de novo e que sua presença era necessária. Quase adormecido, Mick começa a perder a linha divisória entre acontecimento e memória. Não está mais na horizontal e na cama, está ajudando Cathy a pastorear Jack e Joe entre os espectadores no limiar, sonâmbulos com línguas silenciadas pela mitologia. Encontrando um lugar livre na grama castigada ao lado do meio-fio, tem a impressão de que exatamente essas mesmas pessoas devem ter aparecido para tirar seus chapéus para Boadiceia, Leonor de Castela, Maria, a rainha da Escócia, e quaisquer monarcas mortas que possam ter escapado de sua mente distraída. Um motor se aproxima ao longe, audivelmente pela falta de qualquer outro som, até mesmo os pássaros permanecem mudos durante todo o tempo. O carro desliza por eles como um navio, uma onda de proa imaginada ondulando no asfalto, com coroas de flores como boias salva-vidas no capô, com destino à sepultura na ilha artificial. Depois de assistir a sua volta ao lar, a multidão e a visão começam a se partir como louça comemorativa, misturando-se à multidão na exposição de Alma, na manhã seguinte. Abandonando tudo, Mick mergulha em mais uma de suas vinte e cinco mil noites. Ele desvanece até só restar o escuro.

POSLÚDIO

CORRENTE
DE OFÍCIO

Com um toque de sol nas bochechas, Spring Boroughs se aquece, aproveitando uma de suas manhãs mais glamorosas e com menos ressaca. Varandas dilapidadas de sábado polvilhadas com otimismo cauteloso, a sensação persistente de uma pausa na escola ou no trabalho, mesmo naqueles que não frequentam nenhum dos dois. Maio fermenta nas margens desalinhadas. O antigo muro de pedra de Chalk Lane, que delimitava o antigo cemitério de indigentes, é um matadouro de papoulas, enquanto logo acima os produtos de uma venda de garagem se aglomeram na entrada em declive da creche. O distrito se enfeita; não é nenhuma pintura, mas, do ângulo certo, ainda pode ser tão bonito quanto um quadro.

Arrastando os pés pelo monte careca de Castle Hill, Mick Warren deslizou como uma gota esbranquiçada para se fundir à pigmentação humana reunida na porta da creche, onde foi cercado pelo redemoinho turquesa da irmã e os respingos em sua maior parte neutros dos amigos dela. Alarmando Mick com um beijo sem precedentes que deixou sua bochecha direita obscurecida por uma marca de palhaço carmesim molhada, Alma o arrastou até a soleira da porta e o repreendeu enquanto a destrancava.

— Porra, sério mesmo, Warry, obrigado por só ter atrasado vinte minutos. Você deve ter várias exposições totalmente baseadas nos seus problemas mentais, então, sabe como é, fico muito feliz por ter aparecido. Estou realmente comovida. Você é quase um irmão para mim.

Naquele momento, o angustiado adolescente descalço da Crispin Street e sua severa depressão passageira na calçada da Saint Peter's House já haviam se perdido nos deltas fuliginosos nos cantos dos olhos de Mick, então ele sorriu: — Não precisa ficar nervosa, Warry. Eu já estou aqui. Sei que sou meio que uma superstição para você, né? Seu mascote da sorte nesses programas de concurso tipo *University Challenge*. Por que não abriu sem mim?

Alma curvou o lábio inferior, como se estivesse formalmente voltando a estender um tapete vermelho que já não era necessário.

— Porque não, caralho. Esta chave não é desta porta. Você não pode simplesmente circular entre esses... — Alma faz um gesto indeterminado para Ben Perrit — ... esses intelectuais frequentadores de galerias até eu dar um jeito nisso? Fique de olho para ninguém arrumar briga nem afanar nada.

Fazendo uma volta forçada no degrau, ele viu uma plateia bem civilizada que, no entanto, parecia ter um potencial inato para a desordem. Uma briga, embora improvável, não estava totalmente fora de questão, mas com certeza não havia nada que valesse a pena afanar. E nenhum dos presentes parecia muito inclinado ao roubo, com exceção talvez das duas velhinhas que achou que estavam com a mãe de Bert Regan. Estavam separadas de todos os outros participantes e pareciam compartilhar lembranças da vizinhança, com uma delas indicando algo nas proximidades da Mary's Street enquanto a companheira sorria e balançava a cabeça vigorosamente. O brilho malicioso em seus olhos cheios de rugas provocou uma pontada de nostalgia pelas matriarcas monstruosas dos Boroughs do passado e fez Mick sentir saudades da avó por um breve instante. Na verdade, de toda a sua genealogia, com quase todos mortos, exceto ele e a irmã, que realmente não via como representativos de nada.

Contra um pano de fundo em camadas, no qual apartamentos decrépitos dos anos 1960 bloqueavam pátios ferroviários e parques distantes mais abaixo na ladeira, Dave Daniels sorriu estupefato em uma conversa com o namorado tagarela e furtivo de Rome Thompson. A sra. Regan disse a Ben Perrit que ele era um tonto, o que era um diagnóstico muito perspicaz e feito em menos de cinco minutos de conversa. Melros roçavam sepulturas da peste negra ressurgidas na área de estacionamento da Chalk Lane, e Mick se permitiu pensar que todos os fins de semana quentes anteriores do lugar também não estavam distantes, com as atmosferas persistentes de pátios de paralelepípedos dos pubs, a mesada e as matinês de cinema infundindo o presente desgastado como uma marinada picante. A luz naquela hora precisa, naquele dia específico do mês, caía exatamente da mesma maneira sobre a igreja Doddridge desde que foi erguida. Algumas daquelas sombras tinham centenas de anos, haviam deitado sua mortalha específica em carregadores de caixão não exatamente tristes e noivas um tanto hesitantes, em swedenborgianos e libertinos arrependidos. Tinha ouvido falar de leis que protegiam algo conhecido como "luzes antigas", mas não conseguia imaginar nenhuma mobilização para lutar pela conservação da escuridão antiga, exceto talvez entre os depressivos, góticos e satanistas, a quem era fácil ignorar. Atrás dele, Alma finalmente concluía que na verdade era a chave, e não a fechadura, a creche ou mesmo o resto da Inglaterra que estava de cabeça para baixo, e anunciou ao seu modo que a exposição estava aberta:

— Certo, todo mundo para dentro. Se alguém tem alguma crítica construtiva que gostaria de oferecer, vou ter o maior prazer em dar minha opinião a respeito do seu senso de moda ridículo ou do péssimo trabalho que fez na criação dos filhos. Lembrem-se de que estão aqui apenas para ficarem boquiabertos. Se alguém espirrar fluídos corporais sobre a obra, vai ter que pagar por ela. Fora isso, aproveitem dentro dos limites racionais.

E, com ele e Alma na dianteira, conversando e gargalhando, todos entraram.

A primeira impressão de Mick foi que a escolha de expor três dúzias de peças num espaço tão ridiculamente pequeno havia sido determinada por problemas de visão, processos de tomada de decisão influenciados pelo haxixe, ou então pela conhecida deficiência feminina quando se trata de arranjos espaciais: a característica que as fazia imaginar os pênis muito mais curtos do que realmente eram. Sua impressão seguinte, depois que a sensação inicial avassaladora de choque óptico teve um tempo para se assentar, foi que aquela confusão impressionante de ideias e imagens de sacolas de mendiga, aquelas explosões de tons e monocromia espaçadas que adornam todas as superfícies verticais visíveis, poderiam muito bem ser algo deliberado, uma estratégia para intimidar o público-alvo e deixá-lo em um estado de espírito alterado e potencialmente muito mais precário, supondo que alguém que não seja um cientista louco fosse querer fazer isso. Essa tênue centelha de percepção foi logo interrompida pela terceira impressão dele e de todos os outros, que era a de um grande artefato tridimensional colocado numa mesa no centro do espaço já restrito.

Depois que Alma posicionou habilmente essa chamativa obstrução em um local fora de perigo, Mick e os outros visitantes ainda decantando pela porta da creche se depararam com o lado mais próximo do cavalete em uma faixa irregular de detritos animados. O namorado de Roman Thompson, Dean, disse "Puta merda" em um tom quase reverente, Ben Perrit riu e a mãe de Bert Regan exclamou: "Ora, não é possível". O próprio Mick só conseguiu se manter em um silêncio atordoado, embora não fosse fácil determinar se era de admiração ou de inquietação com os processos mentais obsessivos envolvidos.

Construída ao longo de vários meses a partir de papel machê cuidadosamente tingido à mão, o que se achava espalhado diante deles era uma reprodução em escala enlouquecedoramente detalhada do bairro quase desaparecido de uma forma que ele quase com certeza nunca teve. Com pouco menos de meio metro quadrado, e suas estruturas mais altas com apenas alguns centímetros de altura, o diorama da irmã justapunha as características mais marcantes dos Boroughs, sem levar em conta a cronologia. A esmeralda salpicada da área de lazer da Escola Spring Lane abria espaço para o ressurgente Friendly Arms no meio da Scarletwell Street, um estabelecimento que a arena de corrida de ovo na colher na verdade havia substituído. O edifício St. Peter's House, na Bath Street, coexistia com a torre de chaminé de dezoito centímetros de altura de um Destruidor que tinha sido demolido na década de 1930 para permitir a construção dos apartamentos. Atravessando o rio enrugado pelas ondas, pelo que parecia ser uma estação dos anos 1940, pelos minúsculos anúncios de tucano da Guinness, havia uma ponte levadiça com portões da era Cromwell. Ovelhas cercavam carros modernos estacionados na Sheep Street, como merda pontilhada em lã de papel picado.

Visto de cima, no pátio central dos Greyfriars havia o que pareciam ser lençóis de seda Rizla pendurados em seus varais. Essa perspectiva onisciente lembrava muito suas reflexões à la Harryhausen na noite de insônia anterior. Livrando-se como pôde do aperto em torno do limite oeste do nanogueto, ele se esgueirou entre pedidos de desculpas ao longo da St. Andrew's Road em direção a Crane Hill, no canto da mesa. Passando por sua própria fileira de casas encolhidas, notou com aprovação que o cisne ornamental da avó era agora um estudo em miniatura na janela da frente do número dezessete. Apesar da novidade, teve a fugaz sensação de já ter visto a antiga casa a partir desse incomum ponto de vista elevado, embora não conseguisse imaginar quando. Virando a esquina da Grafton Street ao longo da extremidade norte, ele refez a rota de sua jornada de caminhão na infância até o hospital, exceto por uma curva à direita na Regent Square, mas dessa vez como um gigante em trajes casuais, caminhando até a cintura através da ausência onde deveria estar uma Semilong implícita. Alma estava esperando por ele no lado leste da peça, pairando sobre a pequena igreja redonda do Santo Sepulcro e olhando maliciosamente como um ídolo templário monstruoso, que, se Mick se lembrava bem, era uma cabra com seios.

— Não precisa falar nada. Você se sente honrado só por ser meu parente, Warry, dá para ver nos seus olhos. Viu o cisne da vovó na janela lá na Saint Andrew's Road? Fiz aquilo com um pincel 000, e eles nem são de verdade. Para ser bem sincera, quando penso em mim, às vezes quase desmaio.

— Warry, todo mundo quase faz isso quando pensa em você. Ninguém é de pedra. Então, que material você usou nisso? Não é cocô de morsa nem nada assim, né?

Excrementos de pombos de requintada delicadeza cobriam a borda de um Destruidor em escala reduzida. Reunidos no canto sudoeste da mesa, Roman Thompson e Bert Regan sorriram e semicerraram os olhos na junção da Chalk Lane com a Black Lion Hill, onde uma estranha torre como um chapéu de bruxa havia sido mesclada com a revistaria de Harry Roserdale e o velho hotel Gordon Commercial. Apenas as letras de mão nos anúncios e cartazes era suficiente para partir seu coração e arruinar seus olhos.

— Nada. É tudo feito de seda Rizla. Masquei uns quatrocentos pacotes e cuspi tudo. Deve ficar mais firme do que o material que usaram para construir o Eastern District.

Mick examina os telhados partidos em telhas, os canteiros pontilhistas da igreja de St. Peter.

— Pois é. É, você está certa. Mas também deve ter mais risco de provocar uma gengivite.

Na verdade, Mick estava precisando reunir de toda sua determinação para não parecer impressionado. Era como se a irmã tivesse removido um recorte da vegetação rasteira de ruas secundárias e depois cultivado pacientemente para gerar um bonsai do lugar, inclusive, ou talvez especialmente, os contornos que haviam desaparecido. Cada movimento de seus olhos revelava mais detalhes. A curva ascendente da há tempos desaparecida Cooper Street até a Bellbarn evocou uma memória muscular de passar pelos portões cor-de-rosa desbotados do pátio de transporte de Fred Bosworth no meio da ladeira, e no topo da inclinação de papel mastigado estava uma meticulosa reconstrução da igreja de St. Andrew, tão perfeita em seus detalhes góticos que a demolição do prédio na década de 1960 parecia impossível, e não apenas inacreditável. Inclinando-se como um dos perpétuos guindastes da área de remoção sobre a Sheep Street, a Broad Street e os quintais liliputianos da St. Andrew's Street, Mick mal conseguia distinguir a ínfima vitrine de seu barbeiro de infância, Albert Badger. Aliás, por que sempre o chamavam de Bill? No vidro de tecido em rosa fluorescente, ficou animado ao encontrar uma pintura de um letreiro iluminado da Durex. Três portas abaixo ficava a Vulcan Companhia de Polimento e Tintura, não muito maior que uma peça menor de Lego e totalmente esquecida por Mick até aquele momento. Traçados de amarelinha com proporções de formiga em giz colorido se desfaziam docemente a inclinação desaparecida da Bullhead Lane, e garrafas de leite microscópicas ao lado de pães com cascas castanho-avermelhadas enfeitavam os degraus da entrada da Freeschool Street. Pela atenção captada por cada cano de esgoto fino, pelos espectros de gasolina reproduzidos em todas as poças, ele percebeu que seria possível enlouquecer olhando para essas coisas, quanto mais construí-las. Ao lado dele, Alma enrugou a testa, pensativa.

— Você não acha que está faltando algum elemento? Como se eu estivesse usando todo esse esforço óbvio como camuflagem para esconder o fato de que não estou dizendo muita coisa, assim como cobria cada trabalho de ilustração com aquele pontilhado trabalhoso, todos os pontinhos, quando estava começando? Você me diria, né, se todo esse exercício não fosse nada mais que uma nostalgia ridiculamente grandiosa?

Mick franziu a testa em espanto para a irmã, não tanto por seu raro ataque de insegurança, mas pela falta de autoconsciência evidenciada pela última pergunta.

— Não, claro que não diria, Warry. Ninguém diria. Todo mundo tem medo de falar o que quer que seja, porque você vai começar um debate sobre um monte de coisas que ninguém entende. Acho que dá para dizer que você não vai conseguir uma crítica sincera de ninguém ao alcance do seu braço, porque é uma chata que se irrita com qualquer coisinha.

Ela estreitou as crateras dos olhos cheios de fuligem enquanto pensava, com a cabeça desgrenhada inclinada para um lado, o olhar nivelado e sem piscar fixo no irmão por longos e preocupantes segundos antes de arriscar sua resposta, surpreendendo-o ao pousar uma mão amiga em seu ombro esquerdo.

— É uma questão excelente, Warry, e muito bem colocada.

Ela retirou a mão, mas não antes de deixá-lo preocupado com o perigo de ser derrubado com um beliscão no nervo ao estilo Star Trek. Mick, claro, sabia que isso não existia, mas e se Alma não soubesse? Outras pessoas estavam chegando agora, retardatários enfiando cabeças trêmulas pela porta da creche do outro lado da obra opressivamente meticulosa. Ele reconheceu o amigo ator da irmã, Bob Goodman, embora isso não fosse muito diferente de dizer que reconheceu o rochedo Ayers. Mick podia pelo menos distinguir um desses marcos erodidos do outro, até pelo fato de que o rochedo Ayers nunca tinha usado uma jaqueta de couro, uma boina preta ou exibido um olhar tão persistente de ressentimento profundo e desconfiança. Mais alegre, por trás do ator com seu comportamento de vigia da morte, Mick notou, estava a colega artista de Alma, Melinda Gebbie, uma náufraga transatlântica com quem poderia ter uma conversa divertida se a exibição esvaziasse. Além disso, como a irmã mais velha havia admitido em particular que a bela californiana era de longe a melhor pintora entre as duas, Mick sentiu que poderia se proteger atrás de suas declarações e opiniões embasadas se a irmã planejasse lhe dar uma surra artística. Com ela, vinha outra pessoa que ele havia encontrado ao menos uma vez, Lucy Lisowiec, uma muralista extramuros que também trabalhava na comunidade dos Boroughs e que, pelo que ele ouviu de Alma, havia ajudado sua irmã a conseguir a creche para aquela tarde. As mulheres riam e conversavam, penduradas nos braços uma da outra, com a mais nova das duas tão maravilhada com as paredes cobertas de arte que suas pálpebras pareciam insuficientes para conter os olhos. Mais gente entra pela porta aberta atrás deles, algumas pessoas que ele achava que conhecia, e outras que não. Alma, ao seu lado, suspirou profundamente, ainda remoendo o território natal reconstituído.

— Estou vendo que vou precisar tirar minhas próprias conclusões sobre o que pode estar faltando nessa instalação, em vez de contar com suas valiosas percepções. Escuta, acho que Roman Thompson disse que precisa me dizer alguma coisa, então é melhor eu ir falar com ele. Se for ver qualquer outra obra, comece logo pela nossa direita e ande pela sala por aqui. Ah, espero que tenha um isqueiro. Deixei o meu em casa, então, se precisar sair para fumar algo, vou precisar do seu.

Mick assentiu, fazendo um gesto para ela se afastar, impressionado com o uso da palavra "se" na última frase, como se Alma sair para fumar algo fosse uma contingência remota, e não a certeza permanente que ambos sabiam ser. Com a galeria improvisada começando a encher, com sua horda espremendo-se em valsas constrangidas entre a parede e a borda da mesa, ele se lembrou de quando aquele lugar era a escola de dança de Marjorie Pitt-Draffen, com aspirantes a Nijinsky sapateando no amplo espaço de parquê. Qualquer um que ensinasse a Gay Gordon[50] para crianças hoje em dia, refletiu, teria problemas com a polícia. Decidindo que seria melhor começar a olhar com cara de absorto para as pinturas da irmã se quisesse sair de lá antes de anoitecer, Mick deu uma última olhada para o bairro feito de seda de enrolar cigarros — um lago metálico pintado de prata entre os curtumes ao longo da Monk's Pond Street; estorninhos do tamanho de sementes que mal eram visíveis nos telhados da escola — antes de se meter em uma jornada trabalhosa através do congestionamento de visitantes, indo para o ponto de partida recomendado, atrás da porta aberta da creche. Era uma tela grande, pendurada, ou melhor, apoiada de modo a cobrir parcialmente a janela adjacente. Como nunca tinha ido à uma exposição de arte antes, Mick não sabia ao certo como elas deveriam ser, mas, dito isso, tinha quase certeza de que não era assim. O amontoado de imagens naquele jardim de infância claustrofóbico não parecia seguir qualquer ordem, e era como se alguém tivesse explodido um professor de arte em um espaço fechado. Já irritado, Mick voltou as atenções sitiadas para o retângulo bloqueando a luz solar que havia sido especificado como o ponto de entrada daquela extravagância.

Preso à moldura da janela acima da tela com massa adesiva azul havia uma anotação em caneta esferográfica com o título da pintura acrílica, *Obra em Andamento*, com uma seta rabiscada com bastante condescendência e inclinada para baixo em direção à moldura, como se fosse destinada a uma plateia de galinhas. A sensação de desleixo sugerida pela legenda apressada estava, na opinião de Mick, também presente na obra de arte à qual havia sido anexada. Era nítido que a coisa não estava terminada, como se Alma tivesse perdido o interesse depois de dois terços do caminho. O que era uma pena, porque a parte que ela se preocupou em concluir, uma área lustrosamente embelezada ao redor do centro superior do trabalho, era de fato muito boa. A julgar pela água-viva sépia rastejante do subdesenho de lápis Conté, a cena pretendida era um ambiente interior de madeira simples, visto de baixo para cima, como se fosse o ponto de vista de um adulto agachado, ou talvez o de uma criança. O espectador erguia os olhos dessa perspectiva desempoderada para um quarteto imponente de homens rústicos de ombros largos, com o físico e as mãos calejadas de trabalhadores, que, no entanto, usavam o que pareciam ser vestes de batismo descomunais, de um branco aplicado de tal maneira que de alguma forma parecia brilhar. As quatro figuras estavam ao redor do que Mick deduziu ser um cavalete, com as extensões imaculadas de suas costas apresentadas ao espectador, e tinham as cabeças inclinadas em uma consulta murmurada, sem dúvida uma discussão de alguma necessidade técnica da qual todos, exceto os artesãos enormes, estavam excluídos. Apenas um do grupo reunido parecia ciente de que ele e seus três colegas de trabalho eram observados, virando a cabeça prematuramente descolorida para olhar por cima do ombro para o observador acovardado, com o rosto bronzeado severo e raios cor de safira no olho afrontado.

Ainda se perguntando como sua irmã havia executado o efeito do brilho etéreo nos trajes deslumbrantes e incongruentes de seus trabalhadores, Mick aproximou-se e concentrou o olhar para descobrir que aquilo que parecia ser um tom de neve uniforme visto de mais longe era na verdade uma camada fosca lisa na qual, com toda a minúcia, tinha sido adicionados brilhantes quadrados e retângulos preenchidos com espirais, glifos ou manchas de leopardo também reluzentes, branco sobre branco. Olhando para além dos trabalhadores radiantes com suas conotações um tanto soviéticas, bem no fundo da composição, a partir da perspectiva distorcida do plano de baixo para cima, era possível distinguir apenas as vigas e os caibros de madeira esboçados na parte inferior do teto, de onde uma única lâmpada nua pendia em seu cabo flexível acima das cabeças dos artesãos em conferência. Essa vaga elipse a revelar plenamente seu conteúdo, na parte central da tela, foi realizada tão lindamente que os rendilhados marrons que a cercavam, as dobras caídas das vestes brancas, os cachos de lagarta de madeira raspada amontoados nos pés descalços dos carpinteiros, tudo isso deixou Mick aborrecido com a displicência de Alma. Por que ela não se esforçou mais naquilo? Pelo que podia ver, com aquela apresentação desordenada e amadora e aquela tela de abertura inacabada, a única declaração que ela estava fazendo parecia ser um "Não vou nem me dar ao trabalho", mas, para falar a verdade, nem isso foi feito com muita convicção.

Em algum lugar na multidão atrás de si, ele ouviu a risada de Ben Perrit, embora pudesse ter sido tanto por alguma sutileza velada na obra de Alma quanto por uma piada ou até alguma atrocidade da Al Qaeda. Ou então uma embalagem de Crunchy. Do outro lado da sala, o grasnido de abutre rapinante de Rome Thompson foi interrompido por uma explosão esganiçada que imediatamente Mick percebeu vir de sua parente de sangue.

— Rome, puta merda. Tá falando sério?

Em outros lugares, rajadas de cacarejar californiano ou o murmúrio de David Daniels eram perceptíveis acima do farfalhar de algaravias. Torcendo para que as coisas melhorassem, Mick se arrastou para a direita para apreciar melhor o prato seguinte naquele menu de degustação de sabores estranhos, um trabalho muito menor em óleo, com uma moldura bem mais elaborada, identificada em caneta esferográfica em um Post-it ao lado como *Uma Hoste de Ângulos*.

Ora, esse era melhor. As dimensões restritas, algo como trinta por quarenta e cinco centímetros, diminuídas pelo contorno dourado, mal continham um campo concentrado de luz e embelezamento de lente de aumento. A vinheta em aspecto de retrato, como sua antecessora, apresentava mais um ambiente interno, embora dessa vez parecesse ser o da Catedral de St. Paul. A luminosidade amarelada, como se viesse de uma tempestade que se aproximava, permitia que destaques polidos de dourado quente como xarope de melaço emergissem dos tons predominantes de uma cena que Mick presumia, apesar de seu ar de autenticidade, ser imaginária. Nas pedras decoradas sob a Galeria dos Sussurros do edifício havia sido erguido um guindaste impossivelmente alto, amarrado com roldanas e cabos robustos, com os inúmeros suportes e vigas da construção do andaime contrastando com os desenhos circulares da catedral e talvez incorporando os muitos ângulos mencionados no título da pintura. Em suas extremidades mais altas, a façanha de engenharia parecia sustentar uma plataforma precária em forma de cunha, mas, se fosse isso, não seria possível explicar o propósito do saco de areia, certamente em escala onírica, com sua massa estupefata pendurada apenas alguns centímetros acima do piso imaculadamente polido. Só podia ser algum tipo de contrapeso, mas Mick não conseguia descobrir o que equilibrava, até que um olhar mais atento revelou uns trinta centímetros de espaço sob a enorme estrutura no centro da composição. A coisa toda estava pendurada no interior da cúpula mais acima, talvez para que os trabalhadores do século XIX perto da base da estrutura, em raios de sol ictérico, pudessem girá-la. Mick recuou, maravilhado, de algum modo convencido pela espetacular inviabilidade do arranjo de que a imagem registrava ocorrências reais; eventos e mecanismos que de fato aconteceram ou existiram, tudo em pinceladas tão pequenas que eram quase invisíveis. A sensação de espaço ecoando e o silêncio eclesiástico evocados pelas falsas profundidades da representação beiravam o tangível, já que ele quase podia ouvir o rangido de tensão de uma corda grossa ou sentir um leve resquício do incenso do domingo anterior. Era silenciosamente magnífico, e o único elemento que o incomodava na obra era que não parecia ter qualquer coisa a ver com ele ou sua experiência. Aliás, pensando nisso, o mesmo valia para a peça anterior.

E, conforme constatou, também para a obra seguinte, encostada na parede da creche sob *Uma Hoste de Ângulos*, exigindo que Mick se agachasse caso quisesse inspecioná-la. Deslocado por essa ação para um plano infantil habitado por calças tão distintas quanto rostos, tentou observar a pintura como deveria, com a consciência dolorosa de que representava uma obstrução aos joelhos estudadamente educados, mas ainda furiosos por dentro, ao seu redor no corredor estreito. Quase na mesma escala da cena da catedral logo acima, mas dessa vez em uma moldura de madeira branca imaculada, uma etiqueta apressada presa ao rodapé o informava o título da imagem: *Ordem Civil de Restrição ao Desejo*. Era uma forma oblonga sombreada com um círculo do tamanho de um prato na metade, e ele percebeu depois de uma pausa de perplexidade que estava olhando para o close de uma câmera de segurança, mirando fixamente o vidro de sua pupila dilatada. Já pequena e ainda mais diminuta pelo escorço, uma figura feminina isolada estava refletida no centro da lente, capturada em seu globo de neve autoritário e definida em delicados rendilhados brancos contra as faixas predominantes de escuridão fuliginosa da obra, roxos que eram quase pretos e se esfarelavam em um grão fino nas bordas. Pensando nos episódios da infância em que se intrometeu sem querer quando a irmã mais velha estava preocupada com arte — o que era muito mais perturbador do que uma invasão enquanto ela estava no banheiro —, Mick achou que a imagem poderia ter sido feita com uma cuidadosa aplicação mascarada dos difusores de boca obsoletos que ele a tinha visto usar, tubos articulados pelos quais se soprava para produzir uma névoa salpicada, um aerógrafo Amish. Isso tornaria muito provável que o meio fosse de tinta colorida, uma estranha e reconfortante escala de pirâmides de vidro de Windsor & Newton com os rótulos de heráldica de livro infantil. A mulher sob o olhar vigilante usava salto alto e saia curta, com os punhos enfiados nos bolsos de uma jaqueta de gola peluda, apoiando o peso em um dos pés e a cabeça virada para espiar no escuro como se esperasse ansiosa por alguém. Não parecia perceber que estava sendo observada furtivamente, o que enfatizava sua vulnerabilidade e deixou Mick um tanto preocupado. A lente impassível lembrava demais um olho voyeurista de algum masturbador nas sombras. Gotas de condensação bem delineadas, adornando seu menisco frio, erguiam-se como suor lascivo na testa de um molestador.

— Warry, sei que ficou incrível, então tudo bem você se curvar na frente dele, mas sua adoração está bloqueando a passagem de todo mundo. Se eu soubesse que ia me fazer passar essa vergonha, não teria te convidado. Ah, sim, e me empresta o isqueiro?

Com um suspiro pesado de resignação, Mick se virou do noturno desconcertante para observar as botas Doctor Martin's com doze buracos, mas cadarços apertados de maneira incompetente que pareciam estar brigando entre si. Erguendo-se desajeitadamente, remexeu com algum ressentimento no bolso da calça, por fim tirando a necessária vareta ametista do tipo três-por-uma-libra. Não que se importasse por Alma pegar o isqueiro emprestado; era mais aquele jeito de ficar ali com a palma da mão estendida, como se ele tivesse nove anos e ela o estivesse confiscando.

— Toma. Não esquece de trazer de volta. Você sabe, né, Warry, que são apenas imagens desconectadas? Não tem algo para unir tudo, a não ser se você contar a centopeia esmagada que chama de assinatura. E o que isso tudo tem a ver com o fato de eu quase morrer sufocado?

Embolsando distraída o losango de plástico cheio pela metade sem nenhum comentário ou demonstração de gratidão, a irmã o examinou por baixo de pálpebras carregadas de drogas e rímel, relutante em deixar entrar muitos fótons da luz filistina rebatida dele.

— Ora, Warry, para o clímax da exibição, em uma performance improvisada, vou enfiar um pote de dois quilos de pastilhas para tosse na sua garganta, terminar o serviço e muito provavelmente ganhar o Turner. Pessoas como você são o motivo por que a classe trabalhadora não pode ter coisas boas.

Ele sacudiu a cabeça lentamente, com pena, como um veterinário pessimista.

— E pessoas como você são o motivo por que ninguém consegue nem encontrar uma merda de isqueiro no bolso, Warry.

Alma lançou a ele um elaborado gesto obsceno que envolvia duas mãos e também antebraços se cruzando em um ângulo agudo a partir do cotovelo, o que para Mick parecia um chilique ritualizado, antes de sair pela porta aberta para tomar ar e poluí-lo. Ele a observou pela janela da creche, uma imensa bola de poeira feita de penugem turquesa que parecia rolar em uma brisa contrária pelo monte nu do lado de fora enquanto andava de um lado para outro, acendendo um baseado apenas um pouco mais curto do que sua bengala de cego habitual, mas que sem dúvida considerava discreto e comedido. Malditas mulheres e sua incapacidade inata de compreender relações espaciais. Claro, pode ser que ela tenha escolhido um local tão minúsculo que, mesmo que apenas duas pessoas e um cachorro aparecessem, ainda se apresentaria para uma plateia lotada. Do meio das pessoas prensadas como embutidos de frigorífico imediatamente ao seu redor, ouviu Bert Regan arriscar um diagnóstico não relacionado.

— Hu hu. Puta que me pariu. O que ela acha que é isso? A porra do Agorafóbicos Anônimos ou o quê? Essa tua irmã nunca rezou pela mesma cartilha de todo mundo, né?

Mick se virou e sorriu para o vagabundo de aparência absurdamente robusta, de alguma forma ainda ruivo, mesmo agora que o cabelo que lhe restava era grisalho.

— Oi, Bert. Para ser sincero, acho que ela está em outro livro. Pode até estar em outra língua, provavelmente uma que ela mesma inventou. Escuta só, a senhora que eu vi antes com você é sua mãe? Ouvi ela falando. Eu não escutava um sotaque dos Boroughs como o dela fazia anos.

O pirata encalhado em terra firme desnudou o punhado de dentes que sobreviviam em sua boca, como um piano martelado, em um sorriso afetuoso.

— Ah, é. Ela não está mal para uma moça de oitenta e seis, ou sei lá quantos anos ela tem agora, né? Cresceu na Compton Street, ali perto da Spring Lane. Eu e meu irmão e minha irmã achamos que ela vai viver mais do que todos nós, só de pura teimosia, como é típico dos Boroughs.

Mick seguiu os olhos de Bert, lascas azuis de porcelana descartada abaixo do alfeneiro oxidado da testa, e localizou a senhora em questão, cheia de autoconfiança, do outro lado da galeria improvisada, em uma conversa animada com Lucy e Melinda, que pareciam cativadas. Tudo o que ele captou foi: "Ah, siiim, eu se alembro que nós se arrumava inteira pra ir na cidade", mas não precisava de mais nada para ser submergido em uma enxurrada de vogais geneticamente defeituosas ou consoantes sumidas e supostamente mortas; de confissões em filas de lanchonetes e solilóquios no portão da escola.

Ouvir uma mulher dos Boroughs daquela época falando era sentir sob a ponta dos dedos as letras em relevo nas fichas de leite ovais e coloridas da Co-op, com cor de cobre e de valor confiável. Maravilhado, voltou sua atenção para o antigo instalador de gás, pioneiro dos crimes com arma branca e encanador de Dodge City ao seu lado.

— Você tem sorte por ela ainda estar por perto, Bert. Quem eram aquelas duas mulheres que eu vi quando cheguei mais cedo? Amigas dela?

As sobrancelhas de taturana enferrujadas se juntam para um enfrentamento intrigado.

— Não tá falando de Mel e Lucy, né?

Balançando a cabeça como um cachorro molhado, Mick examinou o local apertado e recoberto com as alucinações da irmã mais velha, esperando que pudesse apontar as duas, mas elas já tinham ido embora ou haviam saído para fugir de tanto barulho e tanta gente, o que era compreensível.

— Não, essas duas eram mais velhas que a sua mãe. Pareciam ser moradoras antigas daqui pelo jeito como estavam vestidas.

Bert comprimiu os lábios em um dar de ombros oral.

— Nem vi. Sei que o Rome, o Rome Thompson, ele tava passando por todos os apartamentos e abrigos ontem, pra avisar da exposição da Alma, então devem ser duas senhoras daqui de perto que vieram dar uma olhada no que tava acontecendo.

Ambos concordaram que deviam ser isso e manifestaram sua aspiração férrea de se falarem mais tarde, antes que as correntes de convecção da conversa arrastassem o ogro urbano genial para o grunhido e o murmúrio. Enquanto via Regan ser levado embora, Mick fez uma anotação mental para perguntar à irmã como as coisas estavam progredindo com a hepatite C de Bert que, segundo as últimas notícias, não cedeu mesmo depois de dois tratamentos com interferon sinistramente suicidas, remédios para quem estava nas últimas, muito mais feios do que a doença. Voltando a atenção para o vômito copioso de ideias e cores escorrendo pelas paredes do recinto, ele vasculha as várias peças seguintes em uma busca desanimadora de algum fio tênue que conectasse a exibição pavoneada de habilidade técnica de Alma com seu próprio episódio de quase-morte, saindo de mãos vazias.

Em *Moradores de Rua*, ao lado do que parecia ser uma sequência bem arbitrária, ele se viu olhando para o delineamento de guache desordenadamente colorido do salão da frente de um pub, que parecia ser o velho Black Lion, onde clientes incrivelmente brilhantes ouviam em uma familiaridade embriagada ou ameaçavam deslocar as mandíbulas inferiores em gargalhadas esganiçadas, com a expansão carnuda dos bebedores sociais e seu habitat saturado de cores distorcidos e exagerados até beirar o abstrato. Sentado despercebido e ignorado em meio aos verdes e roxos semelhantes a pedras preciosas de uma clientela moderna zurrante, estava um sem-teto anacrônico dos anos 1950, pintado em cinzas quentes, com barba por fazer, preto brilhante em suas dobras, titânio úmido em um globo ocular triste. Com um realismo quase fotográfico em comparação com os grotescos de Weimar que o cercam, com seus tons de papel de jornal contrastando com o Technicolor deles, o andarilho nitidamente existia em um plano separado de todos os outros foliões descuidados representados, e parecia ser invisível para a visão encharcada de cerveja deles. Única figura presente sem um copo diante de si ou na mão, sozinho entre a multidão extravagante para encontrar o olhar do espectador, ele mirava por baixo da aba do chapéu surrado e das profundezas da imagem com um sorriso triste e cheio de sabedoria, talvez direcionado à horda insensata ao seu redor, ou ao espectador da pintura, ou a ambos. Uma estranha cena comovente que, mais uma vez, não tinha nada a ver com Mick.

A seguir, *O X Marca o Local* tinha sido realizado com uma técnica que ele acreditava ser linoleogravura, o peregrino solitário retratado feito de fatias fraturadas de vermelho indiano sólido em papel de aquarela pesado amarelado, salpicado de velhice ou chá. A forma monástica estava curvada sob o fardo de um saco de aparência pesada e provavelmente alegórico, com um dos ombros arriado, lutando para subir uma inclinação reconhecível pela colcha intrusiva de sinalização moderna cortada em bloco no fundo, no meio da Horseshoe Street. Mick chegou à conclusão de que não entendeu porra nenhuma, e o item seis não era muito mais esclarecedor. Com cerca de meio metro por um, estava o que parecia, a alguns passos de distância, ser o retrato granulado de cabeça e ombros de um Charlie Chaplin de chapéu, mas que, ao se aproximar, se dissolveu em uma colagem mista. Uma grande engrenagem de relógio industrial, talvez recortada de uma revista técnica ou científica, descrevia o semicírculo superior do chapéu icônico do astro mudo, enquanto a faixa e a aba formavam uma fábrica de munições retangular e uma silhueta de cerca de arame farpado. O rosto logo abaixo, uma colagem de fragmentos de fotos de densidades de meio-tom cuidadosamente compostas e graduadas, era um carnaval incongruente de modelos Dior, vítimas de bombardeios, máscaras de gás armazenadas, cartuns da *Punch* zombando da arte contemporânea e o que parecia ser um mapa antigo das ruas de Lambeth. A bochecha esquerda era feita de campos de papoula desbotados, um dos olhos, de um rosto que Mick identificou como o jovem Albert Einstein, e o outro, de uma boia salva-vidas do *Titanic*. O bigode, ao que parecia, poderia ser o notório veículo motorizado do arquiduque Franz Ferdinand em Sarajevo. Ele nem se deu ao trabalho de olhar para o rabisco apressado de esferográfica, uma reflexão tardia que deu à montagem enigmática seu título sem dúvida inteligente.

E assim a coisa seguia, como uma escada íngreme de estranhamento. A obra seguinte estava lá apenas por sua capacidade de chocar a plateia, concluiu Mick, e retratava as costas nuas de um homem negro adulto, em uma moldura engenhosamente trabalhada com contornos precisos para conter as curvaturas musculosas da rica extensão roxa e mogno. De forma angustiante, a pele em questão parecia recentemente açoitada, talvez por um chicote de várias cordas, que havia deixado linhas horizontais vermelhas espaçadas nas omoplatas brilhantes. Só então percebeu que essas marcas estavam lá para sugerir uma pauta musical terrível, na qual o que pareciam manchas aleatórias de sangue se revelavam como notas cuidadosamente colocadas em alguma composição assustadora. Constrangido, deu uma olhada na identificação improvisada ali ao lado. *Cego, Mas Agora Vejo*, ao que parecia, embora Mick não tivesse a mínima ideia do que poderia significar. Apesar da certeza de que a irmã não teve essa intenção, considerou que aquela obra em particular poderia muito bem ser interpretada como racista, ou no mínimo racialmente insensível. Ele se perguntou o que Dave Daniels pensaria e, em seguida, questionou se o simples ato de fazer essa especulação não poderia ser racismo.

Em seguida, havia um estudo feito com giz de cera de alguém que parecia Ben Perrit caminhando desconsolado no fundo de um oceano, com nuvens de sedimentos surgindo de seus calcanhares e o que pareciam ser fragmentos sombrios da igreja de St. Peter projetando-se do fundo do mar, ervas daninhas em tiras saindo das bocas escancaradas de monstros saxões em relevo abaixo dos beirais. Em seguida, veio um trabalho maior, realizado com uma técnica que Mick se recordava vagamente que se chamava esgrafito. Era uma vista em ângulo agudo para cima na direção da silhueta de uma figura de pé escarranchada em uma cumeeira, com um tipo de vidro ou esfera de cristal em cada mão erguida, e abaixo, a superfície preta riscada em manchas aleatórias revelando um papel alumínio prismático por baixo. O que vinha depois não era um trabalho pictórico de qualquer tipo, mas um avental branco, bordado à mão com borboletas e abelhas inesperadamente edificantes na bainha. Apesar de parecer ter exigido muito esforço, mais uma vez ele percebeu que não tinha uma noção clara do que, se é que havia alguma coisa, o linho branco poderia comunicar além de um "Todo mundo olhe para mim. Eu sei bordar". Tampouco o item dez, identificado por um rabisco irregular de caneta esferográfica como *Escutai! o Som Alegre*, era mais esclarecedor. Provavelmente feito em pastéis de óleo, retratava uma jovem vestida com roupas da década de 1940, sozinha e sentada em uma sala com iluminação a gás, tocando piano. Só depois de alguns momentos percebeu que os destaques em branco de titânio nas bochechas da figura evocavam lágrimas refratadas. No mínimo, parecia um pouco sentimental; uma figura de caixa de chocolate, até, como aquele cara que fez o quadro com o garçom cantor, Vettriano. Mais uma vez, nenhuma referência ao próprio Mick à vista. Tudo isso teria sido apenas mais uma das piadas quase incompreensíveis, ou mesmo perceptíveis, de Alma? Uma piada engraçada apenas para uma enciclopédia de alguma forma senciente que nunca tinha ouvido nenhuma boa piada. Foi nesse ponto que o objeto de suas reflexões mais uma vez se materializou ao seu lado. Ele esperava que fosse para devolver o isqueiro emprestado, mas sabia que era para Alma ver se aprovava suas reações às pinturas dela. Isso o deixou um pouco apreensivo, depois irritado, por Alma ter invertido a relação normalmente subentendida entre a arte e seu público. É verdade que não tinha ido a muitas exposições, mas tinha a impressão de que, nessas estreias nas galerias, era o artista que ficava nervoso por ser julgado, não o público presente. Depois de arrancar o isqueiro das garras envernizadas dela, levantou a questão com a irmã, embora não de modo tão lúcido quanto havia feito em sua cabeça. Os olhos de escova de chaminé dela o fitaram com genuína perplexidade.

— Ora, Warry, que noção maravilhosa e sobrenatural. Isso realmente nunca tinha me ocorrido, sabe. Uma obra de arte obviamente está transmitindo um julgamento sobre todo mundo e tudo o que não é uma obra de arte. Bom, a minha arte está, pelo menos. Não posso falar por nenhuma outra pessoa.

Enquanto começava a notar sua própria deficiência crítica de nicotina, Mick se deu conta de que seu comentário havia sido talvez mais contundente do que pretendia. Mesmo assim, não fazia diferença, já que Alma ignorou o tom de repreensão.

— Então, Warry, não é a arte que está julgando todo mundo, né? É só você mesmo.

Ela o encarou por um momento e então, baixando os olhos, suspirou.

— Ah, Warry. Por que é sempre a sabedoria das crianças com deficiência a mais comovente? Mas não estou totalmente certa do motivo por que levantou essa questão, para começo de conversa, sugerindo que eu criticaria qualquer reação negativa. Qual é sua reação até agora, Warry, o que causou todos esses pensamentos perturbadores e incomuns?

Com a cabeça inclinada para o lado, Alma olhava o irmão de uma maneira tanto forense quanto intrigada, um envenenador alerta para os primeiros sintomas de seu sucesso.

— Será que a questão não é que... bem, que não *gostou* dos quadros que tive tanto trabalho para criar especialmente para você?

Era bem o que ele temia, e a culpa era toda sua. As pupilas dilatadas pelas drogas da irmã, aninhadas nas cinzas mijadas de suas íris, estavam grudadas nele, e suas pálpebras pareciam não estar mais funcionando.

A língua havia secado no palato, e a piada de Roman Thompson na pequena galeria improvisada transformou o lugar num jantar de um bando de corvos, formal e estridente. Alma ainda não tinha piscado. Não havia como sair dessa com honra, então Mick assumiu relutantemente o que esperava ser uma postura de pugilista enquanto partia para a ofensiva.

— Mas na verdade não criou, né, Warry? Como isso tudo pode ser para mim, principalmente o Charlie Chaplin feito de Primeira Guerra e peças de relógio? O que me liga com Charlie Chaplin?

O olhar aparentemente sem pálpebras dela foi para o teto, depois voltou para Mick.

— Bem, vocês são ambos símbolos muito amados de um proletariado traído, e os dois andam como alguém com diarreia explosiva. Então aí está. Mas, Warry, falando sério, o que é isso tudo, essa truculência? Não é por você ter formado sua opinião depois de ver só as primeiras seis ou sete obras, né?

Arregalando seus olhos de roda de moinho de forma inquisitiva, Alma esperou a resposta afirmativa para que pudesse chutá-lo e de alguma forma fazer com que suas pinturas aleatórias e desconexas fossem culpa sua. Felizmente, dessa vez Mick estava pronto.

— Warry, você me subestimou totalmente, como sempre. Já vi as primeiras onze.

Tardiamente, ocorreu-lhe que aquilo soava como se tivesse assistido a um time de críquete de escola. Talvez pudesse ter formulado melhor o que disse, mas sentiu que o cerne da questão era sólido o bastante. Os cantos da boca da irmã, no entanto, migraram com firmeza para a região onde suas orelhas foram vistas pela última vez.

— Ah, tá, certo. As primeiras onze. Então não viu a número doze?

Aquele sorrisinho terrível. O que aquilo significava? Ele disse que não, não tinha, e o ricto se alargou ainda mais, a ponto de fazê-lo temer que o topo da cabeça de Alma se separasse e escorregasse lentamente, caindo com um baque úmido no chão da creche. Ela apontou uma unha encharcada de sangue para um ponto atrás dele à esquerda e, com um aperto no coração, Mick se virou para enfrentar a décima segunda obra da exposição.

Uma etiqueta de esferográfica, a essa altura já esperada, anunciava a grande obra de acrílico como *Engasgando Com Um Tune*. As próprias feições de Mick após seu acidente de trabalho preenchiam a enorme tela de cima a baixo, de ponta a ponta, uma paisagem pós-apocalíptica com um nariz descascando e uma expressão de surpresa. Olhos lacrimejantes, em azul úmido e vermelho agravado, eram vistas aéreas de poças tóxicas afundadas em um rosto corroído de ferro-velho. O vívido pó laranja que o tambor de aço em colapso havia soprado sobre ele submergia o retrato sob um enxame de pontos de pimenta caiena, doloridos e acesos, cuidadosamente aplicados em um pigmento que mais tarde soube ser não apenas a mais antiga fonte de cor, mas também de um veneno mortal. Pontos de opala de fogo fervilhavam em uma fisionomia de ponto zero em riachos salpicados, em redemoinhos de ferrugem girando ao redor e por entre bolhas de disco cor-de-rosa, pústulas de balas sortidas variando em tamanho de pontos finais a marcas de tiros emergindo da epiderme quimicamente desgastada, com cada saliência saindo da superfície e acentuada com uma mancha cada vez menor de branco chinês destacado em seu menisco. Para Mick foi difícil olhar para aquela imagem, dolorosa em toda a sua dor dolorida meticulosamente retratada. Era uma visão chocante, sem dúvida, de uma proficiência técnica impressionante, mas que parecia insensível como os ombros negros esfolados da obra sete. Com uma desagradável pontada de decepção familiar, estava quase pronto para despachar a irmã ao mesmo gulag frio de desdém onde quase todos os outros artistas britânicos modernos sem alma e em busca de atenção já estavam confinados com uma dieta de seus próprios sapatos, quando sua atenção foi fisgada por algo nas espinhas consteladas espalhadas nas bochechas e na testa do doppelganger. Ele se inclinou mais para perto. Quase certamente era um fruto de seu talento para encontrar padrões, como ver macacos leprosos rosnando em uma superfície de mogno, mas havia algo tentador na textura da pele crua retratada com suas queimaduras reencenadas com precisão. Agora irritado, chegou ainda mais perto.

Como um estonteante pop-up, a pintura se abriu, florescendo com novos planos e perspectivas. Com o nariz talvez a vinte centímetros da imagem, tornou-se aparente que os minúsculos furúnculos cereja e grãos misturados de laranja cáustico escondiam miniaturas pontilhistas de Seurat, cenas inteiras emergindo da névoa dérmica inflamada. Abaixo do olho direito horrorizado do retrato, o quintal de sua casa de infância nadava em uma definição manchada, na qual, no xadrez rachado do nível superior do cercado restrito, sua mãe, Doreen, estava sentada de perfil em sua cadeira de madeira de espaldar alto, flagrada no ato de colocar algo pequeno na boca de passarinho do bebê de roupão equilibrado em seu colo. Espalhando-se pela área barbeada acima do lábio superior do rosto pintado, um invólucro de bolhas de pó avermelhado resolvia-se em uma vista de solenidade quase eclesiástica, com sua mãe chorosa à esquerda passando a forma flácida de seu bebê de aparência morta para o trabalhador preocupado que se inclinava da cabine de seu caminhão à direita, com uma das pernas nuas do pacote sem vida balançando de modo comovente no vinco central. A mandíbula do rosto era, de orelha a orelha, uma visão aérea distorcida da rota da ambulância improvisada da Andrew's Road para a Grafton Street, com a Regent Square agora centrada na covinha de seu queixo, atravessando os Mounts até York Road e o hospital, este último uma reprodução na papada esquerda, detalhada e completa até o busto de Eduardo VII com a coroa de cocô de pássaro que adornava o canto nordeste do prédio. No entanto, era para a testa com a linha do cabelo recuada, o espaço desobstruído mais amplo à vista, que a vinheta mais marcante estava reservada: o pontilhado de rosa quente e a pimenta corrosiva de gengibre dispostos em linhas convergentes, talvez o canto superior de uma sala onde uma garota de uns dez anos, de maxilar firme, usando um boá fétido de coelhos mortos, estava de alguma forma suspensa, estendendo uma das mãos para o espectador. Assustado, Mick recuou, afastando-se, e tudo imediatamente derreteu mais uma vez em acne fervente.

Ele estava de volta, de volta ao salão, de volta ao seu corpo, e não mais com a consciência dissolvida em uma erupção impressionista de tinta polivinílica cítrica. As mensagens de secretária eletrônica sensoriais acumuladas recebidas durante sua ausência o inundaram como ofertas de banda larga da Virgin, o formigamento olfativo de toranja do que quer que Alma tenha usado em seu cabelo naquela manhã e a risada de Bert Regan, feia como um ralo borbulhando. A luz brilhante da tarde entrando pela janela oeste provocou um incêndio de detalhes, carecas, brincos únicos tremendo em um lóbulo ou slogans de camisetas desaparecendo na mente e na mistura de algodão do mesmo jeito. Com os olhos piscando como se para expelir o resíduo doloroso de imagens, ele se voltou para a irmã, de pé com um quadril para o lado e os braços angorá entrelaçados, observando suas reações com os olhos de chumbo de um assistente de laboratório nazista.

— Então, Warry. Até as verrugas. Era isso que você estava buscando? Ela deu uma risadinha, pelo menos dessa vez com ele, e não dele.

— Não é como se eu tivesse muita escolha. Você era um homem feito de verrugas. Por outro lado, essa poderia ser uma nova tendência em retratos, capturando as pessoas quando acabaram de ser atingidas na cara. Mas, na verdade, pode ser como o Francis Bacon trabalhava, pensando bem.

Quase certo de que Francis Bacon era a pessoa que alguns acreditavam ter escrito todas as obras de Shakespeare, Mick não compreendeu muito bem a relevância dos ferimentos faciais e, portanto, não disse nada. Felizmente, antes que Alma pudesse interpretar seu silêncio duradouro como um sinal de ignorância em relação à arte moderna, ela foi distraída por seu amigo ator Robert Goodman, abrindo caminho entre a multidão de corpos ao redor para apresentar à irmã de Mick um maço de páginas impressas da Wikipédia e um olhar furioso de ressentimento generalizado que não permitia nenhuma pista sobre suas origens. A velha estranha que fora seu algoz da infância inclinou o enorme crânio de fogueira apagada na chuva na direção do ator claramente nervoso, com os olhos de padrão de explosão crescendo e ao mesmo tempo de alguma forma se retraindo, puxados de volta para as órbitas da cratera. Ele percebeu que havia sido salvo pela chegada de uma vítima mais suculenta, mais parecida com as presas preferenciais de Alma.

— Ora, Bobby. Estávamos falando agora mesmo sobre as prováveis inspirações para as obras de Francis Bacon, e agora você está aqui. Isso é uma pilha aleatória de lixo que está me dando?

A boca de górgona de Gielgud, que na melhor das hipóteses estava muito mal-acabada, se repuxava num dos cantos em sinal de desdém.

— Isso, para sua informação, é o lance que você me pediu para descobrir de última hora, sobre as conexões de William Blake com os Boroughs. Você disse que se eu não fizesse isso nunca mais ia falar comigo.

Aceitando o maço de papeis soltos, Alma mostrou uma preocupação de atriz adepta do método de Stanislavski.

— Bobby, eu tenho certeza de que nunca disse isso. Foi isso que suas vozes lhe disseram?

— Eu não escuto vozes.

— Vozes? Bobby, ninguém falou que você escuta vozes.

— Falou, sim! Você falou! Acabou de falar. Acabei de ouvir você falar.

— Ah. Ah, céus. Os médicos estavam com medo de que isso pudesse acontecer...

A essa altura, já se afastando discretamente, Mick interpretou a indignação muda do experiente ator como uma oportunidade para anunciar que estava saindo para fumar um cigarro. Concedendo permissão com um aceno de cabeça, sua irmã apenas interrompeu a manobra de operações psicológicas para exigir que ele não fugisse com o isqueiro dela, o que Mick prometeu não fazer antes de lembrar que o isqueiro na verdade era dele.

Ele se esgueirou em direção à porta da creche de onde vinha um bafo de brisa. Espremeu-se mais uma vez para além da incômoda borda frontal da mesa sobre a qual repousavam os Boroughs que Alma havia miniaturizado com seu raio de encolhimento e acabou pressionado desconfortavelmente contra a borda oeste. Por mais irritante que fosse, era mais uma oportunidade para inspecionar detalhes negligenciados quando foi exposto à obra da primeira vez, e ele se viu examinando novamente a área reduzida ao redor da igreja Doddridge. Logo acima da anacrônica torre da Chalk Lane com seu chapéu de bruxa, encontrou primeiro a própria igreja e depois seu paradeiro atual, a antiga escola de dança de Marjorie Pitt-Draffen no final da Phoenix Street. De acordo com a cronologia combinatória da paisagem do modelo, apesar da antiga placa em letras vermelhas acima da porta proclamando a tradição terpsicórica da escola, as janelas da frente eram as da creche posterior, sedas finas de Rizla com a cena interna descrita em seu vidro falso em aquarela miniatura. Nesse caso, Mick percebeu, era de fato possível distinguir a mesa sobre a qual mal se via uma reprodução menor daquela pequena reconstrução. Sentindo-se um pouco enjoado, ele se arrastou para longe da exposição, reparando pela primeira vez na anotação colada na borda dianteira da mesa. Não havia número, mas a artista pelo menos tinha feito uma tentativa tímida de titular o bairro degradado de casa de bonecas, mesmo que fosse apenas com uma etiqueta sem imaginação que dizia *Os Boroughs*. Balançando a cabeça com tristeza, ele foi para o ar fresco.

Do lado de fora, inalando os primeiros sete milímetros doces demais do cigarro, ocorreu-lhe que todos os apartamentos e sobrados ao redor, diminuídos pela distância, eram quase do mesmo tamanho que aqueles dentro da galeria, os prédios antigos capturados pela extremidade invertida do telescópio de Alma. Aquelas pessoas desconhecidas nas varandas mais distantes, viúvas carregadas de sacolas arrastando os pés nas calçadas e homens corpulentos em prematuras regatas de tela, eram igualmente reduzidos à escala de soldadinhos de plástico Airfix — nunca haviam feito uma caixa com hastes de civis amontoados —, e ele ficou surpreso ao notar que o grau de personalidade que atribuía a esses pedestres remotos era pouco mais do que permitiria a uma figura plástica de tamanho equivalente. Vistos de longe, seus semelhantes eram reduzidos em significado e importância, não apenas em magnitude, com suas inimagináveis perambulações tornando-se dramas de fantoches de dedo, desfiles de brinquedos representados apenas para o entretenimento de um observador entediado. Percebeu que sempre teve essa sensação, não analisada até agora, de que a distância era uma ficção. Talvez o tempo também. Supôs que era assim que quase todo mundo via as coisas, sem ter consciência disso. Não sabia se toda aquela outra vida e aquela outra experiência seriam suportáveis se as pessoas de fato a considerassem tão real, tão válida, quanto as delas.

Mais acima, em meio ao algodão doce de baunilha correndo no azul cerúleo, um bando instável e elástico de estorninhos assumiu por instantes o contorno de um único pássaro. Foi um efeito mais engenhoso do que qualquer coisa vista até então na exposição, embora admitisse que o último item o tivesse impressionado e enervado. Olhando por cima do ombro para a janela panorâmica da creche, interpretou a confusão desenfreada de participantes visivelmente contida em sua moldura como uma declaração de arte em si, talvez um estudo sinistro de um daqueles estilistas cruéis de Weimar, como George Grosz ou alguém assim. Viu Alma tentando consolar ou condescender ainda mais com um Robert Goodman de aparência ofendida e, além dela, distinguiu as velhinhas malévolas, definitivamente irmãs, concluiu, que ninguém parecia conhecer, ambas de pé, ouvindo e balançando a cabeça enquanto Roman Thompson e Melinda Gebbie, aos risos, contavam algo que envolvia uma gesticulação extravagante para o namorado não muito convencido do anarquista envelhecido. Dando umas últimas tragadas fugidias no cigarro truncado, como se estivesse diante do cadafalso, enfiou o toco na grama úmida a seus pés, decidindo que deveria mais uma vez se retirar para dentro, já que as efígies de Alma não iriam se castigar sozinhas.

‡

Através da entrada aberta, o ar das lentes da janela o atingiu com uma flanela quente e etérea. Atravessando o tumulto ao longo da borda dianteira da mesa obstrutiva, ensaiando um caminho de diagonais apertadas que o levou além de Dave Daniels, retardatários que identificou como Ted Tripp e a moça astuta e atrevida de Tripp, Jan Martin, além de uma figura abatida e encardida que Mick pensou que poderia ser o traficante de Alma, enfim chegou ao ponto em que havia parado, mais adiante na parede norte da creche. Tentando não olhar para a paisagem facial industrialmente esquadrinhada do item doze, voltou a atenção para o grande desenho a lápis de proporção de paisagem à direita.

Dessa vez, a etiqueta rabiscada e superficial havia sido colada na longarina inferior simples do quadro e apenas dizia *No Andar de Cima*. Mais exatamente, *No Andar de Cma*, com uma minúscula letra "i" e um dardo direcional de esferográfica azul adicionados abaixo do título com erro ortográfico como uma reflexão tardia apressada e corretiva. Toda essa desordem, ele percebeu, estava começando a perturbá-lo. Como tinha apenas uma experiência limitada do fenômeno, esperava mais da cultura séria. Mais profissionalismo. Embora não fosse essa sua área de especialização, mesmo assim sentia que a irmã devia estar exibindo alguma forma de Arte, mas fazendo com que parecesse mais um descarte ilegal de lixo, em vez da instituição social de prestígio que supôs que seria. Já irritado com o item treze após uma breve leitura de sua legenda confusa, Mick ergueu o olhar para a própria peça de grande angular e a achou quase infantil em seu esplendor; nas proporções de seu deslumbre.

A visão celestial apresentada era como se o espectador olhasse ao longo de uma avenida ou corredor gigantesco, largo e alto o suficiente para comportar uma cidade e parecendo seguir para sempre, perseguindo um ponto de fuga elusivo. Recuperando seu equilíbrio espacial cambaleante, percebeu tarde que estava olhando para uma Galeria Emporium monstruosa e descomunal, com paredes distantes que se erguiam, nível após nível, em direção a um telhado de vidro de estação de trem tão grande quanto a Amazônia. Assim, substituindo o tempo, havia figuras geométricas complexas, maciças e irregulares, em linhas pontilhadas de branco sobre azul, como se fosse um manual de origami atmosférico. Com exceção desse teto vertiginoso, o vasto corredor parecia ser feito de madeira. Tábuas de pinho de dimensões extravagantes estendiam-se até a convergência remota do fundo, com o que pareciam molduras horizontais descomunais em intervalos, uma grade de buracos com bordas chanfradas preenchendo a extensão impressionante de ponta a ponta. A mais próxima dessas aberturas tinha uma das extremidades oblongas visível em close no centro inferior da imagem, com o vislumbre restrito revelando apenas geleia, vitrais ou talvez alguma nova combinação dos dois. Fora do mais espaçoso desses retângulos, a oitocentos metros ao longo da avenida interna, roseiras absurdamente ampliadas, uma bétula prateada transformada em sequoia com os olhos mal desenhados de sua casca agora como os de um leviatã. A obra conseguia seu sentido de imensidão graças ao contraste de figuras humanas quase microbianas que proporcionavam a escala agorafóbica necessária para dimensionar o tamanho e a distância, indivíduos de circo de pulgas espalhados em posturas oníricas como a prole híbrida de Delvaux e R.S. Lowry. Mais próximas do primeiro plano inferior e, portanto, mais discerníveis, duas crianças estavam na borda de madeira mais distante do buraco no chão mais próximo, olhando para longe do espectador e examinando um infinito interior. Ele reconhece o menor do par pelos cachos loiros e o roupão xadrez como sua própria imagem infantil, vista pela última vez por meio da dermatite crônica na imagem anterior, sentada no colo de sua mãe no quintal. A outra criança também estava no item 12, era uma menininha cabeçuda, identificável pela echarpe de peles de coelho. Uma luz distante, úmida e branca, encharcava as extremidades da enorme galeria com um deslumbramento desleixado.

Quase todas as cores eram um esmalte em camadas de outras em um palimpsesto sem palavras, com essa técnica meticulosa abertamente roubada do trabalho superior de lápis da amiga de Alma, Melinda, como sua irmã tantas vezes atestava. O grande salão retratado, uma vez visto, fez a creche minúscula em que foi exibida parecer ainda mais apertada e opressiva em comparação, com um tufão de cotovelos e a penugem de tapete aural de conversa hifenizada pela risada em repetição de Ben Perrit, uma gargalhada de Velho Marinheiro usando óxido nitroso. Dando uma última olhada no patamar brilhante e em sua infinidade libertadora, ele se arrastou para a direita entre as outras sardinhas connoisseurs e examinou as duas obras seguintes, ambas ripas estreitas de policromia com aspecto de retrato penduradas uma sobre a outra. Acima estava a peça quatorze e, franzindo a testa para a etiqueta de caderno de exercícios afixada abaixo, dessa vez com a esferográfica azul desaparecendo no meio da palavra antes de retomar em vermelho, revelando que o título era *Um Voo de As odeus*.

Deus do céu, a coisa era *toda* em esferográfica colorida, todos os trinta por noventa centímetros, e que coisa desconcertante. Mick teve a sensação de que se lembrava de Alma falando sobre aquela obra quando estava trabalhando nela, por volta de setembro passado, dizendo que havia conseguido rastrear uma fonte das esferográficas multicoloridas tão satisfatórias que tinham sido seu meio predileto durante a infância. Ela havia reclamado que hoje em dia qualquer coisa em esferográfica colorida provavelmente seria considerada como Arte Marginal, embora considerasse esse termo um subterfúgio de classe média para evitar ter que falar de Arte Maluca, que, pronunciada com admiração, era sua descrição preferida do gênero. No caso do item quatorze, Mick achou que ela tinha razão. A pessoa que coloriu com tanto esforço aquela imagem imponente, rabisco graduado sobre rabisco graduado, polido até que cada matiz se tornasse uma pedra preciosa pegajosa de doce chupado, não deveria ter permissão para sair na rua. A coisa mais perturbadora era que se assemelhava a uma ilustração perfeita de um livro infantil do século XIX, embora concebido e executado em algum ambiente de segurança máxima do Inferno ou de Bedlam. Pelo telhado de vidro no fundo primorosamente rabiscado ao piso de madeira clara no inferior, Mick deduziu que a cena ocorria no mesmo espaço ilimitado do panorama anterior, como se toda a sequência numerada de peças aparentemente não relacionadas tivesse decidido se desenvolver em uma espécie de história linear, uma história em quadrinhos megalomaníaca e sem palavras, mas com muito pouco em termos de continuidade entre seus painéis de monstros. Pelo menos este tinha um monstro de verdade. Lá embaixo, um pequeno grupo de pessoas, a maioria crianças, estava perto do que parecia ser um dos braseiros de trabalhadores antigos, que Mick não conseguia se lembrar com precisão de quando tinha deixado de ver por aí. Duas das crianças, pensou, eram seu próprio avatar infantil e a misteriosa garota com o colar necrótico das duas últimas imagens, embora fossem muito pequenas e, como no item treze, viradas para um ponto mais distante do espectador. Outras quatro crianças estavam à vista, todas não identificáveis, acompanhadas por uma figura mais sombria e um pouco maior que parecia ser a de uma velha estranha de gorro e avental preto. Como ele e a garota embrulhada em coelhos, todos estavam de costas, olhando para cima e para longe em direção à inacreditável monstruosidade que quase preenchia a parte mais distante da imagem. Com suas dimensões incompreensíveis e montanhosas, era um horror grotesco de três cabeças montado em uma criatura feito dragão apenas um pouco menos terrível que seu cavaleiro hediondo. Uma cabeça era a de um touro enlouquecido por um picador, enquanto, equilibrando-se no outro ombro, havia um carneiro bufando com chifres recurvados como amonites negras, caso as amonites pudessem crescer mais que baleias. O crânio central pertencia a um homem coroado de espantosa feiura e de fúria apoplética, e as proporções gerais desse jóquei de dragão de três cabeças tinham algo de nanismo. Nua, a abominação furiosa segurava em um dos punhos uma lança na qual corriam riachos de imundície, uma vara de barbeiro afiada de merda e sangue que arranhava com sua ponta terrível o vidro do teto alto como uma nuvem. Mick achou que parecia haver algo bíblico no quadro, mas de uma bíblia cuja esquizofrenia fosse inequívoca. Ele estremeceu por dentro e passou para a obra abaixo.

Era outra peça na proporção de retrato, se é que se pode chamar de retrato a representação de um poste de luz, uma fenda longa e profunda de cores de balas de goma de frutas sob uma luz de sorbet ácido. De maneira quase previsível a essa altura, um exame mais atento revelou que consistia em vidro cortado ou em pó, uma paleta que Mick reconheceu das garrafas de água mineral sofisticadas na lixeira da irmã mais velha. Uma camada de cristal colorido havia sido colada ao que ele acreditava ser algum tipo de esboço de pintura por números no quadro ou na tela embaixo, com vidro transparente sobre cores pintadas onde eram necessários matizes para os quais não existia correspondência comercial disponível. Depois de alguns segundos acostumando os olhos ao enfoque granulado, percebeu que estava olhando para uma Spring Lane em ângulo íngreme, vista de sua extremidade inferior, uma cachoeira de um branco acinzentado de garrafas de leite sujas e com ervas daninhas vivas de Perrier entre as pedras de pavimentação, abaixo de um céu azul cintilante de Ty Nant esmagada[51]. No ponto intermediário, na metade da composição da fenda para flecha, estava uma alcateia, uma revoada ou uma assembléia de crianças vestidas em um brilhante marrom de cerveja, pequenas demais para ser possível identificar detalhes, mas provavelmente o mesmo grupo encardido que aparecia na obra acima. Encolhidos e apreensivos no primeiro plano, e idênticos em número e coloração às crianças mais acima na colina, estavam seis coelhos com refletores de bicicleta estraçalhada como olhos. E, de fato, uma olhada no rabisco superficial de esferográfica sangue abaixo da obra confirmou que *Coelhos* era seu título. Mick gostou bastante. Achou que, pela primeira vez, poderia discernir o significado e a intenção da pintura: Alma havia destacado uma fatia de sua vizinhança dilapidada e a transformado em uma janela de igreja, uma janela de igreja de pobre feita de vasilhames quebrados, mas, mesmo assim, um receptáculo para santos. Ou talvez apenas quis dizer que o distrito tinha muitas garrafas.

As obras dezesseis e dezessete eram ambas em preto e branco, o que achou um alívio depois da surra que seus cones e bastonetes haviam levado com as peças anteriores. Ambas eram relativamente pequenas, talvez em formato A4, se fosse o mesmo tamanho de folha que pensava, não tão desengonçado quanto papel almaço nem tão atarracado quanto o vinte e cinco por vinte. No alto da parede da creche e lado a lado acima de uma grande e suntuosa cena a óleo logo abaixo, Mick teve que ficar na ponta dos pés para vê-las direito, o que era bem mais trabalho do que achava que deveria ser esperado do público em uma exposição. A primeira, no lado esquerdo, era uma ilustração de meio-tom feita com caneta e tinta lavada, algo que parecia extraído de um anuário infantil de uma criança com delírios de febre, que a legenda improvisada informava ser *O Poço Escarlate*. Em seus trechos mais baixos, abrigados sob um murinho de tijolos no que parecia ser o quintal de alguém, estava a agora familiar meia dúzia de maltrapilhos, mais próximos do espectador aqui e, portanto, mais facilmente decifrados. Além de seu eu infantil e da garota com a guirlanda de animais atropelados, havia uma menininha de óculos e comportamento sério, um menino mais velho de aparência durona com sardas e um chapéu-coco, um pequeno valentão com características não muito distintas da jovem com o colar de coelhos e um garoto alto e de aparência decente que tinha jeito de ser o sensato da turma dos Sete ou dos Cinco[52]. O grupo inteiro estava agachado, todos olhando com compreensível apreensão para os ofuscantes céus brancos visíveis além dos cumes dos muros de tijolos, onde uma série de formas de pesadelo parecia cair pelo firmamento, transmitindo um vapor de pós-imagens cinzentas atrás deles. No topo, incrivelmente pequena e distante, uma carroça de leite puxada por cavalos dava uma cambalhota em cerca de oito das nove reiterações, enquanto abaixo um furacão de exposição múltipla de cães, gatos, hinários, mulheres grosseiras, máscaras de gás, figurinhas de cigarro, *teddy boys*, óculos de grau, cadeiras de dentista e talheres cascateavam pelo espaço vazio, com ares de objetos efêmeros do pós-guerra. Algo na presença das crianças fazia com que a vista parecesse mais deslumbrante do que apreensiva, uma sensação animadora de que aquilo seria um espetáculo.

Logo à direita estava o item dezessete, identificado por sua etiqueta como *Planolândia*, composta pelo que Mick pensou ser um mezzo-tinto, prensado de uma placa de cobre com linhas raspadas em sua superfície de textura uniforme para revelar um reino de massas granuladas e esfumaçadas mantidas no lugar por surpreendentes espaços em branco, como explosões de giz branco. Um trio dos delinquentes juvenis da pintura anterior aparecia quase em silhueta em primeiro plano, dois deles pequenos, um sendo provavelmente sua imagem infantil, e a figura central ali era a do jovem muito mais alto e dickensiano de sobretudo e chapéu-coco. Além deles, fumegando malignamente contra um fundo que percebeu ser uma vista da Bath Street, no bloco de apartamentos da Crispin Street, havia um vórtice fumegante, deprimente e gigantesco, uma engrenagem lenta e assustadora no movimento do purgatório que cruzava, como se fosse insubstancial, com os prédios escuros entre os quais se aninhava e seus moradores desprevenidos revelados pelo corte interno. Aparentemente apanhados naquele turbilhão noturno havia o que a princípio pareciam ser pedaços de trapos sombrios que, mais bem observados, revelaram-se cascas ou peles vazias de indivíduos infelizes, humanoides infláveis perfurados, sem todo o enchimento de ossos e tecidos, roupas lavadas esquecidas, deixadas ali para desintegrar em um exaustor infernal. Sob o firmamento noturno, as três crianças tinham algo de espectadores de uma fogueira, que nada tinha de exuberância. Um ar de desolação pairava sobre a imagem, como se, em vez de um cara, tudo de bom estivesse queimando, esvaindo-se em uma fumaça delicadamente pontilhada.

Vozes separadas saltavam e mergulhavam como peixes voadores no nado acústico ao seu redor, com as cores da sala mais intensas depois de alguns momentos de concentração em um mundo monocromático. Enquanto ainda tentava se reorientar, Dean, o camarada de Rome Thompson, materializou-se ao lado dele, como se derramado no espaço vazio disponível.

— Mick, então, você sabe como é sua irmã, né? Mick, não sou eu quem tá falando, é ela, certo? Bom, ela disse que é melhor você não ter perdido a porra do isqueiro dela, porque ela quer de volta. Disse que, se não estiver com você, ela vai te plasti... como é que chama, aquela coisa que o alemão de chapéu faz com os cadáveres? Não é espasticar, é...

— Plastinar?

Dean pareceu encantado.

— Plastinar, isso! Ela vai plastinar você e usar como a obra trinta e seis, mas isso só se perdeu o isqueiro dela. É uma vaca, a tua irmã, né? Aposto que era horrível quando 'cês estavam crescendo. Então, tá com você, o isqueiro dela?

Mick só conseguiu chegar a "Não é..." antes de desistir sob o peso do abuso psicológico de várias décadas e simplesmente entregar o objeto requisitado. Com um sorriso doce e compassivo, Dean embolsou o que agora era propriedade de Alma e esvaziou-se das coordenadas que ocupava, com um viés no sentido horário em seu movimento de acordo com o efeito Coriolis. Incapaz até de soltar um suspiro de contrariedade, Mick concentrou suas atenções no grande campo de cores ricamente emoldurado da peça dezoito, abaixo do par de obras em preto e branco.

Brigas Mentais, dizia a etiqueta.

— Ah, porra — murmurou Mick.

Em tinta a óleo e folha de ouro, com uma estética provavelmente emprestada de Klimt, dois gigantes vestidos com mantos de um branco deslumbrante como luz sobre a água duelavam, em uma vasta arena que ainda era de alguma forma a Mayorhold, com tacos de sinuca titânicos, grandes como o túnel do canal da Mancha. De cabelos brancos como suas vestes, uma das figuras enormes permanecia contorcida, apanhada em movimento, com a arma de ponta azul indo para trás de um ombro musculoso. Seu adversário colossal cambaleava para trás do ponto de impacto projetado, um borrifo arterial de minério de ouro suspenso no ar para traçar a trajetória em colapso. Nas sacadas lotadas de uma Mayorhold convertida em um amontoado de coliseus, multidões de pequenos caubóis, cabeças redondas, limpadores de chaminés e frades medievais aplaudiam os competidores imensos e davam ao ataque retratado sua noção de escala esmagadora, com o trovão monumental de sua violência. A grandeza da briga, minada por sua brutalidade, era a de uma luta entre monólitos num pátio de pub. Balançando a cabeça com admiração ao ver o sangue de oito quilates manchando as roupas dos adversários, percebeu que eram dois dos carpinteiros peculiares de *Obra em Andamento*, que abria à exposição de Alma. Todo aquele espetáculo, apesar da falta de qualquer associação clara entre seus elementos intencionalmente díspares, pretendia contar algum tipo de história? Uma em que as aparições dos personagens eram tão espaçadas ao longo da narrativa que tornava impossível entender qualquer sentido de causa, efeito ou continuidade sem um mapa grande demais para ser desdobrado? Além disso, se essa história era sua, como Alma afirmou, por que reconhecia apenas algumas partes intermitentes?

Seu passeio pela exposição até o outro canto da galeria de concentração, e continuar a partir daquele ponto exigia um quarto de volta à direita antes de começar sua travessia da face leste da creche, uma espécie de parede de escalada modernista na qual as obras da irmã eram apoios não confiáveis, situados entre o equilíbrio mental e a queda livre intelectual de uma altura vertiginosa. Tocando o vazio, ele se lançou na etapa seguinte de seu mergulho na cultura, com a primeira saliência sendo o item dezenove, *Espadas Insones*. Um desenho simples, de linhas feitas talvez com lápis litográfico, lembrava as charges de David Low no *Daily Mirror* que Mick se lembrava de ver quando criança, com lições rígidas de moral transmitidas em símbolos facilmente decifráveis e o estilo robusto e despretensioso das revistas semanais para meninos. A versão de Alma, nem tópica nem inequívoca, retratava um homem sombrio e taciturno dormindo profundamente em sua cama de dossel no centro agitado e sangrento de um campo de batalha. Pela proliferação de lanças e capacetes pontiagudos na carnificina que circundava o dorminhoco, parecia ser um conflito da Guerra Civil, o que tornava a figura adormecida — que vestia, em uma inspeção detalhada, armadura preta em vez de pijama —, muito provavelmente Oliver Cromwell. Ao redor dele, homens frenéticos se empalavam na fumaça dos mosquetes e cavalos tropeçavam em seus próprios intestinos, esboçados com fuligem e delineados com pólvora, enquanto o Lorde Protetor roncava e se aconchegava em meio a tudo isso. Mick não tinha certeza se a cena implicava que Cromwell estava inconsciente do sofrimento do qual era o epicentro, ou se, melhor, toda essa carnificina implacável e essas fontes de sangue eram o sonho dele.

Sob essa composição de tamanho modesto, tanto a escala quanto o estilo da peça vinte a faziam parecer uma lareira sobre a qual o item dezenove repousava. Muito mais complexa do que as obras anteriores, a imagem central em carvão fixado com detalhes em laranja brilhante era dominada por um acabamento ilustrativo de azulejos de Delft, uma área de preto carvão e chamas cuspidas, contidas em uma lareira ornamental. A imagem no centro do arranjo era uma paisagem de chaminés de pedra e telhados de palha, evocados de modo rústico em pinceladas brutas, todos em chamas com línguas de nectarina, onde duas mulheres nuas em chamas dançavam em êxtase, com longos cabelos encaracolados pairando acima delas na corrente de ar sufocante. Por mais impressionante que fosse essa vista pirotécnica de paleta restrita, ela não tinha nenhuma relação perceptível com a continuidade muito menos incendiária delineada em seu entorno ladrilhado. Ali, em diluições de rico cobalto, havia uma progressão linear de momentos iluminados que começavam no centro superior, com um quadrado de tinta meia-noite sólida, como se representasse a escuridão do útero antes do parto detalhado da cena posterior. Em seguida, com o claro intuito de exaltar a própria esperteza, havia uma vinheta do agora bebê esparramado no colo de sua mãe, ao lado de uma lareira decorada com azulejos de Delft narrando eventos da vida de um Cristo ridiculamente minúsculo. A próxima representação mostrava um jovem doente sentado em um banco de igreja entre homens mais velhos em trajes do século XVIII, com os olhos fixos em um lenço de renda que pendia suspenso como se viesse do céu. A vida ilustrada progredia azulejo por azulejo, aqui um jovem montado em um bosque nebuloso, confrontado por uma garota esfarrapada com grandes olhos luminosos, ali o mesmo homem um pouco mais velho conduzindo seu corcel por um terreno acidentado e nevado até um salão convidativo que o esperava na escuridão do inverno, com seus contornos assustadoramente familiares. Depois de alguns momentos de perplexidade, Mick reconheceu a construção como a igreja Doddridge e percebeu que o drama em série que acompanhava devia ser a vida de Phillip Doddridge. Vieram o casamento, os filhos e o luto antes de uma visão final, logo à esquerda da parte superior central do quadro, de um homem e uma mulher frágeis, deitados juntos em uma sala com móveis estrangeiros, ambos doentes, ele talvez já morto, como indicado pela noite azul sem alívio do azulejo seguinte, sua escuridão agora de enterro, e não de concepção. Só quando olhou para a etiqueta em esferográfica vermelha anexa que revelava o título da peça como *Espíritos Malignos, Refratários* começou a entender a relação entre o relato de um clérigo dissidente e as duas alegres incendiárias, fazendo piruetas na palha seca e limitadas apenas por sua elaborada fronteira biográfica.

Começando a sentir uma leve concussão conceitual, Mick migrou um passo mais para o sul ao longo da parede leste da galeria até chegar à obra vinte e um. Identificada em carmesim em constante deterioração como *As Árvores Não Precisam Saber*, para seu alívio, era uma imagem única, mais uma vez em uma proporção de retrato esguia e feita em acrílico, com pretos e brancos e um arco-íris sombrio de cinzas minuciosamente diferenciados. Ladeado por algumas das já conhecidas crianças de roupas anacrônicas, ainda que sua própria imagem infantil não estivesse entre elas, surgia outro dos horrores de sua irmã. Por algum motivo, paródias horríveis da natureza antes inconcebíveis eram algo em que ela sempre havia sido particularmente boa desde que construiu sua reputação, um tentáculo de cada vez, ilustrando todos aqueles livros baratos de ficção científica, fantasia e terror durante a década de 1980. Aquele grotesco em particular parecia ser uma variedade horrível de serpente marinha, lançada em um sinuoso rio urbano muito semelhante ao Nene, onde claramente não havia espaço o bastante para ela. Emergindo de águas lentas e turvas para a escuridão noturna, no topo de um pescoço ondulante, grosso como um cano principal, um crânio alongado como um carro oficial da Gestapo abria o capô de sua mandíbula superior para mostrar terríveis dentes de naufrágio, estalando em frustração belicosa, com o quinteto de rufiões jubilosos que por algum motivo levitava nas partes superiores do quadro estreito, cada um acompanhado por várias cópias mais fracas de si mesmo. Envolto na cabeleira de algas fedorentas e com aqueles olhos de caracol que brilhavam de órbitas profundas como poços, o rosto da criatura era o semblante distorcido de uma velha amargurada e maligna, berrando seu ódio, sua raiva e sua solidão noite adentro. Era como uma versão selvagem e imprópria de alguma ilustração de Enid Blyton, assim como o item vinte e dois logo à direita.

Intitulado *Mundos Proibidos* em rabiscos que empalideciam para um desagradável rosa cor de soro quanto mais seguiam para a direita, assim como seu antecessor, era um estudo em acrílico com um esquema de cores de filme mudo, embora dessa vez em proporções de paisagem.

Retratava uma cena de bar contada a Hogarth ou Doré por um Edgar Allan Poe em meio a uma bebedeira, um mundo de pavor extremo, no qual ficou satisfeito ao descobrir que seu eu infantil havia reaparecido. Ainda de roupão xadrez, ele se encolhia com o outro garotinho das pinturas anteriores na frente do quadro, atrás de uma forma bem rotunda e espalhafatosa que, mesmo por trás, só poderia ser o falecido e saudoso trovador local Tom Hall. O balcão do bar mais adiante, do que se protegiam os dois garotinhos, era povoado pelo pesadelo de um ativista da temperança, uma demonologia embriagada. De um lado, um homem perturbado e choroso, aparentemente feito de tábuas, tinha runas profundas entalhadas em seu braço por uma mulher beligerante que o segurava empunhando uma faca, enquanto nas proximidades outro homem de madeira se contorcia meio que emergindo do chão da sala, pisoteado de volta por bêbados zombeteiros. O mais medonho dos bebuns reunidos tinha uma boca desdentada na testa, com muco borbulhando no nariz invertido abaixo e olhos atordoados piscando em suas mandíbulas. Um purgatório com uma licença estendida, um aprisionamento eterno ou uma hora interminável que era qualquer coisa menos feliz: seria realmente assim que sua irmã abstêmia encarava as tabernas, como coleções de crueldades horrendas e deformidades impossíveis? Mas, considerando os pubs que Alma costumava frequentar, era possível admitir que ela tinha razão. Ele deu outro passo curto para a direita e quase caiu de cabeça nas profundezas obliterantes do item vinte e três.

A balbúrdia da sala se foi, drenada por uma onda em recuo. Mick ficou imóvel diante da pintura como um homem parado na entrada de um túnel de vento e com medo de se mover. Ele sabia o que era aquilo; sabia antes de consultar a etiqueta de identificação em que a tinta rosa havia acabado na metade da segunda palavra antes de retomar em verde. Era o *Destruidor*. Visto de cima, um arco curvo no canto inferior esquerdo era tudo o que dizia aos observadores que eles testemunhavam uma visão misericordiosamente incompleta de uma terrível chaminé, vasta, de modo que nenhuma tela, nenhuma imaginação poderia contê-la. Serpentinas empastadas fumegantes em marrom-avermelhado e ocre queimado, tão grossas que beiravam a escultura, espiralavam da borda da cratera industrial em direção ao seu centro invisível, as imensas massas vaporosas girando lentamente, uma nebulosa aniquiladora de merda.

Por mais sombrias que fossem as bandas de incrustações ondulantes, era nos abismos escavados presos entre esses riachos que residia o pavor. Ali estavam faixas de detalhes planos, encolhendo-se sob enormes tsunamis de tinta a óleo enquanto giravam para a imolação fora da tela, o esquecimento marrom. Ali estavam confeitarias, pátios de escolas e trombones do Exército de Salvação deslizando para um inferno de nada, carroças de carvão puxadas por cavalos com sua carga em chamas e casais de dança de salão mergulhados, ainda saltitando, em uma meia-noite asfixiante. Lajes de calçada com amarelinhas e barbeiros brancos engomados, macacos e seus tocadores de realejo, bêbados e monges entre os escombros esmagados no perímetro daquela singularidade implacável de ferro-velho em sua tentativa de beber o mundo, ou pelo menos aquela parte do mundo dentro de seu alcance econômico. No turbilhão poluído, as pessoas, os animais e seus ambientes estilhaçados eram detritos circulantes, espuma ininteligível presa no redemoinho de um abismo. Armadas de carrinhos de bebê e cupons de sinuca pretos com beijos otimistas, bandeiras floridas de sindicato, assentos de cinema esfolados ou mijados, cisnes e camisetas em uma cascata de entulho na chaminé do cancelamento. Era o passado; um reservatório de incidentes fugazes, um modo de vida abjeto e agora cremado, irrecuperavelmente reduzido a cinzas na fogueira das humilhações. Essa, então, era a privada pela qual tudo havia descido.

Era grande demais, irrefutável demais. Exigiria outro cigarro, mais como um pretexto para uma pausa do que qualquer outra coisa, o que implicaria arrancar o isqueiro da irmã. Virando-se para procurá-la, ele se viu mais uma vez confrontado com o distrito reduzido em sua mesa, uma fazenda de formigas sobrevivendo com subsídios de pulgões. Essa perspectiva do leste rendeu um leque de telhados miniaturizados de um jogador, ondas de ardósia que se quebravam descendo as desaparecidas Silver Street e Bearward Street, esvaziadas na plácida poça de maré de uma Mayorhold adormecida após a cerveja da hora do almoço durante a eterna tarde pintada. Uma scooter Vesper de uns seis milímetros sem uma roda estava parada na Bullhead Lane, escorada por um arbusto de jardim, e velhos de camisa e suspensórios sentavam-se nas soleiras das portas, carrancudos como gárgulas rebaixadas. Apesar de todas as incertezas da fabricante, Mick estava chegando à conclusão de que aquele era o artefato que mais chamava atenção, o mais direto da exposição, ruas de navio-na-garrafa que capturavam e preservavam o bairro quase evaporado com mais perfeição do que todas as telas oblíquas circundantes. Evocava o ar de serenidade psicológica, o idílio secreto, preguiçoso e dourado que era peculiar a lugares sem status a perder. Isso o deixou com a sensação de que o mundo do qual se lembrava ainda estava seguro em algum lugar, o oposto da sensação inculcada pelo terrível vórtice mefítico para o qual dava as costas. Ao avistar Alma no canto noroeste da creche, perto da pintura de bolhas cáusticas, estava prestes a ver se conseguiria recuperar seu isqueiro, talvez oferecendo um de seus filhos como garantia, quando seu olhar pousou na tira de papel presa à borda do diorama, aproximadamente oposta à marca semelhante que ele havia notado no lado oeste da plataforma. Enquanto aquela tinha os dizeres *Os Boroughs*, que pensou ser o título da maquete, esse fragmento estava marcado com uma única palavra, *Almumana*. O nome estranho resvalou em uma memória vaga, em algum lugar mais além da lembrança, mas, ainda assim, não familiar. Alma não havia conseguido decidir entre duas designações e então fez uma dupla aposta? Ou apenas teria se esquecido de que já tinha dado um título à obra? Ele precisaria perguntar a ela, mesmo que apenas para demonstrar que estava prestando muita atenção.

No momento em que havia passado com vagar pelas últimas dez ou onze obras para onde ela estava conversando com Dave Daniels, ele decidiu combinar a menção à nomenclatura conflitante do bairro reconstruído com sua tentativa de recuperar o isqueiro, uma jogada improvável que, para sua surpresa, funcionou como um feitiço. Muito melhor, até, considerando que os feitiços nunca funcionaram.

— Escuta, Warry, tem uma placa de um lado de seu modelo que diz *Os Boroughs*. Pode devolver meu isqueiro? E do outro lado diz *Almumana*. Talvez você pudesse me explicar.

Ela sorriu e disse um "Claro que posso" antes de entregar o isqueiro e continuar conversando com Dave Daniels. Indo para a porta antes que Alma percebesse o que tinha feito, Mick ficou encantado. Sentiu que havia alcançado um novo nível de compreensão em suas relações com a irmã: quando você a forçava a ficar preocupada com duas coisas ao mesmo tempo, seus mecanismos de agressão não conseguiam lidar com a sobrecarga e entravam em curto-circuito. Se, por algum acidente radioativo, ela se tornasse gigantesca e embarcasse em um tumulto que ameaçasse a civilização, ele contaria isso ao governo e às forças armadas, para que pudessem derrubá-la. Ainda rindo ao pensar na própria irmã com vinte metros de altura e tropeçando em cabos de energia, ele saiu triunfante para a tarde azul e reluzente.

Riscando a pedra e acendendo, chupou a ponta do cigarro para uma vida escarlate taciturna, inclinando a cabeça para trás para expelir uma quimera chinesa de um cinza contorcido em direção ao padrão de salgueiro de dois tons acima. Após o confinamento com tantas interpretações infundidas de láudano do local, sua realidade de caixilhos de janelas descascados e bordas descuidadas, não importava o quanto estivesse empobrecida em tijolos ou memória, cantava com uma alegria machucada e desdentada. Ele respirava a atmosfera de pompom de dente-de--leão do código postal, a informalidade de mangas de camisa arregaçada de um local em retirada forçada da geografia, o consolo da exclusão no conhecimento certo de que você não deveria mais fazer ou ser nada. O pó também era um manto de privilégio. Ao longo do caminho, seu olhar percorreu a inclinação da entrada do estacionamento onde quarenta anos antes havia um parquinho cubista alienante e, uma década antes disso, a entrada pavimentada e sem tráfego da Fort Street e Moat Street, cujos nomes tão defensivos se mostraram bem justificados quando ficaram sitiadas pela agressiva e desmemoriada década de 1960[53]. Foi lá que seu bisavô louco e sua avó alegremente bárbara se instalaram a princípio, antes que ela se mudasse para a Green Street depois de perder sua primeira bebê para a difteria. Teria sido mais ou menos na mesma passagem que o carro da febre rugiu como o mau tempo quando passou para pegar seu fardo leve. Fios pegajosos de sua história genética ainda estavam lá sob camadas de asfalto de várias eras, estratos de balas de alcaçuz cor-de-rosa e pretos. Isso era a história, uma série de ressurgimentos imprudentes e sobreposições aleatórias. Semicerrando os olhos contra o sol, achatou diversas camadas de tempo em uma composição incongruente, na qual mortes infantis indultadas cavalgavam um cavalo de concreto de Picasso entre os automóveis usados que dormiam em suas baias.

Atrás de si, ouviu o leve chiado enfisêmico da porta da creche e se virou para observar Ben Perrit e Bob Goodman, que evidentemente já se conheciam, fugindo ao mesmo tempo do interior exteriorizado da cabeça de Alma. Os dois estavam rindo, provavelmente porque o poeta anuviado queimou a largada do nada e o ator com cara de clava não resistiu a se juntar a ele. Mick ergueu a mão em saudação, mas o gesto pairou desconfortável entre a palhaçada hoje reconhecida como racista de *How!*[54] e o protótipo de *high five* de Hitler, então no meio do caminho ele o transformou no alisar de uma mecha de cabelo que não estava lá fazia algum tempo. Ainda rindo, a dupla de festa infantil mais perturbadora que se possa imaginar veio em sua direção pelo gramado com alopecia.

— Certo, Benedict. Certo, Bob. Já cansaram?

Ben Perrit revirou os olhos como um cavalo em disparada.

— Ha ha! Se é esse tipo de coisa que você vê quando para de beber, prefiro não. Ha ha ha ha!

O semblante de seu companheiro teatral parecia tentar se jogar no chão de um queixo de barba por fazer, irritado demais com os dissabores humanos para continuar.

— Sabe o que ela me obrigou fazer, a porra da tua irmã? Sair para desencavar um monte de coisa que já sabia, só para ter um pretexto para colocar uma imagem ofensiva minha na exposição. Vou te falar, somos como moscas para meninos na visão ela[55].

Expulso da escola por faltas antes de começar a entender Shakespeare, Mick não tinha certeza de como os meninos e suas moscas eram relevantes para aquele assunto, e apenas acenou com a cabeça, para se precaver. Com seu jeito maníaco de sempre, Ben Perrit felizmente tratou de preencher quaisquer possibilidades de vazios na conversa.

— Ha ha ha ha! Ela me desenhou em lápis, no fundo do mar. Não sei se tá dizendo que nunca tomo banho, ou se quer dizer que tô afundado na bebida. Ha ha! Tome aqui, Mick, eu ia dar isso pra ela, mas não tive a oportunidade. Você pode entregar?

O bardo tantas vezes barrado estendeu uma folha dobrada de texto datilografado, que Mick aceitou solenemente sem ter a menor ideia do que se tratava. Coisas de poesia, coisas de arte, algo dessa natureza.

— Claro que posso, Ben. E não fiquem ofendidos com o jeito como ela desenhou vocês. Se querem saber minha opinião, acho que se saíram bem. Viram aquela pintura minha em que eu era só um saco de espinhas?

O ator descontente curvou um lábio que todos pensavam que já estava curvado, balançando a cabeça de cartum antissemita em reprovação solidária.

— Por que você acha que ela faz essas coisas? Tá tentando arrumar briga ou o quê? Não pode ser porque está precisando de dinheiro.

Mick pensou a respeito, olhando para a janela da creche. Ele podia ver as duas velhinhas em que havia reparado antes, ambas de pé, cacarejando e cutucando uma à outra perto da pintura com os ladrilhos ao redor. Voltando a atenção para os motivos de Alma, ele disse a primeira coisa que lhe veio à cabeça.

— Vai ver está querendo ser ordenada como dama pela rainha.

Goodman zombou, incrédulo.

— Como assim, fazendo pinturas? Esses títulos de dama vão para profissionais do palco. Dama Judi Dench, Dama Helen Mirren, Dama Diana Rigg. Alma pensa que é o que agora, atriz?

— Na verdade, Bob, acho que são para as mulheres das artes. Tem a Nellie Melba, a Edith Sitwell, a Vera Lynn; tem a Vivienne Westwood, a Barry Humphries[56]. Não é só para atrizes.

O veterano intérprete de bandidos, sempre profissional, representou a melhor reação de surpresa tardia que Mick já tinha visto, e depois disso ficou em silêncio, como se estivesse processando a informação inesperada. Seguiu-se um interlúdio constrangedor em que Ben Perrit perguntou se Edith Sitwell havia inventado a torrada, depois gargalhou e disse que quis dizer Nellie Melba[57]. Sentindo que era uma boa deixa, Mick apertou a mão dos homens enquanto assegurava a Perrit que não se esqueceria de dar a folha dobrada para Alma. A dupla passou pela igreja Doddridge na direção de Marefair, com o poeta rindo e o ator comentando "Damas! Quando você pensa que entendeu..." antes que seus contornos se desfizessem na camuflagem de papoula da Chalk Lane.

Em um surto de afeição frustrada, Mick concluiu que o absurdo era um componente tão vital naquela região quanto o amor, a bebida e a violência. O tráfego distante competia com uma altercação de corvos ao longo da Castle Street. Sufocando uma sensação momentânea de culpa por violar a intimidade dos outros, ele desdobrou a página que Ben Perrit lhe confiou e começou a ler.

> *Este é um reino construído com ausências*
> *Os espaços entre os prédios, ar vazio*
> *Onde agora cantam outros pássaros*
> *Se não há nada ali, os marcos são proeminentes*
> *Este é o principado do que partiu*
> *Com limites mapeados em tinta que se apaga*

Uma história de falhas
E pessoas com nomes há anos não pronunciados
Esta é minha página comida pelas margens em branco
Até que só restem as cicatrizes de borracha
Um saco vazio de buracos
Um silêncio contido entre aspas

Mick se sentia ainda menos qualificado para opinar sobre poesia do que sobre arte, mas gostava bastante da forma e do ritmo desta, um andar de búfalo manco com uma perna mais curta que as outras e conferindo uma dignidade especial para seus tropeços. Dobrou de novo o registro esparso e o enfiou em um bolso traseiro onde não iria amassar e então, apagando o cigarro, voltou-se mais uma vez para a porta aberta da creche. Era uma pena. Poderia ter se entusiasmado mais com a cultura se não fosse tão obrigatória. Ah, enfim. Não poderia haver muito mais nessa exposição enlouquecedora para ver. Suspirando resignado, entrou para enfrentar as consequências em terebintina.

‡

Dessa vez, a reimersão não foi um choque tão grande. A atmosfera parecia estar relaxando à medida que a tarde avançava, com a multidão diminuindo para se tornar mais navegável. Como antes, estava decidido a recomeçar do ponto em que havia parado e refez seu caminho no sentido horário ao redor do curral de crianças entupido de miragens. Poderia ter ido para o outro lado, no sentido anti-horário, embora isso não parecesse certo: você não se orientava nos livros folheando a partir do final, e Mick já estava convencido de que a enxurrada de *non-sequiturs* ilustrativos de Alma pretendia representar algum tipo de história, talvez tão grande e complicada que exigia uma dimensão matemática extra para narrá-la. Ou, talvez, a *magnum opus* dela havia chegado a um ponto crítico, e ele estava ali olhando para suas consequências balísticas, para o padrão de distribuição da explosão da cabeça físsil e armada da irmã. Em ambos os casos, havia uma história sendo contada, mesmo que apenas para os analistas do esquadrão antibomba. Negociando interações sociais de encontros rápidos com uma dúzia de pessoas que já havia cumprimentado, como conhecidos distantes repetidamente encontrados em sucessivos corredores de supermercado, deu a volta no cavalete central repleto até uma estação logo depois do item vinte e três, cerca de três quartos do caminho ao longo da parede leste da galeria improvisada. Com a massa infernal do Destruidor soltando faíscas e rastros de vapor tóxico nas periferias de sua visão à esquerda, ele fez o possível para se concentrar no item vinte e quatro, a obra abstrata enigmática em aquarela bem à sua frente. Sua marca verde dizia *Nuvens se Desdobram*.

Perfeitamente circular, havia um disco do tamanho de um pires, de matiz e ornamentos bizantinos, colocado fora do centro em um grande quadrilátero de branco sujo, manchado por parábolas de um cinza fantasmagórico, com pinceladas e manchas tão translúcidas que mal estavam lá, visualmente sem peso, quase sem presença física. No canto inferior esquerdo, a água suja havia se acumulado em um triângulo bem raso, enquanto do alto vinha uma pluma, uma isca emplumada para a pesca da cavalinha. Logo abaixo, montada na vertical, estava pendurada a asa de uma coruja ou talvez uma torre de dedos oscilantes de gás interestelar. A intervalos, contra a extensão de marfim sem rastros, aglomeravam-se manchas beges mais escuras, cardumes de meteoros microscópicos perdidos em um cosmos branqueado ou de cor invertida, enquanto ao redor da bola de filigrana azul-ouro traçavam-se trajetórias elípticas pálidas como esperma que... oh. Era um olho. No fim, não era abstrato. Preenchendo a área de ponta a ponta, era um close de olho de Luis Buñuel, mas não um de carne e osso. Era uma órbita talhada em pedra de Portland, com uma tênue sobrancelha esculpida aparecendo acima e uma curva abreviada da maçã do rosto mais abaixo à esquerda. Era o equipamento óptico inoperante de uma estátua, e as elipses-satélite eram pálpebras que não piscavam, de uma testemunha da catástrofe que não conseguia desviar o olhar. A plumagem em leque quase invisível à direita se delineou como a área de sombra de um lado da ponte do nariz, um penhasco cinzelado que caía na cavidade desertificada. Manchas arbitrárias revelaram-se textura, uma epiderme de pedra desgastada e corroída por duzentos anos de chuva e areia transportada pelo ar. E no centro da imagem, na íris dourada, havia um planetário medieval destacado por fios áuricos contra índigo noturno, o voo da lua ou cometa traçado com linhas da cor do sol, projetadas pelo tempo fixo de safira. Era o movimento do relógio de um universo conhecido, capturado em um olhar atônito, impenetrável e eterno. Mick percebeu, pensando melhor, que a composição básica dessa obra era quase idêntica à da anterior, a desvanecente visão aérea da boca de um incinerador que fervia com partículas. Ele se perguntou se essa última peça grandiosa tinha sido colocada perto da primeira como uma espécie de antídoto imediato, do jeito que muitas vezes funcionava com labaças e urtigas. Sentindo que, pelo menos, a pintura havia ajudado a restaurar seu próprio equilíbrio, ele se esgueirou direto para os lados das peças vinte e cinco e vinte e seis, penduradas uma acima da outra no canto nordeste.

Paisagem panorâmica sobre um retrato imponente, as imagens estavam colocadas de maneira a formar um T, embora não parecessem estar conectadas, a não ser pela proximidade. Na estreita faixa de parede entre as duas, um único pedaço de papel havia sido colado com fita adesiva. Tinha títulos duplos escritos em esmeralda errática, com setas direcionais ascendentes e descendentes indicando qual era qual. Dizer que parecia aleatório era subestimar a questão. Parecia mais uma inscrição no lado de dentro da porta de um banheiro público, e Mick esperava que Alma pudesse passar pelas próximas dez ou mais anotações descritivas sem acrescentar um pau e suas obrigatórias três lágrimas de crocodilo de genética líquida. As proporções finas de caixa de correio do retângulo superior da arte pareciam conter ainda mais um tema abstrato minimalista, mas, depois de se deixar enganar pelo globo ocular de uma escultura, Mick decidiu olhar mais de perto antes de chegar a um veredicto. Seguindo a lança verde em riste da etiqueta até seu ponto de origem, descobriu que a obra se chamava *Uma Manhã Fria e Gelada*, embora o raciocínio por trás dessa escolha estivesse longe de ser óbvio. A imagem era uma visão Cinemascope de névoa manchada, um campo de teia de aranha que talvez tivesse sido obtido com um tom de fundo escuro composto de preto, marrom e verde-escuro e, em seguida, aplicando fibras sobrepostas em uma penugem branqueada e emaranhada, possivelmente com uma esponja. Com o nariz mais próximo daquela turva superfície marmorizada, ele pôde perceber que a sombra visível entre os fios emaranhados era na verdade um estudo hiper-realista em acrílico que detalhava uma vegetação rasteira de caules e galhos entrelaçados, folhas onduladas reduzidas a fractais mordiscados nas bordas, com todo esse trabalho detalhista oculto sob um véu vaporoso. Ocorreu-lhe que poderia estar olhando para um arbusto ou folhagem envolto nos terríveis fios tecidos por algum enorme aracnídeo, uma linhagem albina, a julgar pela cor de suas finas secreções suspensas. Era uma das pinturas de monstros de Alma, mas sem o monstro? Só quando notou uma pequena partícula perolada de pigmento levantada a alguns milímetros da tela e conectada ao galho brotando logo acima por uma linha branca mais delgada, percebeu que o arquiteto daquele enigma fibroso não era uma aranha mutante, e sim um pequeno bicho-da-seda parecido com um tubo de pasta de dente. Tendo notado esse indivíduo tão trabalhador, ainda se passou quase um minuto antes que Mick percebesse que havia dezenas, centenas de moldes pendentes e brilhantes destacando-se da superfície, uma multidão infinitesimal e desossada transformada em um grão, um padrão de ondulações molhadas e brilhantes. Era maravilhoso e, ao mesmo tempo, lhe dava arrepios. A obra encapsulava um daqueles momentos eletrizantes em que a natureza se revelava em todo o seu esplendor estranho e apavorante, todo o seu biochoque. Percebendo que a folhagem quase imperceptível sob a penugem oclusa devia ser uma amoreira, sentiu uma modesta pontada de satisfação de palavras cruzadas ao decifrar pelo menos o título da obra, apesar de não ter ideia de como isso se relacionava com o sentido da exposição como um todo, ou na verdade com qualquer outra coisa.

Curvando-se um pouco, com as mãos nos joelhos, transferiu a atenção para a obra vinte e seis, logo abaixo. Instantaneamente reconhecível como ilustração figurativa com o apelo direto de um desenhista clássico de livros infantis, talvez Arthur Rackham, essa era mais do gosto lewiscarroliano de Mick. Seguindo a seta inclinada para cima até a origem, descobriu que se chamava *Dobrando a Esquina*. Em pastéis suaves e desbotados, rosas e roxos, verdes e cinzas, uma cena ao ar livre era evocada com uma parede de altas coníferas ao fundo, sob um céu agitado e inchado pela chuva que, no entanto, parecia impregnado de cores, imanente com espectros. Um gramado descuidado ondulava entre a borda do bosque e um rio margeado por juncos, serpenteando como uma jiboia sob efeito de tranquilizantes na parte inferior da imagem mais próxima do espectador. Ali, de pé com grande compostura na margem e afundada quase até a cintura nos juncos pontiagudos, estava uma senhora miudinha com um cardigã cor de cereja e saia azul-marinho, e os lustrosos cabelos castanhos como um deslizamento de cinzas. Embora se agarrasse mais firmemente ao crânio sob a pele do que na juventude, o rosto ainda tinha alguma beleza; era irônico e inteligente, reluzia uma curiosidade destemida. Mick notou que a irmã havia cometido um erro, um tropeço com a aquarela que fez parecer que a mulher era vesga, mas isso não diminuía a atmosfera silenciosa de igreja do desenho. Lá, a velha esperava, pequena no canto inferior direito da imagem, a cabeça inclinada educadamente como se estivesse escutando alguém junto à sua porta. Uma Alice aposentada, vivendo da assistência social em um país das maravilhas silvestre. Emergindo de águas quase estagnadas à esquerda e alcançando quase a borda superior do quadro, estava o motivo das proporções altas e verticais da moldura: o leviatã de rio deformado do item vinte e um. O talo da garganta distendida subia cada vez mais de um laço ondulado de espuma de lagoa, vestido de lodo, grosso como uma sequoia, com a cabeça de vagão de trem montada de maneira precária em sua extremidade superior, inclinando-se em um desvio compensatório como uma bengala se equilibrando na palma da mão de alguém. No fundo das órbitas, como búzios alojados nos canos de uma espingarda, os olhinhos maliciosos da monstruosidade fixavam-se inquisitivamente em sua interlocutora humana. Despercebidas na representação anterior, Mick agora podia determinar que a coisa tinha mãos, ou barbatanas, ou algo assim: dedos espalhados e aranhosos com teias descoloridas esticadas entre eles, guarda-chuvas predatórios levantados na frente do basilisco de água doce, gesticulando como se estivessem em uma conversa trivial. Mandíbulas de triturar rebocadores estavam abertas no meio da anedota, e parecia haver a carcaça enferrujada de um carrinho de criança presa em um bicúspide de um metro pelo cabo, em meio aos pingos de algas aquáticas. A cuidadosa representação desenhada a lápis, borrada aqui e ali por lágrimas habilmente posicionadas, globos de bolhas flutuantes nos quais os detalhes de giz de cera solúveis sangravam como espectrógrafos, brilhava com uma ambientação que era assustadoramente familiar e que Mick por fim identificou de seus poucos experimentos juvenis com LSD, instigados por Alma. A apreensão lisérgica formigante de um mundo matinal prestes a começar, adornado com Éden, era como se lembrava. Por outro lado, havia a sensação excitante e desconfortável de que era a antessala opalescente da loucura, concedendo acesso apenas a corredores sussurrantes, monólogos sedativos e um distanciamento cumulativo do comum, do familiar e do querido. A cena imóvel, prismática, insinuava que mundos sobrenaturais e experiências inconcebíveis podem estar por trás de mais rostos na multidão do que se suspeitava, e que o aspecto familiar ao estilo Milton Keynes[58] da realidade contemporânea de massa pode não ser exatamente privilegiado. O momento congelado era uma janela tingida de violeta nas margens cobertas de mato do ser, o deserto remoto de fantasmas e alucinações que invadiam todos os dias, uma ou duas mentes por vez, o mapa das ruas da razão.

Tendo alcançado o lado leste do extremo sul da creche, Mick descobriu que outro giro de noventa graus era necessário antes que pudesse continuar. Atrás dele, o som surround de faixas múltiplas de vozes distintas e diferenciadas se mesclava em um único indivíduo invisível possuído por uma legião demoníaca, um coro arrastado de glossolalia gradual girando dentro e fora da audibilidade logo atrás, como se estivesse em um vento inconstante. Estava começando a achar a exposição de Alma desorientadora, uma fuzilaria implacável de sentimentos rarefeitos e desconhecidos, um fusível queimado perturbador oposto a tanques de privação sensorial, mais como um colisor de partículas psiquiátricas, e as opiniões e reações dele, produtos arruinados de um esmagamento atômico e estético. Já com medo de algum novo tipo de malária intelectual, ele se preparou para embarcar no penúltimo trecho de seu safári cerebral examinando os trabalhos emparelhados mais à esquerda da parede sul. Peças com proporções paisagísticas, grandes como caixas de cereal tamanho família e mais uma vez penduradas uma sobre a outra, com a vinte e sete sobre a vinte e oito, embora talvez menos imponentes do que os esforços anteriores, não eram menos enigmáticas.

O item vinte e sete, rotulado como *Queimando Ouro* em uma reflexão tardia rabiscada em verde, não era uma ideia nova — Mick achava que se lembrava de Alma falando sobre um americano chamado Boggs que admirava e que havia feito algo muito semelhante antes —, embora os detalhes da execução fossem bem distintos. Uma reprodução ridiculamente ampliada (ou talvez inflada) de uma nota bancária, abrangendo a linha de tênue a inexistente que divide a arte da falsificação e reproduzida em caneta e tinta de aparência autêntica, parecia acumular detalhes absurdos quando estudada. Era uma nota de vinte, com uma linha de direitos autorais na parte inferior informando que o corrente ano, 2006, seria sua data de emissão. Detalhes de tipografia e números de série eram idênticos à moeda padrão, assim como a coloração e a composição geral da ilustração elaborada da falsificação. Certos elementos de conteúdo, porém, tinham sido transpostos ou alterados. À esquerda da nota, como no dinheiro normal, um Adam Smith de aparência vagamente anfíbia, de perfil, forjado em gravura malva com uma face de pó de genciana, sobretudo e peruca de espirais de impressão digital. O visionário capitalista, no entanto, agora se encontrava em uma disputa de olhar fixo com um perfil correspondente à direita, onde um busto lavanda meticuloso de Bill Drummond, o terrorista-pop da K-Foundation e amigo de Alma, havia sido adicionado. Ao mesmo tempo sério e satírico, o olhar resoluto do escocês criado em Corby perfurava os olhos de salamandra do autoconfiante arquiteto da expansão e contração. Estava nítido que não havia esperança de negociação. No centro, entre os homens, o diagrama habitual detalhando a fabricação de alfinetes do século XVIII havia sido habilmente substituído por uma versão do que Mick sabia, pelo testemunho da irmã, ser a célebre queima de um milhão de libras por Drummond na remota Jura, nas Ilhas Hébridas, onde George Orwell foi terminar *1984*. Contra uma esfera de complexidade de espirógrafo e finamente eclodida em tons que variavam do sépia ao morango, estavam quatro homens em uma cabana em ruínas. Três deles – o próprio Drummond, seu parceiro na K-Foundation, Jimmy Cauty, e sua testemunha, o produtor de TV Jim Reid – jogavam notas de cinquenta libras em uma conflagração central, enquanto o quarto, o ex-militar e cineasta autoral Gimpo, capturava em celuloide a transformação alquímica de dinheiro em cinzas. Sobreposta em letras roxas acima de onde se lia "Banco da Inglaterra" estava a legenda alterada: "A divisão de opinião na fabricação de escravos: (e a grande diminuição na quantidade de escravos resultante)"[59].

Passando para o item vinte e oito, logo abaixo, Mick pensou que a ideia de escravidão poderia muito bem ser o que ligava as duas obras justapostas. Com uma etiqueta que dizia *As Traves e as Vigas*, o trabalho inferior era uma bela reprodução de uma carta marítima do século XVIII com inclusões tridimensionais. Pendurados na tela, ligando a costa oeste da África à Grã-Bretanha e à América, havia pesados pedaços de correntes de ferro sujas e incrustadas, presas por fechos enferrujados à superfície da imagem. Ele procurou por ironias ou significados ocultos, talvez sutilezas escondidas na antiga caligrafia de fundo do mapa, mas não havia nada. A declaração da peça de técnica mista era aparentemente tão rígida e simples quanto parecia à primeira vista. A cartografia manchada de chá, com seus erros ortográficos singulares e suas linhas costeiras conjeturadas, era uma visão ocidental da história, o mapa, e não o território, uma construção que nunca foi real a não ser no papel, que seria revisada, esquecida, substituída, perdida, uma mentalidade que desmoronaria e se dispersaria mais rápido do que o pergaminho em que foi escrita. As correntes, porém, eram reais. Cadeias de eventos que não poderiam ser desfeitas, durariam para sempre e teriam consequências sólidas muito depois que todos os planos, papéis e rotas comerciais que os forjaram se tornassem obsoletos; muito depois de todos os outros elementos naquela imagem específica terem retornado ao pó e à terra.

A inclusão seguinte, a vinte e nove, estava pendurada sozinha, e era quase toda executada como um mar revolto de guache desenfreado. Tinha todo o tumulto casca-grossa dos teatros de revista que Mick já havia visto, como se fossem recriados pelos modernistas ingleses do século XIX. Na noite falsa de uma matinê, o espectador erguia os olhos de uma plateia de bêbados zombeteiros em direção ao palco, a área focal da pintura, contida no segundo quadro de um arco de proscênio teatral. Contra um pano de fundo puído com uma cópia grosseiramente manuseada e manchada da fachada da igreja de Todos os Santos, atores de aparência engraçada posavam em uma plataforma entre pilares de balsa ou sentavam-se encolhidos no curto lance de degraus largos de madeira em frente, pintados para parecer pedra. O casal sentado na escada do primeiro plano, uma mulher raivosa e um homem vestido com um xadrez amarelo berrante, tinham um ar de Punch e Judy à beira-mar em sua animosidade conjugal exagerada, agachados em extremos opostos do mesmo cone de holofotes. Nas tábuas erguidas atrás deles, despercebidas, algumas figuras vestidas com trajes de época que eram todas de um branco uniforme, mas fora isso historicamente incompatíveis, demonstravam atitudes de indignação ou surpresa, com expressões exageradas em suas feições enfarinhadas. Era para ser uma tragédia sobrenatural, um Macbeth ou um Hamlet com seus muitos fantasmas? Enquanto isso, perto do espectador, o público composto por uma manada lasciva e vaidosa observava tudo com divertimento obsceno, raiva ou luxúria. Havia uma energia proletária confusa que podia sair do controle na luz borrada e na escuridão de cerveja. O apêndice verde apressado da imagem estava meio caído, porque havia se descolado em um dos cantos, então estava um pouco mais difícil de ler, mas ele dizia *Os Degraus de Todos os Santos*. Mick não sabia ao certo o que pensar disso. O par sentado, vestido para a década de 1940, não parecia muito diferente da multidão rude que o importunava. A angústia e o desconforto deles por isso pareciam de alguma forma contemporâneos e mais reais, em vez de meramente fingidos. Se fosse esse o caso, porém, os supostos espectros pavoneando-se e gesticulando atrás deles beiravam o cômico e o inapropriado. A imagem era perturbadora em sua estranheza e incongruência, a sensação de que algo muito pessoal entre a dupla na escada havia se tornado um melodrama, uma performance, exposta à reprovação dos compradores de ingressos, contorcendo-se sob os holofotes e ridicularizada até pelos fantasmas de efeitos especiais. Era um momento privativo ao ar livre que havia sido trazido para dentro, para um auditório turbulento, para entreter uma multidão indiscriminada, um deslocamento tão perturbador quanto um corvo dentro de casa. Fazer um espetáculo de si mesmos, era isso que a obra dizia?

Ainda revirando a pintura no encéfalo frontal, com cautela como se fosse uma granada ou ouriço, Mick seguiu em direção ao item trinta. Enquanto isso, ocorreu-lhe que, de cima, ele e os outros visitantes da galeria deviam parecer peças avançando lentamente pela borda da sala oblonga para evitar a mesa no centro, em um jogo de tabuleiro enorme do tipo que havia pavimentado sua insônia da noite anterior. Olhou ao redor da sala, tentando determinar qual entre os outros visitantes era o cachorro e qual era a cartola. No canto mais distante, perto da pintura assustadora das feições de Mick, Alma ao que parecia estava recebendo algum tipo de repreensão de Lucy e Melinda, muito possivelmente sobre o retrato cruel e engenhoso ao lado do qual estavam. Ótimo. Era mais do que merecido. A população na creche havia diminuído um pouco durante a hora ou hora e meia desde que as portas se abriram, embora não o bastante para facilitar seu progresso naquele caminho enlouquecedor de tabuleiro de Monopoly. Pela porta entreaberta, Bert Regan parecia estar acabando com Ted Tripp e Roman Thompson em uma disputa de gargalhadas estridentes, uma versão menos cerebral de derrotar dois oponentes de xadrez ao mesmo tempo. Em outro lugar, o namorado de Rome, Dean, estava com Dave Daniels, olhando para os gigantes brigões que se atacavam com seus tacos de sinuca salpicados de minério. Cães discutiam fora do palco, na modorra do sábado nos Boroughs. Voltando as atenções para o item trinta, ele se mudou para a parada seguinte do circuito para levar sua multa ou estabelecer um hotel. Não passou pelo ponto de partida nem recebeu duzentas libras.

A trigésima obra, em aspecto de paisagem e cercada por uma moldura fina de prata, uma aquarela vítrea sobre uma placa branca de superfície lisa, chamava-se *Comendo Flores*. Mais do que qualquer outra peça, remetia ao primeiro emprego de Alma como ilustradora de capas de ficção científica e era de tirar o fôlego, caso você gostasse desse tipo de coisa. O cenário, uma galeria colossal que parecia ser a da obra treze, embora em avançado estado de degradação, tinha vegetação tropical crescendo através de seu piso musgoso, com a selva doméstica alcançando um teto desabado aberto a constelações inéditas, em vista interior e exterior ao mesmo. Cipós de um quilômetro de comprimento, entrelaçados em fios elétricos, se arrastavam das vergas corroídas que restavam do telhado remoto e devastado, cromado por estrelas desconhecidas. Mariposas de tamanho prodigioso esvoaçavam úmidas através do crepúsculo astral, tábuas empenadas ardiam com orquídeas, e esse Elísio terminal era apenas pano de fundo para a figura desconcertante que trovejava no primeiro plano inferior. O físico esguio como um diagrama anatômico, a pele com a translucidez de papel vegetal, um velho totalmente nu e de cabelos brancos como espuma corria pela passarela coberta de mato em passos largos de Muybridge. Olhos esbugalhados com o esforço da velocidade, bochechas distendidas, pétalas brilhantes derramadas da boca apertada para fluir atrás dele em um rastro de tulipa. Montada sobre os ombros do ancião alegre estava uma garotinha pequena, luminosa, perfeita, com os cachos loiros se estendendo em uma espécie de cauda de cometa enquanto ela e seu corcel febril atravessavam aquela floresta final. Seus extremos de idade tornavam inevitáveis as interpretações alegóricas, um mundo recém-nascido carregado nas costas de seu antecessor exausto ou o ano velho e o novo atrasados para um encontro com um milênio ainda desconhecido. Era algum tipo de corrida, talvez a humana, projetada através da quarta dimensão, através do tempo que colidia continentes e obliterava impérios. Parecia uma quantidade insuportável de suor e esforço, essa migração compulsória e apressada para as fronteiras porosas de um futuro estrangeiro onde ninguém falava sua língua. Embora a própria fadiga artística de Mick possa ter exacerbado essa percepção, ele pensou que o velho e as espécies que ele representava pareciam estar morrendo de vontade de sentar. Ele próprio estava prestes a apressar essa eventualidade correndo para a próxima obra na sequência, quando uma voz ao seu lado perguntou:

— Vem cá, cê num é o irmão da Alma?

À direita de Mick, parada à frente do item trinta e com algo na inclinação excêntrica de seu penteado grisalho reminiscente de um pássaro pernalta, a mãe de Bert Regan olhou para ele de soslaio. Ele percebeu que gostou dela imediatamente com base apenas na vibração de harpa de seu sotaque e na maneira como segurava a bolsa como a pontuação de um juiz de patinação. Ela o conquistou desde o primeiro vocativo.

— Isso mesmo. Sou o Mick. Eu sei quem a senhora é. Estava conversando com o orgulho da sua vida faz pouco tempo, então foi daí que tirei os detalhes.

Ela fez uma careta.

— Orgulho da minha vida? Isso aí é a minha louça boa. Por que cê queria falar co' ela?

A risada de Mick veio de algum lugar mais profundo no estômago do que de onde o riso é geralmente emitido, de um Boroughs microscópico em seu bioma onde a fauna intestinal transpunha as vogais e tinha uma política inconsistente de pronúncia. Sua nova conhecida instantaneamente familiar juntou-se a ele com a própria explosão de gargalhadas defumadas, lançando um olhar de longo sofrimento para o filho ruivo tatuado que gargalhava enquanto brincava na porta da creche com Tripp e Thompson, uma reunião com ex-companheiros de bordo de uma década pirata que havia naufragado com toda a tripulação algum tempo antes.

— Aah, ele. Ah, num presta atenção no que ele diz. Ele é meio tonto, ou tá aprontan'o alguma. Vem cá, mas e tua irmã, com esse monte de pinturas? Ela num é muito boa da cabeça, a sua Alma, né? Eu vi aquele grandão que ela fez d'ocê, inteiro feito de espinha. E foi a tua própria irmã que aprontou essa, não alguém que num gosta d'ocê. Ora essa. Não, muita coisa que ela faz, bom, é uma maravilha, num é? Só num é muito respeitoso.

Mick ficou encantado com ela, magra, grisalha e local como a espiral de fumaça saindo de uma chaminé ao pôr do sol, encantado com seu grasnido afetuosamente estridente, tão parecido com o de Doreen, cheio de carvão e comédia. Ela havia sido bonita, era possível ver, e não muitos anos antes.

Ele se viu desejando que pudesse tê-la conhecido nessa época. Talvez tivesse, ou pelo menos a visto quando era mais jovem, o que poderia explicar a sensação extrema de familiaridade que experimentava no momento, com base em mais do que seu status icônico como uma mulher dos Boroughs, com certeza.

— Não. Respeito é uma das poucas coisas que não se pode acusar Alma. Escuta, é um sotaque dos Boroughs esse seu, não é? A senhora morava por aqui? Tenho certeza de que já vi a senhora em algum lugar.

Ela deixou que a mandíbula caísse até que seus lábios estivessem franzidos em reprovação, observando-o com as pálpebras semicerradas, como se ele fosse intelectualmente indigno de olhos inteiros. Era a expressão que sua mãe havia usado tantas vezes ao se dirigir a ele ou a Alma que era preciso fazer um esforço para se lembrar de que ela nem sempre era assim. A mãe de Bert resmungou, mais com pena do que com desprezo.

— Ara, claro que sou dos Burrers. Cê pensou que eu era da lua, seu belo tonto de meipataca? A gente morava no alto da Spring Lane, então eu nunca tomava chinelada porque chegava atrasada na escola.

Quando foi a última vez que tinha sido chamado de belo tonto de meipataca? Que vale meia pataca. Ele se deleitou no insulto obscuro. Remetia a uma era mais civilizada, onde o epíteto mais duro era uma comparação com uma moeda já recolhida. Lançada em uma torrente de reminiscências pela menção de sua casa de infância, ela continuou:

— Aah, era um lugar ótimo, os Burrers. Aquela de Spring Lane que a sua Alma fez, toda de vidro, acho que foi o que mais gostei. E cê num tem motivo pra reclamar, como ela te fez. Não depois do que ela fez pra mim. Não, um lugar ótimo. Nosso pai morava ali, na Monk's Pond Street, depois que nós se mudamo pra Kingsley. Eu lembro quando nosso William tava começan'o a andar, eu trazia ele pra cá, pra ele ver onde eu cresci.

Mick se viu tropeçando em sua tentativa de seguir o relato dela. Achou que a mulher tinha dito que havia uma imagem dela em algum lugar da exposição, e estava a ponto de perguntar, quando ela o surpreendeu com a menção de um nome desconhecido. Sua testa se franziu.

— William...?

Com um sorriso, ela balançou a cabeça, corrigindo-se.

— Sabe, eu nunca lembro, cês tudo, cês não chamam ele assim. Bert, é como cês falam. Uma vez o professor chamou ele assim na escola e ficou. Em casa ele é Bill ou William.

Ah. Certo. Sim. Sim, ele se lembrava de Alma dizendo alguma coisa pouco tempo antes nesse sentido: uma partida de futebol na escola; um professor com um lapso momentâneo de memória que gritou o primeiro nome da classe trabalhadora em que conseguiu pensar e condenou William a uma vida de Bert. E havia algo mais nessa história, não? Algum detalhe complementar à anedota que, por um momento, encontrou um ponto de apoio no cano de esgoto da memória de Mick. Algo sobre... Bert, Bill, algo sobre... não. Não, aquilo lhe escapou, caiu no escuro cancelado do esquecido, irrecuperável. Estava prestes a perguntar à mãe de Bert, sua recém-descoberta garota-propaganda da coragem na privação, se ela conseguia se lembrar de sua parte perdida da história, mas naquele momento a conversa deliciosa foi interrompida pelo berro inconsciente do filho dela, um equivalente acústico a um porco selvagem solto em um casamento.

— Ora, Phyllis, ele é um homem casado, e cê não tá em Boot's Corner. Vamos pra casa, antes que cê faça nós passar vergonha.

As feições de presuntada de Bert se dividiam em uma risada desdentada, lasciva e sugestiva, mesmo se estava falando de vidros duplos, uma cascata de Sid James[60] de insinuações gorgolejantes sem um alvo específico. A cabeça da mãe dele girou como um Spitfire antigo, mas muito ágil, e com os olhos mirando a fuselagem do filho como balas.

— Eu, te envergonhar? Cê vem me envergonhan'o deis que eu te pari. Deis que cê respirou pela primeira vez cê parecia uma privada quebrada, e cê é tão feio que tivero trabalho pra saber quem era o nenê e quem era a placenta. Levamo pra casa e batizamo ela antes de perceber. Te envergonhar? Vou te mostrar o que é envergonhar, seu bestinha tonto...

Virando-se de volta para Mick, ela suspendeu o fogo da metralhadora bucal, abrindo um sorriso radiante e encantador do Sistema Único de Saúde.

— Preciso ir embora, pelo jeito. Foi muito bom te conhecer. Espero te encontrar outra vez.

E, com isso, a mulher se afastou em um mergulho faiscante e tagarela, diminuindo a distância até sua presa condenada, mas ainda risonha, rubicunda de gargalhadas, um Barão Vermelho.

— Espera até eu pegar ocê, seu lixo imprestável. Não pensa que cê é muito grande pra eu afundar tua cabeça com um tijolo quando cê tiver dormin'o!

Com uma tempestade de poeira rodopiante de energia feroz e tons neutros, ela saiu apressada pela porta aberta da creche, passando por Roman Thompson e Ted Tripp, que abriram caminho de forma respeitosa, um raio globular seguindo uma corrente de ar, levando o filho errante diante dela para o bairro que desaparecia. Mick balançou a cabeça em admiração ao avistar um gênero considerado extinto, esse celacanto de habitação social. Ao vê-la partir, ele se pegou inundado de enternecimento do nada, ridiculamente inapropriado para alguém com quem só teve uma conversa de três minutos. Parecia mais um encontro com uma paixão da escola primária, aquela palpitação vestigial sem sentido do coração, a tristeza doce e sem sentido por universos alternativos que nunca aconteceriam.

Não pela primeira vez perplexo com seu próprio funcionamento interno, voltou suas atenções para a tarefa de passar pelas cinco pinturas restantes no desafio de enigmas da irmã. Continuando de onde havia feito sua interrupção tão envolvente, ocupou o espaço vago pela mãe de Bert Regan — Phyllis, acha que foi assim que Bert a chamou —, bem na frente do item trinta e um. *Encurralado*, de acordo a reflexão tardia em verde pendurada. Uma obra de guache, ocupava uma tela com cerca de sessenta por sessenta, e parecia ser em diversos sentidos um acompanhamento para a obra quatro, *Moradores de Rua*, até mesmo em suas posições quase simétricas perto de cada extremidade da longa sequência. Ambas as obras eram cenas de pub contemporâneas e alcançavam seu maior efeito visual ao justapor monocromáticos encardidos com cores, mas, enquanto a peça anterior continha uma área em preto e branco em meio a um campo de tons desenfreados, a pintura para a qual olhava fazia exatamente o contrário. Uma visão aérea para o salão da frente de um bar lotado que Mick não reconheceu, no canto inferior esquerdo uma figura solitária retratada em tons naturalistas brilhantes, um homenzinho atarracado com cabelos brancos encaracolados sentado em uma mesa de canto, enquanto a multidão que preenchia a cena ao seu redor, de parede a parede e de ponta a ponta, era executada em uma paleta de bitucas de cigarro e porcelana de mictório carbonizadas, cinzas de unha. A confusão inebriada e incolor, alegre mesmo em sua monotonia, parecia, no entanto, desprovida de vida e contemporaneidade, como se fossem os mortos felizes, os espectros de fumaça de cigarro de um passado persistente. A figura no canto inferior, em seus tons e tecidos modernos, parecia apartada dos fantasmas, se é que não estivessem todos em sua mente; se não fosse a pintura de um homem assombrado, sentado em um bar vazio, cercado por um desfile de lanterna mágica dos desaparecidos. Se fosse assim, então toda a multidão se tornava um miasma espesso e culpado de alguma forma emanando do único indivíduo cor de pele em sua mesa, encurralado por uma horda formada pelos zumbis das questões sociais, pelo passado, pela memória.

Ele avançou um pouco mais para a direita, progredindo para o oeste em um avanço excruciante, uma carroça puxada por lesmas ou uma deriva continental de um homem só. Isso o colocou contra a parede oeste da creche, em seu extremo sul. Apenas metade de um lado da construção para ser concluído, e então ele poderia fugir com honra para um mundo reconfortante e sem arte. A obra trinta e dois, intitulada O *Cruzeiro na Parede*, tinha proporções semelhantes às da peça anterior e estava claro que era a imagem que fez Bob Goodman sair mais cedo, furioso, ou pelo menos era essa a suspeita de Mick. Embora a grande maioria dos pintores mencionados pela irmã fossem obscuros para ele, pelo menos ao longo dos anos havia adquirido uma familiaridade de segunda mão com o trabalho peculiar de William Blake, e reconheceu a obra diante de si como uma espécie de composto, um amálgama modificado das imagens enigmáticas do visionário de Lambeth. A escuridão predominante, evocando um ambiente subterrâneo e fúnebre, era pontuada na parte superior da aquarela por nichos iluminados, nos quais estavam efígies próprias da estatuária memorial de um mausoléu. Inclinando-se mais para perto, ele examinou os nomes escritos abaixo das efígies em letras esfarrapadas como aquelas de James Gillray: James Hervey, Phillip Doddridge, Horace Walpole, Mary Shelley, William Blake e alguns outros, sombrios e reflexivos, com as cores iluminadas por velas na escuridão do cemitério. Seus olhares piedosos e desalentados pareciam se dirigir, mais com pena do que com desprezo, para o gigante nu no fundo da pintura, rastejando miseravelmente sobre as mãos e os joelhos ao longo de um túnel atrofiado e sem luz, com a cabeça curvada sob uma pesada coroa de ouro. Mick o reconheceu, embora apenas por meio da capa de um álbum do Atomic Rooster de que se lembrava, como o penitente Nabucodonosor de Blake. As feições amaldiçoadas do regente babilônico decaído foram aqui substituídas, no entanto, pela fisionomia assimétrica do amigo ator cheio de pose da irmã, a quem Alma parecia empregar como uma bola de estresse para aliviar a tensão, um receptáculo para seus jorros de insultos intermináveis se o próprio Mick estivesse doente ou de férias. O único outro elemento do arranjo, algo que não lembrava especificamente Blake, era a cruz toscamente esculpida colocada na pedra em ruínas no centro da pintura, logo acima do monstro rastejante, mas abaixo da audiência compassiva dos santos góticos mais acima. Não parecia ter muito a ver com seu breve encontro com a mortalidade na infância, ou mesmo com os Boroughs, mas até aí era possível dizer isso sobre a maioria das supostas obras de arte incluídas na exposição bastante extensa, ainda que confinadíssima.

Sentindo-se como um atleta supersticioso que prefere só olhar para a linha de chegada quando estiver bem em cima dela, ele ensaiou uma inábil versão da curva militar à direita aprendida na Brigada de Rapazes e viu, para seu imenso alívio, que havia apenas mais três obstáculos decorativos dali até a porta aberta, entre ele e a liberdade. E, melhor ainda, o primeiro, com o qual se deparava, era pequeno e simples. Numa folha insubstancial que mais parecia papel de datilografia, pregada na parede da creche como se fosse obra de uma criança precoce no Dia dos Pais, havia um desenho a lápis fluido e expressivo, com um traço errante e tão natural quanto as ervas daninhas da primavera. Sem se dar ao trabalho de anexar uma etiqueta separada nessa ocasião, Alma havia apenas rabiscado O *Jolly Smokers* no canto superior esquerdo da própria peça, em clorofila.

O desenho era um detalhe fino e delicado da igreja de St. Peter, com o pórtico da frente do edifício abandonado com sua pedra cor de mel e a caixa torácica de madeira preta do telhado e com um fio de grama de trigo espalhando-se entre as pedras da fachada e a entrada aberta. No recesso sombreado, uma figura reclinada dormia, com as solas dos tênis voltadas para o espectador, e todos os outros indicadores do tipo de corpo, idade, sexo ou etnia escondidos sob as dobras e ondulações escorregadias do saco de dormir aberto. Traçados de grafite prateado desenrolavam-se e escorriam amorosamente pelos contornos acolchoados, com a forma implícita imóvel por baixo, divagando para investigar a intrincada topografia de cada dobra rechonchuda. Quanto mais Mick estudava a composição enganosamente simples, mais questionava sua primeira suposição de que se tratava do estudo de um sem-teto, apenas dormindo. Com o saco puxado para cima e cobrindo o rosto, havia um aspecto mortuário nas imagens que não podia ser ignorado. Em sua quietude velada, a do sonho ou da morte, a forma caída habitava uma fronteira hesitante e ambígua entre esses estados, muito parecida com a sugerida por aquele físico que pode ou não ter matado o gato com gás. Mick não pôde chegar a nenhuma conclusão além da observação de que, em desacordo com o título, a cena retratada estava longe de ser alegre e não parecia ser fumante.

Movendo-se para o norte mais uma vez, ele avançou para a próxima pintura, que constatou, com o coração aos saltos, ser a penúltima. Um trabalho quadrado em óleo, tão espaçoso e radiante quanto seu predecessor era escasso e sem suposições, e a etiqueta colada revelava seu título como *Ide Ver Aquela Maldita*. O que a princípio parecia ser um desenho abstrato irritantemente regular e até geométrico, uma Milton Keynes imaginada por um Mondrian desesperado, transformou-se sob uma inspeção minuciosa em uma reprodução complexa de um tabuleiro de jogo, uma grade ricamente embelezada no modelo genérico de *Cobras e Escadas*, com cada caixa ilustrada com um número decorado ou uma miniatura iconográfica. Ele percebeu com um pequeno sobressalto que o foco do jogo pareciam ser os luxuosos infortúnios de Diana Spencer, sua *Via Crúcis* pelos tabloides – sol através de uma saia fina exibindo as pernas; posando no portão com Charles; um olhar tímido para Martin Bashir ou seu último sorriso público diante das portas traseiras do Paris Ritz – transformados em enormes selos postais. O desenho do tabuleiro de jogo, com seus espaços numerados, dava a esses momentos incidentais a sensação incômoda de uma progressão linear implacável e veloz para um resultado predeterminado: uma chegada à casa final, mais cedo ou mais tarde, independentemente de como o dado caísse, um resultado óbvio desde o início do jogo ou, na verdade, desde a abertura da caixa envolta em celofane na manhã de Natal. O que surpreendeu Mick foi a combinação improvável de jogos de tabuleiro com Diana Spencer, assim como em suas ruminações insones da noite anterior. Era só coincidência e, pensando bem, nada muito memorável nesse sentido. A ideia da vida da loira de Althorp como uma versão bizarra e fatalista de *Detetive* não era tão exagerada, levando tudo em consideração. Ainda assim, aquilo o surpreendeu por um momento.

Furtivamente, ele começou a se mover em direção ao último obstáculo sinistro que se interpunha entre ele e a porta escancarada da creche. Sentiu estar em um jogo em que ele e todos os outros frequentadores da galeria eram uma multidão mal-humorada de condenados da cultura, arrastando os pés pelo pátio de exercícios, imaginando se esposas e namoradas ainda estariam esperando por eles do lado de fora depois de todo aquele tempo. Despercebido, ou assim esperava, pelas torres imaginárias de metralhadoras que havia posicionado nos cantos da sala, avançou lentamente em direção ao portão destrancado da prisão e ficou de fato sem fôlego ao sentir a mão pesada do carcereiro cair sobre seu ombro, vinda de trás.

— Warry, vem cá. Tá com o isqueiro?

Mick virou-se para enfrentar o brilho do olhar de farol da irmã mais velha, o de um basilisco mal-humorado e desinteressado que não se importava em transformar as pessoas em nada além de revestimento de pedra. Alma parecia apreensiva e distraída demais para insultá-lo, o que era algo muito preocupante. Mesmo ao falar "o" isqueiro, parecia tê-lo reclassificado como propriedade mútua, e não como um objeto que pertencia apenas a ela, o que por si só parecia sugerir um abrandamento de sua política. Alma estaria doente? Ele pescou dentro de um bolso de sua calça jeans o artefato solicitado. Ao entregá-lo, sentiu-se obrigado a perguntar.

— Warry? Tá tudo bem? Você não parece a de sempre. Está sendo razoável.

Tomando o isqueiro da mão dele dele sem nenhum tipo de agradecimento, o que pelo menos era mais do seu feitio, a irmã balançou a cabeça de jardim suspenso na direção da maquete de mesa dos Boroughs, que em certo sentido lembrava os roedores do distrito: você nunca conseguia ficar a mais de dois metros de distância deles.

— É isso. Ainda não está bom. Não está dizendo o que quero. Está dizendo: "Aah, olha só para os Boroughs. Não era um lugar adorável, com toda aquela história e personalidade?". Todos os livros de imagens que tomei como base já estão dizendo isso, né? Precisa de mais alguma coisa. Obrigada pelo isqueiro, aliás. Devolvo logo depois de usar.

Mais uma vez, aquele jeito estranho, com educação e consideração. Alma saiu, presumivelmente para melhorar seu humor e abrir caminho fumegando até a resolução de seu dilema. Respirando fundo em antecipação, Mick voltou as atenções para a obra trinta e cinco, a inclusão final da exposição, intitulada por sua etiqueta de papel rasgado como *Corrente de Ofício*. Aspecto de retrato, mais uma vez em guache, contemplava o corpo inteiro de uma única figura em um fundo de um verde em cascata maravilhoso — os fatos nus da imagem se aglomeravam para preencher o campo de visão de Mick e o impediram de ver sua totalidade. O pano de fundo de uma única cor, com seu fervilhar de urtiga, limão e peridoto, já era avassalador por si só, um gosto de caldo experiencial de parque de diversões infantil, um prado adolescente desajeitado, um musgo de cemitério. O tema da pintura, de pé com os dois braços erguidos em saudação ou bênção, tinha ares de prefeito, em parte conferido pelo título da obra e em parte pelo medalhão homônimo pendurado em seu pescoço. Em uma observação mais próxima, o gongo de metal parecia ser uma tampa de panela, com a corrente de suporte que antes fora acessório de uma caixa d'água da descarga de banheiro. A multidão de referências nas obras até agora, passando zunindo acima da cabeça de Mick, o fez sentir como se estivesse sendo metralhado por Melvyn Bragg, mas ali estava, enfim, uma que entendia; uma que reconhecia. A tampa amassada, ele sabia, era uma alusão ao antigo costume dos Boroughs de nomear algum indivíduo de má reputação como prefeito do bairro, uma sátira ferina encenada lá na Mayorhold, no local da Gilhalda, a prefeitura original, para zombar dos processos de governo dos quais a população mais antiga de Northampton já estava excluída. A natureza autodepreciativa do próprio talismã de lata era prejudicada, no entanto, pelas vestes suntuosas nas quais essa forma central estava envolta, mais gloriosamente decorada do que aquelas usadas por qualquer dignitário cívico do mundo real. Ao redor da bainha havia uma borda de pedras de calçamento meticulosamente rendadas, acinzentadas e rachadas com grama de jade nas costuras, enquanto em torno da gola...

Era ele.

A pessoa na pintura era Mick. Tinha o rosto de Mick, perfeitamente capturado até no brilho manchado de destaque na linha de cabelo recuada, embora, depois de um escrutínio de alguns momentos, ocorreu-lhe que essa verossimilhança engenhosa havia sido na verdade ocasionada pela tinta ainda molhada. A semelhança, mesmo assim, era inconfundível e, verdade fosse dita, atipicamente lisonjeira. Dos olhos azuis sinceros ao sorriso cativante, Alma o fez parecer muito bonito, pelo menos em comparação com todas as suas aparições anteriores ao longo da exposição, fosse como uma criança afetada ou como internado na enfermaria de queimados com as feições mais corroídas do que a esfinge. Se soubesse antes que toda a exposição levaria a isso, não teria sido tão mal-humorado ou rabugento em suas avaliações anteriores. Agora, no entanto, sentia-se culpado e desconfortável, o que quase certamente era o efeito que sua irmã esperava, se conhecia Alma. Caso contrário, ela teria dito alguma coisa quando se aproximou para pegar o isqueiro alguns minutos atrás, com ele parado bem ali ao lado da pintura que o mitificou, que a absolveu de todas as crueldades anteriores. Como ele estava de frente para a parede oeste da creche, a única com janelas, ergueu os olhos de *Corrente de Ofício* e olhou para fora através do vidro manchado para vê-la, andando de um lado para o outro, bufando, deixando ainda mais rastros no gramado irregular do lado de fora, mas ela não estava à vista. Seu primeiro pensamento foi que estava tão angustiada com tudo o que achava estar errado em seus Boroughs em miniatura que teve um colapso e fugiu: uma morte forjada, uma aparência alterada, uma claudicação de disfarce, uma passagem para outra cidade. Ninguém nunca mais encontraria Alma Warren, a fabricante de maquetes fracassada. Embora estivesse quase certo de que era isso o que havia acontecido, sentiu que deveria pelo menos dar uma olhada rápida na galeria atrás dele antes de se preocupar em alertar a mídia.

A irmã, no fim, não havia nem chegado à porta da creche antes de ser abordada por seu público adorador ou deplorador. Estava mais longe da porta, na verdade, do que o próprio Mick, encostada no lado leste da mesa e olhando carrancuda para sua obra como um Jeová insatisfeito, um Jeová que havia trocado a barba por batom, mas cada um na sua, claro, e não há nada de errado com isso. E, o que era o mais desconcertante, estava flanqueada pelas duas senhoras idosas que Mick havia notado antes e que tinham aparecido e desaparecido durante a tarde. Cada uma estava de um lado de Alma enquanto ela pairava sobre o distrito de papel machê, curvando-se como uma monstruosa pilha de detritos com mais detritos do que o normal, pronta para engolir os Boroughs encolhidos em uma avalanche devastadora de penugem turquesa e amargura. As velhas, cobertas de teias de aranha de rugas e a carne exposta com o aspecto de lama de um reservatório seco, pareciam se revezar para se curvar e murmurar suas opiniões nos ouvidos da artista preocupada e carrancuda, embora Mick duvidasse que o conselho da mulher que estivesse no lado surdo de Alma fosse levado em consideração. Com seus olhos de lanterna de naufragador fixos nos becos diminutos de seu mundo reconstruído, a irmã não olhava para nenhuma das mulheres enquanto elas falavam, palavras de incentivo, ao que parecia, mas recebia os comentários delas com acenos de cabeça e expressão séria. Incrivelmente, parecia que Alma não estava apenas ouvindo a opinião de alguém sobre seu trabalho, mas também parecia concordar. As duas pareciam amar cada minuto de sua audiência com a artesã subjugada e, pela primeira vez na vida, complacente. Do fundo das órbitas enrugadas de papiro, seus olhos brilhavam e faiscavam, cravos em pedras, enquanto as cabeças enrugadas mergulhavam uma após a outra para suas bicadas sussurrantes e bem-educadas no fígado de Prometeu. Embora fosse impossível ouvir o que diziam à irmã acima do burburinho da galeria, Mick achou que parecia que estavam dando uma animada e estimulante palestra, instando Alma a manter sua visão e ampliá-la, levá-la adiante. Ou algo do tipo, enfim. As velhas apontaram dedos de perna de caranguejo para a maquete sobre a mesa, com a que estava do lado direito surdo de Alma murmurando repetidamente algo que parecia "continue" ou "prossiga", ou uma palavra assim, com três sílabas. E Alma assentiu como se estivesse seguindo um conselho irrefutável, recebendo instruções de duas megeras de aparência maluca cuja existência ignorava noventa minutos antes. Ainda tão distante de entender a irmã como quando, aos sete anos de idade, ela atirou nele com aquela zarabatana, Mick voltou-se para *Corrente de Ofício* a fim de continuar sua observação.

Recuperado do choque de perceber que era o tema dessa obra final, ele foi capaz de absorver os outros conteúdos da pintura, em especial o esplêndido manto com o qual a irmã achou adequado enfeitar sua figura central. Dobras drapejadas de veludo pesado eram bordadas com requintados fios de ouro, uma fenda dourada que se resolvia a poucos centímetros da superfície da imagem em um sinuoso mapa do tesouro do terreno de onde Mick nasceu. Era um daqueles mapas com partes tridimensionais salientes, cujo nome ele nunca conseguia lembrar. Era possível ver os delineamentos aéreos da St. Andrew's Road e da Freeschool Street, da Spring Lane e da Scarletwell como pregas profundas em paralelo, e a igreja Doddridge como uma decoração no enviesado, o cemitério se comprimindo à medida que se reunia nos pontos apertados. Ocorreu-lhe que nas construções elevadas e nas projeções de uma cartografia em extinção, um pouco como o diorama problemático dos Boroughs de Alma, ela havia planejado que essa última obra reprisasse todos os outros trabalhos da exposição em tamanho reduzido. Ele fitou a peça, concentrou os olhos nos ornamentos e viu que sua imagem nobre ostentava conchas de caracol minúsculas coladas como abotoaduras, uma espiral manchada em cada punho. Estava absorto nesses adornos calcíferos, tentando estabelecer se ainda abrigavam ocupantes de moluscos, quando ouviu as distintas cadências da Costa do Pacífico da amiga de Alma, Melinda Gebbie, acima do burburinho de fundo, e tudo começou.

— Alma, sua cuzona do caralho, você não se atreva!

Mick se virou, só por curiosidade, e se viu confrontado com a imagem daquela exposição, o quadro solitário que era genuinamente inesquecível. A irmã, com uma expressão vazia que era inocente ou culpada a ponto de não estar nem aí, santa ou assassina em série, inclinou-se sobre a Marefair e a Saint Mary's Street, passando pela Castle Street e atravessando a Peter's House até a Bath Street. As velhinhas amontoadas atrás dela se abraçaram e fizeram uma dancinha desajeitada e saltitante. Os olhos enormes de Lucy Lisowiec se prepararam para disparar através da sala, acompanhando seu lamento crescente de sirene.

— Almaaaaaaa!

Alma produziu uma língua azul e amarela pressionando a roda de pedra do isqueiro de Mick, e então deixou-a provar o cocô de pássaro endurecido simulado ao redor da borda de seu Destruidor em miniatura. Gosto de quero mais, evidentemente. Babados incendiários gotejantes de índigo desciam da torre da chaminé escurecida até a base com grande rapidez, enviando ondas acres e autênticas de partículas em direção aos sensores montados no teto. Tudo queimou em instantes, por ter sido construído com materiais projetados para fazer exatamente isso, e pelo olhar crescente de apreensão da irmã parecia que nem ela estava preparada para o ritmo terrível da calamidade na cidade de brinquedo que havia acabado de desencadear.

Um tojo de incêndio que se espalhava engolfou a Bristol Street e seus arredores, com o carro da febre de bijuteria e a égua de um centímetro de altura rebocando-o para o início da Fort Street, ressequida por fuligem ondulante e sumindo instantaneamente. O refluxo do incêndio queimou a garganta estreita da Chalk Lane e expeliu uma bile aniquiladora pela Marefair, com a torre de chapéu de bruxa anacrônica em Black Lion Hill murchando em seu mastro e retorcida com lenços de ouro que se moviam. Afluentes infernais corriam da antiga Bearward Street para inundar a Mayorhold com vapor de combustão, vitrines de confeitarias em *tromp l'oeil* desaparecendo na luz antes que a translucidez tremeluzente subisse o corte de navalha da Bullhead Lane até a Sheep Street, onde a ignição se espalhava como scrapie através do rebanho de papel. Demônios alaranjados fervilhavam sobre a igreja dos cruzados, desfazendo seu campanário em faíscas e nivelando o círculo de paredes grossas até uma boca uivante, vermelha como um ferro em brasa, um toro flamejante, anel mindinho de um anjo apocalíptico. A misericórdia, brilhante e cauterizante, acariciava a vizinhança ferida. Em Marefair, o catre de Cromwell na Hazelrigg House era imolado entre as mechas milenares, crânios raspados nos quais se podia acender um fósforo, plumas indiferentes ardendo em cornijas perfuradas. Do toco carbonizado da chaminé da Bath Street, ondas abrasadoras se espalhavam pelo distrito de circo de pulgas em aros de safira dilatados, como os de uma estrela cadente caída em um tanque de gasolina. A incineração dançava na Broad Street e na Bellbarn, sumindo rapidamente com os fortes do Exército de Salvação e sem deixar nenhum poste de barbearia apagado. As roupas lavadas de seda Rizla batiam como asas de fênix no pátio central dos Greyfriars, úmido com a garoa de chamas, enquanto ao longo das fileiras de casas crocantes, seis dúzias de pubs serviam os últimos pedidos e se submetiam a uma temperança mais severa. Santelmo flertava com os trechos superiores dos andares da Saint Katherine, pulando entre antenas de televisão laboriosamente modeladas na Mary's Street em uma transmissão no horário de pico, refazendo sentimentalmente as trajetórias de um predecessor da Restauração, e o Niágara martirizador se derramou pela Horsemarket arrastando uma gaze nupcial de fumaça sufocante em seu encalço. Rebuscamentos em cremação contorceram-se nas arquitraves da Saint Peter. O holocausto calibre zero realizou em meros segundos uma obliteração sobre a qual a prefeitura havia deliberado por quase um século, apagando histórias de paralelepípedos em seu revestimento de faíscas de roda de Catarina, sem vento oeste dessa vez para garantir que apenas as casas de luvas e chapéus incendiadas da Mercers' Row ou arredores jamais seriam restauradas. O trechinho de casas na St. Andrew's Road que ia da Scarletwell Street até a Spring Lane se transformou em um dia ruim acinzentado de Rothko, com algum golpe de sorte ou capricho termal poupando apenas as premissas de tamanho de peças de *Monopoly* na extremidade sul da linha. Clubes de rapazes e casas de apostas, banheiros apropriados para pegação e espeluncas de esquina foram apanhados em um fluxo piroclástico da Regent Square até os baixos da Grafton Street, e a escola de dança de Marjorie Pitt-Draffen, no local atual da exposição de Alma, jorrou branco em nuvens rolando por sua porta aberta no microcosmo do edifício em que havia sido modelado e situado. Penetrantes aos seios da face e aos canais lacrimais, pelo menos provocaram uma lacrimosidade que as demolições mais graduais de algumas décadas não conseguiram causar. Em avanço rápido no tampo da mesa, todo o fac-símile da vizinhança queimou até não restar nada, e sua música final foi o guincho repetido de detectores de fumaça.

Tudo isso levou apenas alguns momentos, uma rosa do desastre florescendo e murchando no tempo, mergulhando a creche em um turbilhão de opacidade, com todos tossindo, praguejando, rindo, indo aos tropeções para a saída. Sentindo o sabor amargo do papel queimando na terra de ninguém que separa o nariz da garganta, Mick tropeçou cegamente em direção ao ar fresco e à liberdade. Ao sair, colidiu com um pitbull apoiado nas patas traseiras e envolto em névoa que acabou se revelando Ted Tripp, o antigo ladrão, conduzindo a namorada, Jan, diante de si, ambos aparentemente mais entretidos do que traumatizados. Ao lado da porta, à direita, o carpinteiro de cabelos brancos da pintura um olhava para trás, por cima do ombro, para o rebanho crepitante que passava em disparada, enquanto à esquerda estava o próprio Mick, em traje de prefeito e com os braços erguidos num gesto que agora se lia como se ele desse de ombros, desculpando-se: "Botem a culpa nela. Nada a ver comigo". Ele cambaleou para a relva do lado de fora, com as madeixas verdes escorridas grudadas no couro cabeludo enlameado, arrastando fitas asfixiantes em seu rastro. Pressionando as palmas das mãos nas órbitas, espalhou a umidade pungente pelas maçãs do rosto até conseguir enxergar novamente.

A entrada da creche ainda expelia fumaça e pessoas no que, de outra forma, seria uma tarde agradável. Brigões de aparência assassina asseguravam uns aos outros que estavam bem, anarquistas asmáticos sentavam-se ofegantes na esquina da Phoenix Street e Roman Thompson fazia o possível para parecer complacente quando o namorado lhe dizia que, não, sério, isso não era engraçado mesmo. Recuando na direção do Golden Lion, na Castle Street, Melinda Gebbie ajudava uma Lucy Lisowiec atordoada a conseguir uma reportagem de capa botando a culpa de tudo nos bêbados de rua não identificáveis do lugar, esta última boquiaberta, com aquele olhar atingido por um trovão que Mick já havia observado tantas vezes nos companheiros da irmã. Em algum lugar em suas costas, ouviu Dave Daniels perguntar "Onde está Alma?", e começava a conjeturar que a exposição poderia ter sido concebida como uma pira funerária viking quando, através do portal de fumaça, como numa versão de terror de show de talentos, surgiu a artista toda desgrenhada.

Seus olhos eram como colisões de partículas, trajetórias decaídas de matéria negra descendo de cantos aquosos até o queixo, e em seu cabelo de sargaço empoleiravam-se enormes borboletas pálidas de cinzas assentadas. Buracos feios e chamuscados agora perfuravam o novo suéter turquesa, mas Mick supôs que ficaria a mesma coisa depois de uma semana de desgaste normal e derramamentos meteoríticos de haxixe de Alma. Os lábios manchados de vermelhão esticavam-se em um ricto medonho e apreensivo enquanto ela erguia as palmas fuliginosas e cheias de bolhas para seu público perplexo como se estivesse tentando se render.

— Está tudo bem. Apaguei tudo. Vou comprar outra mesa para a creche. Ou duas, se quiserem, que tal?

Sua irmã era como Werner Von Braun tentando apaziguar nazistas veteranos depois que uma V2 explodiu na plataforma de lançamento, sorrindo nervosamente e limpando os destroços da explosão das sobrancelhas crespas de Goering. Ficou batendo no próprio peito, onde um fogo turquesa se reacendeu, e Mick teve a impressão de que ela nunca tinha parecido tão catastroficamente perturbada quanto naquele momento. Ele estava quase, bem, não orgulhoso dela, mas menos envergonhado. Então se lembrou das velhas que estavam atrás de Alma antes de partir para a solução nuclear, e que não estavam entre o amontoado enfisêmico de sobreviventes na beirada em farrapos. Ah, caralho. Ela finalmente matou alguém e, quando os jornalistas fossem atrás de seus amigos e familiares, ninguém fingiria surpresa ou daria um testemunho de sua serenidade e normalidade. Caminhando em direção a ela, Mick estava apenas chocado por Alma ter conseguido se conter por tanto tempo.

— Warry, porra, onde estão aquelas velhas, as duas que estavam do seu lado?

A cabeça da irmã girou sem pressa em sua direção, como a de um turco mecânico ansioso para persuadir os espectadores de que não havia nenhum grande mestre anão agachado em sua caixa torácica. Ao focalizar um olhar em leve estado de choque em Mick, suas luzes de perigo óticas piscaram estupidamente em meio ao kohl gosmento, como um casal reprodutor de medusas furtivas. Parecia que ela poderia começar a descobrir quem ele era assim que respondesse à mesma pergunta em relação a si mesma. As pálpebras pesadas subiram e desceram mais algumas vezes sem propósito aparente na longa pausa do ônibus espacial antes que ela falasse.

— Quê?

Mick apertou o ombro dela com urgência.

— As duas velhas! Elas ficaram aqui a tarde inteira. Estavam atrás de você quando fez seu sacrifício ou sei lá o que pensou que estava fazendo. Não estão aqui fora, então ainda estão lá dentro debaixo de uma mesa, derrubadas pela fumaça e...

Ele interrompeu a frase. Alma olhava para a mão fechada dele como se não tivesse certeza do que era, muito menos o que estava fazendo com seu bíceps. Ele a retirou enquanto ainda tinha todos os dedos.

— Desculpe.

Ela franziu a testa para ele interrogativamente, e Mick notou a mudança quando se viu no papel de resmungar sobre riscos psiquiátricos enquanto ela de alguma forma assumia o manto de clínico preocupado.

— Warry, a mãe do Bert era a única velha aqui além de mim e, se ela não tivesse já ido embora, eu não teria acendido o papel. Não sou uma psicopata que quer sacrificar os idosos nem nada do tipo. Não sou o Martin Amis. Pode ir lá ver, se não acredita em mim.

Os olhos dele dispararam para a porta da creche, ainda fervilhando. Sabia com absoluta convicção, pelo tom de Alma, que se olhasse para dentro veria exatamente o que ela tinha dito. Não haveria aposentadas semissufocadas e caídas uma sobre a outra, e sim nada além daquela Dresden caótica e fulgurante, colunas de fumaça subindo de brasas retorcidas. Ele visualizou com perfeição em sua mente as duas mulheres que definitivamente estiveram lá e agora não estavam, e sentiu o mesmo formigamento inquieto em suas vértebras superiores que experimentou ao falar com a mãe de Bert Regan, um sopro inquietante nos cotocos de pelos raspados da nuca. Achou melhor não levar adiante o atual foco de sua investigação, e voltou o olhar para encontrar o da irmã.

— Não, é que... não, tudo bem, Warry, eu confio na sua palavra. Devo ter me confundido. Vem cá, você sabe que esse lugar provavelmente está conectado com o corpo de bombeiros, né? Quer estar aqui quando os caminhões chegarem? Ou foi por isso que fez tudo isso, pelas luzes piscantes e os uniformes?

Ela o olhou com um espanto sincero.

— Ah, merda. Não tinha pensado nisso. Vem, vamos cair fora para outro lugar, assim posso refletir sobre o que fiz e sentir o devido arrependimento.

Pegando-o pelo cotovelo, ela começou a arrastá-lo pela Phoenix Street em direção à Chalk Lane, gritando para os refugiados atingidos pela fumaça que ainda se reuniam na beira do avental comido pelas traças da creche.

— Não se preocupem. Todo mundo vai ser ressarcido.

Dean, o companheiro de Roman Thompson, parecia estar em um impasse filosófico.

— Mas ninguém pagou nada.

Arrastando o irmão pelo muro oeste da igreja Doddridge, Alma considerou.

— Ah. Então, nesse caso, ninguém se qualifica ao ressarcimento. Ligo para todos vocês na semana que vem.

Com isso, os Warren se afastaram da cena do crime em potencial, passeando como se estivessem se esforçando para não parecerem criminosos em fuga. Arrastando-se pelo pavimento inclinado, passando pela casa de reuniões de pedras cor de bronze, os dois olharam primeiro para a porta encalhada no meio da pedra mastigada pela chuva, um bigode de flores e grama ao longo do parapeito, depois um para o outro, mas nenhum deles falou nada. Da faixa truncada de fachadas descascadas opostas, agachadas sob o caramanchão elevado dos antigos terrenos do castelo, vinha uma música abafada que era veranil e antiga, entrando e saindo da audibilidade pela faixa de ondas da brisa em constante mudança. "Don't Walk Away, René", talvez. Testando galhos vestidos de rosa como damas de honra ciganas, melros-pretos Schuberts penduravam suas composições fugazes nas pautas musicais cinzentas que ainda se desfaziam da creche e, chacoalhando na curva da Mary's Street, um Volkswagen azul-gelo desbotado formou por um instante um contraste sedutor com a cor de caramelo das margens do cemitério. Dobrando a esquina no rastro do veículo trêmulo, Alma e Mick subiram a escada pouco exigente e, sem necessidade de falar, concordaram em estacionar seus traseiros envelhecidos no muro com tampo de laje que delimitava a face sul da capela.

Apesar dos guinchos persistentes dos detectores de fumaça, agora do outro lado da igreja e, portanto, mais fáceis de ignorar, era uma tarde encantadora, até com zumbidos de abelha. Mick bateu um cigarro para fora do maço vazio, e Alma passou o isqueiro para ele sem emitir um som sequer. Pelo jeito, a missão dele tinha sido cumprida. Depois de um momento, incitada pelo perfume da fumaça do cigarro do irmão, Alma decidiu fumar seu último bastão restante de tabaco dos sonhos e fez com que ele o acendesse para ela, inclinando-se e segurando os cabelos como anáguas ao lado de uma lareira. Eles sugaram suas neurotoxinas em silêncio por algum tempo, antes que o irmão mais novo e sem palavras pensasse em algo para dizer.

— Suas pinturas, Warry, isso que acabamos de ver. Tinha muita coisa que não me lembro de ter contado. Você usou alguma licença criativa, ao que parece, aqui e ali.

Sua irmã sorriu, radiante, mas dessa vez não como um reator nuclear rachado, e enrugou o nariz de forma autodepreciativa.

— Pois é. Sim, eu inventei a maioria das coisas, mas não acho que importa quem alucinou o que, desde que a história real esteja ali em algum lugar. De qualquer forma, ninguém nunca vai saber que não é o que você me contou. É sua palavra contra a minha, e eu sou uma celebridade interestelar.

Mick riu pelo nariz, soltando folhas vaporosas de chinoiserie encaracolada.

—Warry, o que você pretende conseguir com essa bobagem fantástica? Você de alguma forma salvou os Boroughs, como disse que faria? Vão reconstruir o distrito como era quando éramos crianças, e não vão colocar mais nenhum Destruidor?

Mantendo o sorriso, ainda que agora com mais pesar, ela balançou o cabelo de salgueiro.

— Eu não sou como as fadas, Warry. Imagino que os Boroughs vão continuar sendo ignorados até que alguém apareça com um plano estúpido achando que pode dar lucro, então vão derrubar, pavimentar, sumir com as ruas e deixar apenas os nomes. Quanto aos incineradores e destruidores, meu palpite é que vão espalhá-los por todo o país. É a maneira mais barata e suja de fazer as coisas, não incomoda ninguém que vote ou faça alguma diferença, e por que interferir em cem anos de uma política que passa até por Westminster? Eles começaram a demolir este lugar depois da Primeira Guerra Mundial, provavelmente porque, com a revolução russa, manter todos os seus trabalhadores descontentes em um só lugar parecia uma má ideia. E não vão parar agora.

Como em geral acontecia quando ela surtava, o baseado esquecido de Alma havia apagado. Prevendo as necessidades dela, Mick tirou o isqueiro do bolso e permitiu que ela chupasse a ponta apagada de seu Havana de haxixe de volta à vida de rubi raivoso, após o que ela retomou sua diatribe.

— E, mesmo que reconstruíssem, até a última soleira, seria horrível. Faria pelas construções o que *Invasores de Corpos* fez pelas pessoas. Seria uma espécie de parque temático de privações. A não ser que seja restaurado exatamente como era, com toda a sua vida e atmosfera intactas, não vale a pena se preocupar. Eu salvei os Boroughs, Warry, mas não como se salvam as baleias ou o Serviço Nacional de Saúde. Foi da mesma forma que você salva navios colocando uma réplica em garrafas. É o único jeito que funciona. Mais cedo ou mais tarde, todas as pessoas e lugares que amamos acabam, e a única maneira de mantê-los seguros é a arte. É para isso que serve a arte. Para resgatar tudo do tempo.

No céu de maio sobre Marefair e a Saint Peter's, um manjar branco de nuvens formou um coelho cochilando, moldado para uma festa infantil estratosférica. O vento sussurrado vinha de Far Cotton, e Mick sentiu a pele da brisa roçar na sua enquanto deslizava educadamente ao seu redor e continuava sua jornada para o norte. Estava pensando no que a irmã tinha acabado de dizer sobre a impossibilidade de resgatar ou remediar a causa perdida que era o bairro com algo que não fosse as artes e as letras quando se lembrou do poema de Ben Perrit, dobrado em seu bolso. Inclinando-se para trás em um ângulo precário para que pudesse colocar a mão no bolso de linho esticado, ele o pescou e o entregou a Alma, que o examinou suavizando sua testa beligerante e, em seguida, dobrando-o para caber em algum compartimento de seu próprio jeans de limpador de cachimbo, olhou para Mick.

— É um bêbado tonto, pobre e sofredor, mas sabe fazer um belo poema. São todos sobre alguma perda que ele não consegue superar, verdade, mas se pudesse não precisaria escrever. Ou beber. Às vezes acho que ele vive de perda; que nunca ama tanto uma coisa como quando aquilo descarrilhou. Espero que ele esteja bem. Espero que todos estejam bem.

Ela caiu em outra rodada de baforadas concentradas em seu baseado para evitar que apagasse de novo. A nuvem de coelho agora tinha assumido a forma de dois hamsters separados sobre a Pike Lane, e Mick arriscou um olhar de soslaio para a irmã mais velha.

— E como Ben não conseguir superar a perda dele é uma coisa diferente de como você lida com a sua?

Alma inclinou a cabeça para trás e soltou um gênio fino e bege para a tigela azul emborcada acima.

— Porque o que eu fiz, Warry, é uma mitologia gloriosa de perda. Ali atrás havia um testamento mais antigo, um panteão de mendigos e moleques com lêndeas. Apertei os tijolos até sangrarem milagres e enchi as rachaduras com lendas, foi o que fiz. Eu...

Ela se interrompeu, e uma noite de fogos de artifício de maravilhamento e prazer se manifestou em seu rosto.

— Vem cá, eu te contei, o que o Roman Thompson falou, a história do moinho?

O olhar vazio de Mick foi sua resposta e o estímulo para Alma seguir em frente com entusiasmo.

— É o gasômetro na Tanner Street, atrás de onde a vó morava. Segundo o que Rome disse, no século XII era um moinho de milho chamado "Moinho Maravilhoso". Se você descer pelo rio, embaixo da ponte, no meio de todas as latas de cerveja e seringas e bolsas estripadas, pode ver as pedras velhas nas laterais que costumavam ser o curso que movia a roda d'água. Em mil duzentos e poucos, foi reivindicado pelos monges do Priorado de Saint Andrew, que controlavam o outro moinho da cidade e acharam que poderiam administrar os dois. Então, no século XVI, Henrique VIII dissolveu os mosteiros e a propriedade voltou para os habitantes da cidade. Duzentos anos se passaram, e quando foram ver já era mil setecentos e tantos...

Ela fez uma pausa para respirar, ainda que apenas a droga.

— Em 1741, tinha um consórcio de empresários. Um deles é o dr. Johnson, o que dá apoio à minha teoria de que, de Bunyan a Lucia

Joyce, essa coisa toda tem a ver com o desenvolvimento do inglês como uma língua visionária. Enfim, eles compraram o lugar e o moinho de milho virou uma algodoaria.

Sem saber ao certo a que a irmã se referia, e ainda mais incerto em relação a como o descobridor do talco se encaixava no cenário[61], Mick franziu os lábios e apenas assentiu.

— Havia algodoarias em Birmingham naquela época, movidas por burros, mas a da Tanner Street foi a primeira fábrica movida a energia em todo o mundo. Portanto, não são apenas as cruzadas e os Cromwells. A Revolução Industrial começou no final da Green Street. Como era de se esperar, as indústrias familiares locais vieram abaixo como pinos de boliche, como aconteceria em todos os lugares no século seguinte. A fábrica tinha três grandes teares de algodão, todos trabalhando dia e noite, sem nenhum funcionário além de algumas crianças para varrer os cantos e desembaraçar as coisas quando o mecanismo enroscava.

Mick escutou, um pouco distraído pela forma atarracada e diminuta subindo Chalk Lane na direção deles, com cabelo branco encaracolado que parecia a camada de espuma no topo de um copo de cerveja de cor invulgarmente pálida, o copo de cuspe que tiram depois de trocar o barril. Pensando ter visto aquele indivíduo sufocado em algum lugar, Mick no fim concluiu que era aquele vereador que tinha uma coluna no jornal. Cockie, era isso? Morava perto de Black Lion Hill, o que explicaria sua presença na Chalk Lane. Ao se aproximar, o homem observou Alma e o irmão através de óculos empoleirados com alguma indignação. Alheia à presença dele, Alma continuou sua narrativa:

— Então... e escuta só, isso é brilhante. Adam Smith, o economista, estava na casa dos vinte, ele veio e viu a fábrica ou ouviu falar dela, com seus teares todos trabalhando sem parar e as lançadeiras girando de um lado para outro e ninguém lá, como se fosse uma fábrica dirigida por fantasmas. Ele achou isso maravilhoso, disse a todos que, sabe como é, era como se uma enorme mão invisível guiasse toda essa atividade mecânica furiosa, uma espécie de Zeus industrial, em vez de princípios básicos de engenharia. É o que sempre acontece com a nova ciência em uma era religiosa, como todos esses fabricantes de água com gás holística tagarelando sobre física quântica.

Mick, que considerava a física quântica e a água com gás superfaturada conceitos igualmente improváveis, observou o homem gordo passar por eles à direita, como se estivesse indo para a creche ainda fumegante. Atrás de suas lentes, olhos em geral desdenhosos observaram o par sentado no muro da igreja com suspeita, em especial Alma, que provavelmente reconheceu. Sem se incomodar com a presença dele, ou sem ao menos notá-lo, ela continuou sua história com entusiasmo:

— Então, Adam Smith, com sua ideia mal-ajambrada sobre uma mão escondida que trabalhava nos teares de algodão, decidiu usar isso como sua metáfora central para o capitalismo de livre mercado desenfreado. Você não precisa regular os bancos ou os financiadores quando existe um regulador invisível de cinco dedos que é um pouco como Deus para garantir que os teares de dinheiro não se prendam ou se enredem. Essa é a merda mística e idiota do monetarismo, a economia vodu em que Ronald Reagan colocou sua fé, e aquela idiota de classe média da Margaret Thatcher, quando desregulamentaram alegremente a maioria das instituições financeiras. E é por isso que existem os Boroughs, uma ideia de Adam Smith. É por isso que não sei quantas fudidas gerações desta família não tinham nem onde cair mortas. E é por isso que todos que conhecemos estão falidos. Está tudo lá na corrente debaixo daquela ponte na Tanner Street. Essa foi a primeira, a primeira fábrica sombria e satânica.

Um cachorro latiu, à esquerda deles, perto da Mary's Street, um latido, depois três, depois silêncio. Não pela primeira vez desde que se levantou naquela manhã, Mick sentiu-se envolto em uma atmosfera de estranheza. Havia algo acontecendo, algo de uma familiaridade bem precisa e perturbadora. Não uma coisa vaga, uma coisa assim ou algo parecido. Mas a mesma exata situação, com sua bunda adormecida com a friagem do muro de pedra sob as calças finas. Primeiro um latido, depois três, depois silêncio. Não havia um negócio sobre Picasso, ou isso ainda não havia acontecido? Enredado pelo déjà vu, ele teve a sensação de que Alma estava prestes a mencionar uma bola de futebol de vidro.

— Warry, sério, todo lugar é Jerusalém, todos os lugares pisoteados ou ferrados. Se Einstein estiver certo, então o espaço e o tempo são uma coisa só e é, sei lá, é uma grande bola de futebol de vidro, daquelas americanas, que parecem uma bola de rúgbi, com a grande explosão em uma extremidade e o grande colapso ou o que quer que seja na outra. E os momentos intermediários, os momentos que compõem nossas vidas, eles estão lá para sempre. Nada está se movendo. Nada está mudando, como um rolo de filme com todos os quadros fixos e imóveis em seus lugares até que o feixe do projetor de nossa consciência passe por eles, e então Charlie Chaplin tira seu chapéu-coco e fica com a garota. E quando nossos filmes, nossas vidas, quando chegam ao fim, não vejo outro lugar para a consciência ir, a não ser voltar ao começo. Todo mundo está em um replay sem fim. Cada momento é para sempre e, se isso for verdade, todo miserável é um imortal. Cada área de remoção é a eterna cidade dourada. Sabe, se tivesse pensado em colocar isso em um programa ou em um panfleto na exposição, acho que as pessoas teriam mais chances de saber do que eu estava falando. Enfim. É tarde demais agora. O que está feito está feito, e da mesma forma de sempre, se repetindo infinitamente.

É a deixa para o vereador gordinho. Esse pensamento havia acabado de ocorrer a Mick, agora com o queixo caído e com as pernas moles em razão da recorrência, quando a bola de Natal de cabelo e barba branca voltou para Chalk Lane e mais uma vez para seu campo de visão. Pela expressão indignada e os leves tufos de fumaça de papel machê carbonizado que flutuavam com seus tentáculos malcheirosos atrás dele, era evidente que havia testemunhado a evacuação da creche e muito provavelmente tinha entrado para ver a maquete queimada dos Boroughs em primeira mão. De repente, Mick sabia até a última sílaba do que aconteceria a seguir, e onde Pablo Picasso se encaixava nisso. Era aquela anedota, a história engraçada que tinha ouvido Alma contar pelo menos meia dúzia de vezes, sobre quando os nazistas visitaram o ateliê do artista em Paris durante a ocupação e chegaram, com alguma chateação, a Guernica. O político irritadiço ia dizer a mesma coisa que os oficiais alemães naquela ocasião, e a irmã de Mick então se apropriaria descaradamente da espirituosa e memorável resposta do gnomo sexual cubista. E então o cachorro latiria de novo, quatro vezes. Com o couro cabeludo formigando, Mick deu outra volta no trem fantasma.

Apagando o cigarro ilícito na laje onde estava sentada, Alma ergueu o olhar cinza e amarelo pouco interessado a tempo de notar pela primeira vez o rotundo ex-membro do conselho municipal. Perto da apoplexia, ele ergueu o braço esquerdo, apontando um dedo trêmulo para a creche, onde os alarmes de fumaça ainda soavam e, sem querer, soltou o diálogo da Gestapo sobre Guernica.

— Você fez isso?

Era o cenário perfeito. Sorrindo beatificamente, sua irmã ofereceu a resposta plagiada.

— Não. Você fez.

Piscando atordoado e sem uma resposta articulada, o ex-líder do conselho municipal se foi na direção de Marefair, como uma bola de neve descontrolada que ficava menor conforme rolava morro abaixo, em vez de maior. Da St. Mary's Street, veio a explosão canina prevista: *au, au, au* e então uma leve pausa. *Au.*

Apesar da estranheza mecânica, Mick percebeu que estava rindo. Chutando os calcanhares ao lado dele, sem nunca ter medo de rir de suas próprias piadas roubadas, Alma juntou-se a ele. Em algum ponto da encosta mais atrás, bem na hora, as sirenes se aproximavam pelas ruas paradas de um céu partido.

AGRADECIMENTOS

Onde começar, e onde terminar?

Primeiro preciso agradecer à minha mulher, a artista e escritora Melinda Gebbie, que esteve quase tão intimamente envolvida com este livro quanto eu, desde o início. Acho que a pedi em casamento pouco antes de começar o projeto, e ela desde então ouviu cada capítulo lido em voz alta, querendo ou não. Foi o aconselhamento técnico dela que deu substância às ferramentas profissionais de Ernest Vernall no capítulo um e ao ofício de Alma Warren pelo resto do romance, e acima de tudo foi a crença dela de que este era um trabalho importante, e seus quase dez anos de incentivo nesse sentido, que ajudaram a me dar o vigor para concluí-lo. Muito obrigada, querida. Sem você, duvido muito que existiria um livro para escrever estes agradecimentos.

De modo quase tão importante quanto, preciso oferecer minha profunda gratidão a Steve Moore, ainda que ele não esteja mais aqui para recebê-la. Steve completou sua inestimável edição inicial do primeiro terço de Jerusalém — incluindo a memorável crítica estilística "Ugghh" em lápis vermelho nas margens; para minha sorte, eu me esqueci de exatamente onde — e trouxe seu intelecto brilhante para todas as nossas discussões formativas sobre a visão do tempo que depois descobrimos ser chamada Eternismo, quando há muito tínhamos nos convertido a essa doutrina. Se a ideia central deste livro estiver correta (e dadas as pesquisas atuais da física Fay Dowker em uma hipótese alternativa, é ao menos reproduzível e testável), então Steve está no momento se aproximando de seu segundo aniversário em uma rua sem saída verdejante em Shooters Hill, em 1951. Obrigado por tudo de novo, amigo, e, tudo correndo bem, vou me encontrar com você de novo em mais ou menos dezenove anos, no seu tempo.

A decisão abrupta de Steve de testar nossa teoria em março de 2014 (certas pessoas são assim — você paga adiantado para editarem seu romance gigantesco, e então nunca mais as vê) significou que precisei encontrar um punhado de outros editores e revisores que não tivessem medo de mim. A primeira e principal entre eles foi a poeta, escritora, editora e comediante Bond, Donna Bond. Donna editou o livro inteiro, me corrigiu várias vezes pelo uso errôneo da palavra "querenar" — aparentemente um termo específico para a prática de virar um navio para raspar as cracas do casco, mas quem poderia saber? — e até notou alguns erros de digitação na bagunça impenetrável do capítulo vinte e cinco. Obrigado, Donna, por fazer um trabalho tão meticuloso de algo que não tive coragem, foco ou sabedoria de terminologia naval obscura para enfrentar sozinho. O passo seguinte de edição foi para meus amigos, os escritores John Higgs e Ali Fruish. John notou algumas coisas, mas em geral foi inestimável ao me dar reações tipicamente iluminadoras ao livro como um todo, e por escrever uma avaliação que fez *Jerusalém* parecer algo que eu de fato gostaria de ler. Entre seus vários períodos de prisão (ele dá curso para presos, embora eu goste de fazer com que pareça mais um andarilho homicida), não apenas me deu conselhos sobre a etiqueta do crack, como, durante o tempo em que estive escrevendo o livro, escavou tesouros de pesquisa que o transformaram em algo melhor: ele me alertou sobre a proveniência local de John Hervey, e providenciou as revelações finais necessárias sobre as origens do capitalismo de livre mercado e da revolução industrial na Gas Street. A esses dois cavalheiros, acadêmicos e acrobatas sou muito grato.

Sendo do mesmo modo de imensa ajuda na produção deste colosso, devo agradecer a meu camarada, escudeiro e capanga contratado, o omnicompetente Joe Brown. Joe me colocou em contato com Donna Bond, conseguiu obter uma imensidão de materiais de referência obscuros a cada capricho delirante meu e, acima de tudo, gastou um mês de sua vida colorindo e tornando inteligível minha maluquice cinza borrada da ilustração de capa[62]. E, se colocar o ouvido perto o suficiente da página, você vai perceber que ele também escreveu a música audível durante as cenas finais do capítulo vinte e cinco. Joe, não sei o que faria sem você, mas tenho certeza de que iria muito mais devagar e demonstraria um nível bem mais alto de ignorância. Já que estou mencionando a produção, também gostaria de agradecer a Tony Bennett da Knockabout

— por seu apoio, seu entusiasmo afetuoso e os períodos ocasionais em que foi obrigado a servir como domador de lobisomem se eu tivesse de lidar com qualquer coisa muito cedo de manhã —, e o excelente pessoal da Liveright Publishing, por trazerem sua impecável lapidação e discriminação sobre o produto terminado. E, é claro, todo mundo no caminho que deixei de fora. Uma multidão de pessoas foi responsável por construir *Jerusalém*, e sou grato a cada uma delas.

Devo uma aclamação especial a meu amigo, o sublime John Coulthard, por seu fascinante mapa multiperíodos isomórfico dos Boroughs, por fazer tantas pesquisas minuciosas e amorosas, e por ser a única pessoa com quem eu podia falar sobre a insanidade destrutiva da mente e dos olhos que vem de desenhar centenas de telhados e chaminés com ângulos excêntricos. Obrigado, John, e espero que esteja se recuperando em um mundo de cores cintilantes feito apenas de formas orgânicas e arabescos psicodélicos. Pelas fotografias que encabeçam os três movimentos do livro, preciso novamente agradecer a Joe Brown por suas habilidades de manipulação de imagens na montagem do Destruidor assomando-se sobre a Bristol Street (não existiam imagens claras disponíveis da chaminé local, tornando necessária a importação de um modelo idêntico de, apropriadamente, Blackburn), e a meu colega Mitch Jenkins de olhos de diamante, por suas fotografias do Arcanjo Miguel com o taco de sinuca (alguns espetos antipombos foram apagados, respeitando as sensibilidades geralmente pró-pombos deste livro) e daquela porta na metade da parede da igreja Doddridge, com seu trinco inexplicável do lado de fora. Sua evidência de que nem tudo isso foi inventado foi recebida com gratidão.

Também gostaria de agradecer a Ian Sinclair e Michael Moorcock pela amizade contínua, inspiração e incentivo — ou eloquente pressão — a respeito deste romance, e pedir desculpas a eles e a todos que foram chamados a abandonar suas famílias para lê-lo, o que inclui meu amigo tão culto, mas fisicamente frágil Robin Ince, que me informou que agora ele e seu carteiro estão rompidos. Também preciso mencionar meu velho amigo e cúmplice Richard Foreman, um dos coautores do excelente *In Living Memory*, uma publicação do Northampton Arts Development, onde encontrei alguns detalhes exóticos da vida nos Boroughs que conseguiram escapar de minha atenção enquanto eu crescia, e sem os quais *Jerusalém* não teria algumas de suas melhores histórias e personagens. Um aceno com o sombrero na direção de vocês, cavalheiros.

Com os agradecimentos a todos que fizeram parte da criação deste romance (acho), agora me volto para as pessoas que tiveram suas vidas e identidades pilhadas e distorcidas para providenciar seu conteúdo. O principal, óbvio, é meu irmão mais novo, Mike, em teoria mais bonito, mas muito, muito mais raso, com tanta falta de profundidade que vendeu a alma para mim aos doze anos, durante um jogo de *Monopoly* que estava indo mal para ele. Ela ainda está guardada comigo. Eu agradeço a ele pelos memoráveis incidentes industriais e experiências de quase morte que tornaram este livro tão divertido, e também à minha cunhada, Carol, e aos meus sobrinhos, Jake e Joe (um teve o nome mudado, e outro não, por nenhum motivo plausível), por suas participações como elenco de apoio. E a todo o resto dos membros mais distantes da família, vivos ou mortos, obrigado por me darem uma substância tão rica, e também por qualquer cromossomo com o qual possam ter contribuído. Um agradecimento em particular para minha prima Jacquie Mahout (a artista boêmia que se casou com um comunista francês) por todos os fragmentos mais surpreendentes da história da família aqui incluídos, embora até ela não tenha ideia de onde eu tirei a Louca Tia Thursa.

Agradecimentos imensos e talvez pedidos de desculpas para todos os não aparentados que foram caricaturados aqui, na maioria dos casos sem permissão ou conhecimento, em especial aqueles que eu deturpei grosseiramente sem me dar ao trabalho de mudar seus nomes. O ator Robert Goodman, que na vida real é lindo de corpo, alma e mente, deve estar no topo da lista aqui, embora Melinda Gebbie e Lucy Lisowiec possam também querer consultar seus advogados. A mesma gratidão e as mesmas ressalvas envergonhadas vão para meus amigos Donald Davies; Norman Adams e Neil; Dominic Allard (e sua falecida mãe, Audrey); o saudoso, grande Tom Hall, e todos que navegaram com ele; Stephen "Fred" Ryan, que espero que permaneça aqui o suficiente para ler isto, e sua falecida mãe, Phyllis Ryan, née Denton, que me serviu chá com biscoitos e me concedeu Phyllis Painter em sua totalidade, do boá de coelhos em decomposição até a música de marcha das Meninas de Compton Street. Todas essas pessoas são adoráveis, e qualquer falha percebida em suas personalidades como são apresentados aqui são de culpa exclusiva do autor. Já que estou em um estado mental dos Boroughs, também agradeço a Ron e Olive Ost, por simplesmente continuarem ali no fim da Pike Lane e ainda serem ornamentos da vizinhança depois de todas essas décadas.

Apesar de não mencionados em *Jerusalém*, por me proporcionarem grande parte da motivação para este romance, gostaria de agradecer a minhas filhas maravilhosas, Leah e Amber (junto a seus companheiros maravilhosos, John e Robo), e particularmente a meus netos assombrosos, Eddie, James, Joseph e Rowan. Sua vovó Melinda descreveu este livro como "uma mitologia genética" e, para o bem e para o mal, vocês também são parte disso. Embora eu tenha certeza de que no futuro para o qual vocês correm os trituradores da vontade serão tão estranhos quanto qualquer coisa neste livro, lembrem-se de que é desta paisagem peculiar que veio um pouco de vocês e que, junto a todas as pessoas e coisas pelas quais já tiveram afeto, ainda estamos todos aqui em Jerusalém.

Agradeço às pedras surdas e mudas do que restou dos Boroughs por todo o trabalho que fizeram ao longo dos séculos, e tudo o que suportaram. Quando por fim caírem, exaustas, no sono empoeirado do entulho, espero que isto possa lhes servir como um sonho divertido e redentor.

E por fim agradeço tanto ao Conceito Significativo da Morte quanto ao Romance Inglês, por todo o espírito esportivo a respeito de tudo isso. Vocês são os melhores.

Alan Moore

Notas da edição brasileira

1 Einstein se refere ao engenheiro suíço-italiano Michele Besso (1873-1955), que foi um de seus melhores amigos. Besso morreu no dia 15 de março de 1955, enquanto Einstein morreu pouco mais de um mês depois, no dia 18 de abril daquele ano.

2 A pluma branca é um tradicional símbolo de covardia no Reino Unido.

3 Referência a "There Must Be na Angel (Playing with My Heart)", dos Eurythmics.

4 A tradução do nome desse empório de produtos indianos pode ser "delícias em barricas", mas também "delícias anais".

5 Divisão da Inteligência da polícia britânica que lida com as questões de segurança nacional.

6 "Mestre do jogo". Herman Hesse usa o termo em seu romance *O Jogo das Contas de Vidro*.

7 "Wifebeater" (Espancador de Esposa), no original, é o apelido pelo qual a cerveja Stella Artois é conhecida, por supostamente estar associada a muitos casos de violência doméstica.

8 Tanto Yvette Cooper quanto Ruth Kelly foram dirigentes nos governos trabalhistas de Tony Blair e Gordon Brown.

9 O escocês Ian Brady (1938-2017) formou com sua namorada Myra Hindley (1942-2002) uma famosa dupla de serial killers que matou cinco crianças no início dos anos 1960.

10 A freira Wendy Beckett (1930-2018) teve um programa a respeito da

história da arte na BBC e seus comentários sobre obras que mostravam nus masculinos fizeram grande sucesso involuntário.

11 "Não se preocupe, eles estão aqui" é um trecho de "Send in the Clowns", uma canção composta por Stephen Sondheim para o musical *A Little Night Music* (1973) e que foi gravada por várias centenas de artistas, de Frank Sinatra e Sarah Vaughan a Olivia Newton-John e Renato Russo.

12 Castelo que dá nome ao primeiro livro e à série de fantasia do autor inglês Mervyn Peake.

13 O que vem a seguir é a letra da canção "You are my Asylum", do Alan Moore e Downtown Joe Brown & The Retro Spankees, que está no disco Nation of Saints – 50 Years of Northampton Music. Por isso mantivemos a letra em inglês no corpo do texto.

14 "John assina a água com clareza/ Diz que a Rainha é sua filha,/ Anseia pela senhorita Joyce, a mulher que mal conheceu,/ E sem mais vem-pro-papai dessa vez./ Ele é produto de sua classe/ Que come grama/ Pelo caminho que fez."

15 "Lucy dança na linguagem,/ Divide um sanduíche de mármore/ Com um sr. Finnegan após várias lápides/ E não tem mais vem-pro-papai/ Ela é uma vesga otimista/ Que não resiste/ A esse último desfile branco."

16 "Então ela espera por Deus, oh, qual o sentido/ De todas essas lágrimas?/ Letras do alfabeto estão saindo dos seus ouvidos/ E todas as suas palavras estão mutiladas/ E suas frases estão bagunçadas/ Para a radiação do buraco negro/ Neste último desfile branco."

17 "A piada metilada que Malcolm faz,/ Quando seu Tam O 'Shanter/ É perseguido pelo Coronel Bicho-Papão no orvalho/ E agora não tem mais vem-pro-papai./ Prisioneiro no bar/ Eles levantariam a jarra/ A cada serenata que tocasse."

18 "Dusty é astutamente linguística,/ Jem cai na misoginia,/ Mas dançam noite adentro/ Manac es cem, J.K.,/ E sem mais vem-pro-papai./ Moendo sinal em barulho/ A multidão desfruta/ Este último desfile branco."

19 "Então esperamos Deus, ah, qual o sentido/ De todas essas lágrimas?/ Letras do alfabeto estão saindo dos seus ouvidos / E todas as alas estão vazias/ E as camas todas desfeitas/ Andamos pelo apagão/ Neste último desfile branco."

20 Referência ao personagem de uma tradicional história infantil, na qual um boneco de gengibre ganha vida e escapa de todos aqueles que tentam capturá-lo.

21 Diz a tradição que o rei Alfred, fugindo dos vikings, refugiou-se na casa de uma camponesa. Em troca do abrigo, a mulher pediu apenas que o rei vigiasse os bolos que assavam no forno. Mas Alfred estava tão perdido nos pensamentos que acabou se distraindo e os bolos se queimaram.

22 Personagem principal de uma série britânica de TV dos anos 1970, sobre um mago do séc. XI que vai parar em 1969, tendo Geoffrey Bayldon no papel principal.

23 Justified & Ancient of Mu Mu (JAM) foi o primeiro nome do grupo KLF, inspirado em uma passagem da série de livros The Illuminatus! Trilogy, de Robert Anton Wilson e Robert Shea. "Justified & Ancient" é também o nome de um dos maiores hits do KLF.

24 Dois líderes da ala direita do Partido Trabalhista inglês. Peter Mandelson é gay, enquanto Oona King é mestiça.

25 A Threadneedle Street é onde o Banco da Inglaterra está localizado desde 1734.

26 Derrotada pelo movimento social contra o Poll Tax, Margaret Thatcher foi obrigada a renunciar ao cargo de primeira-ministra em 1990.

27 No Crucible Theatre, em Sheffield, é realizado o Campeonato Mundial de Snooker desde 1977.

28 Inicialmente, a colônia Serra Leoa se compunha de Freetown e a área em torno dela, na costa. O Protetorado, criado em 1896, passou a incluir também o interior do país, de modo que o nome oficial era Colony and Protectorate of Sierra Leone.

29 Vimto é um refrigerante popular do Reino Unido.

30 Uma das mais celebradas façanhas inglesas na Segunda Guerra dos Bôeres (1899-1902).

31 No original, "When the grass is whispering over me, then you'll remember".

32 Aqui, o autor faz uma brincadeira com o fato da palavra inglesa para joanete ser "bunion".

33 Tradicionais canecas de cerâmica na forma de um homem agachado, vestindo roupas do século XVII e bebendo cerveja.

34 O político direitista Enoch Powell (1912-1998) ficou especialmente famoso pelo discurso "Rivers of Blood" (Rios de Sangue), pronunciado em 1968, contra os supostos males que a imigração poderia trazer para o Reino Unido.

35 Uma das acepções da palavra inglesa "studs" é a de "garanhão".

36 Original: "Reader, expect no more; to make him known/ Vain the fond elegy and figur'd stone:/ A name more lasting shall his writings give;/ There view display'd his heav'nly soul, and live."

37 Referência à série *Os Assassinatos de Midsomer* (*Midsome Murders*), protagonizada pelo inspetor Barnaby, criação da escritora Caroline Graham. As histórias se passam em Midsomer, uma pacata e pitoresca cidade do interior da Inglaterra.

38 Original: "'Twas thus enthusiastic Young;/ 'Twas thus affected Hervey sung;/ Whose motley muse, in florid strain,/ With owls did to the moon complain."

39 Personagem do conto *Casting the Runes* (1911), de M.R. James, Karswell é um ocultista que utiliza seus malignos conhecimentos para se vingar daqueles que criticam seus textos.

40 O nome pode ser traduzido como "viela do Dedo Estreito do Pé".

41 Alfred Rouse (1894-1931) tentou forjar a própria morte queimando em seu carro uma vítima com quem tinha semelhanças, daí ter ficado famoso como "Blazing Car Murderer" [Assassino do Carro Flamejante]. Acabou preso, condenado e enforcado. Alan Moore fala do caso em seu livro *Voz do Fogo*.

42 "Pobre Tom" é uma referência ao bobo da corte de *Rei Lear*, de Shakespeare.

43 Ver nota 20.

44 Nota da tradutora: Todas as estrofes seguem o esquema de rimas ABCCBA, menos os dois versos soltos no final de cada trecho, claro. A medida dos versos varia bastante. Usei rima toante (na qual as vogais rimam) com mais frequência que o autor, embora o intento tenha sempre sido o de conseguir uma rima exata. A opção pelas rimas toantes se justifica por se tratar de um poema narrativo, que tem um certo fluxo que não aceita muitas torções ou afastamento de sentido semântico. Também usei enjambement, com rima em verso com quebra radical.

45 Em inglês, "jolly smokers", como o nome do pub.

46 A principal fabricante inglesa de jogos de cartas e tabuleiros foi por muitas décadas a Waddingtons, fundada por John Waddington. Era a empresa que tinha a licença do Monopoly no Reino Unido e que criou o jogo Detetive, por exemplo.

47 A pequena e centenária cidade de Wootton Bassett ficou conhecida na imprensa inglesa como "a cidade que chora", pelos cortejos fúnebres que fez para seus jovens soldados mortos na guerra no Afeganistão.

48 "Game", em inglês, também tem o sentido de animal de caça.

49 Termo criado pela mídia para descrever o período de euforia na cultura pop britânica que aconteceu basicamente na segunda metade da década de 1990. Marcou o auge do chamado "britpop", de bandas como Oasis, Blur, Pulp e Suede, mas também das Spice Girls. No pacote entraram também atores como Hugh Grant, artistas plásticos como Damien Hirst e até o filme *Trainspotting*. Tudo isso mais ou menos coincidiu com a chegada de Tony Blair ao poder.

50 Dança tradicional escocesa.

51 A Ty Nant é uma marca de água mineral que, como a Perrier, se tornou um símbolo de luxo yuppie. A versão sem gás vem em uma característica garrafa azul.

52 Referência a *Secret Seven* e *Famous Five*, duas famosas séries de livros protagonizados por crianças detetives e escritos por Enid Blyton (1897-1968).

53 "Fort" é o equivalente inglês de "forte" ou "fortaleza", e "moat" é o equivalente de "fosso".

54 Programa infantil da TV britânica criado nos anos 1960 que tradicionalmente começava com todos os apresentadores levantando uma mão e dizendo "How", numa versão estereotipada da suposta saudação de povos nativos americanos.

55 Trecho de *Rei Lear*: "As flies to wanton boys, are we to the gods".

56 Barry Humphries (1934-2023) foi um humorista australiano que ficou famoso por personagens como a dama Edna Everage.

57 A torrada melba foi criada pelo cozinheiro francês Auguste Escoffier em homenagem à cantora de ópera australiana Helen Porter Mitchell (1861-1931), que tinha o nome artístico de Nellie Melba.

58 Cidade planejada criada em 1967, a oitenta quilômetros de Londres. Símbolo do racionalismo urbanístico.

59 A frase de Adam Smith estampada na nota de 20 libras é: "A divisão do trabalho na manufatura de alfinetes: (e o grande aumento na quantidade de trabalho resultante)".

60 O ator Sidney James (1913-1976) ficou famoso sobretudo por sua risada maliciosa.

61 Mick confunde o famoso linguista e ensaísta Samuel Johnson (1709-1784) com a famosa corporação norte-americana Johnson & Johnson.

62 Que, nesta edição, vem como pôster.

Mick Moore e seu irmão mais velho, Alan.